2025年度版 春4月試験対応

SM

情報処理技術者試験

ITサービスマネージャ

TAC情報処理講座

ALL IN ONE オールインワン
パーフェクトマスター

TAC出版
TAC PUBLISHING Group

●用語の表記ゆれについて

　情報処理技術者試験では「デジタル」と「ディジタル」，「ユーザー」と「ユーザ」，「オペレーター」と「オペレータ」のように，出題年度や試験区分によって，さまざまな用語の表記ゆれが見られます。本書においても，試験及びJIS規格，ITIL®等に準じて，両方の表記を用いています。同義であり，試験対策上の影響はございませんのでご了承ください。

　本書は，2024年7月10日現在において公表されている「試験要綱」に基づいて作成しております。

　なお，2024年7月11日以降に「試験要綱」の改訂があった場合は，下記ホームページにて改訂情報を順次公開いたします。

TAC出版書籍販売サイト「サイバーブックストア」
https://bookstore.tac-school.co.jp/

※ITIL®は，AXELOS Limited の登録商標です。

解答用紙ダウンロードサービスについて

　本書の第2編第3部および第5部の午後Ⅰ・Ⅱ試験の問題演習に収録した過去問題について，下記のURLに解答用紙のPDFを用意してありますので，必要に応じてダウンロードしてご利用ください。

ＴＡＣ出版 サイバーブックストア内「解答用紙ダウンロード」ページ
https://bookstore.tac-school.co.jp/answer/

は じ め に

　本書は，ITサービスマネージャ試験の専門試験に当たる午前Ⅱ，午後Ⅰ，午後Ⅱの
3つの試験対策に特化した受験対策本です。

　次の『知識編』と『演習編』により，合格に必要な実践知識とスキルを，短時間で
身につけることができます。

● 「第1編　知識編」《専門知識解説》
- 第1部…サービスマネジメントに関する知識　　　（午前Ⅱ・午後Ⅰ・午後Ⅱ対策）
- 第2部…運用管理に関する知識　　　　　　　　　（午前Ⅱ・午後Ⅰ・午後Ⅱ対策）
- 第3部…情報セキュリティに関する知識　　　　　（午前Ⅱ・午後Ⅰ・午後Ⅱ対策）
- 第4部…プロジェクトマネジメントに関する知識　（午前Ⅱ対策）

　※本書は，JIS Q 20000およびITIL®に準拠しており，最新のITIL®4の情報も掲
　　載しています。

● 「第2編　演習編」《解答テクニック＆問題演習》
- 第1部：午前Ⅱ試験対策 ……専門知識と，出題傾向・学習戦略を踏まえた頻出
　　　　　　　　　　　　　　　テーマをマスターするための問題演習
- 第2，3部：午後Ⅰ試験対策…「二段階読解法」「三段跳び法」などの記述式試験
　　　　　　　　　　　　　　　を解くためのテクニックと，出題傾向・学習戦略
　　　　　　　　　　　　　　　を踏まえた頻出テーマの問題演習
- 第4，5部：午後Ⅱ試験対策…「ステップ法」「自由展開法」などの論述式試験を
　　　　　　　　　　　　　　　解くためのテクニックと，出題傾向・学習戦略を
　　　　　　　　　　　　　　　踏まえた頻出テーマの問題演習

　特に，午後Ⅱ試験は論述式ということで，苦手意識を持つ方が多くいらっしゃいま
すが，決して"難関"な試験ではありません。実は，午後Ⅰ試験までの合格者の約半
分の方が，午後Ⅱ試験を突破し，合格されています。

　『演習編』で紹介する「ステップ法」や「自由展開法」などは，論述式試験が苦手
な方のために，ＴＡＣが編み出したノウハウです。これらを駆使して出題意図に適う
合格レベルの論述を目指してください。各試験の解答テクニックを習得したら，掲載
した過去問題で演習を行い，得た知識を自分のスキルとして蓄えましょう。

　以上，本書は，みなさまに，合格のための最も効果的な学習方法を提供いたします。
本書を活用して，試験に合格されることを心から願っております。

　　　　　　　　　　　　　　　　　　　　　　　2024年8月　TAC情報処理講座

本書の特長と学習法

第1編　知識編

第1編知識編は，午前Ⅱ，午後Ⅰ，午後Ⅱの問題を解くための
- サービスマネジメントに関する知識
- 運用管理に関する知識
- 情報セキュリティに関する知識

と，午前Ⅱ問題を解くための
- プロジェクトマネジメントに関する知識

を，試験に合格するために必要十分な量に絞って掲載しています。また，サービスマネジメントに関する知識は，サービスマネジメントの国内規格であるJIS Q 20000，ベストプラクティスであるITIL®に沿った説明をしています。

　各試験で頻出されるキーワード，項目をしっかり学習してください。

知識編の頁構成

（→図はいずれもサンプル頁です）

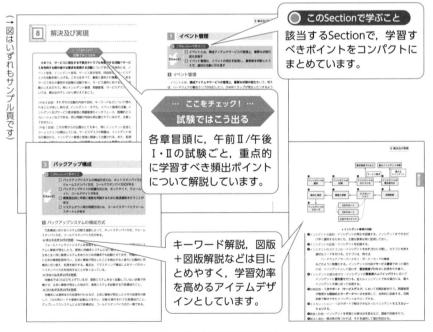

● このSectionで学ぶこと
該当するSectionで，学習すべきポイントをコンパクトにまとめています。

… ここをチェック！ …
試験ではこう出る
各章冒頭に，午前Ⅱ/午後Ⅰ・Ⅱの試験ごと，重点的に学習すべき頻出ポイントについて解説しています。

キーワード解説，図版＋図版解説などは目にとめやすく，学習効率を高めるアイテムデザインとしています。

▶第1編　知識編の頁構成

演習編

第2編演習編は，解法テクニック解説と過去問題演習です。

第1部　午前Ⅱ試験対策─問題演習

　午前Ⅱ試験は**多肢選択式**（四肢択一）です。第2編第1部では，再出題率の高い過去問題に取り組んで下さい。第1編「知識編」で学習したことを習得できているかどうか，確認しましょう。

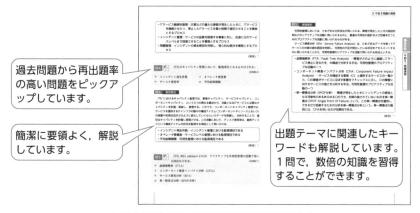

過去問題から再出題率の高い問題をピックアップしています。

簡潔に要領よく，解説しています。

出題テーマに関連したキーワードも解説しています。1問で，数倍の知識を習得することができます。

▶第2編第1部 午前Ⅱ問題演習の頁構成

第2部　午後Ⅰ試験対策─①攻略テクニック

　午後Ⅰ試験は**記述式**です。そのための解法テクニックを身につけましょう。

■ 三段跳び法

　午後Ⅰ試験は，サービスの提供やシステムの運用管理について，試験問題として設定されている"事例"のなかで，ITサービスマネージャとしてどのように取り組むべきかや，問題にどのような対策を講じるべきかなどについて問われます。午前Ⅱ試験より深い知識と，実践への適用力が問われます。

　しかし，午後Ⅰ試験は，ITサービスマネージャとしての実務経験を問うものではなく，事例を踏まえながら"設問の要求事項"に答えていけばよいのです。そのためには，ホップ，ステップ，ジャンプの三段跳び法が有効です。

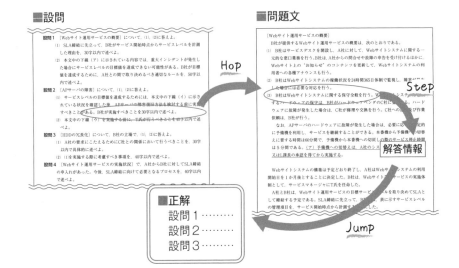

▶三段跳び法のイメージ

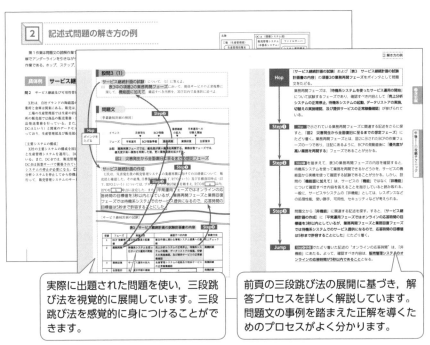

実際に出題された問題を使い，三段跳び法を視覚的に展開しています。三段跳び法を感覚的に身につけることができます。

前頁の三段跳び法の展開に基づき，解答プロセスを詳しく解説しています。問題文の事例を踏まえた正解を導くためのプロセスがよく分かります。

▶第2編第2部 三段跳び法解説の頁構成

第2編第2部で三段跳び法を理解したら，第2編第3部を活用して，解き方をマスターしましょう。

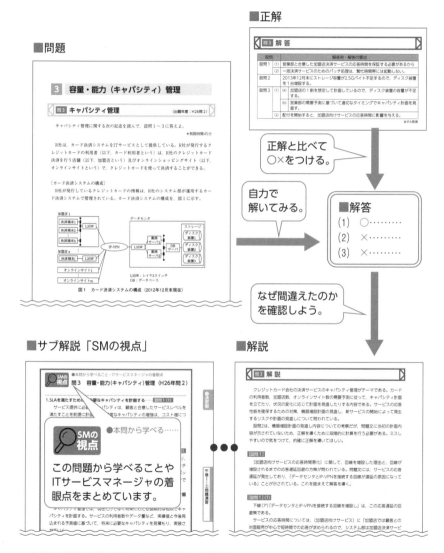

▶第2編第3部 午後Ⅰ問題演習の頁構成

午後Ⅱ試験は論述式です。2,000字以上を手書きすることが求められますので、試対策をしっかり講じておく必要があります。しかし、難易度が高い試験というわけではありません。問題文をきちんと読み、設問文で指示されている論点について、的確に論じることができれば、合格できます。第2編第4部では、そのような合格論文を書くため、「ステップ法」をはじめ、論述展開のためのテクニックを展開しています。

■ ステップ法

章構成と論述ネタを、5つのステップを踏んで組み立てていく方法です。

▶ステップ法解説

設問文から章立てを作っていきます。

■ 自由展開法

論述ネタ（解答のネタ）を思いつくまま、自由に発展、展開させていく方法です。

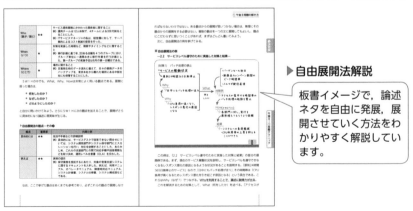

▶自由展開法解説

板書イメージで、論述ネタを自由に発展、展開させていく方法をわかりやすく解説しています。

■ "そこで私は" 展開法

前提となる状況や条件を挙げ，それらを「そこで私は」と受け，対処法や改善策を展開していく方法です。

▶ "そこで私は" 展開法

■ "最初に，次に" 展開法

実務手順を，「最初に」「次に」と列挙していく方法です。

▶ "最初に，次に" 展開法

第5部　午後Ⅱ試験対策②―問題演習

以上のテクニックを，第2編第5部「午後Ⅱ試験対策―②問題演習」を使って定着させましょう。「問題分析メモ」と「論述設計シート」（詳細476～477頁）を活用すると，論文を組み立てやすくなります。

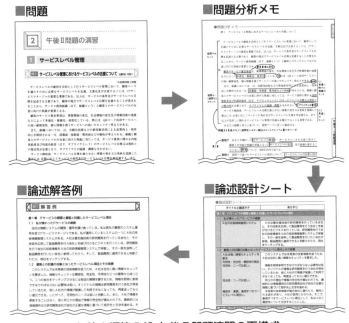

▶ 第2編第5部 午後Ⅱ問題演習の頁構成

Contents

第1編 知識編

第1部 サービスマネジメント

第2部 運用管理

第3部　情報セキュリティ

第4部　プロジェクトマネジメントの頻出テーマ

第2編 演習編

第**1**部　午前Ⅱ試験対策—問題演習

第**2**部　午後Ⅰ試験対策—①攻略テクニック

第**3**部　午後Ⅰ試験対策—②問題演習

第**4**部　午後Ⅱ試験対策—①攻略テクニック

第**5**部　午後Ⅱ試験対策—②問題演習

ITサービスマネージャ試験概要

- 試験日　　：４月〈第3日曜日〉
- 合格発表　：６月下旬～７月上旬
- 受験資格　：特になし
- 受験手数料：7,500円

最新の試験情報は，下記IPA（情報処理推進機構）ホームページにて，ご確認ください。
https://www.ipa.go.jp/shiken/

　※試験日程等は，変更になる場合があります。

出題形式

午前Ⅰ 9:30～10:20 (50分)		午前Ⅱ 10:50～11:30 (40分)		午後Ⅰ 12:30～14:00 (90分)		午後Ⅱ 14:30～16:30 (120分)	
出題形式	出題数 解答数	出題形式	出題数 解答数	出題形式	出題数 解答数	出題形式	出題数 解答数
多肢選択式 （四肢択一）	30問 30問	多肢選択式 （四肢択一）	25問 25問	記述式	3問 2問	論述式	2問 1問

合格基準

時間区分	配点	基準点
午前Ⅰ	100点満点	60点
午前Ⅱ	100点満点	60点
午後Ⅰ	100点満点	60点
午後Ⅱ	—	ランクA※

※論述式試験の評価ランクと合否関係

評価ランク	内容	合否
A	合格水準にある	合格
B	合格水準まであと一歩である	不合格
C	内容が不十分である 問題文の趣旨から逸脱している	不合格
D	内容が著しく不十分である 問題文の趣旨から著しく逸脱している	不合格

免除制度

　高度試験及び支援士試験の午前Ⅰ試験については，次の条件１～３のいずれかを満たせば，その後２年間受験を免除する。

条件１：応用情報技術者試験に合格する。

条件2：いずれかの高度試験又は支援士試験に合格する。

条件3：いずれかの高度試験又は支援士試験の午前Ⅰ試験で基準点以上の成績を得る。

試験の対象者像

対象者像	高度IT人材として確立した専門分野をもち，サービスの要求事項を満たし，サービスの計画立案，設計，移行，提供及び改善のための組織の活動及び資源を，指揮し，管理する者
業務と役割	ITサービスマネジメントの業務に従事し，次の役割を主導的に果たすとともに，下位者を指導する。 ① サービスマネジメントシステムの計画，運用，評価及び改善を行う。 ② サービス運用チームのリーダーとして，安全性と信頼性の高いサービスを顧客に提供する。 ③ 新規サービス又はサービス変更について，変更を管理し，サービスの設計，構築及び移行を行う。 ④ 顧客関係を管理し，顧客満足を維持する。提供するサービスについて顧客と合意する。サービスの改善を行う。 ⑤ 顧客の設備要件に合致したハードウェアの導入，ソフトウェアの導入，カスタマイズ，保守及び修理を実施する。また，データセンター施設のファシリティマネジメントを行う。
期待する技術水準	ITサービスマネージャの業務と役割を円滑に遂行するため，次の知識・実践能力が要求される。 ① サービスマネジメントシステムの要求事項及びフレームワークを理解し，サービスマネジメントシステムの計画，運用，評価及び改善を行うことができる。 ② 要員・供給者・資源・予算を管理し，サービスの運用を行うことができる。解決及び実現並びにサービス保証に関する管理技術をもち，サービスの運用を行うことができる。 ③ サービスコンポーネント，構成品目などを管理し，変更管理方針を確立するとともに，新規サービス又はサービス変更の計画に基づいて，サービスの設計，構築及び移行を行うことができる。 ④ 顧客との関係及び合意に関わる，事業関係管理，サービスレベル管理を行うことができる。 ⑤ 導入済み又は導入予定のハードウェア，ソフトウェアについて，安定稼働を目的に，導入，セットアップ，機能の維持・拡張，障害修復ができる。また，データセンター施設の安全管理関連知識をもち，ファシリティマネジメントを遂行できる。
レベル対応（＊）	共通キャリア・スキルフレームワークの人材像：サービスマネージャのレベル4の前提要件

（＊）レベル対応における，各レベルの定義

レベルは，人材に必要とされる能力及び果たすべき役割（貢献）の程度によって定義する。

レベル	定義
レベル4	高度な知識・スキルを有し，プロフェッショナルとして業務を遂行でき，経験や実績に基づいて作業指示ができる。また，プロフェッショナルとして求められる経験を形式知化し，後進育成に応用できる。
レベル3	応用的知識・スキルを有し，要求された作業について全て独力で遂行できる。
レベル2	基本的知識・スキルを有し，一定程度の難易度又は要求された作業について，その一部を独力で遂行できる。
レベル1	情報技術に携わる者に必要な最低限の基礎的知識を有し，要求された作業について，指導を受けて遂行できる。

出題範囲（午前Ⅰ・Ⅱ）

共通キャリア・スキルフレームワーク

分野	大分類	中分類	情報セキュリティマネジメント試験	基本情報技術者試験	応用情報技術者試験	午前Ⅰ（共通知識）	ITストラテジスト試験	システムアーキテクト試験	プロジェクトマネージャ試験	ネットワークスペシャリスト試験	データベーススペシャリスト試験	エンベデッドシステムスペシャリスト試験	ITサービスマネージャ試験	システム監査技術者試験	情報処理安全確保支援士試験
テクノロジ系	1 基礎理論	1 基礎理論													
		2 アルゴリズムとプログラミング													
	2 コンピュータシステム	3 コンピュータ構成要素						○3		○3	○3	◎4	○3		
		4 システム構成要素	○2					○3		○3	○3	◎4	○3		
		5 ソフトウェア		○2	○3	○3						◎4			
		6 ハードウェア										◎4			
	3 技術要素	7 ユーザーインタフェース						○3			○3				
		8 情報メディア													
		9 データベース	○2					○3			◎4		○3	○3	○3
		10 ネットワーク	○2					○3		◎4			○3	○3	◎4
		11 セキュリティ※	◎2	◎2	◎3	◎3	◎4	◎4	◎3	◎4	◎4	◎4	◎4	◎4	◎4
	4 開発技術	12 システム開発技術					◎4	◎4	○3	○3	○3	◎4		○3	○3
		13 ソフトウェア開発管理技術						○4	○3	○3	○3				○3
マネジメント系	5 プロジェクトマネジメント	14 プロジェクトマネジメント	○2						◎4				◎4		
	6 サービスマネジメント	15 サービスマネジメント	○2							○3			◎4	○3	○3
		16 システム監査	○2										○3	◎4	○3
ストラテジ系	7 システム戦略	17 システム戦略	○2	○2	○3	○3	◎4	○3							
		18 システム企画	○2				◎4	◎4	○3						
	8 経営戦略	19 経営戦略マネジメント					◎4							○3	
		20 技術戦略マネジメント					○3								
		21 ビジネスインダストリ					◎4				○3				
	9 企業と法務	22 企業活動	○2				◎4							○3	
		23 法務	○2				◎4							○3	◎4

注記1　○は出題範囲であることを，◎は出題範囲のうちの重点分野であることを表す。
注記2　2，3，4は技術レベルを表し，4が最も高度で，上位は下位を包含する。
※　"中分類11：セキュリティ"の知識項目には技術面・管理面の両方が含まれるが，高度試験の各試験区分では，各人材像にとって関連性の強い知識項目を技術レベル4として出題する。

出題範囲（午後Ⅰ，Ⅱ）

1　サービスマネジメントに関すること

　　サービスマネジメント（サービスの要求事項，サービスマネジメントシステム，リスク管理ほか）　など

2　サービスマネジメントシステムの計画及び運用に関すること

　　サービスマネジメントシステムの計画，サービスマネジメントシステムの支援（文書化した情報，知識ほか），運用の計画及び管理，サービスポートフォリオ（サービスの提供，サービスの計画，サービスライフサイクルに関与する関係者の管理，サービスカタログ管理，資産管理，構成管理），関係及び合意（事業関係管理，サービスレベル管理，供給者管理），供給及び需要（サービスの予算業務及び会計業務，需要管理，容量・能力管理），サービスの設計・構築・移行（変更管理，サービスの設計及び移行，リリース及び展開管理），解決及び実現（インシデント管理，サービス要求管理，問題管理），サービス保証（サービス可用性管理，サービス継続管理，情報セキュリティ管理）　など

3　パフォーマンス評価及び改善に関すること

　　パフォーマンス評価（監視・測定・分析・評価，内部監査，マネジメントレビュー，サービスの報告），改善（不適合及び是正処置，継続的改善）　など

4　サービスの運用に関すること

　　システム運用管理（運用管理，障害管理，障害時運用方式ほか），運用オペレーション（システムの監視と操作，稼働状況管理，ジョブスケジューリング，バックアップほか），サービスデスク　など

5　ファシリティマネジメントに関すること

　　ハードウェア・ソフトウェアの基礎テクノロジ，システム保守管理，データセンター施設のファシリティマネジメント，設備管理　など

（試験要綱　Ver.5.2に基づき編集）

午前Ⅱ試験の傾向と戦略

1 午前Ⅱ試験の出題傾向

1 午前Ⅱ試験の特徴

近年の午前Ⅱ試験の出題の特徴は，次のとおりである。

> 【午前試験の特徴】
> - 出題分野は9分野
> - そのうち，「サービスマネジメント」「プロジェクトマネジメント」「セキュリティ」が重点分野
> - 特に「サービスマネジメント」がメインで，13〜15問出題される。
> - 「プロジェクトマネジメント」「セキュリティ」は2〜3問出題される。
> - ほかの分野からは1問ずつの出題である。

ITサービスマネージャの午前Ⅱ試験の出題分野は，**サービスマネジメント**，**プロジェクトマネジメント**，**セキュリティ**，**コンピュータ構成要素**，**システム構成要素**，**データベース**，**ネットワーク**，**システム監査**，**法務**の9分野である。このうち，重点分野は，「サービスマネジメント」「プロジェクトマネジメント」「セキュリティ」の3分野である。直近の令和6年では，全25問中，「サービスマネジメント」から13問，「プロジェクトマネジメント」「セキュリティ」からそれぞれ3問が出題されており，この3分野からの出題が19問で全体の76％を占める。

2 過去7回の午前Ⅱ試験の出題テーマ・キーワード

それでは，主要分野である「サービスマネジメント」分野で，これまでにどのような問題が出題されているのかを見ていく。過去7回分（平成29年から令和6年）の午前Ⅱ試験に出題されたテーマ・キーワードを分類して挙げると，次表のようになる。

▶午前Ⅱ 「サービスマネジメント」の出題テーマ・キーワード

分野			出題テーマ・キーワード
サービスマネジメント	(a)サービスマネジメント	サービスマネジメントのプロセス	サービスライフサイクル, サービストランジション, サービス継続及び可用性管理, インシデント及びサービス要求管理, 可用性管理（30, R3）, リリース及び展開管理, キャパシティ管理（容量・能力管理）, 構成管理, ITサービス継続性管理, サービスレベル管理, ITIL4の可用性管理（MTRS）
		サービスマネジメントの知識	サービス・パイプライン（29, R元）, サービス・ポートフォリオ（R元, R4）, 階層的エスカレーション（29, R元）, リアクティブな可用性管理の技法, インシデント・モデル（29, R元, R4）, 目標復旧時点（RPO）, 目標復旧時間（RTO）, Risk ITフレームワーク, 運用レベル合意書, サービスの可用性の計算（H27, R5, R6）, 事業影響度分析, 構成ベースライン, 構成コントロール（30, R3）, JIS X 0164ソフトウェア資産管理, サプライヤのカテゴリ化, ベンチマーキング, MTBSI・MTBF・MTRS, RPO・RTO・RLO, 容量・能力の利用の監視, ツールRedmine, WFMシステム
		JIS Q 20000	供給者・サービス提供者・顧客の関係, トップマネジメントの考慮点, 情報セキュリティ管理, 経営者の責任, 関係プロセス, SLAの作成指針, 構成管理, 変更管理規定（29, R元）, SMSの継続的改善, レビューの実施タイミング, SMSの支援（力量）（R4, R6）, 事業関係管理（R4, R6）, 内部監査, "他の関係者"に該当する利害関係者, リスク及び機会の取組み, "監視, 測定, 分析及び評価", マネジメントレビュー, サービス継続管理
	(b)運用管理	運用管理	システムの改善案の評価（29, R元）, 必要オペレータ数の考察（29, R元, R5）, 稼働品質率の計算（29, R3, R5）, ウォームスタンバイ（30, R3）, ウォームサイト, TCO, コールドスタート, ウォームスタート, データベースのバックアップ（R3, R5）, オンラインシステムの性能監視, レプリケーション, データ管理者の役割（30, R6）, 信頼性評価, RASIS, RAID, ライブマイグレーション（R元, R6）, システム切替え作業の所要時間（R3, R5）, エラープルーフ化（R3, R5）, フェールセーフ, フェールソフト, TCO（R4, R6）
		ファシリティマネジメント	JDCCによるUPS設備の基準ティア3（29, R4）, データセンターにおけるコールドアイル, クールピット（30, R3, R5）, データセンタの施設効率指標PUE（R3, R6）, 伝熱負荷

※複数回出題されているものは,（）内に出題年度を示す（Rは令和, 数字のみは平成）。
※令和2年の試験は行われていない。

「サービスマネジメント」分野は，

(a) JIS Q 20000やITIL®に基づく「サービスマネジメント」

(b) サービスやシステムの「運用管理」

に大別でき，近年は (a) の出題が多い傾向が見られる。JIS Q 20000やITIL®に基づいたサービスライフサイクルやサービスマネジメントのプロセス，サービスマネジメント全般，サービスマネジメントの専門用語などが，出題の中心となっている。各プロセスの活動内容や目的，用語の意味などが文章や単語の形式で問われることが多い。

(b) は，さらに「運用管理」と「ファシリティマネジメント」に大別できる。「運用管理」では，平均サービス回復時間やサービスの可用性などの計算問題，図表を見て考察するタイプの出題が多い。「ファシリティマネジメント」では，電源装置や空調設備など，システムやサービスの運用に関わる設備・機器の管理について取り上げられる。

2　午前Ⅱ試験の学習戦略

1 JIS Q 20000やITIL®に着目！

ITサービスマネージャ試験の出題範囲やシラバスはJIS Q 20000に準拠して作られている。また，サービスマネジメントの知識はITIL®に基づいた出題が多く，令和6年にはITIL®の新バージョンITIL®4から初めて出題された。これらのITサービスマネジメントの動向を常にウォッチしておいてほしい。ITIL®については，ITIL®2011editionで各プロセスの知識を学んだ上で，ITIL®4で新しいITIL®の概要を押さえておくとよい。

2 重点分野の学習が効果的！

学習戦略としては，これまで見てきたとおり重点分野の問題を攻略することが基本となる。学習方法としては，重点分野の問題は繰り返し出題されているので，過去問題の演習が最も効果的である。

❏「サービスマネジメント」分野

「サービスマネジメント」分野に関しては，もちろん，サービスマネジメントの知

識をしっかり習得すべきである。つまり，サービスマネジメントの規格であるJIS Q 20000や，サービスマネジメントのベストプラクティスであるITIL®について学習しておくことが必須となる。これらの知識は午後Ⅰ試験や午後Ⅱ試験にも登場する。

　午前Ⅱ試験では特に，**各プロセスの目的や活動，手順，プロセス内で使われる技法やキーワード，KPI（重要業績評価指標），プロセス間のインタフェース**などが取り上げられることが多いので，これらを中心に学習するとよい。まずは知識習得をしてから，過去問題を使って演習を行うのが効果的である。

　また，「運用管理」「ファシリティマネジメント」に関連する問題も，知識習得をしてから問題演習を行うとよい。**信頼性設計，障害対策，性能管理，バックアップ計画，オペレータ配置計画，電源装置や空調設備**など，サービスやシステムの安定稼働に必要な知識や技術を押さえておくべきである。

❏「プロジェクトマネジメント」分野

　「プロジェクトマネジメント」分野では，先に説明したとおりITサービスマネージャ試験の「プロジェクトマネジメント」分野だけでなく，プロジェクトマネージャ試験の過去問題—前半の15問—を解いておくことをおすすめする。なぜなら，両試験の午前Ⅱ試験では，「プロジェクトマネジメント」分野がレベル4に位置付けられており，同等の難易度の問題が出題されるからである。

　特に，**アーンドバリューマネジメント**や，**プロジェクト管理に使われる各種技法**などについて押さえておくとよい。

❏「セキュリティ」分野

　令和3年から「セキュリティ」分野が重点分野に加わった。レベル4の難易度の問題も出題されるようになったわけだが，令和3～6年の試験では，技術的に難易度の高い問題は出題されておらず，セキュリティ管理やサイバーセキュリティ関連組織に関する出題が多かった。システム監査技術者（AU）などでも同様の傾向が見られるので，「セキュリティ」分野の過去問題を多めに解いておくとともに，論文系試験区分で出題された「セキュリティ」の問題に目を通しておくことをおすすめする。

3 満点を狙わず，午前Ⅱは効率良く突破して，午後試験対策の時間をとろう

　重点分野以外の分野については，学習範囲が広い割に出題数が少ないことから，出題テーマを予測して対策をとることはとても難しい。午前Ⅱ試験は60点を取れば合

格できるので，満点を狙う必要はない。それよりも，ITサービスマネージャ試験で重要なのは，午後Ⅰ試験と午後Ⅱ試験を突破することなので，限られた時間のなかでは午後Ⅰ・午後Ⅱの学習時間をしっかり取ってほしい。したがって，「コンピュータ構成要素」「システム構成要素」「データベース」「ネットワーク」「システム監査」「法務」の各分野への対応については，午前Ⅰ対策に含めてよい。午前Ⅰと同じレベル3の難易度で出題され，出題数も少ないからである。その際には，最新のシラバスや出題範囲を見て，そこに出ている用語を中心に知識を確認しておくとよい。

1 午後Ⅰ試験の出題傾向

1 午後Ⅰ試験の特徴と出題テーマ

　午後Ⅰ試験は，サービスを提供する事例やサービス・システムを運用する事例をもとに考察する，記述式の試験である。事例は問題ごとに異なるので，同じ問題が再出題されることはなく１回限りの出題になるが，過去に出題されたものと同様の分野や観点が再度出題されることが多い。

　これまでの午後Ⅰ問題の出題テーマは，次の二つに分類できる。

(a) **サービスマネジメント**
　　JIS Q 20000やITIL®に基づくサービスマネジメント
(b) **運用管理**
　　従来からのシステムやサービスの運用管理

2 過去の午後Ⅰ試験の出題テーマ

　過去10回分の午後Ⅰ試験（平成26年から令和６年）に出題された全てのテーマを前述の２分野に分類して挙げると，次表のようになる。

▶午後Ⅰ　過去問題の出題テーマ

分野	活動（プロセス）	出題テーマ	年度・問番号
(a)サービスマネジメント	サービスの計画・提供	デジタルトランスフォーメーション（DX）の取組における，サービスの計画及び提供　★	R5年問3
	構成管理	IT資産管理	H27年問1
	サービスレベル管理	ITサービスの設計（可用性管理を含む）	H26年問1
		サービスレベル管理　★	R4年問1
	供給者（サプライヤ）管理	複数の外部供給者に対する供給者管理	R3年問1
	サービスの予算業務及び会計業務	サービスの予算業務及び会計業務	R6年問1

		キャパシティ管理　★	H26年問2
	容量・能力（キャパシティ）管理	キャパシティ管理	H28年問2
		容量・能力管理	R4年問2
		AIを使ったシステム監視の改善	R5年問1
	変更管理，構成管理	アプリケーションソフトウェアの変更管理と構成管理	R元年問2
	リリース及び展開管理	リリース及び展開管理　★	H27年問3
		リリース及び展開管理	H30年問2
	インシデント管理	インシデント管理	H28年問3
		ヒューマンエラーに起因する障害管理	R元年問3
	問題管理，変更管理	問題管理及び変更管理	H29年問2
	サービス可用性管理	ITサービスの可用性　★	H29年問1
		IoTを活用した駅務サービスの可用性　★	R6年問2
	サービス継続管理	サービス継続及び可用性管理　★	H28年問1
		ITサービスの継続性	H30年問1
	情報セキュリティ管理	情報セキュリティの管理　★	R3年問2
		情報セキュリティの管理	R5年問2
	継続的サービス改善	継続的サービスの改善　★	R元年問1
	サービスデスク	サービスデスク	H27年問2
		サービスデスク	H29年問3
		サービスデスク　★	H30年問3
(b)運用管理	システム移行，データセンタの移転	サービスの移行	R4年問3
	ファシリティ管理，運用管理，運用監視	データセンタの運用	H26年問3
		データセンタのファシリティマネジメント	R3年問3
		コンテナ型仮想・環境における運用管理	R6年問3

※令和2年の試験は行われていない。
※第3部 ① **午後Ⅰ問題の演習**では，上記中★印の問題を掲載している。これらは，午後Ⅰ試験に繰り返し出題されやすい観点を含んでいる。

これを見ると，(a)「**サービスマネジメント**」分野は，サービスマネジメントの各活動から幅広く出題されていることが分かる。中でも，**サービスレベル管理，容量・能力（キャパシティ）管理，リリース及び展開管理，インシデント管理，サービス継続管理（サービス可用性管理を含む），情報セキュリティ管理，サービスデスク**などの出題が多い。継続的サービス改善については，午後Ⅱ試験の頻出テーマであるが，午後Ⅰ試験ではあまり取り上げられていない。

なお，**サービスレベル管理**は，このほかのテーマの問題（例えばキャパシティ管理の問題）の中にサービスレベル項目やSLAの内容が提示され，その値に基づいて考察するタイプの問題は多い。よって，ITサービスマネージャにとって**サービスレベル管理やSLAの実現・維持**は特に重要な視点であり，午後Ⅰ試験全体を通して最頻出のテーマといえる。

　(b)「**運用管理**」分野は，**システム移行，ジョブスケジューリング，運用監視，要員の配置，ファシリティ管理**など，サービスマネジメントに依らない従来からのシステム運用やサービスの運用に関連する事項が問われる。**移行手順の考察やシステム運用中に出力されるメッセージの考察，仮想化などの最新技術を用いたサービス運用**などが設問の観点として取り上げられることが多い。

2　午後Ⅰ試験の学習戦略

1 過去問題の演習で，サービスマネジメントの進め方を知ろう

　これまでの過去問題を見ると，題材となる事例は異なっても同じ観点からの設問が繰り返し出題されているので，専門知識の習得後，過去問題の演習を重ねることが，設問に出やすい定番の観点を把握することにもなり，午後Ⅰ試験突破のための最も有効な対策になる。また，過去問題を解く際に，問題を解いて終わりにはせずに，**設問や問題事例を"ITサービスマネジメントのやり方や着眼点"という視点から見直して，まとめておくとよい。**本書の演習編の午後Ⅰ問題の解説の後ろには，その問題から学べるITサービスマネージャの着眼点を"SMの視点"として挙げているので，これを使っておさらいしておくと，**本番試験で役に立つはずである。**

❏ サービスマネジメント

　JIS Q 20000やITIL®の活動（プロセスやプラクティス）のどこから出てもおかしくないので，それぞれの活動について，まずは基礎となる知識を習得したうえで，過去問題などの問題演習に取り組むとよい。具体的な基礎知識として押さえておくべきなのは，サービスマネジメントについての，次の事項である。

- ・目的
- ・活動内容とその手順
- ・活動の中で出てくる用語，使われる技法
- ・主なKPI（重要業績評価指標）

これらについては，本書の知識編をしっかり読んで押さえておくとよい。そのうえで，活動別に過去問題を解いておこう。

❏ 運用管理

運用管理の分野では，**システム移行，運用監視，要員の配置，ファシリティ管理**などが頻出テーマである。

それぞれのテーマにおいて，設問で問われる内容はほぼ同じ（同じ観点が繰り返し出題されている）ので，テーマごとの過去問題を解いて，頻出の観点を押さえておくとよい。例えば，**システム移行**の問題であれば，**移行当日に効率的に移行を行うための移行スケジュールの考察**が問われることが多い。運用監視であれば，重要なメッセージを見逃さずに適切な対応を取るための**メッセージの出力方法や出力件数の調整，メッセージの種類ごとの対応方法の考察**などが問われることが多いので，過去問題でそのときITサービスマネージャがどのような判断を下し，どのような行動をとっているかについて学んでおくとよい。また，仮想化技術や継続的インテグレーション／継続的デリバリ（CI/CD）ツールを用いた新たな運用の在り方にも着目すべきである。

3 午後Ⅱ試験の傾向と戦略

1 午後Ⅱ試験の出題傾向

1 午後Ⅱ試験の特徴と出題テーマ

午後Ⅱ試験は，**ITサービスマネジメントの活動（プロセス）や従来型のシステムやサービスの運用管理**をテーマとした問題に対して，**論述の形**で解答する試験である。午後Ⅱ試験の問題は，1問1ページにまとめられ，問題文と［設問ア］，［設問イ］，［設問ウ］で構成される。問題文には，テーマに関する世の中の動きや一般的なやり方や問題点，ITサービスマネージャの着眼点などが説明されている。そして，［設問ア］では対象とするサービスの特徴やテーマに関する背景などが，［設問イ］ではテーマに関するあなたの取組みや考えが，［設問ウ］ではテーマに関する派生的な事柄に関する取組みや考えが，それぞれ問われる。これらの設問に対してそれぞれ，指定された字数の範囲で解答を論述していく。

これまでのすべての午後Ⅱ問題の出題テーマは，次の二つに分類できる。

(a) **サービスマネジメント**
　　JIS Q 20000やITIL®に基づくサービスマネジメント
(b) **運用管理**
　　従来からのシステムやサービスの運用管理

2 過去の午後Ⅱ試験の出題テーマ

過去10回分の午後Ⅱ試験（平成26年から令和6年）に出題された全てのテーマを前述の2分野に分類して挙げると，次表のようになる。

分野	活動（プロセス）	出題テーマ	年度・問番号
(a) サービスマネジメント	サービスマネジメント全般（全プロセス対象）	ITサービスを提供する要員の育成について	H28年問1
		プロセスの不備への対応について	H28年問2
		ITサービスの提供における顧客満足の向上を図る活動について	H29年問1
		ITサービスマネジメントにおけるプロセスの自動化について	H30年問1
	事業関係管理	事業関係管理におけるコミュニケーションについて	R3年問1
	サービスレベル管理	サービスレベル管理におけるサービスレベルの合意について ★	R5年問2
	供給者（サプライヤ）管理	外部サービス利用における供給者管理について	H27年問2
	サービスの予算業務及び会計業務（ITサービス財務管理）	ITサービスに係る費用の最適化を目的とした改善について	H27年問1
	変更管理	環境変化に応じた変更プロセスの改善について	R元年問1
		環境の変化に対応するための変更管理プロセスの改善について ★	R6年問1
	リリース及び展開管理	リリース及び展開の計画について ★	R5年問1
	インシデント管理	重大なインシデント発生時のコミュニケーションについて ★	R元年問2
	サービス可用性管理	サービス可用性管理の活動について ★	R3年問2
	サービス継続管理	災害に備えたITサービス継続計画について ★	R4年問1
	継続的サービス改善	継続的改善によるITサービスの品質向上について	H29年問2
		ITサービスの運用チームにおける改善の取組みについて	H30年問2
		ITサービスの運用品質を改善する取組について	R4年問2
(b) 運用管理	移行・受入れ	ITサービスの移行について	H26年問1
	障害管理	ITサービスの障害による業務への影響拡大の再発防止について	H26年問2
		サービス運用におけるヒューマンエラーに起因する障害の管理について	R6年問2

※令和2年の試験は行われていない。
※第5部 2 **午後Ⅱ問題の演習** では，上記中★印の問題を掲載している。これらは午後Ⅱ試験に繰り返し出題されやすい観点を含んでいる。

　これを見ると，午後Ⅱ試験では，(a)「サービスマネジメント」分野からの出題がほとんどであることが分かる。そして，サービスマネジメントの各活動から幅広く出

題されている。近年では，特定の活動（プロセス）に依らない，サービスマネジメント全般をテーマとする問題も出題されるようになった。問題の内容は，各活動の目的などの基礎知識に基づいたITサービスマネージャの取組みや考えを問うものであり，サービスマネジメントの知識がベースになっている。

　サービスマネジメントのどの活動からの出題が多いかを見ていくと，**「継続的サービス改善」**は，サービスマネジメントのどの活動においても必須となる考え方や取組みに当たるので，これまでで最も出題頻度が高い。ただし，「継続的サービス改善」以外の活動をテーマとした問題においても，[設問ウ]などで継続的改善の取組みが問われることも多い。

　(b)「運用管理」分野からの出題は少ない。ただし，この分野からこれまでに出題された**「ITサービスの移行」「障害管理」**は，午後Ⅰ試験においては頻出のテーマであることから，ITサービスマネージャにとって重要な観点である。

2 午後Ⅱ試験の学習戦略

1 サービスマネジメントの正しいやり方をした「解答」を書く

❶ **まずは基礎知識の習得が大事！**

　午後Ⅱ試験を攻略するには，まずは**サービスマネジメントや運用管理の基礎知識の習得**が欠かせない。

　サービスマネジメントのどの活動（プロセス）が出題されても対応できるように，各活動の目的，内容，使用する技法，キーワード，KPI（重要業績評価指標）などの基本事項を押さえておこう。つまりそれが，サービスマネジメントの"正しいやり方"であり，午後Ⅱ試験の"正解"だからである。一般的な運用管理についても，テーマ別に重要事項を押さえておこう。

❷ **❶を踏まえて，分野別に論述演習**

　基礎知識が習得できたら，過去問題などを使って論述演習をしよう。その際に，テーマとなった分野について，学習した基本事項（該当プロセスの目的，活動内容，手順，キーワード，代表的なKPIなど）をひととおり思い出して，その内容を論述の中で**あなたの取組み**として適所に登場させていくとよい。

　このようにすると，あなたがITサービスマネジメントや運用管理の正しい知識を持ち，適切に実践していることが採点者に伝わり，ITサービスマネージャとしてふさわしい人物であることをアピールすることができる。これができれば，必ず高評価につ

ながる。さまざまなテーマの過去問題を使って、分野別に論述演習を行っておくとよい。

❷ 今後出題されそうなテーマとその対策

まだ出題されておらず、今後出題が予想できるテーマには、**サービスポートフォリオ管理**や**サービスカタログ管理**、**情報セキュリティ管理**、**ナレッジ管理**などがある。

「**サービスポートフォリオ管理**」や「**サービスカタログ管理**」は、対象のサービスを全般的に見渡す問題としても出題しやすいテーマである。

「**情報セキュリティ管理**」については、午後Ⅰ試験でも問われることの多いアカウント管理やログ管理、情報漏洩対策などの運用管理に近い観点から重要事項をまとめておくと、出題されたときに役に立つ。

「**ナレッジ管理**」は日頃のサービスマネジメントの活動から得られたデータや情報をナレッジに変換し蓄積し活用していく方法などが問われることが予想できる。

そして過去10年間では出題されていないが、再び出題されることが予想できるテーマとして「**容量・能力管理（キャパシティ管理）**」がある。現在の資源の利用状況及び将来の需要予測を踏まえて、サービスに最適なキャパシティを確保する取組みは、過去の午後Ⅰ問題などを参考に準備しておくとよい。

そして今後は、サービスを戦略的に捉える視点からの出題や、サービス提供を総合的に捉える視点からの出題が増えてくると考えられる。このようなテーマでは、より上位の管理的な側面が求められるので、その立場にあるITサービスマネージャになりきって論述できるよう、演習を積んでおくとよい。また、「**継続的改善**」の視点は、どのテーマの問題においても設問に含まれる可能性が高いので、普段から継続的改善を心がけて業務にあたり、論述の材料となる改善の具体例を、改善の目標や結果の評価なども含めて、収集しておくとよい。

また、近年ではAIやDX、DevOps、仮想化技術といった最新技術やそれらを取り入れた新しい運用の在り方が積極的に取り上げられるようになった。最近のIT技術の動向を運用の観点からウォッチしておくことも重要である。

第1編

知識編

第1部

サービスマネジメント

1 サービスマネジメント

　まずはじめに，試験の対象となる「サービスマネジメント」（ITに関わる場合はITサービスマネジメントともいう）の概要と，サービスマネジメントのベストプラクティスが記された手引書であるITIL®の概要について学ぶ。

＊

　本試験では，午前Ⅱ試験，午後Ⅰ試験，午後Ⅱ試験を通して，本章に示した「サービスマネジメント」の考え方や進め方をベースに出題される。
　ITサービスマネージャ試験は，ITIL®そのものの試験ではないが，その考え方やサービスマネジメントの進め方については，しっかり押さえておこう。

1 サービスマネジメントの原則

○ このSectionで学ぶこと

Check!

　□ 情報システムによって提供されるサービスも商品である
　□ サービスを商品として成立させ続けるための管理がサービスマネジメントである
　□ サービスマネジメントに関する国内外の規格が存在する

1 サービスマネジメントの原則

　サービスマネジメントを貫く原則は，
　　サービスは商品であり，対価が得られなければならない
ということである。

　私たちは，情報システムを構成するハードウェアやソフトウェアだけを商品として考えがちである。しかし，本当はそれらが生み出すサービス（ITサービス）も商品なのである。メーカーはハードウェアやソフトウェアを販売してそれで終わりではない。それらを継続的に運用してサービスを提供し続けることもビジネスなのである。クラウド事業者は，ネットワーク経由で自社のハードウェアやソフトウェアを賃貸してい

るのではなく，それらを用いたサービス（つまり，顧客のニーズの充足）を販売しているのである。

　サービスが商品であるならば，その提供に対して適切な管理が行われなければならない。顧客にとってあまり役に立たない価値の低い帳票を大量に出力したり，たとえ有用であっても頻繁に中断するようなサービスでは，顧客の満足は得られない。サービスは，顧客の戦略目標に沿って設計され，適切な水準の品質で継続的に提供され，顧客のニーズに合わせて改善されるよう，管理していかなければならない。サービスマネジメントとは，極論すればそのような，

　　サービスを顧客にとって有益な商品として成立させ，商品としてあり続けるための管理

といえる。

2 サービスマネジメントに関する規格

　サービスマネジメントに関する規格には，次のものがある。

1 ITIL®

　ITIL® (Information Technology Infrastructure Library) は，**ITサービスマネジメントの手引き**である。1989年に英国政府により，ITIL®初版が発表された。現在はサービスマネジメントのデファクトスタンダードとして，各国で採用されている。

2 ISO/IEC 20000

　ISO/IEC 20000は，ISO (the International Organization for Standardization；国際標準化機構) およびIEC (the International Electrotechnical Commission；国際電気標準会議) で標準化されたサービスマネジメントの規格である。

3 JIS Q 20000

　JIS Q 20000は，ISO/IEC 20000を基にJIS化した，**日本国内におけるサービスマネジメントの規格**である。

　ITサービスマネージャ試験では，JIS Q 20000とITIL®をベースにしたサービスマネジメントが出題される。

1 ITIL®とは

ITIL®は，**サービスマネジメントにおける成功事例（ベストプラクティス）**をまとめた手引書である。1989年に発行されて以降，サービスマネジメントはIT業界に普及し，それとともに「サービスは商品である」という考え方も定着した。サービスマネジメントは，ITIL®の登場によって体系化されたといってもよく，現在ではこの分野におけるデファクトスタンダードの地位を確立している。

ITIL®は，1回目の改訂（2000～2001年）でITIL® v2が，2回目の改訂で2007年にITIL® v3が発行された。わが国の企業・組織が積極的にITIL®を受け入れ始めたのはv2以降である。そして2011年，ITIL® v3の見直し版にあたるITIL® 2011 editionが発表された。その後，2019年にITIL®4が発表されている。

2 ITIL® v3及び2011 editionの特徴

1 プロセスアプローチ

プロセスとは，サービスマネジメントにおける活動を表す単位で，**ある達成目標を実現することを目的に設計された体系的な手順や活動**をいう。プロセスは，一つ以上のインプットを受け取り，活動を通してアウトプットに変換する。ITIL® v3では，このプロセスを明確にし，プロセス間を相互作用させ，マネジメントシステムとして組織内を運営管理していく，プロセスアプローチを適用している。

2 ビジネスとITの統合

サービスマネジメントにビジネスの視点を持つことは，ITIL®の一貫した思想である。サービスは，顧客に対してどのような成果を与えたかによって定義され，その戦

略的な価値を重視する。

3 バリューネットワーク

バリューチェーンは，伝統的な製造業の生産ラインに基づいており，線形モデルによって製品の供給側と需要側を結び付け，付加価値を創出する活動である。ITIL® v2では，バリューチェーンを前提に，サービスの価値を高めることを目標としていた。

ところが，現在の企業活動は単純なバリューチェーンを越えて，複雑にネットワーク化している。つまり，顧客やサプライヤ，流通事業者などからなるネットワークの中で複雑なやりとりを行いながら，価値が創出されていく。これをバリューネットワークといい，ITIL® v3は，このようなバリューネットワークに対応している。

●バリューチェーン

サプライヤ	サービスプロバイダ	事業

●バリューネットワーク

（補完資源の供給者）

▶バリューチェーンとバリューネットワーク

4 サービスライフサイクル

サービスライフサイクルとは，現時点で行われているサービスを切り取るのではなく，サービスが企画され，実際に提供され，継続的に改善されていく（あるいは破棄される）さまを，大局的に見ていくということである。具体的には，次のようなライフサイクル段階がとり入れられた。

▶5つのライフサイクル段階

サービスストラテジ	競合他社より優れたサービスを提供するために，戦略的な観点から，提供するサービスを定義する。
サービスデザイン	サービス提供の具体的なプロセスを設計，開発する。
サービストランジション	新規サービス，変更されたサービスを本番環境へ移行させる。
サービスオペレーション	サービスを提供し，合意した水準を維持する。
継続的サービス改善	サービスをより良いものに改善することによって，顧客にとっての価値を創出する。

3 ITIL® v3及び2011 editionの構成

ITIL® v3及び2011 editionの書籍群は，サービスライフサイクルの各段階に対応する形で構成されている。

❶	❷	❸	❹	❺
サービスストラテジ	サービスデザイン	サービストランジション	サービスオペレーション	継続的サービス改善
サービスの計画	サービスの設計	サービスの導入	サービスの運用	サービスの改善

▶ITIL® v3及び2011 editionの書籍群

上記書籍群は，次のように関係している。

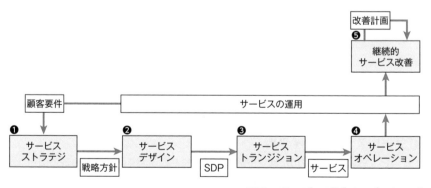

※SDP：サービスデザインパッケージ

▶五つのマネジメント段階の関連，インプット，アウトプット

サービスは，事業や顧客の要件から生まれるものである。

❶サービスストラテジの段階で事業や顧客の要求を踏まえた戦略，方針，達成目標を設定する。そのうえで，それらを反映したサービスデザインを行う。

❷サービスデザインの段階では，サービスストラテジで設計した戦略や方針などを元に，アーキテクチャや標準，プロセスなどを設計する。設計の成果はSDPにまとめられ，サービストランジションに渡される。

❸サービストランジションの段階では，構築されテストされたサービスを本番環境に展開・導入する。

❹利用者に提供されたサービスは，日々適切に運用される。これがサービスオペレーションの段階である。

❺サービスの日々の運用状況はモニタリングされ，必要な改善処置の計画を立案し実施することによって，より良いサービスへと改善されていく。継続的サービス改善の段階である。

サービスを提供している間にも，新たな事業や顧客の要望が発生したり，事業や顧客の要件が変化したりする。これによって，新たなサービスストラテジからの流れが生まれ，繰り返されることになる。

ITIL® 2011 editionのプロセスは，次のとおりである。

▶ITIL® 2011 editionのプロセスと機能

❶ サービスストラテジ	ITサービス戦略管理
	ITサービス財務管理
	需要管理
	サービスポートフォリオ管理
	事業関係管理

❷ サービスデザイン	デザインコーディネーション
	サービスカタログ管理
	サービスレベル管理
	キャパシティ管理
	可用性管理
	ITサービス継続性管理
	情報セキュリティ管理
	サプライヤ管理

❸ サービストランジション	移行の計画立案およびサポート
	変更管理
	サービス資産管理および構成管理
	リリース管理および展開管理
	サービスの妥当性確認およびテスト
	変更評価
	ナレッジ管理

❹ サービスオペレーション	イベント管理
	インシデント管理
	要求実現
	問題管理
	アクセス管理
	サービスデスク ※
	技術管理 ※
	IT運用管理 ※
	アプリケーション管理 ※

❺ 継続的サービス改善	7ステップの改善プロセス
	（サービス報告）
	（サービス測定）

注）※は機能を，（　）内は，すべてのプロセスにわたって行われる活動を示す。

⬤ このSectionで学ぶこと

☐ デジタル時代に対応するため，2019年にITIL®4が発表された
☐ ITIL®4では，7つの「従うべき原則」，「サービスマネジメントの4つの側面」が示されている
☐ サービスバリューシステム・アプローチがとられている

Check!

1 ITIL®4の概要

① ITIL®4の登場

　デジタル時代に適用可能なサービスマネジメントのフレームワークとして，2019年にITIL® v3からのメジャーバージョンアップとして提供されたのがITIL®4である。ITIL®4は，**ビジネスに役立つ価値を生み出すITサービスが実現されること**を全面に押し出している。ITIL®4は，高品質でかつビジネス上の価値を生み出すサービスを組織および人々が迅速に提供する枠組みを提供する。

※**ITサービスマネージャ試験の出題範囲及びシラバスは，ITIL® v3をベースにしたJIS Q 20000の体系に準じている。**よって，本書ではITIL®4については，その概要とITIL® v3からの大きな変更点を紹介するにとどめる。

② ITIL®4が出現した背景

　ITIL®4が出現した背景には，下記のような状況がある。

①デジタルトランスフォーメーション（DX）への対応

　多くの企業や組織では，既存のビジネスからデジタル技術を活かしたビジネスに転換するための変革プログラムに着手している。**新しいデジタル技術を活用することによって新たな価値を生み出していくこと**を，デジタルトランスフォーメーション(DX)という。

　ITIL®4は，世の中のデジタルトランスフォーメーションへの流れに対応し，デジタルによるビジネスのイノベーションにより適応できるようにした。

②ITとビジネスとの融合

これまでは，「ITIL®を導入すること」自体が目的となりがちであったが，本来はそうではない。ITIL®4では，ビジネスに価値をもたらすITサービスを実現させるためにすべきことは何か，に焦点を当てている。ITサービスが，単にビジネスを支援するという位置づけにとどまらず，ビジネスの原動力となり，競争優位性の源となることを目指している。

③最新の技術やフレームワークとの融合

アジャイル開発，リーン開発，DevOps，ITガバナンスなど，ITIL®4では，最新の技術やフレームワークとの融合が図られた。

社会環境や事業環境の変化に適合していくためには，ITサービスを単に安定的に利用できるだけでは十分ではなくなってきている。ビジネスを推進する組織とITサービスを提供する組織とがコラボレーションしなければ，ビジネスは成り立たない。そこで，新しい技術やフレームワークによる恩恵を最大限に享受しながら，このような組織のニーズの変化に対応していけるようにと進化したITサービスのベストプラクティスが，ITIL®4である。

ITIL®4におけるサービスマネジメントのスコープは，IT部門を対象としたサービスマネジメントから，企業（エンタープライズ）全体を対象としたものへと広がっている。単なるITサービスの運用・管理というよりも，ビジネスを牽引するITサービスの管理と考えるべきであろう。

③ 7つの「従うべき原則」

ITIL®4は従うべき原則と継続的改善に重きを置いており，次の7つの「従うべき原則（Guiding Principles）」が示されている。この「従うべき原則」は，ITIL®4の中心的なメッセージであり，組織がサービスマネジメントを導入する際の指針となる。

【従うべき原則】

- 価値に着目する（Focus on value）
- 現状からはじめる（Start where you are）
- フィードバックをもとに反復して進化する（Progress iteratively with feedback）
- 協働し，可視性を高める（Collaborate and promote visibility）
- 包括的に考え，取り組む（Think and work holistically）
- シンプルにし，実践的にする（Keep it simple and practical）
- 最適化し，自動化する（Optimize and automate）

④ サービスマネジメントの4つの側面

ITIL®4では，次の4つの側面（dimension）でサービスマネジメントを説明している。

【サービスマネジメントの4つの側面】

- 組織と人材（Organization and People）
- 情報と技術（Information and Technology）
- パートナーとサプライヤ（Partners and Suppliers）
- バリューストリームとプロセス（Value streams and Processed）

これは，ITIL® v3で4つのP（People, Process, Product, Partner）と呼ばれていたものと基本的に同じである。この4つの側面は，単独で検討しても期待される効果は得られず，総合的・包括的に検討することが不可欠，とされる。

さらに，これらの側面に制約や影響を与える外的要因として次の6つの要因を挙げている。

【制約や影響を与える6つの外的要因】（PESTLEモデル）

- 政治的要因（Political factors）
- 経済的要因（Economic factors）
- 社会的要因（Social factors）
- 技術的要因（Technological factors）
- 法的要因（Legal factors）
- 環境的要因（Environmental factors）

これらの6つの要因は，ガバナンスとリスク管理を行う上で，重要な観点である。

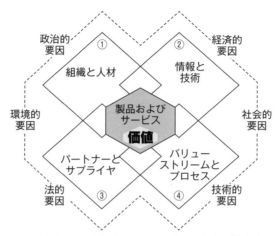

※４つの側面は，これら６つの要因のすべてから影響を受ける

▶ **サービスマネジメントの４つの側面と影響を与える6つの要因**

2 ITIL®v3からの変化

次に，ITIL®v3からITIL®4に進化するに当たって，従来から変わらない点，大きく変わった点を紹介する。

1 変わらない点

①サービスの定義

サービスとは何か，サービス指向などのコンセプトは従来のままである。

②基本的な概念やキーワード

継続的改善の考え方や，サービスマネジメントの活動の中で登場するキーワードは，ほとんど変化していない。

③サービスマネジメントの活動内容

インシデント管理や問題管理などの考え方や活動内容は，ほとんど変化していない。

2 変化した点

①サービスライフサイクル・アプローチからサービスバリューシステム・アプローチへ

ITIL®v3ではITサービスマネジメントをサービスライフサイクル・アプローチとし

て描き，サービスライフサイクルに従って，「サービスストラテジ」「サービスデザイン」「サービストランジション」「サービスオペレーション」「継続的サービス改善」の5冊のコア書籍から構成されていた。

ITIL®4では，サービスライフサイクル・アプローチからサービスバリューシステム(SVS；Service Value System)・アプローチへと進化させている。これは，**サービスを通じて成果を得るために顧客と価値を共創するためのシステム**という概念であり，組織のあらゆる要素と活動が1つのシステムとして機能し，価値創出を実現するための方法である。サービスバリューシステムは，次の5つの要素から成り立つ。

【サービスバリューシステムの5つの要素】
- 従うべき原則（Guiding principles）：すべての組織に適用できる普遍的な指針
- ガバナンス（Governance）：「評価」「指揮」「モニタリング」といった，組織を方向づけ，コントロールするための方法
- サービスバリュー・チェーン（Service value chain）：製品やサービスによって価値を創出するために必要な組織の活動群
- 継続的改善（Continual improvement）：継続的にサービスの有効性を最大限に高めるための，組織の改善活動
- プラクティス（Practices）：サービスマネジメントの作業の実行や目標の達成のために作成された，一連の組織のリソース

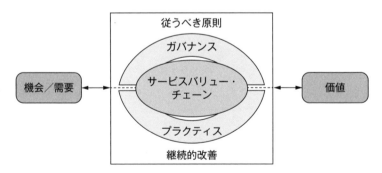

▶**サービスバリューシステム・アプローチ**

サービスバリューシステムの中核を成すのがサービスバリュー・チェーンであり，次の6つの活動から成る。これらは，組織が価値を創出するために実行するステップ

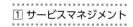

である。それぞれの活動によってインプットがアウトプットに変換され，すべての活動が相互接続される。

【サービスバリュー・チェーンの6つの活動】

- 計画（Plan）
- 改善（Improve）
- エンゲージ（Engage）
- 設計および移行（Design & Transition）
- 取得／構築（Obtain ／ Build）
- 提供およびサポート（Deliver & Support）

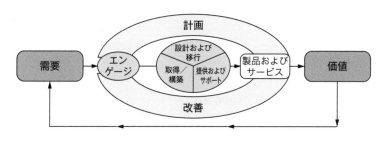

▶サービスバリュー・チェーン

②価値の創出から，価値の共創（Co-Creation）へ

ITIL®4では，サービスについて「**顧客が特定のコストとリスクを管理することなく，達成したいと望む成果を促進することで価値の共創を可能にする手段**」と表現している。ITIL®v3までは，価値は，サービスプロバイダが創出し顧客に提供するという一方向で描かれていた。ITIL®4では，サービスプロバイダが顧客と共に価値を作り上げるという考え方へと進化している。さまざまなステークホルダとのコラボレーションが，サービスを提供する上で重要と位置付けられている。

③プロセスからプラクティスへ

ITIL®v3では，ITサービスマネジメントの「プロセス」と「機能」から構成されており，特に活動の軸がプロセス（手順）に置かれていた。また，ITIL®v3では，各プロセスが個別に説明されており，プロセス間の相互関係や流れが十分に記述されていなかった。サービスライフサイクルを通じたEnd-To-Endの情報や業務の流れも十分に記述されていなかった。このような点を改善するために，ITIL®4では，これまで「プロセス」や「機能」と呼んでいたものを「プラクティス」と改めて再構成し，より実践的にサービスバリューシステムを体系づけている。よって，ITIL®v3での「サービ

ススストラテジ」「サービスデザイン」「サービストランジション」「サービスオペレーション」「継続的サービス改善」の5段階のサービスライフサイクルによるくくりはなくなった。

ITIL®4のサービスバリューシステムのプラクティスは，「一般的マネジメントプラクティス」「サービスマネジメントプラクティス」「技術的マネジメントプラクティス」の３つのマネジメントプラクティスに区分されており，それぞれの区分ごとに次に示すプラクティスが定義されている。

各プラクティスの目的や具体的な活動内容は，ITIL®v3から大きく変化していないので，ITIL®v3の「プロセス」や「機能」と対応づけて考えてよい。

【一般的マネジメントプラクティス】
• アーキテクチャ管理　※
• 継続的改善
• 情報セキュリティ管理
• ナレッジ管理
• 測定及び報告
• 組織変更の管理
• ポートフォリオ管理
• プロジェクト管理　※
• 関係管理
• リスク管理　※
• サービス財務管理
• 戦略管理
• サプライヤ管理
• 要員及びタレント管理

【サービスマネジメントプラクティス】
• 可用性管理
• 事業分析　※
• キャパシティ及びパフォーマンス管理
• 変更実現
• インシデント管理
• IT資産管理
• モニタリング及びイベント管理
• 問題管理
• リリース管理
• サービスカタログ管理
• サービス構成管理
• サービス継続性管理
• サービスデザイン
• サービスデスク
• サービスレベル管理
• サービス要求管理
• サービスの妥当性確認及びテスト

【技術的マネジメントプラクティス】
• 展開管理
• インフラストラクチャ及びプラットフォーム管理
• ソフトウェア開発及び管理

※ITIL®4で新たに含まれるプラクティス。それ以外のプラクティスはすべて，ITIL®v3のプロセス及び機能と対応している。

▶ITIL®4によるITサービスマネジメントのプラクティス一覧

3 ITIL®4の書籍

1 ITIL®4の主な書籍構成

ITIL®4は，主に次の書籍から構成されている。

● ITIL®4ファンデーション

ITIL®4の基本部分を抜き出した書籍。全体をおおまかに把握することができる。

● CDS（Create,Deliver and Support；作成，提供およびサポート）

バリューストリームマッピングの手法を使い，組織を越えて顧客に価値を届けるための流れを考える。

● DSV（Drive and Support；利害関係者の価値を主導）

サービスプロバイダ，顧客，サプライヤなどの利害関係者のそれぞれに価値が生じるような，エコで持続可能な環境を作る。

● HVIT（High Velocity IT；ハイベロシティ IT）

アジャイルやDevOpsなどを採用して，関係者が協働し学習して，速い速度で継続的改善を行えるようにする。

● DPI（Direct,Plan and Improve；方向づけ，計画および改善）

KPIなどの目標を設定して方向づけを行い，関係者が一致団結して進めるよう，コントロールやガバナンスを行う。

● DITS（Digital and IT Strategy；デジタル＆IT戦略）

デジタル技術を活かして事業の成功に導くため，デジタル戦略を立てて実装する。既存のIT戦略とデジタル戦略を融合させる。

● Practice Guides（プラクティスガイド）

成功事例（プラクティス）を参考に，価値を生み出す活動を整備する。インシデント管理やサービスレベル管理といった従来のプロセスの進め方は，ここで説明されている。

4 最新技術用語 (DX, AI, IoTなど)

○ このSectionで学ぶこと

Check!
- ☐ 近年のデジタル技術の発展は，第四次産業革命と呼ばれる
- ☐ 関連する代表的な技術や開発手法として，DX，AI，IoT，ビッグデータ，アジャイル開発，RPAなどがある

1 第四次産業革命

ITIL®4への改訂の背景にもなった**デジタル技術の発展によって起こる製造業の革新は，第四次産業革命とも言われている**。ここでは，AIやビッグデータ，IoTなど，最近のIT環境の変化を説明するうえで欠かせない，第四次産業革命に関連する最新の技術や用語を解説する。これらは情報処理技術者試験においても積極的に出題されているので，押さえておくとよい。

2 デジタルトランスフォーメーション (DX)

AIなどの**進化したデジタル技術を駆使してビジネスに変革をもたらし，人々の生活をより良いものへと変えていくこと**。経済産業省では，『デジタルガバナンス・コード2.0』の中でDXを「企業がビジネス環境の激しい変化に対応し，データとデジタル技術を活用して，顧客や社会のニーズを基に，製品やサービス，ビジネスモデルを変革するとともに，業務そのものや，組織，プロセス，企業文化・風土を変革し，競争上の優位性を確立すること」と定義している。

3 AI (Artificial Intelligence : 人工知能)

コンピュータを使って人間の知能の働きを人工的に実現する技術である。AI研究の歴史は古く，1950年～1960年代の第１次ブーム，1980年代の第２次ブームを経て，2010年ごろから第３次ブームが起きている。第１次および第２次ブームでは，AIの実用化は難しかった。だが第３次ブームになると，コンピュータの性能が高くなったことに加え，ビッグデータの普及やAI自体の研究が進んで，AIが急速にビジネスに活用されている。

● 機械学習

　AIの中心となる技術が，機械学習（マシンラーニング）である。機械学習は，サンプルとなるデータをAIに入力すると，AIがデータを分析して一定のルールやパターンを抽出し，それを基にAI自身が学習して次の予測を推論する。

　あらかじめ入力と出力がセットになったデータをAIに大量に与えて，それを基にAIが学習する方法を教師あり学習といい，このときAIに与えるデータを教師データと呼ぶ。例えば，猫の画像データを教師データとして大量にAIに与えると，それを基に，AIは新しい画像から猫を探し出す。これに対して，入力データだけをAIに与え，データの中からAIが自分でパターンや共通項などの特徴を見つけて判断する方法を教師なし学習という。

● ディープラーニング（deep learning：深層学習）

　機械学習の一つの手法で，機械学習をさらに進めて高精度の推論ができる技術。AIの第3次ブームは，ディープラーニングが大きな特徴である。

　ディープラーニングは，ニューラルネットワークという人間の脳の神経細胞が電気信号を伝える仕組みを模倣した情報システムを多層構造にすることで，より深い学習を実現している。

● 生成AI（Generative AI）

　ディープラーニングを活用した技術の一種で，大量のデータやパターンを学習することによって，その特徴を捉えた新たな情報やデータを生成する技術。新たな文章や画像，動画，音声などのコンテンツを作り出すことができる。生成AIの具体例として，文章生成AIのChatGPTがある。ChatGPTでは，利用者の入力や指示内容に応じて，人間のような自然な返答の文章を生成する。

　ただし，生成AIには，プライバシーや著作権の侵害につながるおそれがある，生成する情報が事実と一致しない可能性がある，といった課題や限界がある。生成AIを利活用する際には，全てを生成AIに委ねるのではなく，内容が適切であるかを慎重に確認・検証し，常に倫理的かつ責任ある行動をとるよう心がける必要がある。

4 IoT

　通信機能を持ったさまざまなデバイスやシステムがネットワークを介してつながり，情報をやりとりする仕組みを総称してIoT（アイオーティ：Internet of Things）という。IoTは「モノのインターネット」と訳される。

　多くのIoTシステムは，一般に次のような手順で機能する。

① 各所に設置したセンサでデータを収集する。

② 収集したデータを，インターネットを介してクラウドにアップロードする。

③ クラウド上にあるサーバで，データを処理する。

④ 処理した結果をもとに，アクチュエータで機器を制御する。

IoTでネットワークにつながったモノ（機器や装置）をIoTデバイスといい，IoTデバイスをインターネットに仲介する機器をIoTゲートウェイという。また，インターネットを経由せず，モノ同士が直接つながって情報をやりとりする場合もあり，これをM2M（Machine to Machine）という。

5 ビッグデータ

文字どおり大量のデータのことである。量が膨大であるだけでなく，データの発生源やデータの形式が多様であること，および発生するスピードが速いことを特徴とする。

近年，急速にビッグデータの活用が進んでいるのは，**インターネットやIoTデバイスなどの技術の進展によってデータを大量に収集できるようになったことに加え，AIでそのデータを分析してさまざまな予測ができるようになった**ことが大きな要因である。

総務省の『情報通信白書』では，ビッグデータをオープンデータ，産業データ，パーソナルデータのように分類している。

ビッグデータの分析によって，将来の予測や意思決定に役立つ知見を得られるなど，大きな価値が生まれるが，その一方で，大量のデータのセキュリティの確保は大きな課題である。また，データ量が多いために関係者が多く，データの所有者と利用者の間の利害の調整という課題もある。

● **オープンデータ**

公開（オープン）され，だれでも自由に入手して利用できるデータ。オープンデータのなかでビッグデータと言えるのは，政府や自治体や公的機関が公開している各種の統計データが中心である。

● **産業データ**

企業が持つビッグデータは，企業の知識や暗黙知（ノウハウ）をデジタル化して構造化したデータや，企業がIoTデバイスやインターネットから収集したデータなど。

● **パーソナルデータ**

個人に関する情報の総称。例えば，個人の属性情報だけでなく，移動・行動・購買

履歴，ウェアラブル機器から収集されたヘルスデータなど，個人を識別できない情報もパーソナルデータに含まれる。

6 アジャイル開発

小さな単位で実装とテストを繰り返す開発方法。ウォーターフォールなどの従来の方法に比べて開発期間が短縮されるため，アジャイル（agile：俊敏な）と呼ばれる。

アジャイル開発は，開発中に仕様変更や問題が発生することを前提として，計画段階では仕様をきちんと決めずに大まかに決める。そして小さな単位で設計→実装→テスト→リリースを１〜２週間で反復しながら開発を進める。この反復をイテレーションという。これによって仕様変更や問題にすばやく柔軟に対応でき，開発期間が短縮される。

アジャイル開発で用いる手法には，以下のようなものがある。

● XP（エクストリームプログラミング）

アジャイル開発の代表的な手法。開発チーム内でコミュニケーション，シンプル，フィードバック，勇気，尊重の５つの価値と19のプラクティスを共有して開発を進める。このプラクティスには，テスト駆動開発，ペアプログラミング，リファクタリングなどが含まれる。

● リファクタリング

ソフトウェアの動作を変えずに，内部のコードを整理すること。リファクタリングしたコードは保守性や可読性が高く，再利用性も高くなる。

● テスト駆動開発（TDD：Test Driven Development）

開発するソフトウェアの各機能について，最初にテストを書き，そのテストを通る最小限のプログラムコードの実装を行う方法。まずテストから始めることをテストファーストという。テストに通って動く部分を最初に作成し，その後，リファクタリングによって完成していく。

● ペアプログラミング

２人の開発者がペアになり，１台のパソコンを使って共同で開発を行う手法。２人で作業することによってミスが減り，コードや情報を共有できるので開発時間が短縮される。

● スクラム

スクラムは，XPと並んでアジャイル開発でよく用いられる。開発チームの権限が強く，共通のゴールに向かってチームが一体となって働くことが重視されるため，ラ

グビーのスクラムからこの名ができたと言われている。

7 RPA (Robotic Process Automation)

今までホワイトカラーが実施してきた**定型的なデスクワークを，PC内のソフトウェアで作られたロボットに代行させて自動化する技術**。ここで使われるロボットは，工場などで稼働しているハードウェアの産業用ロボットに対して，ソフトウェアロボットと呼ばれる。

例えば，業務システムのデータ入力や照合などの定型業務について，ユーザの操作を認識し，それを帳票作成やメール送信などのワークフローと組み合わせて，業務プロセスを自動化する。これにより業務が効率化され，生産性が高まるため，人手不足解消や働き方改革につながることが期待できる。RPA導入のメリットとして，一般に，人が行っていた作業をロボットが代わって行うことによる作業負荷の軽減，ヒューマンエラー（作業ミス）の削減，作業品質の向上などが挙げられる。

8 DevOps

DevOpsとは，**開発（Development）と運用（Operations）を組み合わせた造語であり，アプリケーションの開発担当者と運用担当者とが連携を密にし，協力し合う体制による開発手法**をいう。開発時には，開発担当者からITインフラに対する調達や変更などに関するさまざまな要求が出る。DevOpsでは，この要求に対して，運用担当者が迅速に応えられる体制によって，アプリケーションの素早いリリースを可能にする。

9 ITガバナンス

経済産業省の『システム監査基準』の用語集では，「組織体のガバナンスの構成要素で，取締役会等がステークホルダーのニーズに基づいて，組織体の価値及び組織体への信頼を向上させるためのITシステムの利活用に係る機能」と定義されている。

10 リーン開発

　リーン（lean）とは，本来「痩せている」という意味を持つ単語である。リーン開発とは，**トヨタ生産方式の考え方をソフトウェア開発に取り入れた開発手法であり，徹底的な無駄の排除と，顧客にとっての価値の追求を重視するという特徴を持つ。**アジャイル開発手法の１つと位置付けられている。

2 サービスマネジメントシステムの計画

　本章では，**サービスマネジメントシステムの計画**について学ぶ。サービスを提供する組織は，サービスを提供するためにサービスマネジメントシステムを確立し，実施していく。まずはサービスマネジメントの方針や目的を定め，その目的を達成するための計画を立てる。

　ここでは，まずサービスの定義をはじめとした，サービスマネジメントの基本的な知識や考え方を学ぶ。ITサービスマネージャ試験における根本的な考え方にあたるので，しっかり押さえておこう。そのうえで，サービスマネジメントシステムの計画に必要な事項について学んでほしい。

───────────※───────────

　第1章と同様に，**本試験では，午前Ⅱ試験，午後Ⅰ試験，午後Ⅱ試験をとおして，本章に示したITサービスマネジメントの考え方や進め方をベースに出題される。**

　例えば，価値の創出やサービス資産，サービス提供者，顧客，ユーザの関係などは試験のベースとなる考え方なので，押さえておくとよい。

1 サービスマネジメントシステムのキーワード

このSectionで学ぶこと

Check!

□ サービスとは，顧客に価値を提供する手段である

□ サービス資産は，無形の「能力」と有形の「リソース」に分類できる

□ サービスの提供者を「サービスプロバイダ」，供給者を「サプライヤ」，購入者を「顧客」，利用者を「ユーザ」という

1 サービスの定義

> 【サービスとは】
> サービス（Service）とは，顧客が特定のコストやリスクを負わずに，期待する成果を実現することを促進することによって，顧客に価値を提供する手段の一つである。

価値とは，**顧客のビジネスを支援するもの**，例えば，コンピュータが生成する売上分析やネットワークが実現する情報伝達である。ITサービスとは，これらの**価値をITインフラストラクチャを活用することで創出し，顧客の求めに応じて提供すること**である。

なお，ITインフラストラクチャそのものを提供することは，厳密にはサービスと呼ばない。なぜなら，ITインフラストラクチャそのものの提供は，その運用にかかわるコストやリスクを顧客が負うことになるからである。顧客が欲しているのはITインフラストラクチャではなく，それらが生み出す価値である。

2 価値の創出

競合者に対する競争優位を確立するためには，より高い価値を持つサービスを提供しなければならない。サービスの持つ価値には，有用性と保証という二つの側面がある。

● 有用性

ある要求を満たすために，サービスまたは製品によって提供される機能性のこと。有用性の高いサービスは，パフォーマンスの平均値が高く，顧客にもたらす利益が大きい（損失が小さい）。宅配業者を例にとれば，同じ場所への配送に2日かかる業者に比べ，1日で配送できる業者はそれだけサービスの有用性が高いといえる。

● 保証

サービスまたは製品が合意された要件を満たすことに対する約束のこと。保証の高いサービスは，パフォーマンスのばらつきが小さく確実性が増し，顧客のリスクを低減できる。例えば，同じ配送時間指定のサービスであっても，時間帯が確実に守られる業者のほうがサービスの保証が高いといえる。

3 サービス資産 (Service Asset)

サービス資産とは，**サービスの提供に必要なすべての資産**である。例えば，管理，組織，プロセス，ナレッジ，人材，情報，アプリケーション，インフラストラクチャ，金融資本などがサービス資産に含まれる。サービス資産は，有形資産のリソースと，無形資産の能力に分類できる。これらのサービス資産を管理するのは，後述のサービス資産管理および構成管理の役割である。

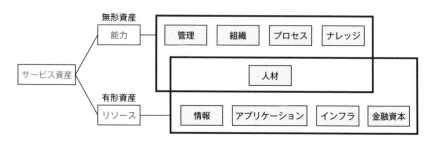

▶**サービス資産**

4 サービスマネジメントの定義

【サービスマネジメントとは】
　サービスマネジメント（Service Management）とは，サービスの形で顧客に価値を提供する組織の専門的な能力の一式である。

　ITインフラストラクチャなどの物理的なリソースだけでは，サービスは提供できない。専門の組織や人員，さらには運用のためのプロセスやナレッジなどの能力も必要となる。サービスマネジメントとは，このような，サービスの提供に必要な専門的な能力の集まりである。
　サービス提供組織が行うサービスマネジメントの活動を指揮・管理する仕組みをサービスマネジメントシステム（SMS：Service Management System）という。

5 サービスの提供者・利用者

　サービスマネジメントにおいて，サービスの提供者・利用者は，次のように定義される。

● サービスプロバイダ（サービス提供者）

　内部顧客または外部顧客に対してサービスを提供する組織をいう。場合によって，サプライヤから製品やサービスを調達して顧客に提供する。

● サプライヤ（供給者）

　サービスプロバイダに対し，製品やサービスを提供する人または組織をいう。例えば，ハードウェアやソフトウェアのベンダー，通信プロバイダ，アウトソーシング組織などが該当する。

● 顧客

　サービスを購入する人であり，サービスプロバイダとサービスレベルに関する合意や契約を交わし，サービスの提供を受ける内部または外部の受益者をいう。大きなサービスについては，「出資する」という観点から，スポンサーと顧客を分ける場合もある。

● ユーザ

　サービスプロバイダによって提供されるサービスを日常的に利用する者をいう。顧客がサービスを直接的に利用しないこともあるため，サービスマネジメントにおいては，顧客とユーザの定義を分けている。

● サービス消費者

　顧客，スポンサー，ユーザは「サービスを消費する人」であり，サービス消費者と呼ばれる。

　また，サービス提供者の内部では，次のような役割および責任が割り当てられる。

● サービスオーナ

　一つまたは複数のサービスの提供に対して責任を持つ者（説明責任者）をいう。

● サービスマネージャ

　一つまたは複数のサービスのライフサイクルの管理に責任を持つ者（実行責任者）をいう。

● プロセスオーナ

　一つまたは複数のプロセスが合意した目的を達成していることに対して責任を持つ者（説明責任者）をいう。

プロセスマネージャ

一つまたは複数のプロセスの運用管理に責任を持つ者（実行責任者）をいう。

実行責任者であるマネージャは複数割り当てられることがあるが，説明責任者であるオーナは一人のみである。マネージャがオーナの役割を務めることもある。

6 サービスの供給モデル

サービス供給には，次のようなモデルがある。

● マネージドサービス

サービスを受ける顧客が，サービスに必要な全コストを負担する。いわば，専任のサービス部門を抱えるようなモデルである。

● シェアードサービス

複数の顧客でリソースやサービスを共有する。顧客にとって，マネージドサービスに比べてコストを大幅に節減できる。

● ユーティリティベース

顧客は利用量に応じた費用を負担する。

マネージドサービスはサービスプロバイダのタイプにおける**内部サービスプロバイダ**（後述）に，シェアードサービスは**シェアードサービス部門**（後述）に，それぞれ対応する。

2 サービスマネジメントシステムの目的確立と計画立案

このSectionで学ぶこと

Check!
□ 組織の機能や階層ごとに目的を確立し，目的達成のための計画を立案する
□ サービスマネジメントの計画を作成し，維持する

1 目的の確立

サービスマネジメントシステムにおいては，組織の機能や階層ごとに，サービスマネジメント方針と整合した測定可能な目的を確立することが求められている。

　確立した目的は，関連するステークホルダへ伝達する。そして，必要に応じて更新する。

② 目的を達成するための計画の立案

　確立した目的を達成するための計画を立案する。これらの計画には，通常，次の事項を含める。

- 実施する事項
- 必要な資源
- 責任者
- 達成期限
- 結果の評価方法

③ サービスマネジメントシステムの計画

　サービスマネジメントでは，サービスマネジメントの方針，目的，リスク及び機会，要求事項を考慮して，サービスマネジメントシステムの計画を立案し，維持することが求められている。これらの計画には，通常，次の事項を含めるか，または参照して計画を策定する。

- サービスの一覧
- サービスマネジメントシステムやサービスに影響を及ぼす可能性のある制約事項
- 法令や契約などによる義務
- サービスマネジメントシステムやサービスに対する権限・責任
- 必要な資源
- ステークホルダに対する取組み
- 使用する技術
- 有効性の測定方法や改善方法

3 サービスマネジメントシステムの支援

… ここをチェック！ …
試験ではこう出る

本章では，**サービスマネジメントシステムの支援**について学ぶ。ここでは，サービスを構成する資源の管理，文書の管理，知識（ナレッジ）の管理など，サービス提供のために欠かせない要素について説明する。

サービスマネジメントの目的を達成するために必要な資源として，人，技術，情報，資金などが挙げられる。サービスを提供する組織は，これらを適切に決定する必要がある。

───────────✳───────────

本章に登場する，サービスの利害関係者の役割と責任を明確にする際に用いられるRACIモデルや，サービスの提供に必要な文書の管理，データや情報を知識として活用するナレッジ管理などは，サービスを提供する組織が押さえておくべき重要な知識や考え方である。

これまでの出題は多くないが，午前Ⅱ試験ではこれらの具体的な知識が問われたり，午後Ⅰ試験では事例の中で取り上げられたりする可能性がある。また，午後Ⅱ試験においては，サービス提供組織における資源管理や文書管理，知識管理などをテーマとする出題が考えられる。

1 資源の決定と提供

このSectionで学ぶこと

Check!
☐ 目的を達成するために必要な資源を決定し，提供する
☐ 要員に必要な力量を備えさせる

1 資源

サービスマネジメントの目的を達成するためには，必要な資源（人，技術，情報，資金）を決定し，提供する必要がある。

適切な人を割り当てるために，利害関係者すべての役割と責任を明確にしておく。RACIモデルは，役割と責任を定義する際に用いられるモデルで，次に示す四つの主要な役割の頭文字をとったものである。

【RACIモデル】

- 実行責任者（R：Responsible）…業務の実施に責任を持つ者。一人または複数割り当てられる
- 説明責任者（A：Accountable）…業務タスクの説明責任を持つ者。必ず一人が割り当てられる
- 協議先（C：Consulted）…相談に応じる者
- 報告先（I：Informed）…報告を受ける者

RACIモデルでは，次表のように，行うべき活動と責任のある役割を対応させて示し，必要な活動に対して必要な人を割り当てられるようにする。

▶RACIモデルによるマトリックスの例

	担当役員	サービスレベルマネージャ	セキュリティマネージャ
活動①	AR	C	I
活動②	A	R	CI
活動③	I	C	AR
活動④	I	AR	C

サービスマネジメントシステムが有効に機能するように，それぞれの職責を与えた要員が，適切な力量（知識や能力など）を備えることを保証する必要がある。現有の要員で必要な力量を満たせない場合には，教育・訓練を行うなどして，必要な力量を備えさせるための措置をとる。

また，それぞれの要員に対して，方針や目的，各自がなすべきこと等について認識させるようにする。

2 文書管理

○ このSectionで学ぶこと

Check!
- ☐ サービスマネジメントの運用に必要な文書を作成し，更新する
- ☐ 最新の情報を入手できるように文書を管理する

■ 文書の作成と更新

　適切なサービスマネジメントの運用を組織で徹底できるよう，方針や規程など，運用に必要な情報を文書化して保持する。そして，状況の変化に合わせて適切に文書を更新する。

2 文書化した情報の管理

　必要な人が最新の情報を入手できるように，適切な文書管理を行う。文書化した情報の管理にあたっては，次の事項に取り組む。

- ・情報の配布，アクセス，検索，利用
- ・変更管理（版管理を含む）
- ・情報の保管，保存
- ・保持および廃棄

3 知識管理（ナレッジ管理）

○ このSectionで学ぶこと

Check!
- ☐ ベテランの持つ知識や経験を管理する
- ☐ データは理解度に応じて，情報→知識→知恵へと変化する

■ 知識管理（ナレッジ管理）

　サービスの提供において，ベテランの持つ知識や経験が果たす役割は極めて大きい。それら知識や経験はサービスマネジメントにおいて適切に管理され，広く伝えられるべきである。

正しい意思決定を行うためには，それを支える知識を管理することが不可欠である。これらの知識を支えるのは，構成管理データベース（CMDB）や構成管理システム（CMS）で管理される大量のデータである。

2 DIKWモデル

データは理解度に応じて，**情報→知識（ナレッジ）→知恵**へと変化する。これを，DIKWモデルと呼ぶ。

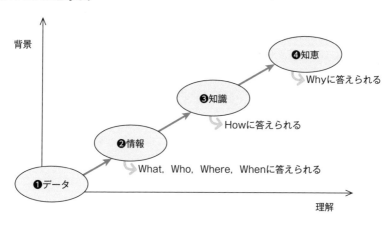

▶データから知恵までの流れ

▶ DIKW モデル

❶データ（Data）…ある出来事における単なる事実の集まり。各種データベースに記録される。

（例）システムダウンにまつわる事実

❷情報（Information）…データに背景を加えて意味づけしたもの。各種の報告書などが該当する。

（例）XX分XX秒に，AサーバのOS更新後にシステムダウンが生じた。

❸知識（Knowledge）…情報やデータを，経験やアイデアや洞察をもとに分析することによって得られる知識。

（例）OS更新後にシステムが不安定になる。

❹知恵（Wise/Wisdom）…知識を活用した意思決定によって価値を生み出す能力。

（例）OSの更新を行う際には十分なテストの時間を確保する。

❸ 知識管理の活動

知識管理では，主に次の活動が行われる。

〔知識管理の活動〕

- 知識管理の戦略…知識管理に関する，総合的・組織的な戦略を立案する。
- 知識の識別，取得，維持…知識を取得して維持する。知識は情報を整理・分析して取得するだけではなく，外部情報源から取得することもある。
- 知識の継承…取得した知識を他の部門に継承する。例えば，サービスの移行時に取得した知識は，サービスの運用に移る前にサービスデスクに継承する。
- データと情報，知識の管理…知識と，知識のベースとなるデータと情報を管理する。
- 知識の利用…知識を共有し，効果的に利用する。

---

❹ 知識管理のKPI

知識管理における主要なKPIには，次のものがある。

- 共有された知識にアクセスされる回数の増加
- 知識の共有や継承に関連するインシデントや問題の数の減少
- 知識として共有されている標準・方針の数の増加　　　など

4 サービスポートフォリオ

… ここをチェック！ …

試験ではこう出る

　本章では，**提供するサービスを定義し，制定する活動**について学ぶ。サービスを制定し，顧客に提供する際には，そのサービスの要素となるサービス資産を適切に管理しなければならない。よってここでは，サービスポートフォリオ管理，サービスカタログ管理，資産管理・構成管理の活動を取り上げる。それぞれの活動の目的や活動内容，登場する代表的な用語などについて押さえておこう。

─────────────✳─────────────

〈午前Ⅱ試験〉サービスポートフォリオやサービスカタログに関連する出題は多い。また，構成管理の出題も多く，構成管理プロセスを導入するメリットや構成ベースラインなどが出ている。**本章の内容は午前Ⅱ試験では頻出されているので，しっかり押さえておいてほしい。**

〈午後Ⅰ試験〉構成管理に関する出題が多い。IT資産管理としてのサービス資産管理及び構成管理やCMDBでの構成情報の管理や構成監査が出題されている。このほかにも，インシデント管理など構成管理以外の活動をテーマとする問題の中で，CMDBを利用する事例が取り上げられている。

〈午後Ⅱ試験〉構成管理の問題として，ITサービスの構成品目に関する情報の管理が出題されている。また，サービスマネジメント全般を対象にした，どのプロセスを題材にしてもよい問題が多く出題されているので，本章で得た知識は，これらの問題の題材としても活用できる。

1 サービスポートフォリオ管理

◯ このSectionで学ぶこと

Check!
- ☐ サービスポートフォリオ管理は，サービスプロバイダが提供する最適なサービスの組合せを実現する
- ☐ ビジネスケースは，投資判断を行うための資料である

1 サービスポートフォリオ管理

　サービスプロバイダは，自身が提供しているサービスが期待どおりの効果を上げているのか，過剰投資をしていないかを把握し，今後必要なサービスを追加したり，不要なサービスを廃止したりする必要がある。サービスポートフォリオ管理は，**サービスプロバイダが有しているサービスを一元的に管理し，最適なサービスの組合せを実現する活動**である。

2 サービスポートフォリオの要素

　サービスポートフォリオとは，サービスプロバイダによって管理されるすべてのサービスをいう。サービスパイプライン，サービスカタログ，廃止済みのサービスから構成され，サービスナレッジ管理システム（後述）に格納される。

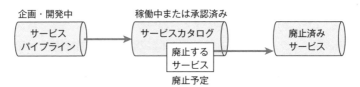

▶サービスポートフォリオとその内容

　● サービスパイプライン

　企画・開発段階にあり，まだ顧客に提供できないサービスの一覧。設計，開発，テストを経た後，段階的に運用へ移行する。

　● サービスカタログ

　顧客に提供可能な稼働中のサービスおよび提供することを承認されたサービスの一覧。

　● 廃止するサービス

　近く廃止される予定のサービス。まだ廃止されていないので，サービスカタログの中に含まれる。

　● 廃止済みサービス

　すでに廃止されたサービス。サービスカタログには含まれない。

① 知識編

3 サービスポートフォリオ管理の活動

　サービスポートフォリオ管理では，サービス戦略に基づいて対象のサービスを定義し，分析し，承認し，制定することにより，サービスを計画する。

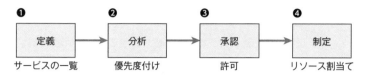

▶サービスポートフォリオ管理の活動

❶**定義**…現在提供されているサービスおよび提案されたサービスの情報を収集し，サービスとビジネスケースの一覧を作成する。

❷**分析**…価値を最大化するため，各サービスを分析して優先度を付ける。

❸**承認**…提案されたサービスに対する承認を行う。

❹**制定**…いつまでにどのようなサービスを構築するかなど文書化して利害関係者に通知する。そのサービスの構築活動にリソースを割り当てる。

4 ビジネスケース

　ビジネスケースとは，ある事業活動に対して，起こりうる結果を予測したものであり，投資判断や計画立案に用いられる。一般的なビジネスケースは，次の内容を含む。

【ビジネスケースの内容】
- 目的／目標…事業達成目標を提示する
- 方法と想定事項…期間，コスト負担者，受益者など
- 事業へのインパクト…財務面での損益，非財務面での損益
- リスクと緊急事態…異なる結果が生じる可能性
- 推奨事項…推奨される具体的な行動

Check!

1 サービスカタログ管理

サービスカタログは，サービスポートフォリオの一部であり，**顧客に提供されるサービスについての詳細を一覧にしたもの**である。このようなカタログがあれば，顧客が必要とするサービスやサービスプロバイダが提供可能なサービスをひと目で知ることができる。サービスカタログ管理の目的は，**正確なサービスカタログを作成し，常に最新の状態を維持すること**である。サービスカタログには，現在提供されているすべてのサービスと，承認され本番環境に移行中のすべてのサービスが含まれる。

サービスカタログには，次の二つの側面がある。

● 事業／顧客サービスカタログ

顧客に提供するすべてのサービスの詳細をまとめたサービスカタログ。顧客に公開されるものであるため，サービスを利用する事業部門とビジネスプロセスとの関係を含み，顧客が理解できる言葉で書かれる。

● 技術／支援サービスカタログ

顧客にサービスを提供するために必要なすべてのサービスおよび支援サービスの詳細をまとめたサービスカタログ。一般に顧客には公開せず，サービスを提供する側が参照するものであるため，技術用語を使用して書かれる。コンポーネントや構成アイテム（CI）との関係を含む。

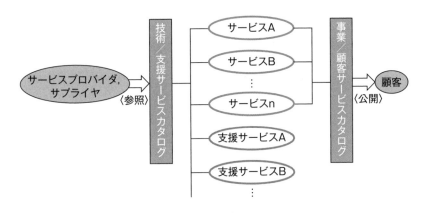

▶ビジネスサービスカタログと技術サービスカタログ

2 サービスカタログ管理の活動

サービスカタログ管理では，主に次の活動を行う。

【サービスカタログ管理の活動】

- サービスの定義…すべての関係者との間でサービス定義の合意をとり，文書化する。
- サービスカタログの作成・維持…最新の情報をもとに正確なサービスカタログを作成し維持する。
- サービスポートフォリオとの調整…サービスカタログはサービスポートフォリオの要素であり，顧客に見える部分であるため，両者が整合するよう調整する。
- 事業との調整…事業／顧客サービスカタログはサービスと事業（ビジネスプロセス）との関係を表しているため，この両者が整合するよう，事業関係管理やITサービス継続性管理との調整を行う。
- 支援サービスおよび構成アイテムとの調整…技術／支援サービスカタログはサービスと支援サービスや構成アイテムとの関係を表しているため，この両者が整合するよう，支援チームやサプライヤ，構成管理との調整を行う。

③ サービスカタログ管理のKPI

サービスカタログ管理の活動の成功度合いを評価するための主要なKPI（Key Performance Indicator；重要業績評価指標）には，次のものがある。

- サービスカタログに記録され管理されているサービスの数の増加
- サービスカタログ上の情報と実際との差異
- サービスカタログの顧客向けビューで網羅している運用中のサービスの割合の増加率

3 資産管理・構成管理

○ このSectionで学ぶこと

Check!
- ☐ サービスの提供に必要なすべての要素を構成アイテム（CI）という
- ☐ CIの変化を適切に管理し，最新の構成が把握できるようにする

① 資産管理・構成管理

商品としてのサービスを提供するためには，その手段となる情報システムを構成するハードウェアやソフトウェアはもちろんのこと，それを運用管理する人員，情報システムを格納する建物や設備，SLAやプロセス記述書，仕様書，運用手順書といった正式文書などが必要である。これらサービスを提供するために必要なすべての要素を，ITIL®では構成アイテム（CI：Configuration Item）と呼んでいる。CIは，次表のように分類できる。

サービス開始から時間を経るごとに，CIの内容は徐々に変化する。例えば，OSやアプリケーションはバージョンアップされ，ハードウェアは入れ替えられる。顧客の事業拡大とともに，契約やSLAの内容も変化する可能性がある。これらの変化は適切に管理され，常に最新の構成が把握できなければならない。資産管理と構成管理では，このような**サービス資産やCIを適切に管理する活動を行う**。情報資産の管理をITアセットマネジメント（ITAM），ソフトウェア資産の管理をソフトウェアアセットマネジメント（SAM）と呼ぶこともある。

● サービス資産

サービスを提供するためにサービスプロバイダが有するあらゆるリソースや能力。

▶ CIの分類

サービスライフ サイクル CI	ビジネスケース，サービスマネジメント計画，サービスライフサイクル計画，サービスデザインパッケージなどを含む各種計画情報。
サービス CI	マネジメントやナレッジ，人材といったサービス能力資産，金融資本やデータ，システムやインフラストラクチャなどのサービスリソース資産，サービスパッケージ，リリースパッケージなど。
組織 CI	組織内部の事業戦略，方針，法律上の要件など。
内部 CI	サービスの提供と維持に必要な有形，無形の資産。
外部 CI	外部顧客の要件や SLA，サプライヤから受ける外部サービスなど。
インタフェース CI	サービスプロバイダと顧客やユーザ，サプライヤとのインタフェースをまたがってサービスを届けるために必要な要素。

2 構成管理システム

　サービスを提供するためには，すべてのCIを管理しなければならない。これを支援するシステムが，構成管理システム（CMS：Configuration Management System）である。

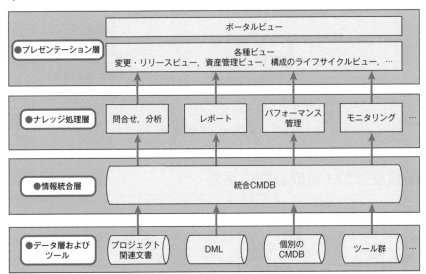

▶構成管理システムの例

　構成管理システムは，すべてのCI情報やCIに関連するインシデント，問題，リリースなどを管理するシステムで，目的に応じたさまざまな参照・更新方法を提供する。

また，確定版メディアライブラリや構成管理データベースを含む。

● **確定版メディアライブラリ**（DML：Definitive Media Library）

　すべての**ソフトウェアの確定版**（許可を受けたバージョン）を保存する，物理的なライブラリ。現場で開発されたソフトウェア以外にも，購入したソフトウェアも保存する。また，ソフトウェアに付随する文書類や，システムに関連する文書を管理することもある。

　DMLはリリース構築のベースとなるため，厳格に運用しなければならない。例えば，無許可の変更などは絶対に受け入れてはならない。

● **構成管理データベース**（CMDB：Configuration Management DataBase）

　CIに関する情報を管理するデータベース。**CIの属性**や**他のCIとの関係**なども格納する。例えば，ソフトウェアについて，DMLはその確定版の実物を管理するのに対し，CMDBはそのソフトウェアに関するさまざまな情報を記録する。

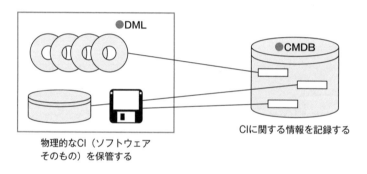

▶ DML と CMDB

3 資産管理・構成管理の活動

　資産管理・構成管理では，主に次の活動を行う。

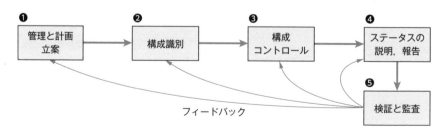

▶資産管理・構成管理の典型的な活動モデル

❶管理と計画立案…サービスの提供に必要な構成管理のレベルとその達成方法を決定し，構成管理計画にまとめる。

❷構成識別…CIを体系的に管理できるように分類し，構造や関係を整理する。体系に沿って命名規則を定め，タイプ，名前，バージョンなどの属性を定める。CIを説明する文書を定義する。CIが機器であれば，ラベルを貼り付ける。

❸構成コントロール…CIの追加・修正・交換・除去といった，各CIに対する管理の仕組みを確保する。例えば，ソフトウェアを変更する正式な手順を定めておき，これに従わない変更が行われないようにする。

❹ステータスの説明，報告…各CIのステータスを管理する。これによって，例えば，使用中止となったCIをリリースに含めるようなミスを防ぐことができる。

（CIのステータスの例）

開発中または考案中	開発中のCI。サービスはまだこのCIを使用できない。
承認済	正式に承認されたCI。サービスに用いてよい。
使用中止	何らかの理由で使用を中止したCI。

❺検証と監査…CMSやCMDB中のCIに関する情報が，実際のCIと合致しているかどうかを監査する。構成監査は，次の時点で行うべきである。

CMSへの変更直後，リリースや導入の前，災害復旧後と通常状態に戻った後，計画した間隔で，ランダムな間隔で，無許可のCIの検出に対応するとき，など。

4 CIの構成構造

CIの構造は，CIをさらにその部品となるCIに分解することで得られる。このような**階層関係**を作成し，どのレベルで管理するのが適切かを検討する。例えば，管理の単位を上位レベルのCIに合わせた場合，CIの詳細情報が必要になったときに取得できないおそれがある。逆に下位のレベルに合わせ過ぎた場合は，詳細な情報を保持しなければならず，データ量が膨大になり管理そのものが困難になる。

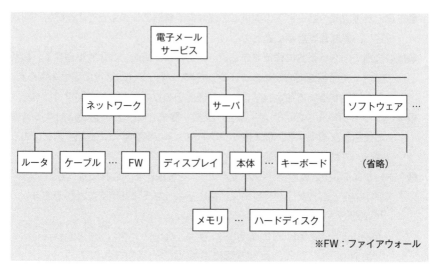

▶ CI の構成構造の例

5 CI間の関係

　CI間の関係には，構造の元となった階層関係（親子関係）のほか，接続，使用，インストールといった関係がある。これらの関係はCIの情報とともにCMDBに記録する。

▶ CI 間の関係の例

6 構成ベースライン

　構成ベースラインとは，**正式に合意された，基礎となる構成**をいう。**ある時点での構成のスナップショット**である。CIの追加を行う際に構成ベースラインを標準CIとして参考にしたり，障害発生時の切り戻しの際の復旧ポイントに用いたりというように，将来の構成，リリース，変更のベースとなる。合意された後は，変更管理プロセスを通して管理される。

7 資産管理・構成管理のKPI

資産管理・構成管理における主要なKPIには，次のものがある。

- 購入したライセンスに対する，使用されているライセンスの割合
- 資産と構成の情報の品質と正確性の向上
- 顧客または事業部門が利用した資産の予算および課金の正確性
- 不適切な資産管理または構成管理によるサービス停止やインシデントが事業に
  与えるインパクトの削減率
- 無許可のハードウェアやソフトウェアの使用の削減　　など

5 関係及び合意

本章は，**サービスを提供する組織が関わるステークホルダとの関係**について学ぶ。具体的には，サービスを提供する顧客や利用者や，サービス提供の支援を受ける供給者（サプライヤ）との契約や合意の管理について学ぶ。なお，サービスを提供する組織は，顧客との間で，提供するサービスの水準を取り決め，合意（SLA）を交わす。このSLAに基づくサービスレベルの管理についても取り上げる。サービスを提供する際のさまざまな活動において，判断の拠り所となるのは，顧客と交わしたSLAである。よって，本章の内容は，サービスマネジメントにおいて学習する際に必ず押さえておくべき事項である。

---*---

〈午前Ⅱ試験〉本章に関連する問題として，SLAの対象項目や作成指針，供給者・サービス提供者・顧客の関係，サービスレベル管理，サプライヤのカテゴリ化などがある。事業関係管理や供給者管理に関しては，JIS Q 20000からの出題も多いので，第12章と併せて学習しておくとよい。

〈午後Ⅰ試験〉**SLAの実現・維持はサービスマネジメントの最重要事項であることから，サービスレベルに関する出題は多い。** キャパシティ管理やサービスデスクなど，サービスレベル管理以外の活動をテーマとした問題の中でも，**SLA項目が提示されサービスレベル目標値の実現・維持について考察するタイプの問題は，頻繁に出題されている。**

〈午後Ⅱ試験〉本章に関連して，サービスレベル管理，供給者管理，事業関係管理の出題がある。本章で学ぶサービスレベルの実現・維持の観点や顧客重視の観点は，午後Ⅰ試験と同様，午後Ⅱ試験においても重要な視点となっている。

1 事業関係管理

1 事業関係管理

　事業関係管理は，**顧客およびその事業を理解し，サービスプロバイダと顧客との間に良好な関係を確立し，維持する活動を行う**。例えば，各活動から上がってきた顧客の要望や満足度をとりまとめ，サービスプロバイダが顧客のビジネスニーズを満たしているかを確認し，結果をサービスポートフォリオ管理にフィードバックする活動などが該当する。

2 サービスプロバイダのタイプ

　サービスプロバイダは，次の三つのタイプに分類できる。それぞれのタイプに応じた事業関係管理が必要になる。

● 内部サービスプロバイダ（Type I プロバイダ）

　企業内の特定の部門に対して，その部門内に所属しながらサービスを提供する。顧客の事情に精通しており，きめ細かなサービスを提供できる。

● シェアードサービス部門（Type II プロバイダ）

　企業内の複数部門に対してサービスを提供する。人事や財務など，多くの部門が必要とする共通サービスは，シェアードサービスとして提供する。

● 外部サービスプロバイダ（Type III プロバイダ）

　社外の企業を顧客としてサービスを提供するサービスプロバイダ。

2 サービスレベル管理

このSectionで学ぶこと

Check!

- □ SLAとは，顧客とサービスプロバイダ間で取り決められたサービスレベルに関する合意書である
- □ サービスレベル管理は，SLAの合意事項を実現し，維持する

1 サービスレベル管理

顧客が考えるサービスの水準（サービスレベル）とサービスプロバイダが提供できる水準との間に差があれば，サービスプロバイダがどんなにサービスに努めたとしても顧客は不満を感じてしまう。そのようなことにならないために，顧客とサービスプロバイダの間でサービスレベルに関する合意を結び，サービスがその合意に基づいて提供されているかどうかを監視しなければならない。サービスレベル管理（SLM：Service Level Management）では，**サービスレベルの合意とその実現・維持に関する活動**を行う。

2 SLA（サービスレベル合意書）

SLA（Service Level Agreement）は，**顧客とサービスプロバイダ間で取り決められたサービスレベルに関する合意書**である。SLAには，サービスの説明や適用範囲に加えて，

- サービス時間：平日９：00～17：00，24時間365日など
- 可用性：稼働率99.5％以上など
- 信頼性：故障の発生を年３回以内に抑えるなど
- 顧客サポートの方法：サービス窓口や連絡体制など
- 性能：平均応答時間７秒以内など

などが定められる。また，サービスプロバイダ，顧客，ユーザのそれぞれの役割と責任を明記する。責任には，合意したサービスレベルを達成できなかった場合のペナルティ（違約条項）を含む。

3 SMART

良い目標値を設定するための条件として，次の5項目が挙げられる。これらは，頭文字をとって"SMART"と呼ばれる。

〔SMART〕
- Specific（具体的であること）
- Measurable（測定可能であること）
- Achievable（達成可能であること）
- Relevant（適切であること）
- Time-bound（適時であること）

---

4 SLAを支える文書

SLAに沿ったサービスを提供するためには，組織内部のサポートチームや，場合によっては外部組織であるサプライヤの協力が必要になる。そこで，**サポートチームとの間にOLA（Operational Level Agreement）を定め，サプライヤとは**外部委託契約**を締結**する。また，新規に導入するサービスについては，**SLAを定める前に顧客側の要件をSLRにまとめる。**

● OLA（オペレーショナルレベルアグリーメント，運用レベル合意書）

サービスプロバイダと同じ組織内にあり，**サービス提供を支援する別の部署と交わす合意**。例えば，サービスプロバイダとハードウェア調達部門との合意や，サービスプロバイダとサービスデスクとの合意などがある。

● 外部委託契約

サプライヤなどの外部組織（サードパーティ）と締結するサービス提供に関する契約。UC（Underpinning Contract）と呼ぶこともある。

● SLR（Service Level Requirement；サービスレベル要件）

顧客がサービスに求める要件。SLRに定めた内容をもとに，SLAの交渉が行われる。

OLAと外部委託契約は，ともにSLAを支える合意であり，密接な関連を持つ。このため，**SLAとOLA，外部委託契約とを併せて**「基本となる合意」と呼ばれる。

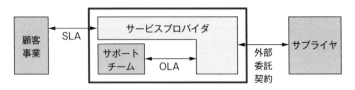

▶基本となる合意

5 サービスレベル管理の活動

サービスレベル管理では，主に次の活動を行う。

【サービスレベル管理の活動】

- SLAフレームワークの設計…すべての顧客とサービスを網羅的に対応づける
SLA体系を設計する。代表的なSLAのモデルには，サービスベース，顧客
ベース，マルチレベルなどがある。

- SLRの決定，文書化，合意とSLAの作成…新規サービスを導入する場合，ある
いはサービスを変更する場合には，サービスに対する顧客の要件を決定し，
SLRにまとめる。作成されたSLRをもとに顧客と交渉を行い，SLAを作成
し合意を得る。

- パフォーマンスのモニタリング…実際に提供されているサービスレベルがSLA
を満たしているかどうかを監視し，測定する。

- サービスのレビュー：SLAやそれを支えるOLA，外部委託契約について，その
内容や目標値が妥当であるかどうかをレビューする。

- 顧客満足度の情報収集，測定，改善…アンケート調査やレビュー，ミーティン
グにおける顧客の反応，クレームの状況などを元に顧客満足度を測定し，
改善する。

- サービスレポートの作成…サービスの達成度について，定期的にレポートを作
成する。

6 SLAのモデル

SLAの代表的なモデルを次に挙げる。

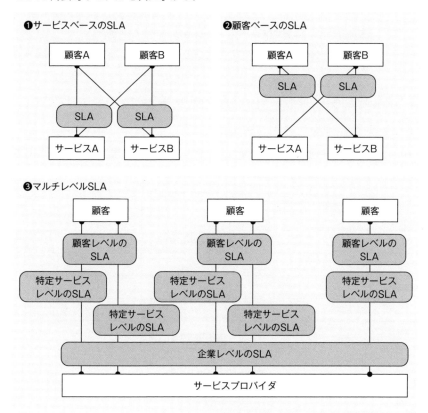

❶サービスベースのSLA

❷顧客ベースのSLA

❸マルチレベルSLA

▶SLAの代表的モデル

❶サービスベースのSLA…**単一のサービスを複数の顧客に提供する場合に，そのサービスを利用するすべての顧客を対象に定めるSLA**。例えば，インターネット接続サービスを複数企業に提供するとき，共通のSLAを定めることがある。単純なモデルであるが，企業ごとに要求レベルが少しずつ異なる場合には，対応が困難である。

❷顧客ベースのSLA…**特定の顧客に対して提供するすべてのサービスに対して定めるSLA**。ある顧客が利用するすべてのサービスの要件を一つの文書で網羅させるため，顧客にとって都合がよい。

❸マルチレベルSLA…**サービスをいくつかの階層に分けて，各階層で合意をとる SLA**。例えば，階層を企業／顧客／サービスの3段階に分け，それぞれの内容についてSLAを定める。

・企業レベル…組織内のどの顧客に対しても共通する汎用的な内容
・顧客レベル…特定の顧客グループや事業部門に特有の内容
・特定サービスレベル…特定の顧客グループに対する特定のサービスの内容

7 SLAモニタリング（SLAM）チャート

　サービスは常に計測され，SLAを満たしているかどうかが報告される。SLAM (Service Level Agreement Monitoring) チャートは，報告に用いられる図で，SLA違反や警告レベルの発生状況をひと目で知ることができる。

SLA項目 ＼ 期間	4月	5月	6月	7月	8月	9月	10月
レスポンスタイム		警告	SLA違反				
サービス提供時間						警告	
稼働率			警告				
インシデント解決時間		警告		SLA違反			

□ SLA達成　　■ 警告　　■ SLA違反

▶SLAMチャートの例

8 サービスレベル管理のKPI

　サービスレベル管理における主要なKPIには，次のものがある。

- 達成が危ぶまれたSLAの目標値の削減率
- 顧客満足度の増加率
- 運用中のサービスに対して合意されたSLAの増加率
- 適切なSLAの策定および合意の速度の向上率
- 予定どおり完了したSLAレビューの増加率　など

3 供給者管理（サプライヤ管理）

このSectionで学ぶこと

Check!

☐ 供給者管理は，すべての供給者（サプライヤ）との契約と供給者が提供するサービスを管理する
☐ 重要度の高い供給者に対してより多くの管理コストをかける

1 供給者管理（サプライヤ管理）

　情報システムの高度化に伴い，サービスもまた高度に専門化している。そのようなサービスを，一つのサービスプロバイダだけで提供しようとするのは現実的ではない。多くの場合，サービスプロバイダは専門的な知識を持つ外部の供給者（サプライヤ）の支援を受けながら，一連のサービスを提供することになる。その結果，サービスプロバイダは自身だけではなく，供給者および供給者が提供するサービスを管理することになる。供給者管理は，**すべての供給者との契約と供給者が提供するサービスを管理するプロセス**である。

　供給者管理においては，重要度の高い供給者に対してより多くの管理コストをかけるべきである。

2 供給者のタイプ

　供給者には次のタイプがある。

> ・外部供給者
> ・内部供給者
> ・供給者として行動する顧客

　供給者がいずれのタイプであれ，サービスレベルの目標やお互いの役割・責任の分担，果たすべき義務などを明確にし，合意する必要がある。ただし，内部供給者に対しては，契約よりもゆるやかな何らかの合意文書を取り交わすことが多い。

❸ 最適なソーシングの選択

　サービスを提供する際に，供給者を利用するソーシングの方法や利用の程度はさまざまである。次に，ソーシング構造の主なカテゴリを示す。サービスの提供戦略として最適なソーシングを選択し，サービスの設計に反映させる。

▶ソーシング構造のカテゴリ

ソーシング構造	説明
インソーシング	組織内部のリソースを活用する。
アウトソーシング	外部のリソースを活用する。
コソーシングまたはマルチソーシング	複数のアウトソーシング組織と連携する。多くの場合，インソーシングとアウトソーシングの組合せとなる。
パートナシップ	二つ以上の組織と連携する。コソーシングと比べると「戦略的なパートナシップ」という意味合いが強い。
ビジネスプロセスアウトソーシング (BPO：Business Process Outsourcing)	組織のある業務機能の全体を外部組織に委託すること。例えば，コールセンタ業務を委託することなどが挙げられる。
アプリケーションサービス供給	ASP（アプリケーションサービスプロバイダ）による，アプリケーション機能の供給。
ナレッジプロセスアウトソーシング (KPO：Knowledge Process Outsourcing)	BPOの進化形。外部組織から，ビジネスプロセスだけでなく高度な専門知識（ナレッジ）の供給を受ける。
クラウドサービス	クラウドサービスプロバイダによる，事前に定義された特定サービスの供給。顧客は需要に応じてサービスを選択する。
複数ベンダーによるソーシング	複数の異なるベンダーから異なるソーシングを受ける。

④ 供給者管理の活動

供給者管理では，次の各段階に応じた活動が行われる。

> 【サプライヤ管理の活動】
> - 新しい供給者および契約の要件定義…サービスの設計の一環として，新たな供給者の支援が必要か，どの程度必要なのかを定義する。
> - 新しい供給者と契約の評価…新たな供給者が提供するサービス，リスク，コストなどを評価する。
> - 新しい供給者と契約の確立…新たな供給者と契約を結び，サービスを移行する。
> - 供給者との関係やパフォーマンスの管理…供給者との間で良好な関係を結ぶためのコミュニケーションや，障害対応が円滑に行えるような仕組みを確立する。また，供給者が提供するサービスについて，パフォーマンスおよびサービスの適用範囲や合意内容を定期的にレビューする。
> - 供給者の分類…供給者が提供するサービスの価値や重要性，供給者を利用するリスクやインパクトなどをもとに，重要度に応じて供給者を分類する。
> - 契約の更新や終了…供給者との契約がどのような効果を上げたかを評価し，契約の更新または終了を決定する。

⑤ 供給者管理のKPI

供給者管理における主要なKPIには，次のものがある。
- 合意した目標値を達成する供給者数の増加
- 供給者と契約に関する目標値の数の増加
- 供給者に起因するサービス違反数の減少　　など

6 | 供給及び需要

　本章では，供給及び需要として，サービスの予算業務及び会計業務，需要管理，容量・能力管理（キャパシティ管理）について学ぶ。サービスを提供する組織は，対象サービスの提供に関する予算業務及び会計業務を適切に実施し，現在および将来の需要を把握し，十分なキャパシティを用意し提供しなければならない。

　本章の内容は，具体的な数値で示せるものが多いので，試験に取り上げられやすい。それぞれの活動内容や管理すべき項目，キーワードなどを把握しておくとよい。

〈午前Ⅱ試験〉本章に関連する問題としては，容量・能力管理（キャパシティ管理）の出題が多く，容量・能力管理におけるモデル化，キャパシティ管理の重点分野の管理指標，容量・能力の利用の監視の注意事項などがある。

〈午後Ⅰ試験〉午後Ⅰ試験においても容量・能力管理（キャパシティ管理）の出題が多い。キャパシティ管理をテーマとした問題では，CPUやメモリ，磁気ディスクの使用率やレスポンスタイムなど，具体的な管理項目が提示され，**現状のキャパシティと利用状況，需要を踏まえて，将来の計画を立てていく話が多い。**サービスの予算業務及び会計業務からは，運用費用や減価償却，サーバの追加購入などについての考察や，クラウドサービスに移行する際の価格モデルの比較検討などの内容が問われている。

〈午後Ⅱ試験〉本章に関連して，キャパシティ管理の出題がある。**キャパシティ管理は，SLAと関連させた考察など，今後も出題される可能性は高い。**サービスの予算業務及び会計業務からは，費用の最適化を目的とした改善が出題されている。

1 サービスの予算業務及び会計業務 (ITサービス財務管理)

○ このSectionで学ぶこと

Check!

☐ サービスの予算業務及び会計業務は，費用対効果を高めるために，提供するサービスのコストや戦略的価値を分析する
☐ サービスは供給価値と潜在的価値の両面から評価される

1 サービスの予算業務及び会計業務の概要

　戦略的な優位性を高めるためには，費用対効果の高いサービスを提供する必要がある。サービスの予算業務及び会計業務は，**提供するサービスのコストやその戦略的な価値を分析**する。

2 サービスの予算業務及び会計業務の活動

　サービスの予算業務及び会計業務は，主に次の三つの活動で構成される。

● **予算業務**

　サービス提供にかかわる収入と支出を予測し，コントロールする。

● **会計業務**

　サービス提供のために投入された資金やかかったコストを管理する。

● **課金**

　サービス提供にかかった費用を顧客から回収するために，使用時間や使用量などに応じて料金を設定し，請求を行う。なお，課金は必須ではない。

　これらの活動のなかで，具体的には次のような作業が行われる。

[サービスの予算業務及び会計業務の活動]
- サービス査定…提供するサービスの価値を金銭で評価する。
- コストモデルに基づくコストの把握…資金がどこに使われているかを識別し正しく使うために，コストモデルを定義してコストを把握する。
- 資金調達方法の分析…資金調達の方法を分析し，選択する。
- コスト回収…必要に応じて課金を行い，提供したサービスへの対価を顧客に請求し，コストを回収する。

---

1 需要管理

　一般の商品とは異なり，サービスは在庫できない。そのため，サービスは，顧客の需要に合わせて過不足なく供給しなければならない。例えば，顧客の業務時間が9：00～18：00であったとする。この顧客に対して，24時間対応できるキャパシティを提供したとしても，サービスが利用されない業務時間外の能力の確保には意味がなく，いたずらなコスト増大を招くだけである。

　需要管理では，**顧客の事業活動を分析することで需要パターンを見いだし，その需要パターンに見合ったキャパシティを用意する**。また，需要の変化の波が激しい場合には，サービスレベルを維持するために，必要に応じてそれを平準化させるための活動を行う。

　需要管理は，キャパシティ管理と密接な関係を持っており，需要管理の活動によって得られた情報はキャパシティ管理に提供され，適切なキャパシティ管理計画のために活用される。

2 事業活動パターン (PBA)

　事業活動パターン（PBA：Pattern of Business Activity）とは，**顧客の事業活動における行動パターン**をいう。需要管理では，顧客のビジネスプロセスを追跡し，PBAを体系化することで，サービスへの需要を明らかにする。

　例えば，顧客企業のある商品の販売業務において，

- 購入者とのやりとりが頻繁に発生する
- 購入者の個人情報を扱う
- 商品の季節変動が大きい
- 海外社員も販売システムにアクセスする

といった活動の特徴やパターンを明らかにする。

なお，PBAは，サービスを利用するユーザの特徴や組織内の役割や責任とも関連する。例えば，

- 役員は多くの統計レポートを必要とするが，ITにあまり詳しくない
- 営業員は外出が多く，販売システムへの社外からのアクセスが多い

といった特徴をユーザプロファイル（UP：User Profile）にまとめ，これらをPBAと結び付けることによって，

このような特徴を持つ事業を行っているこれらの人々に対しては，これくらいのサービスレベルが必要である

といったサービスの需要パターンを明確にしていく。

3 サービスパッケージ

顧客の需要パターンが明らかになれば，それを満たすようなサービス内容を考える。サービスは部品（サービスコンポーネント）単位に整理し，それらを組み合わせたサービスパッケージの形で提供する。サービスパッケージとは，**顧客に対して提供することができるひとまとまりのサービスについて詳細に説明したもの**である。

サービスは，コアサービス，実現サービス，強化サービスの三つに分類でき，サービスパッケージは，一つ以上のコアサービス，実現サービス，強化サービスから構成される。

● コアサービス

顧客が求める基本的な成果を提供するサービスのこと。

● 実現サービス

コアサービスを提供するために必要となるサービスのこと。例えば，サービスデスクや，銀行のサービスを提供するための送金用口座のサービスなどがある。

● 強化サービス

コアサービスを顧客にとってより魅力的にするために，コアサービスに追加されるサービス。例えば，ホテルの部屋でのブロードバンド接続サービスなどが強化サービスにあたる。

4 顧客の需要の調整

　顧客の需要パターンに大きな波がある場合は，適切なキャパシティを用意するのは難しい。需要が大きいときと小さいときとの差が激しいと，サービスレベルの維持が困難になったり，リソースの無駄が多くなったりしてしまう。このため，需要管理によって，顧客の需要がなるべく一定になるように調整を行うことがある。調整の方法には，物理的な制約による方法や財務上の制約による方法がある。

① 物理的な制約による需要の調整

　システムサービスに同時に接続するユーザ数がある一定の数値を超えたら，接続数を制限して一定時間をおいてからの再接続を促し，アクセスを平準化する。

② 財務上の制約による需要の調整

　サービスに対して課金を行う場合，ピーク時の料金を高くし，そうでないときの料金を低く設定したり割引したりすることによって，アクセスを平準化する。例えば，携帯電話の料金体系において，利用の少ない夜間の料金を低く，利用の多い日中の料金を高く設定することによって，利用量がなるべく一定になるようにする。これを格差課金という。

---

3 容量・能力管理（キャパシティ管理）

このSectionで学ぶこと

Check!
- □ 容量・能力管理には，事業，サービス，コンポーネントの3つのレベルがある
- □ モニタリング，分析，チューニング，実装のサイクルを回す

1 容量・能力管理（キャパシティ管理）

　キャパシティとは，**備わっている最大の容量や能力**をいい，ハードウェアやソフトウェアの量や性能に左右される。キャパシティが不足していれば，負荷が大きくなったときにさまざまな不具合が生じる。逆にキャパシティが過多であっても，システムは不必要に高価となり顧客に受け入れてもらえない。容量・能力管理では，そのような「バランスをとる」ことがとても重要になる。

容量・能力管理は，次に示すバランスを考慮しながら，**現在や将来のビジネスニーズに適合する適切なキャパシティを設定・維持するための活動を行う。**

【容量・能力管理プロセスにおけるバランス】
- リソースとコストのバランス…ビジネスニーズから見た処理キャパシティ（供給能力）とコストのバランス
- 需要と供給のバランス…需要と処理キャパシティとのバランス

② 容量・能力管理の3つのレベル

容量・能力管理には，次の3つのレベルがある。

● 事業キャパシティ管理

事業戦略やトレンドの分析を行うことで，将来の事業要件がどのように変化し，どのようにITが利用されていくのかを把握し，それに見合ったキャパシティを計画し実現する。これは，将来にわたって必要なキャパシティを提供するためのプロアクティブ（事前対処的）な活動である。

● サービスキャパシティ管理

サービスのパフォーマンスや最大負荷を計測・監視・分析することで，それらのサービスがSLAの水準を達成しているかどうかを把握し，そのギャップを埋めるためのキャパシティを計画し実現する。

● コンポーネントキャパシティ管理

サービスを提供するITインフラストラクチャの個々のコンポーネント（リソース）の容量や利用状況がどのように変化していくかを把握し，それに見合ったキャパシティを計画し実現する。

③ 容量・能力管理の基本的な活動

容量・能力管理のそれぞれのレベルでは，モニタリング，分析，チューニング，実装の活動を繰り返し行う。

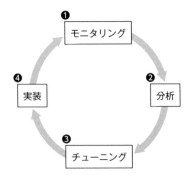

▶**キャパシティ管理の基本的な活動**

❶モニタリング…サービスおよびサービスを提供するためのITインフラストラクチャの個々の要素がどの程度，どのように利用されているかを監視する。サービスのしきい値やリソースのしきい値を超えていないかを確認する。

❷分析…モニタリングによって収集された情報から，キャパシティの傾向を把握し，何らかの対策をとる必要があるかどうかを明らかにする。

❸チューニング…分析結果に基づき，必要とされた対策についてのキャパシティの最適化を行い，具体的な改善策を決定する。

❹実装…決定した改善策を変更管理・リリース管理を通じて本番環境に実装する。

4 アプリケーションサイジング

　サービス提供のために用いられるアプリケーションは，一度導入されて運用段階に入ってしまうと，それを修正したり改善したりすることは容易ではない。よって，新規サービスの導入あるいはサービスの大きな変更を行う際には，現在および将来を見据えた，綿密なアプリケーションのキャパシティ予測やキャパシティ計画が重要になる。この活動を，アプリケーションサイジングという。

5 需要管理におけるキャパシティの調整

　顧客の需要パターンに大きな波がある場合は，容量・能力管理が困難になる。同時接続数の制限や格差課金といった需要管理によって，顧客の需要がなるべく一定になるように調整を行う。

6 対障害弾力性の設計

　構成アイテムまたはITサービスが障害に耐える能力，または障害が発生した後に迅速に復旧する能力を，対障害弾力性という。容量・能力管理は，可用性管理と連携してCFIA（コンポーネント障害インパクト分析）などを行い，構成アイテムまたはITサービスの対障害弾力性を特定し，適切なレベルになるように設計する。

　予備キャパシティを用意することは，対障害弾力性の向上につながる。

7 容量・能力管理のKPI

容量・能力管理における主要なKPIには，次のものがある。

- 事業の傾向（ビジネストレンド）に関する正確な予測の割合
- 事業要件に見合った新しい技術の導入
- SLA違反の原因となる，古い技術の減少
- ITの過剰キャパシティの減少
- キャパシティ不足による事業中断の減少
- パフォーマンス不足によるSLA違反の削減率　　　など

7 サービスの設計・構築・移行

　本章では，**サービスを設計し，構築し，稼働環境に移行する活動**として，サービス設計，サービスの妥当性確認及びテスト，サービスの移行，変更管理，リリース及び展開管理について学ぶ。

　特に，稼働中のサービスを変更する際の変更要求の管理や変更の手順，新たなサービスや修正したサービスを稼働環境に展開する際のリリースの構築や展開の管理は，試験に取り上げられやすいので，活動内容や手順，キーワードなどを把握しておくとよい。

───────────── ✳ ─────────────

〈午前Ⅱ試験〉変更管理とリリース及び展開管理の出題が多く，それぞれの活動の目的や手順，代表的な用語などについて問われている。例えば，変更諮問委員会，変更要求に対する活動，などである。また，システム切替え移行作業の所要時間などの出題がある。

〈午後Ⅰ試験〉出題で特に多いのは，システムやサービスの「移行」である。**移行の際に短時間でトラブルなく行うための作業手順の考察などがこれまでに繰り返し問われている**。また，リリース及び展開管理と変更管理の両方の観点を含めた問題や，新サービスをオンプレミスとクラウドサービスのどちらに移行すべきかを考察する問題などが出題されている。変更管理に関しては，問題管理や構成管理と絡めた形で出題されている。

〈午後Ⅱ試験〉サービスの移行，変更管理，リリース及び展開管理の出題が多く，ITサービスの移行やリリースの検証及び受入れ，変更プロセスの改善などが取り上げられている。

1 サービスの設計

○ このSectionで学ぶこと

Check!

☐ サービスの設計とは，顧客や利用者に新たに提供されるサービスや変更されるサービスの内容を設計することである
☐ サービスを提供する仕組みやプロセスも設計する

■ サービスの設計における活動

　サービスは"商品"なので，売り物のレベルに達していなければならない。たとえ安価なサービスであっても，顧客の要求に満たないサービスは商品として成立しない。
　顧客の要求を満たすためには，サービスの提供レベルについて，顧客と話し合い，合意しなければならない。また，その合意を実現するための仕組みや管理方法を定めなければならない。これらは，サービスの設計にかかわる事柄である。
　サービスの設計は，**新たに提供されるサービスや変更されるサービスを設計する活動**を行う。また，サービスそのものの機能や品質だけではなく，サービスを提供する仕組みやプロセスも設計する。限られたリソースを用いて妥当なコストで顧客が求めるサービス品質や効率を実現するためには，人材の育成や外部組織の活用なども考慮しなければならない。

■ 設計の5つの側面

　新規サービスやサービスの重大な変更の設計に関して，次の5つの側面を網羅することが推奨される。

サービスソリューションの設計	新規または変更されるサービスの要件をもとに，サービスそのものやサービスの提供に必要なリソース，能力（キャパシティ）などを設計する。
管理情報システムとツールの設計 （サービスポートフォリオの設計）	サービスライフサイクル全体を通してサービスを管理する仕組みや用いるツールを設計する。テンプレートを設計するイメージである。特に，サービスポートフォリオは，サービスライフサイクルの中のあらゆるプロセスを管理するための重要な仕組みとして位置づけられる。
技術アーキテクチャと管理アーキテクチャの設計	適切なITサービスとソリューションを展開，運用，改善するための，ITの方針，管理の仕組み，戦略，アーキテクチャ，文書などを設計する。
プロセスの設計	サービスライフサイクルにおいて行われるすべてのサービスマネジメントのプロセス（サービスレベル管理，インシデント管理，可用性管理など）を設計する。
測定方法と測定基準の設計	サービスの品質やプロセスの成熟度などを評価するための仕組みを設計する。

2 サービスの妥当性確認及びテスト

◯ このSectionで学ぶこと

Check!

☐ サービスが目的に適しているか（有用性），使用に適しているか（保証）を確認する

☐ どのようなレベルでどのようなテストが行われるべきかを理解する

1 サービスの妥当性確認及びテスト

　サービスの妥当性確認及びテストは，**サービスが目的に適しているか**（有用性）と，**使用に適しているか**（保証）**を確認する**。どんなに優秀なサービスであろうと，目的に合わなかったり使用に耐えなかったりすれば，商品としての価値は低くなる。そのような事態を避け，サービスの価値を高め，事業として成立させるためにも，サービスの妥当性確認やテストは極めて重要な活動といえる。

2 サービスのVモデル

　テストを実施・管理するためには，どのようなレベルでどのようなテストが行われるべきかを理解しておかなければならない。ウォータフォール型アプローチでサービスを開発する際には通常，次の5段階からなる設計及びテストのモデル（サービスのVモデル）を適用する。

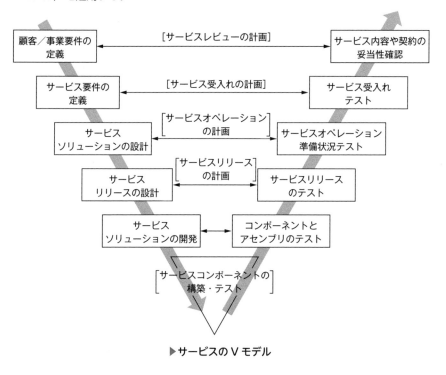

▶サービスの V モデル

3 サービスの妥当性確認及びテストの活動

サービスの妥当性確認及びテストでは，主に次の活動を行う。

【サービスの妥当性確認・テストの活動】
- テスト管理…テストの活動全般の実施にあたっての管理計画の立案，実施段階でのコントロール，実施後のデータの収集と分析，報告を行う。
- テストの計画立案と設計…テスト計画を立案し，テスト設計を行う。テスト設計では，最適なテストモデルやテストケースを選ぶ。テスト計画と併せて，テストスクリプト（テストの方法や期待される結果を記した文書）も作成する。
- テスト計画と設計の検証…テスト計画や設計内容を検証する。
- テスト環境の準備…テスト環境を準備する。
- テストの実施…テスト計画およびテストスクリプトに沿って，テストを実施する。
- 終了基準の評価とレポート…テスト結果を予想した結果と比較して，合格／不合格やリスクの有無，期待した価値を創出できるかなどについて評価する。評価結果をレポートにまとめる。
- テスト後の消去とクローズ…テスト環境を消去する。テストアプローチをレビューし，改善点を識別する。

4 受入れテスト

納入されたシステムの検収のために，受領側（開発委託側）が行うテストを，受入れテストという。受入れテスト実施の目的は，納められたシステムが利用部門での実用上の範囲において問題がないことを確認することである。受入れテストを効率的かつ効果的に実施するためには，検収基準に準拠した受入れテスト基準を設定しておくとよい。

本稼働環境での運用を想定したテストが実施できるよう，受入れテストは本稼働と同様の稼働環境において行われるべきである。

5 サービスの妥当性確認及びテストのKPI

サービスの妥当性確認及びテストにおける主要なKPIには，次のものがある。

- 欠陥を見つけるために要した作業
- 繰り返されるエラーの減少
- テスト中に検出され，本番環境にリリースされたエラーに関連するインシデントの割合
- テストで発見できたはずのエラーの数と割合　　など

3 サービスの移行

◯ このSectionで学ぶこと

Check!

☐ サービスの移行では，サービスを本番環境へ移行させるための活動を行う
☐ サービスの移行は「リリース」という形で提供される

1 サービスの移行における活動

　新規サービスであれ既存サービスの変更であれ，古いものから新しいものへと移行する際には，まず，サービスが混乱なく移行できるよう，移行計画を立てる必要がある。また，新しいサービスが妥当なものであり，十分なパフォーマンスや信頼性を持つことをテストしなければならない。そして，移行によってサービスの構成にどのような変化を与えたかを管理しなければならない。

　サービスの移行は，「リリース」という形で提供される。リリースは，**サービスそのものや，既存のものからの変更の差分をまとめたもの**で，これを本番環境に展開し適用することでサービスを移行する。

2 移行の計画立案及びサポート

　移行の計画立案及びサポートでは，主に次の活動を行う。

［移行の計画立案・サポートの活動］
- 方針の決定…サービスの移行方針，リリース方針などを策定する。
- 移行戦略…サービスの規模や特徴，必要なリリースの回数や頻度などをもとに，移行の基本戦略を決定する。
- ライフサイクルの定義…サービス移行のライフサイクルを定義し，開始／終了の基準や成果物を定める。
- サービスの移行の準備…他のプロセスから入力される基準や成果物をレビューする。また，RFC（変更要求）の識別やスケジューリングなどを行う。
- サービスの移行の計画立案と調整…個々の移行について計画を立案する。例えば，作業環境やインフラストラクチャ，スケジュール，活動内容，人員の配置，予算および期間などを定め，調整する。また，これらの計画内容をレビューする。
- サポート…サービス移行のフレームワークをすべての関係者が理解できるよう支援する。

3 リリース方針

　移行の計画立案及びサポートでは，まずリリースの展開を行うにあたっての方針（リリース方針）を策定し，リリースの展開に関する責任の所在を明らかにしておく。リリース方針には，次のものを含める。

［リリース方針］
- リリースタイプごとのID，番号付け，命名規則
- リリース適用における役割と責任
- リリースタイプごとの頻度
- リリースタイプの分類方法
- リリース配付を自動化する仕組み　　　など

▶リリース方針の一部の例

サービス	リリースタイプ	番号付け	頻度	時間帯
Web サイト	大規模	SS_x	毎年5月	0:00 ～ 5:00
	小規模	SS_1.x	月末	〃
	緊急	SS_1.1.x	随時	〃

● 責任マトリックス

リリースには多くのサービス資産が含まれることが多く，責任の所在があいまいになりやすい。そこで，作業の各段階における責任者を明確に定めた責任マトリックスを作成する。

▶責任マトリックスの一部の例

対象	リリース元	テスト	本番環境への リリース	本番運用
DB	アプリケーション 開発マネージャ	DB 管理者	変更マネージャ	運用マネージャ
サーバ	サーバ構築者	サーバ管理者	変更マネージャ	サーバ管理者
⋮	⋮	⋮	⋮	⋮

4 移行対象と移行方式の決定

システム移行とは，システムを稼働させるためにプログラムやデータを本稼働環境に移すことである。システム移行では，導入するシステムに必要なハードウェア，ソフトウェア，データなどを移行する。

システム移行方式は，業務形態，対象システムの規模や範囲，準備できるリソースなどに従って決定する。

❶一斉移行…システム移行を一括で実施する方式。移行作業は単純だが，問題が発生した場合の影響範囲が大きいため，十分なテストを行い，新システムおよび移行作業の信頼性を確保する必要がある。

❷❸段階的移行（順次移行）…部署ごと，地域ごと，業務ごとなど，部分に分けて段階的に移行を行い，徐々に新システムの稼働範囲を増やしていく方式。問題発生による影響範囲を局所化できるが，移行がすべて終了するまでは新旧システムが混在するため，運用も移行も複雑になる。

・部分移行…システムの中の特定のサブシステムや業務，機器などのように，システム要素を部分的に移行する方式。

・パイロット移行…段階的移行の一種で，最初の移行を試験的に実施して十分な検証を行い，その結果を残りの移行に反映させる方式。移行作業が複雑でトラブルの発生が予想される場合や，拠点単位に同様の移行が繰り返される場合などに有効である。

❹並行移行…一定期間の間，新旧の両システムを稼働させて十分な検証を行ったう

えで, 問題がなければ新システムに切り替える方式。安全な方式ではあるが, 並行稼働させるための両システムのリソースが必要となる。

❶【一斉移行】

A支店	旧システム		新システム	
B支店	旧システム	移行	新システム	
C支店	旧システム		新システム	
D支店	旧システム		新システム	

○月○日 → 時間

❷【段階的移行①】(支店別移行)

A支店	旧システム	移行	新システム
B支店	旧システム	移行	新システム
C支店	旧システム	移行	新システム
D支店	旧システム	移行	新システム

→ 時間

❸【段階的移行②】(サブシステム別移行)

A支店 / B支店 / C支店 / D支店

旧システム(100%) 移行① 新システム(30%) / 旧システム(70%) 移行② 新システム(50%) / 旧システム(50%) 移行③ 新システム(80%) / 旧システム(20%) 移行④ 新システム(100%)

A サブシステム / B サブシステム / C サブシステム / D サブシステム

→ 時間

❹【並行移行】

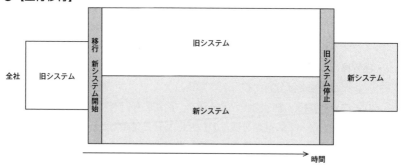

全社 旧システム / 移行 新システム開始 / 旧システム / 新システム / 旧システム停止 / 新システム

→ 時間

▶ システム移行の方式

5 移行作業の洗出しと移行計画

　実施すべき移行作業を洗い出し，移行当日の作業スケジュールを作成するとともに，移行作業の役割分担を決める。移行作業には，移行ツールの開発や機器の準備，移行計画書や作業指示書の作成など事前に行っておく作業と，プログラムやデータの移行といった移行当日に行う作業とがある。特に，**移行当日は，移行作業に当てられる時間は限られており，短時間でミスなく移行を完了させなければならない**。そのため，効率良く（できるだけ短時間で）実施できるよう，綿密に計画しておく必要がある。移行当日の作業スケジュールの作成にあたっては，次の観点からの時間短縮の工夫が有効であり，**午後Ⅰ試験にもたびたび出題されている**。

【移行当日の作業の時間短縮の工夫の観点】

❶　前もって実施できる作業や当日に行う必要のない作業はないか？

　移行当日に更新のないファイルは，前もって移行しておくことができる。一般に，受注などのトランザクションファイルは日々更新されるので当日に移行しなければならないが，マスターファイルには更新頻度の低いものがあり，そのようなファイルは事前に移行できる。

　　例）マスターファイルのうち，商品価格ファイルと顧客ファイルは当日更新されないので，前日に移行しておこう。

❷　並行してできる作業はないか？

　ある作業をしている間に，別の作業を並列で行えれば，時間短縮になる。

　　例）バックアップ作業とネットワーク切断の作業は，並列で実施しよう。

❸　作業手順の並べ替えによって効率UPする作業はないか？

　作業の内容や要員の配置などを勘案して，作業を並べ替えると時間短縮につながる場合がある。

　　例）3時から作業要員が増えるので，人手のいる作業は3時以降にやろう。

❹　新旧どちらで行ってもよい作業のうち，他方で行うと効率が上がる作業はないか？

　移行当日の作業の中には，新旧どちらの環境で行ってもよい作業がある。そのとき，どちらで行えば効率が良いかを考える。

　　例）移行当日のバッチ処理は新旧どちらのシステムで行ってもよいのだが，新サーバのほうが性能が良いので，新サーバ上で行ったほうが短時間で完了できる。

移行作業に失敗した場合に移行前のシステム環境に戻して運用を行えるようにするための切り戻し計画も必ず含める。

　想定以上に時間がかかると時間内に移行作業が完了できないこともありうるため，移行を中止し切り戻しを行う判断の基準を決めておくことも大切である。

6 移行テスト（移行リハーサル）

　移行テスト（移行リハーサル）は，**導入するシステムが，移行計画どおりに移行できることを確認するために行うテスト**である。つまり，システム移行計画に従って，開発環境から本稼働環境に，予定した時間内に安全で確実に移行ができることを確認する。移行用プログラムを実行し，移行対象（データやプログラムなど）が正確に移行できることを確認するとともに，移行作業や検証作業の手順や正確性を確認するリハーサルの側面を持つ。また，実際の移行で作業ミスが発生しないように，作業者の習熟度を高めておくことも目的の一つである。

　次図に，一般的な移行テストの実施ステップを示す。

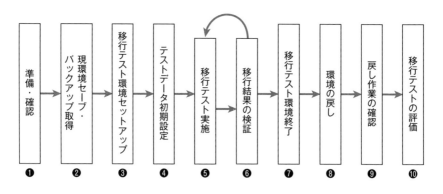

▶**移行テストの実施ステップ**

　本番の移行作業では，前記の実施ステップの「移行テスト」が「本番移行」，「移行テスト環境」が「本稼働環境」に置き換わり，**❼❽❾**の現環境への戻し作業は行わないが，それ以外はほぼ同様の流れになる。

● 移行ツール

　システム移行時には，ツールを使用することがある。コード変換や形式変換など汎用性のあるツールが市販されており，実績がありコストも低いので採用されることが

多い。複数のツールと移行用プログラムを組み合わせて使用することもある。いずれ
の場合も，移行前後の環境の相違を考慮したうえで移行テストを実施しておくことが
重要である。

[7] 移行実施

　移行作業は短時間で，しかも終了時間に制約があることも多く，効率的に実施する
ことが大切である。そのため，移行作業の当日は，準備した移行計画書や作業指示書，
役割分担表などに基づいて作業を行う。

　移行作業の実施にあたっては，作業スケジュールに従い，一つひとつの処理結果が
予定どおりであるかをチェックリストなどで確認しながら作業を進め，安全で確実な
処理が行われるようにしなければならない。また，作業進捗のマイルストーンとなる
チェックポイントを設け，個々のチェックポイントで移行責任者が必ず確認をとる。
その際，処理内容とともに処理時間も監視し，予定時間内に移行作業が終了できるこ
とを確認する。

　障害が発生するなど，当初の計画外の状況になった場合は，役割分担に従って情報
を収集・解析し，移行責任者の判断に従う。**移行責任者は，次の観点から，移行作業
を続行するかまたは中断するか判断する。**

- 許容時間内に移行作業が終了し，予定時刻に業務を開始できるか。
- 現行システムへの切り戻しと移行作業の継続では，どちらが問題が少ないか。
- 移行作業の品質や性能に問題がないか。ある場合は問題の回避策はあるか，あ
  るいは運用対処が可能か。

　中断する場合には，通常の業務が可能な状態（移行前の状態）への切り戻し作業が
発生する。よって，**作業スケジュールは切り戻し時間も考慮して計画しておく必要が
ある。**

[8] 移行の計画立案及びサポートのKPI

　移行の計画立案及びサポートにおける主要なKPIには，次のものがある。

- 顧客が合意した要件を満たす実施済リリースの数の増加（全リリースに対する
  割合）
- 不十分な計画立案による課題，リスク，遅れの減少　　　など

4 変更管理

1 変更管理

　サービスを構成する要素には，さまざまな理由で変更が生じる。例えば，不具合の修正のようなリアクティブな変更，コスト削減やサービス改善のためのプロアクティブな変更がある。また，関連する文書類の変更などもある。変更が無秩序に行われると，トラブルの原因となる。そこで，変更管理がサービスへの変更の実施を一元的に管理する。変更管理は，**変更の承認から変更の反映が正しく行われたかを確認するまでの一連の活動を管理**し，すべての変更が標準化された方法や手順を用いて効率的かつ迅速に，確実に行われるようにし，事業へのリスクを最適化する。

2 変更要求 (RFC)

　サービスを構成する要素への変更の要求や提案は，RFC（Request For Change；変更要求書または変更要求）と呼ばれる文書を変更管理に提出することによって正式なものとなる。原則として，変更対象のサービスにかかわる者であれば誰でもRFCを提出することができる。以下に，RFCに記載される主な内容を示す。

【RFCに記載される主な内容】
- 一意の識別番号
- 変更が必要となった経緯，説明
- 変更対象に関する情報，説明
- 変更の理由，変更を実施しない場合の影響
- 提案者の情報，提案の日時
- 変更の分類や優先度
- 予測される期間やリソース，コストなど
- リスク，影響度，各種計画に与える影響の評価
- 切戻し計画または修復計画
- 決定者，許可者に関する情報
- 変更の実施に関する情報
- レビュー結果
- クローズ情報

　これらの情報は，RFC起票時にすべて記載されるものではなく，変更の段階に応じて徐々に記録・更新される。

● 変更マネージャ

　すべてのRFCを受領し，対応の完了（RFCのクローズ）までの責任を持つ者。変更マネージャは，RFCの受領，登録，優先度割当て，変更計画の策定など，変更管理の一連の作業に責任を持つ。変更諮問委員会の招集なども行う。

③ 変更諮問委員会（CAB）

　変更諮問委員会（CAB：Change Advisory Board）は，**変更マネージャと変更の利害関係者**（顧客やユーザの代表，開発者，運用担当者，サービスデスク，サプライヤなど）**で構成される諮問機関**であり，変更の許可，変更のアセスメントと優先度付けなどにおいて，変更管理を支援する。参加メンバは変更マネージャによって招集され，変更マネージャが議長を務める。なお，緊急性の高い変更が生じ，CABを招集する時間がない場合には，緊急変更諮問委員会（ECAB：Emergency CAB）が招集されることもある。ECABは，一般にCABよりも小規模な組織であり，緊急の決断を下す権限を持つ。

4 変更の種類

変更は，通常の変更，緊急の変更，標準的な変更，の三つに分類できる。

● 通常の変更

通常の変更のフローに沿って行われる変更のこと。

● 緊急の変更

事業への影響度が大きく，緊急に実施しなければならない変更のこと。通常の変更を行う時間がない場合である。緊急の変更は，一般に混乱を招きやすく，失敗しやすいため，最小限の数に抑えるべきである。また，その手順は，通常の変更で行うべき手順を省略するのではなく，迅速に実施することを目指す。

緊急の変更が通常の変更と異なる点は，次のとおりである。

【緊急の変更が通常の変更と異なる点】

・承認は，CABからではなく，ECABから与えられる場合がある。

・テストは可能な限り多く実施すべきであるが，縮小されるか，緊急に変更を提供するためのリスクとみなされる場合には，省略されることがある。

・緊急の変更に伴う変更レコードや構成アイテムの更新作業，文書化の作業などは，延期される場合がある。

● 標準的な変更

あらかじめ変更管理によって手順が確立され，承認済みの変更のこと。事業への影響度が小さく，発生するたびに変更管理を通す必要のないものが当てはまる。例えば，新規ユーザの追加，PCのアップグレードなどが標準的な変更にあたり，あらかじめ決められた手順をサービスデスクなどが実施する。よって，変更管理のフローからは外れる。

5 変更管理の活動

変更管理では，主に次の活動が行われる。

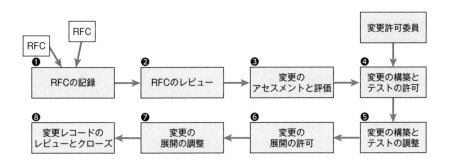

▶通常の変更のフローの例

- RFCの作成…起票者（起票部門）がRFCを作成し，変更管理に提出する。
❶RFCの記録…提出されたRFCに一意の識別番号を付け，記録する。
❷RFCのレビュー…RFCのレビューを行う。ここで行うレビューは，非現実的な
　　　RFCや・既出のRFCとの重複，記載内容に不備のあるRFCなどを手早く却下
　　　する簡単なものである。
❸変更のアセスメントと評価…変更に関するインパクトやリスク，変更の利点を評
　　　価し，変更を実施すべきかどうかを検討する。評価にあたっては，後述する
　　　「7つのR」と呼ばれる視点を参考とする。
❹変更の構築とテストの許可…変更許可委員が正式に変更を許可し，起票者をはじ
　　　め，関係者に伝達する。
❺変更の構築とテストの調整…許可された変更に対するリリースの構築やテスト
　　　は，主にリリース及び展開管理によって調整され実施される。
❻変更の展開の許可…変更に対するリリースの設計，構築，テストの状況を評価し，
　　　変更許可委員が展開を許可する。
❼変更の展開の調整…変更に対するリリースがスケジュールどおりに展開されるよ
　　　う調整を行う。
❽変更レコードのレビューとクローズ…変更が目標を達成できていることを確認す
　　　るため，実施後のレビュー（PIR）を行う。変更が成功したことが確認でき
　　　れば，変更をクローズする。

- ● 変更許可委員

　変更の正式な承認を行う役割を持つ者（グループまたは個人）。通常，変更マネージャまたは変更諮問委員会がその役割を務める。複数の変更許可委員を置き，変更の大きさやレベルに応じて承認権限を持たせる場合もある。

- ● 変更スケジュール（CS：Change Schedule）

　承認済みのすべての変更とその実施予定日を記載する文書。

- ● サービス停止計画（PSO：Projected Service Outage）

　変更の実施によるサービスの停止，制限などの計画。

- ● 修復計画

　変更が失敗した場合の復旧，切り戻しの計画。

- ● 実施後のレビュー（PIR：Post-Implementation Review）

　変更実施後に行うレビュー。プロジェクトなどの活動終了後に行うレビューで，活動が成功したかどうかを判断する。**変更後のレビュー**ともいう。

6 変更管理の7つのR

　変更管理では，**変更をアセスメントする際に確認すべき項目**を，7つのRとしてまとめている。これらの情報を確認することで，稼働中のサービスに対して変更を実施する際の効果とリスクを適切に測ることができるようになる。

▶変更管理の7つのR

提起（Raised）	変更を提起したのは誰か？
理由（Reason）	変更の理由は何か？
見返り（Return）	変更によって得られる見返りは何か？
リスク（Risk）	変更に伴うリスクは何か？
リソース（Resource）	変更に必要なリソースは何か？
責任者（Responsible）	変更の責任者は誰か？
関係（Relationship）	変更は他のどの変更と関係しているか？

7 変更管理のKPI

　変更管理における主要なKPIには，次のものがある。

- 実施された変更のうち，顧客が合意した要件を満たす件数（全変更に占める割合）

- 正確でない仕様や不適切なインパクトアセスメントによる中断，欠陥，手直しの減少
- 無許可の変更数の削減
- 未処理の変更要求の削減
- 計画外の変更や緊急修正の削減
- 変更成功率（成功した変更数／承認されたRFC数）
- 失敗した変更の数の削減
- 変更に起因するインシデントの数　　など

5　リリース及び展開管理

このSectionで学ぶこと

Check!

- □ 承認された変更を確実に実装するために，リリース及び展開管理を行う
- □ 本番環境に展開するリリースパッケージを構築しテストする
- □ テスト済みのリリースパッケージを本番環境に展開する
- □ 展開（デプロイ）を迅速かつ確実に行う手法として，CI/CDやブルーグリーンデプロイメントがある。

◪ リリース及び展開管理

　リリースとは，**ITサービスに対して承認された変更を実装するために必要なハードウェア，ソフトウェア，文書，プロセス，コンポーネントなどの集合体**をいう。変更管理で承認された変更は，リリースユニット及びリリースパッケージの形で本番環境に展開（実装，デプロイ）される。リリース及び展開管理では，そのような**リリースの構築と配付を行い，変更を確実に実装するための管理を行う**。

● **リリースユニット**

　同時に本番環境に展開するリリースの単位。

● **リリースパッケージ**

　同時に本番環境に展開するためにリリースユニットを組み合わせた単位である。展開には，リリースユニット単体を展開する場合と，複数のリリースユニットをまとめて展開する場合がある。例えば，データベースの変更とWebクライアントの変更を含んだアプリケーションをバージョンアップする場合，データベースの変更やWeb

クライアントの変更がリリースユニット，アプリケーションのバージョンアップがリリースパッケージに相当する。

② リリースの展開方法

リリースをどのように構築するかは，その展開方法に大きく影響される。リリースの展開方法には，次に示すいくつかの分類がある。

① ビッグバンアプローチ／段階的アプローチ

リリースを複数の場所に展開する方法には，ビッグバンアプローチと段階的アプローチがある。

> 【リリースの展開方法】
> - ビッグバンアプローチ…新規サービスやサービス変更をすべてのユーザ領域に一斉に展開する。
> - 段階的アプローチ…新規サービスやサービス変更をユーザ拠点の一部に展開した後，徐々に拡大する。

ビッグバンアプローチと段階的アプローチは，固定的に選択されるわけではない。例えば，リリース1を段階的アプローチによって展開した後，リリース2はビッグバンアプローチによって展開するなど，両者を組み合わせて実施することも多い。

② プッシュ型／プル型

リリースの配付方法として，プッシュ（Push）型／プル（Pull）型を選ぶことができる。これらを組み合わせることもできる。

> 【リリースの配付方法】
> - プッシュ型…リリースを中央から拠点などの展開先へと配信する。展開先へ強制的に「押し込む」ことから，プッシュ型と呼ばれる。
> - プル型…ダウンロードなどによってユーザがリリースを「持ってくる」方式。例えば，PCの起動時に「リリースを受け取るかどうか」を顧客に選択させる。顧客は自分の都合のいいときにサーバからリリースを持ってくる。

③ 手動／自動

　展開を手動で行うか，自動で行うかの選択もできる。手動での展開は，同じ手続きを何度も繰り返さなければならなかったり，作業漏れや抜けによって一貫性が保証できなくなったりするおそれがある。できるだけ自動化の仕組みをとり入れることが望ましいが，自動化の仕組みを提供するにはコストや時間がかかるため，十分に検討すべきである。

③ リリース及び展開管理の活動

　リリース及び展開管理では，主に次の活動を行う。

【リリース及び展開管理の活動】
- リリースと展開の計画立案…リリースと展開の計画を立案する。計画立案の許可やリリース作成の許可は，変更管理が行う。
- リリースの構築とテスト…必要なCIを取得し，リリースパッケージを構築する。テスト環境を構築し，リリースパッケージをテストする。テスト済のリリースパッケージは，DML（確定版メディアライブラリ）に登録される。
- サービスのテストとパイロット…サービスのテストと展開前のリハーサルを行い，限られた環境・ユーザの下で展開し確認する（パイロット）。なお，サービスのテストは「サービスの妥当性およびテスト」プロセスが管理する。
- 展開の計画と準備…展開の具体的な実施計画を立て，各展開先で展開の準備を整える。準備状況のアセスメントを行い，どの程度準備が整っているかを評価する。
- 移転・展開・廃止の実施…展開計画に沿って，サービスを展開する。これに伴い，財務資産や組織などを移転し，不要なサービスを廃止する。
- 展開の検証…展開したサービスを利害関係者が意図したとおりに利用できるかどうかを検証する。
- 初期サポート…展開したサービスをサービスオペレーションに引き継ぐための初期サポートを行う。
- 展開のレビューと終了…展開したサービスの品質や達成度，必要な文書化が行われたかどうかなどについてレビューする。これらの確認後，サービスオペレーションに引き継ぐ。

---

4 継続的インテグレーション／継続的デリバリ

DevOpsを迅速かつ効果的に進める手法として，継続的インテグレーションや継続的デリバリなどがある。これらは一般に，ツールによって提供される。

● 継続的インテグレーション（CI；Continuous Integration）
各開発者が作成するソフトウェアのコードを定期的に（1日に数回などの頻度で）セントラルリポジトリにマージする手法。その都度ビルドとテストを自動実行する。チームでのソフトウェア開発によって発生しやすい各開発者による競合を少なくし，迅速に開発を進めることができる。

● 継続的デリバリ（CD；Continuous Delivery）
コード変更が発生するたびに自動で実稼働環境へのリリース準備を実行する手法。CIを拡張したものであり，開発者による全てのコード変更が，ビルドやテストを経て，本番環境にリリースできる状態に自動で準備される。CDには，さらにその先の本番環境へのリリースまでを自動化する考え方もあるが，本番環境へのリリースだけは人間による判断を介する場合を継続的デリバリ，すべて自動化される場合を継続的デプロイと呼び，区別することもある。

5 ブルーグリーンデプロイメント

現状の稼働環境を停止させたり変更したりせずに，新しい稼働環境に切り替える方式をブルーグリーンデプロイメントという。現状の稼働環境（ブルー）とは別に新しい稼働環境（グリーン）を構築しておき，ロードバランサーやソフトウェアを使って接続先を切り替えるなどして新しい稼働環境に移す。新しい稼働環境に切り替えた後に問題が発生した場合には，逆に元の稼働環境に切り替えるだけでよいため，切り戻しも容易である。切替えにシステムやサービスを停止させる必要がないため，可用性を高めることができるというメリットがある。

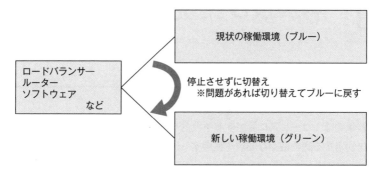

▶ブルーグリーンデプロイメントの例

6 リリース及び展開管理のKPI

リリース及び展開管理における主要なKPIには，次のものがある。

- 顧客から求められるサービスパフォーマンスとの差異の減少
- サービスに対するインシデント数の減少
- 提供されたサービスに対する顧客とユーザの満足度の増大
- 展開と本番でのインシデントや問題の解決に要するリソース，コストの削減 など

8 | 解決及び実現

··· ここをチェック！ ···
試験ではこう出る

　本章では，**サービスに発生する不具合やトラブルを解決する活動**や**サービスを利用する際の様々な要求を実現する活動**について学ぶ。具体的には，イベント管理，インシデント管理，サービス要求管理，問題管理，サービスデスクの活動を取り上げる。これらはすべて，顧客に提供され稼働状態にあるサービスを日々運用する段階の活動であり，サービス提供における主要な活動といえるだろう。特にインシデント管理，問題管理，サービスデスクについては，頻出なのでしっかり押さえておこう。

─────────────────────*─────────────────────

〈午前Ⅱ試験〉それぞれの活動の内容や目的，キーワードなどについて問われることが多い。例えば，インシデント・モデル，イベント管理の活動，インシデント及びサービス要求管理と問題管理のインタフェース，階層的エスカレーションなどである。同じ問題が何回も再出題されているので，注意しておきたい。

〈午後Ⅰ試験〉この分野からの出題はとても多く，特にインシデント管理とサービスデスクは頻出している。サービスデスクの問題は，インシデント対応の観点から，インシデント管理と密接に関連して出題される。また，監視メッセージやコンソールメッセージの考察といったイベント管理とインシデント管理の観点が含まれた総合問題も出題されている。

〈午後Ⅱ試験〉午後Ⅰ試験と同様に，サービスデスク，インシデント管理，問題管理が出題されている。午後Ⅱ試験でも，サービスに発生する不具合やトラブルを解決する観点からの出題が多くみられる。

1 イベント管理

◯ このSectionで学ぶこと

Check!

☐ イベントとは，構成アイテムやサービスの管理上，重要な状態の変化を指す

☐ イベント管理は，イベントの発生を監視し，重要度を判断したうえで，適切な活動に引き渡す

1 イベント管理

　イベントとは，**構成アイテムやサービスの管理上，重要な状態の変化**をいう。例えば，ハードウェアの警告ランプが点灯したり，SNMPトラップが発生したりするような場合には，何らかのイベントが発生した可能性が高い。イベントは通常，モニタリングツールなどによって通知される。

　イベント管理は，発生したイベントを直接処置するのではなく，**イベントの発生を監視し，記録して管理し，適切な活動に送り，処置を依頼する**。また，依頼先が処置を確実に実行したかどうかを判定する。

2 イベント管理の活動

　イベント管理では，主に次の活動が行われる。

❶**イベントの発生と通知**…どのようなイベントをとらえ，それをどのように通知するかについて，仕組みを整える。イベント通知には，次の2種類の仕組みがある。

　・**ポーリング**…管理ツールが各CIに問い合わせることによってデータが収集されること

　・**通知**…一定の条件を満たしたとき，各CIが通知を生成する。通知の生成にはSNMPトラップなどを用いる。

❷**イベントの検出と記録**…発生したイベント通知を検出し，記録する。

❸**イベントのフィルタリング**…イベントの内容を見て，その発生を管理ツールに伝えるか無視するかを判断する。どのようなイベントを無視するかについては，あらかじめ定義しておく。

❹重要性の判断…イベントの重要性を判断し，情報，警告，例外などに分類する。

❺イベントの相関付け…イベントの持つ意味を特定し，処置が必要かどうかを見極める。

❻対応の選択…イベントに応じて，適切な対応方法を選択し，処置を行う。

❼処置のレビュー…重要なイベントが適切に処置されたかどうかを確認する。なお，イベントの処置をインシデント管理や問題管理，変更管理に委ねた際は，処置結果のレビューは行わず（依頼先で行われているはずなので，二度手間となる），イベントが正しく引き渡されたかなどのインタフェースを検証する。

❽イベントのクローズ…イベントをクローズする。

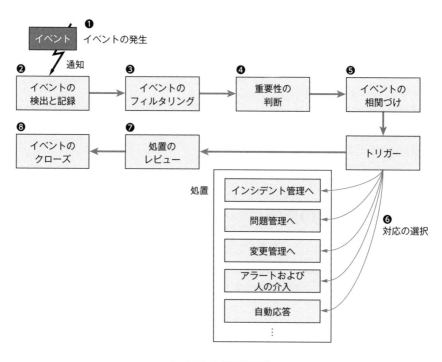

▶イベント管理の活動

● トリガー

イベントに応じた対応を開始するきっかけとなる状態の変化。

3 イベントの重要性

　イベントの重要性については各組織で基準を設定すればよいが，少なくとも次の三つを含めることが望ましい。

▶イベント

情報	ログファイルへの記録だけが行われ，処置を行わないイベント （例）ユーザのログイン，ジョブの正常終了
警告	サービスや CI の状態が，定められた許容限界値に近づいたこと，またはしきい値を超えたことを警告するイベント。処置が必要かどうかをさらに見極める。 （例）ディスクの使用量があと 10％で限界に達する。
例外	サービスや CI が正常ではない（SLA の基準を満たしていない）ことを表すイベント。直ちに処置を行う。 （例）サーバが停止した，応答時間が許容限界値を超えた。

4 対応の選択肢

　イベント対応の選択肢には，次のものがある。

▶イベント対応の選択肢

自動応答	適切な対応が定義されたイベントに関しては，処置を自動化しておく。
アラート及び人の介入	人の介入が必要なイベントは，アラート（警告）を出す。
インシデント，問題，変更	イベントを状況に応じてインシデント管理，問題管理，変更管理などに送り，処置を委ねる。

5 イベント管理のKPI

　イベント管理における主要なKPIには，次のものがある。
- カテゴリ別，重要性別，プラットフォーム別，種類別のイベント数と割合
- 人の介入を必要としたイベント数と割合
- 繰り返される（重複する）イベント数と割合　　など

◯ このSectionで学ぶこと

Check!

☐ インシデントとは，サービスの中断や品質の低下，構成アイテム
　の障害などを指す
☐ インシデント管理の目標は「サービスの早期復旧」である
☐ インシデントの優先度は，緊急度とインパクトの両面から評価する
☐ インシデント解決のために必要に応じてエスカレーションを行う

1 インシデント管理

インシデントとは**サービスに対する計画外の中断またはサービスの品質の低下，サービスにまだ影響していない構成アイテムの障害**をいう。例えば，待機系の機器に生じた障害は，サービスにはまだ影響していないものの，構成アイテムに生じた障害であり，インシデントにあたる。

インシデント管理では，インシデントの発生を受け，**インシデントの影響を低減または排除する活動が行われる**。ただし，インシデント管理の目標は「サービスの早期復旧」であるため，障害の根本原因の究明や修正は，問題管理や変更管理に委ねられる。例えば，サーバがダウンしたとき，インシデント管理は（症状や原因にもよるが）サーバの再起動を行ってサービスを復旧させ，原因究明は問題管理に委ねる。

インシデント管理は，一般に，顧客やユーザの対応窓口である**サービスデスク**が1次サポートとしてその役割を担うことが多い。

2 インシデント管理の活動

インシデント管理では，主に次の活動が行われる。

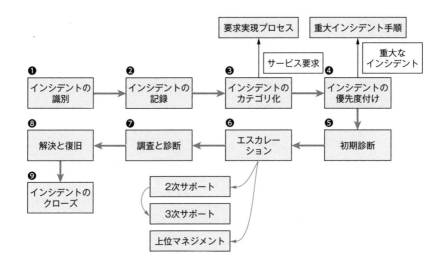

▶**インシデント管理の活動**

❶**インシデントの識別**…インシデントの発生を認識する。インシデントをできるだけ早く識別するためにも，主要な要素は常に監視しておく。

❷**インシデントの記録**…インシデントを記録する。

❸**インシデントのカテゴリ化**…インシデントを**カテゴリ**に分類し，カテゴリを表す適切なコードを付ける。カテゴリは，例えば，

> ハードウェア／サーバ／メモリ・ボード／カードの障害

などのように階層化する。インシデントの内容が**サービス要求**であった場合には，インシデントとして扱わず，**要求実現プロセス**に処理を引き継ぐ。

❹**インシデントの優先度付け**…インシデントの**緊急度**および**インパクト**に応じて，インシデントに**優先度**を付ける。重大なインシデントである場合には，重大インシデント手順に従って処理する。

❺**初期診断**…**1次サポート（サービスデスク）**において初期診断を行う。問題管理が管理する**既知のエラーデータベース**を参照して，効率的に診断する。初期診断で解決できたインシデントはクローズする。

❻**エスカレーション**…1次サポートで解決できなかったインシデントを**エスカレーション**する。

❼**調査と診断**…インシデントを再現させ解決法を探るなど，調査や診断を行う。

❽**解決と復旧**…解決策が見つかれば，それを適用して復旧を試みる。

❾インシデントのクローズ…インシデントを**クローズ**する。ユーザがインシデント
の解決に同意したことを確認して初めて，クローズとなる。

● 緊急度

インシデントが事業に重大なインパクトを及ぼすまでにどれくらいの猶予がある
か。

● インパクト

インシデントが事業に及ぼす影響。

● 重大なインシデント

インシデントのインパクトが最上位のカテゴリに入ると評価されたインシデント。
重大なインシデントは，事業中断の原因となるため，あらかじめ重大インシデント手
順を定めておき，それに沿って対応を行う。

3 インシデントの優先度

インシデントの優先度は，緊急度とインパクトの両面から評価する。例えば，緊急
度とインパクトを大きく三段階（高／中／低）に分け，次図のように５段階のコード
を付ける。

		インパクト		
		高	中	低
緊急度	高	1	2	3
	中	2	3	4
	低	3	4	5

▶優先度コードの例

4 エスカレーション

サービスデスクが単独でインシデントを解決できない場合に，より高度な知識や権
限を関与させ，２次サポート，３次サポートへと処置を依頼することを，エスカレー
ションという。段階的取扱いともいう。エスカレーションには，機能的エスカレーシ
ョンと，階層的エスカレーションがある。

● 機能的エスカレーション

　インシデントを技術上の専門家に引き継ぐこと。

● 階層的エスカレーション

　インシデントを，より上位のマネージャ層に引き継ぐこと。階層的エスカレーションは，インシデントの対応を委ねるというよりも，インシデントの存在を通知するという意味合いが強い。階層的エスカレーションを適切に行うことで，インシデントを別組織に引き継ぐような場合に調整を期待できる。

5 インシデントモデル

　インシデントが発生したときにどのような対応を取るかを事前に定義しておくと，インシデント発生時に迅速に合理的な行動を取ることができる。**インシデント発生時に備えて事前に定義した処理手順**をインシデントモデルという。

　インシデントモデルには，次のような項目を定義する。

- インシデントを処理する手順
- インシデント発生時の役割・責任
- 処理を完了するための期間としきい値
- エスカレーション手順

　インシデントモデルを定義することで，繰り返し発生するインシデントを，事前に定義した経路で，事前に定義した期間内で処理できる。

6 インシデント管理のKPI

　インシデント管理における主要なKPIには，次のものがある。

- サービスデスク内でクローズしたインシデントの割合
- 未処理のインシデントの量
- 合意された応答時間の範囲内で対応したインシデントの割合
- インシデント当たりの平均コスト
- サービスデスク担当者別の処理されたインシデント数と割合
- サービスごとの重大なインシデントの数と割合　　　など

3 サービス要求管理（要求実現）

このSectionで学ぶこと

Check!

☐ サービス要求とは，ユーザからの正式な要求のことであり，その多くは対処方法が確立されており，インシデント管理や変更管理が対応するには及ばない変更や要求を指す

1 サービス要求管理

　サービス要求とは，何かの提供を求めるユーザからの正式な要求をいう。その多くは対処方法が確立されており，インシデント管理や変更管理が対応するには及ばない「ちょっとした」要求や変更を指す。サービス要求の多くは，低リスク，低コストで，発生頻度が高い。例えば，

- パスワードを再発行してほしい。
- 追加のアプリケーションをインストールしたい。
- サーバに関する情報を教えてもらいたい。

などが，サービス要求にあたる。

　サービス要求管理は，**顧客やユーザが発するサービス要求に応える活動**である。

2 サービス要求管理の活動

　サービス要求管理では，主に次の活動が行われる。

【サービス要求管理の活動】

• サービス要求の受付…顧客やユーザからのサービス要求は，一般に，サービス
　　デスクが受け付け，管理する。

• 要求の記録と妥当性確認…すべてのサービス要求を記録し，その妥当性を確認
　　する。

• 要求のカテゴリ化・優先度付け…サービス要求を分類し，緊急度とインパクト
　　から優先度を付ける。

• 要求の許可…実行に許可が必要な要求について，許可の手続きをとる。

• 実行…要求モデルに従って，サービスデスクや専門のサポートチームがサービ
　　ス要求を実現する。

• クローズ…ユーザが結果に満足したかを確認したうえで，サービス要求をクロ
　　ーズする。

3 サービス要求管理のKPI

サービス要求管理における主要なKPIには，次のものがある。

• サービス要求の処理に要した平均経過時間（カテゴリ別）

• 合意された目標時間に完了したサービス要求の数と割合

• 未処理のサービス要求の量

• サービス要求の種類別の平均コスト

• サービス要求の処理に対するユーザの満足度レベル

4 問題管理

◯ このSectionで学ぶこと

Check!
□ 問題とは，インシデントを引き起こす未知の原因を指す
□ 問題管理は，未知の原因を究明し，インシデントの再発を防止す
　る

1 問題管理

問題とは，**一つまたは複数のインシデントを引き起こす未知の原因**である。この未
知の原因を究明し，インシデントの再発を防ぐことが問題管理の役割である。

あるときサーバがダウンしたとする。インシデント管理は，サービスの復旧を最優先としてサーバを再起動する。これでサービスは復旧するが，インシデントが発生した根本原因が取り除かれたわけではない。例えば，インシデントの原因が「あるアプリケーションのメモリリーク」であるならば，それを突き止めて改善しない限り，いずれサーバは再びダウンしてしまう。ダウンするたびにサービスを中断して再起動を行っていたのでは，中断による損失が積み上がっていく。このような事態を避けるために，問題管理は，**インシデントの根本原因を究明し，恒久的な対処方法を見いだす活動を行う。**

2 リアクティブ／プロアクティブな問題管理

問題管理の活動は，リアクティブな問題管理とプロアクティブな問題管理に分かれる。

● リアクティブな問題管理
インシデントやイベントの発生，サービスデスクからの報告などを契機として実行する受動的な活動。

● プロアクティブな問題管理
事前予防的な問題管理であり，これまでに発生したインシデントの傾向を分析して，そこに潜在する問題点を見いだし，解決策を講じて新たなインシデントの発生を予防する積極的な活動。改善活動として推進されることも多い。プロアクティブな問題管理が進めば，インシデントの発生が減少し，結果としてリアクティブな問題管理の減少も期待できる。

3 問題管理の活動

リアクティブな問題管理では，主に次の活動が行われる。

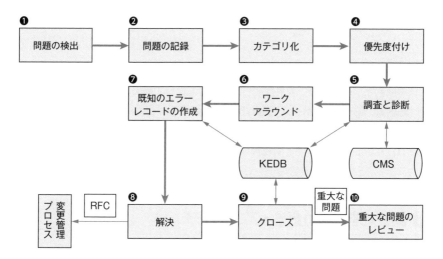

▶問題管理の活動

❶問題の検出…インシデント管理およびサービスデスクからの連絡，イベント管理
　　　が検知したインシデントに基づく問題の連絡，サプライヤなど外部からの通
　　　知などをもとに，問題を検出する。

❷問題の記録…問題に関する情報を**問題レコード**として記録する。問題レコードは，
　　　元になった**インシデントレコード**と相互参照できるようにするのが望まし
　　　い。

❸カテゴリ化…問題をカテゴリに分類し，インシデント管理と同様の方法で，適切
　　　なコードを付ける。

❹優先度付け…インシデント管理と同様の方法で，問題に優先度を付ける。

❺調査と診断…問題の根本原因を調査し，診断を行う。問題の発生場所を特定する
　　　ために，CMS（構成管理システム）を利用する。また，**既知のエラーデー
　　　タベース（KEDB）**にアクセスして，過去に発生した問題かどうかを照合する。

❻ワークアラウンド…**問題に対する一時的・暫定的な対処**（ワークアラウンド）を
　　　見いだす。

❼既知のエラーレコードの作成…問題の診断を完了してワークアラウンドが見つか
　　　ったら，「**既知のエラー**」として，その情報をKEDBに格納する。

❽解決…解決策を見いだして問題を解決する。解決に構成アイテムの変更や修正が
　　　必要であれば，RFCを変更管理に提出する。

❾クローズ…問題が解決したら，該当の問題レコードをクローズする。

❿重大な問題のレビュー…重要な問題については，対処後，まだ記憶が新しいうち
にレビューを行う。

- 既知のエラー（Known Error）

根本原因とワークアラウンドが明らかになっているエラー。既知の誤りともいう。

- 既知のエラーデータベース（KEDB：Known Error DataBase）

すべての既知のエラーに関する情報を格納するデータベース。問題管理によって作
成され，インシデント管理と問題管理で使用される。KEDBは，サービスナレッジ管
理システム（SKMS）の要素の一つである。

④ 調査と診断の技法・アプローチ

調査と診断ではさまざまな技法・アプローチを用いる。次に代表例を示す。

▶調査と診断で用いる技法・アプローチの例

技法・アプローチ	説明
時系列分析 （Chronological Analysis）	イベントを発生順に並べて整理する。
痛みの値分析 （Pain Value Analysis）	影響を受ける人の数や停止時間，かかったコストなど，問題の発生によるインパクトを分析する。
ケプナー・トリゴー分析	問題の定義，問題の特徴・場所・時間・規模についての記述，原因の洗い出し，最も可能性の高い原因のテスト，原因の検証の5段階で問題を調査する。
ブレーンストーミング	問題について，関係者が一堂に会し，さまざまな視点から意見を述べ合う。
石川ダイアグラム	いわゆるフィッシュボーン図。原因と結果の因果関係の分析に用いる。
パレート分析	原因と発生頻度の割合の最も大きなものから順に並べ，累積率とともにグラフ化したパレート図を用いて，重要な問題と些細な問題とを切り分ける。
なぜなぜ分析	発生したイベントについて「これはなぜ発生したか」を質問し，答えを出す作業を繰り返し，根本原因を探る。

⑤ 問題管理のKPI

問題管理における主要なKPIには，次のものがある。これらの基準はカテゴリ，イ
ンパクト，重大性，緊急度，優先度によって分類し，過去の値と比較する。

- SLAの目標値内で解決された問題数と割合
- 未解決の問題の量とその傾向
- 問題の処理に要した平均コスト
- KEDBに追加された既知のエラー数　　など

5　サービスデスク

◯ このSectionで学ぶこと

Check!

□ サービスデスクは，ユーザからの問合せや相談の1次窓口である
□ 問合せや相談を受け付けるだけではなく，対応可能なものは解決させ，不可能なものはエスカレーションする

1 サービスデスク

　サービスデスクは，ユーザが問合せや相談をしたり，イベントの報告をしたりする窓口であり，インシデント管理においてはできるだけ迅速に，**ユーザにとっての「通常のサービス」を回復させる役割**を担う。ユーザは電話やインターネットを介してサービスデスクにアクセスし，サービスデスクはそれに対して1次的なサポートを行う。場合によっては専門的なチーム（2次サポート，3次サポート）へのエスカレーションを行う。

　サービスデスクは単なる電話の取次ぎ係ではない。サービスデスクは，高度なスキルを備え，十分なトレーニングを受けたスタッフで構成されなければならない。そうであればこそ，迅速で親身な対応ができ，1次サポートとして多くの問題を解決できるようになり，負荷の軽減や顧客満足度の向上につながるのである。

② サービスデスクの活動

サービスデスクには，具体的に次の活動が求められる。

【サービスデスクの活動】

- インシデントやサービス要求を受け付け，詳細を記録し，カテゴリや優先度を割り当てる。
- 1次調査と診断を行う。
- 対応可能なインシデントやサービス要求であれば解決する。
- 対応できないインシデントやサービス要求はエスカレーションする。
- ユーザとコミュニケーションをとる。例えば，処理の進捗状況について継続的に報告する。また，変更の予告やサービス停止の通知などを行う。
- 解決済みのインシデントやサービス要求などをクローズする。
- 顧客満足度について調査する。
- サービス資産管理および構成管理の承認と指示を受けて，CMS（構成管理システム）の更新を行う。

---

③ サービスデスクの形態

サービスデスクには，次の形態がある。

● ローカルサービスデスク

ユーザの組織内や位置的に近い地域・場所にサービスデスクを設置する。密なコミュニケーションが実現できるが，リソースが各地に重複するため，非効率でコスト面で不利になることもある。

● 中央サービスデスク（セントラルサービスデスク）

サービスデスクの要員を中央のサービスデスクに集約した形態。ローカルサービスデスクに比べてコスト面で有利であり，より多くのコールを処理するため要員のスキルも向上する。

● バーチャルサービスデスク

インターネットや各種ツールを用いることで，物理的には複数か所にサービスデスクが分散していても，あたかも単一の中央サービスデスクがあるように見えるよう運用する。

● フォローザサン（follow the sun）

　世界的な企業や組織において，地理的に離れた場所にある複数のサービスデスクを組み合わせることで，24時間体制で運用する形態。

● 専門的なサービスデスクグループ

　サービスデスク内に，より専門的なグループを作り，高度な知識を要求するインシデントに直接対応する。

4 単一窓口 (SPOC)

　サービスデスクの構築にあたっては，サービスデスクの構造に関係なく，ユーザから見て単一の窓口（SPOC：Single Point Of Contact）を用意する。これはユーザに「何が起きてもそこに相談すれば解決する」という安心感を与える効果がある。このためには，単一の電話番号やメールアドレスを用意し，かつ，それをユーザに周知することが必要である。

5 サービスデスクの測定基準

　サービスデスクのパフォーマンスを評価するための主要な測定基準には，次のものがある。

- 1次サポートでの解決率
- 解決の平均時間
- インシデントをエスカレーションするまでの平均時間（1次サポートで解決できなかった場合）
- 平均サービスデスクコスト（総コスト／コール数など）
- SLAで定めた目標時間内での解決率　　　など

9 サービス保証

　本章では，**顧客に対して安定したサービス提供を保証するための活動**について学ぶ。具体的には，サービス可用性管理，サービス継続管理，情報セキュリティ管理の活動を取り上げる。サービスを安定供給するためには，日々のサービス運用における可用性，災害発生時のサービス継続，情報セキュリティなどの考慮が必須となる。それぞれの活動の目的や手順，キーワードなどを押さえておこう。

〈午前Ⅱ試験〉**この分野からの出題はとても多い。**例えば，ITIL®の可用性管理プロセス，サービス継続及び可用性管理の活動，MTBSI・MTBF・MTRSの関係，平均サービス回復時間の計算，ITサービス継続性管理の達成目標，JIS Q 22301，事業影響度分析を行うプロセスやマネージャ，目標復旧時点（RPO）などがある。同じ問題が何回も再出題されているという特徴もみられる。また，「セキュリティ」分野からは情報セキュリティの技術だけでなく，情報セキュリティ管理面の出題がみられる。

〈午後Ⅰ試験〉**サービス可用性管理，サービス継続管理，情報セキュリティ管理は，午後Ⅰ試験で取り上げられることの多いテーマである。**情報セキュリティ管理は，情報セキュリティ管理そのものをテーマとした問題だけでなく，他の活動をテーマとした問題の中に情報セキュリティを考察する設問が含まれることもある。

〈午後Ⅱ試験〉本章に関連する出題としては，サービス継続性管理，サービス可用性管理がある。情報セキュリティ管理の出題はまだないが，サービスの安定稼働や安定供給の面からサービスマネジメントにおいては重要性が高く，今後出題される可能性の高い分野である。

1 サービス可用性管理

○ このSectionで学ぶこと

Check!

☐ サービス可用性管理は，利用者が必要なときに必要なサービスを利用できるようにする
☐ 可用性の測定には，様々な手法が用いられる
☐ プロアクティブな活動とリアクティブな活動とがある

① サービス可用性管理

　可用性とは，**利用者が必要としているときに，必要なサービスを利用できること**をいう。インターネットの発展や電子商取引の浸透に伴い，今やコンピュータシステムは「24時間いつでも利用できる」ことが期待されている。サービス可用性管理では，**SLAで合意したサービスの可用性を費用対効果に優れた方法で実現し，将来にわたって維持するための活動を行う。**

② サービス可用性管理の要素

　サービス可用性管理の要素には，可用性，信頼性，保守性，サービス性がある。

▶サービス可用性管理の要素

可用性	サービス，コンポーネント，構成アイテムが，顧客が必要としたときに，合意された機能を実行する能力。
信頼性	サービス，コンポーネント，構成アイテムが，中断なく，長く合意された機能を実行する能力。
保守性	障害や故障の発生後，サービス，コンポーネント，構成アイテムを迅速に通常の稼働状態に戻す能力。
サービス性	サプライヤが提供する支援サービスまたはコンポーネントに関する，可用性，信頼性，保守性の能力。

3 可用性の測定

可用性は，次の式で算出されることが多い。

$$可用性(\%) = \frac{AST - 停止時間}{AST} \times 100$$

※**AST**（Agreed Service Time）：SLAや契約で**合意したサービス時間**

可用性は「合意したサービス時間」を基準に測定する。例えば，日中の10時間サービスを提供しなければならないと合意していたにもかかわらず，故障によって1時間サービスが中断した場合，可用性は90％となる。ただし，SLAで合意した時間外にどれだけ故障が生じたとしても，可用性には影響はない。

4 信頼性の測定

信頼性は，平均サービス・インシデント間隔（MTBSI），または平均故障間隔（MTBF）を用いて測定する。

● **平均サービス・インシデント間隔（MTBSI：Mean Time Between Service Incidents）**
障害が発生してから次に障害が発生した時点までの時間の平均。

$$MTBSI(時間) = \frac{使用可能な時間}{中断の回数}$$

● **平均故障間隔（MTBF：Mean Time Between Failures）**
中断なく合意された機能を実行できる時間。アップタイム。障害が回復してから次に障害が発生した時点までの時間の平均となる。

$$MTBF(時間) = \frac{使用可能な時間 - 停止時間}{中断の回数}$$

5 保守性の測定

保守性は，一般に平均修理時間（MTTR）を用いて測定される。ただし，修理時間として修理そのものの時間を考える場合や，復旧時間を含む場合もある。このようなあいまいさを防ぐため，平均サービス回復時間（MTRS）が用いられることもある。

● **平均サービス回復時間（MTRS：Mean Time to Restore Service）**
サービス，コンポーネント，構成アイテムが使用不能である時間。ダウンタイム。

MTRSにおける停止時間には，修理時間だけでなく，復旧時間，記録時間など，使用不能である間のすべてを含む。

$$\text{MTRS (時間)} = \frac{\text{停止時間}}{\text{中断の回数}}$$

6 測定の例

SLAにより24時間365日稼働が定められたサービスがある。このサービスは現在まで1,000時間稼働しており，そのうち5時間の停止が1回，15時間の停止が1回生じた。

$$\text{可用性 (\%)} = \frac{1,000 - 20}{1,000} \times 100 = 98 \, (\%)$$

$$\text{MTBSI (時間)} = \frac{1,000}{2} = 500 \, (\text{時間})$$

$$\text{MTBF (時間)} = \frac{1,000 - 20}{2} = 490 \, (\text{時間})$$

$$\text{MTRS (時間)} = \frac{20}{2} = 10 \, (\text{時間})$$

7 サービス可用性管理の活動

サービス可用性管理の活動は，プロアクティブな活動とリアクティブな活動に分類できる。**プロアクティブな活動**は主にサービスライフサイクルの設計段階で実施され，**リアクティブな活動**は主に運用段階で実施される。

8 Risk ITフレームワーク

Risk ITフレームワークとは，ISACA（情報システムコントロール協会）が策定した，ITにかかわるリスクの効果的な管理のためのフレームワークである。リスクガバナンス，リスク評価，リスク対応の三つの領域において，事業目標と関連付けてリスクを管理する，サービス可用性管理の**プロアクティブな活動**の一つである。

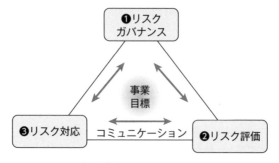

▶Risk ITフレームワーク

❶**リスクガバナンス**…ITにかかわるリスクを組織内でマネジメントし，リスクに対
応したリターンを確実に得られるようにする仕組みを確立する。

❷**リスク評価**…ITに関するリスクを特定し，分析する仕組みを確立する。

❸**リスク対応**…優先度に基づいて費用対効果の高い方法でリスクが対処される仕組
みを確立する。

9 重要事業機能（VBF）の識別

　重要事業機能（VBF：Vital Business Function）とは，**ITサービスが支援してい
る事業や業務のうち，なくてはならない重要な要素や機能**をいう。例えば，Webに
よる通販サービスにおけるVBFは，商品を注文する機能，ということができる。この
ほかの会員情報や獲得ポイントの確認などの機能は重要度が低い。可用性計画を立て
る際には，VBFを識別し，VBFとそうでない機能との違いを把握し，重要な事業や
業務がサービスによって適切にサポートされているか，それほど重要でない事業や業
務に必要以上のサービスを提供していないか，などを分析したうえで，それぞれに適
切な可用性のレベルを決定するのが効果的である。VBFの識別は，**プロアクティブな
活動**の一つである。

10 コンポーネント障害インパクト分析（CFIA）

　コンポーネント障害インパクト分析（CFIA：Component Failure Impact
Analysis）は，**ITインフラストラクチャの弱点や故障に対するサービスの強さを分析
する手法**で，プロアクティブな活動の一つである。CFIAでは，次表のように縦にIT
インフラストラクチャの構成要素（CI），横に提供するサービスの一覧を並べたマト

リックスを作成する。

　構成要素に障害が発生しても提供するサービスに影響を与えない場合は該当の欄を空白にし，構成要素の障害がサービスの利用不能を招く場合は "X"，代替の構成要素がある場合は "A"，代替の構成要素はあるがサービス復旧に手作業の介入が必要となる場合には "M" を，それぞれ記入する。

▶ CFIA の結果の記入例

構成要素（CI）	サービス A	サービス B	サービス C
CI 1	M	M	M
CI 2		M	M
CI 3	A	A	A
CI 4	X	X	X
CI 5	X		
CI 6	A	M	M
CI 7	X		

　このマトリックスから，CI 4 に障害が生じるとサービスAからサービスCまでのすべてのサービスが中断することが分かる。**障害が発生するとサービス提供や事業継続に重大な影響を及ぼす箇所**を単一障害点（SPOF：Single Point Of Failure）といい，重点的に管理しなければならない。この例ではSPOFは一つだが，通常は複数のSPOFが存在する。

　マトリックスは縦方向にも分析できる。サービスAは他のサービスよりも "X" の数が多いことから，障害に弱いサービスであることが分かる。

⑪ 故障樹解析（FTA）

　故障樹解析（FTA：Fault Tree Analysis）は，**障害がどのように連鎖してサービス停止に至るかを分析する手法**で，**プロアクティブな活動**の一つである。障害の連鎖は，次図のような木構造で表現される。事象（イベント）は，論理演算子を用いて組み合わせることができる。

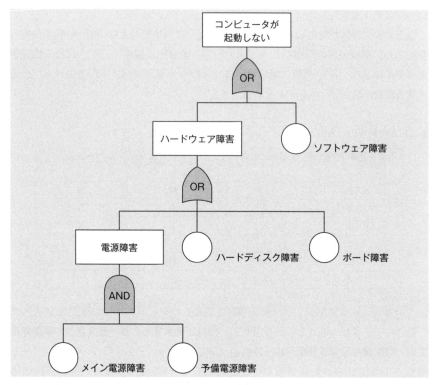

▶ FTA の例

　木構造において，AND演算子は，下位事象がすべて生じたときに上位事象が生じることを表す。OR演算子は，下位事象のいずれかが生じたときに上位事象が生じることを表す。図では，メイン電源と予備電源の両方に障害が発生したときに電源障害が生じ，電源，ハードディスク，ボードのいずれかに障害が発生したときにハードウェア障害が生じ，ハードウェアとソフトウェアのいずれかに障害が生じたときにコンピュータが起動しなくなることを表している。

　木構造には，各故障について生起確率を記すことも多い。例えば，上図においてメイン電源障害の発生確率が0.01（回/月），予備電源障害の発生確率が0.05（回/月）ならば，これらをANDで結んだ電源障害の発生確率は0.01×0.05＝0.0005（回/月），のように推計できる。

⑫ サービス障害分析 (SFA)

　サービス障害分析 (SFA：Service Failure Analysis) とは，**さまざまなデータを使ってサービスの中断の根本原因を究明し，可用性の不足が発生している状況をアセスメントするのに用いられる**技法である。SFAは**リアクティブな活動**の一つであり，一般に次のアプローチがとられる。

【サービス障害分析のアプローチ】

- 改善機会の選定…どのサービスをSFAの対象とするかについて合意する。
- 作業範囲の決定…対象とする領域，しない領域を決定し，文書化する。
- 作業計画…作業チームを作り，リソースや収集するデータ，進め方などを計画する。
- 仮説の構築…あらかじめ分析結果についてのシナリオを作成し，仮説を立てる。
- データの分析…データを収集し，仮説を参考にしながら分析する。
- 要員へのインタビュー…対象の事業の代表者やユーザにインタビューを行い，問題点の認識および解決策の識別に役立てる。
- 調査結果と結論…調査結果をまとめ，妥当性のある結論を導き，文書化する。調査結果は，証拠で裏づけできるようにする。
- 推奨事項の識別…SFA実施後も継続可能な，可用性の改善に向けて行うべき実用的な推奨事項を識別する。
- 報告…レポートを作成して，関係者に配付，報告する。レポートには，推奨事項（可用性の改善点）について，推進計画や見積りを含める。
- 妥当性確認…SFAの作業前と作業後を比較して活動の妥当性を確認し，必要に応じて是正処置をとる。

　なお，SFAは問題管理と密接にかかわり，問題管理とともに実施されることが多い。

⓭ 拡張版インシデントライフサイクルの分析

拡張版インシデントライフサイクルとは，**一つのインシデントの開始から終了まで**に行われる活動を（インシデントの）**検出，診断，修理，復旧，回復の五つの段階に細分化したもの**であり，この分析は**リアクティブな活動**の一つである。それぞれの段階にかかる時間を測定して，どの段階の活動がインシデントのインパクトを増大させたのかを分析することによって，可用性の向上を図る。

⓮ サービス可用性管理のKPI

サービス可用性管理における主要なKPIには，次のものがある。
- サービスおよびコンポーネントの非可用性の削減率
- サービスおよびコンポーネントの信頼性の向上率
- 重要な期間（ピーク時間帯など）における障害の削減率
- サービスの中断回数やその影響の削減率
- MTBF，MTBSIの改善，MTRSの短縮
- 非可用性から生じるコストの削減率
- サービス提供コストの削減率　　　など

2　サービス継続管理

◯ このSectionで学ぶこと

Check!

☐ サービス継続管理は，災害などが発生した場合に事業を継続させるために必要なサービスを継続させるための管理を行う
☐ ビジネスインパクト分析は，サービスの中断が事業に与える影響を定量的に表す

❶ サービス継続管理

ある日突然，大災害が発生し，ビジネスに深刻なダメージを受けるかもしれない。しかし，たとえそのような事態が生じても，顧客がいる限りビジネスは継続されなければならない。そして，ビジネスを継続するのであれば，それを支えるサービスもまた継続されなければならない。たとえ一時的に中断したとしても，可能な限り早く復

110

旧しなければならない。

サービス継続管理では，このような**大災害などの発生を想定したサービスの復旧**(ディザスタリカバリ，災害復旧) **や継続のための管理**を行う。

② 事業継続性管理とサービス継続管理

被災時など，**事業の中断を余儀なくされる事態が生じた際にも必要最小限の事業を継続できるように管理すること**を，事業継続性管理（BCM：Business Continuity Management）という。BCMでは災害によるリスクの低減や，中断した事業を早期に再開するための管理が行われる。

サービス継続管理（SCM：Service Continuity Management）は，**BCMをITサービスの面から支援する，BCMに含まれる活動**である。ただし，現在の事業の多くは，様々なサービスに依存していることから，SCMはBCMの中核といってもよい。そのため，SCMの適用範囲は，事業の達成目標に沿って定義される。

③ 事業継続マネジメントシステム

事業継続計画（BCP：Business Continuity Plan）は，事業継続性管理の枠組みの中で策定・実施され，事業継続マネジメントシステム（BCMS）のPDCAサイクルを通じて維持・改善されていく。近年，BCMSの国際規格も制定されており，規格に基づいた第三者認証制度であるBCMS適合性評価制度も運用されている。**認証制度の規格として，認証の要求事項を定めたJIS Q 22301（ISO 22301）がある。**

ここでは，これらの規格類および「**事業継続ガイドライン**」（内閣府），「**事業継続計画策定ガイドライン**」（経済産業省），「**ITサービス継続ガイドライン**」（経済産業省）などに基づく，BCMのPDCAサイクルを提示する。

```
                    ┌──────────────────────────┐
                    │      Plan(計画)           │
                    │ ・事業継続方針の決定       │
                    │ ・組織体制の構築           │
                    │ ・ビジネスインパクト分析    │
                    │  （事業影響度分析）の実施   │
                    │ ・リスクアセスメントの実施   │
                    │ ┌────────────────────────┐ │
        ┌──────────┐│ │・重要業務の選定，優先順  │ │    ┌──────────────────┐
        │ Act(処置) ││ │ 位付け               │ │    │     Do(実行)      │
        │・BCMの継続的改善│ │・ボトルネックの特定   │ │    │・文書（マニュアル等）の作成│
        │（修正処置・是正処置の実│ │・RTO(目標復旧時間)など│ │    │・リソース（要員，設備・機│
        │ 施）      ││ │ の設定               │ │    │ 器等）の準備      │
        └──────────┘│ └────────────────────────┘ │    │・テスト（机上テスト，実践│
                    │ ・BCPの策定               │    │ テスト等）の実施    │
                    └──────────────────────────┘    │・教育・訓練の実施    │
                                                     └──────────────────┘
                    ┌──────────────────────────┐
                    │     Check(点検)           │
                    │・日常的なモニタリング（監視）│
                    │・定期的な監査の実施        │
                    │・経営陣によるマネジメントレ │
                    │ ビュー                   │
                    └──────────────────────────┘
```

▶ BCM（BCMS）の PDCA サイクル

4 サービス継続管理の活動

SCMは，次のライフサイクルからなる活動を行う。

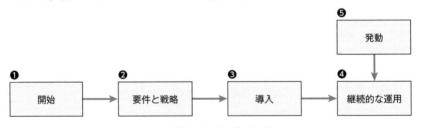

▶ SCM のライフサイクル

❶開始…SCMの方針を定め，組織全体に伝達する。SCMの適用範囲を定め，要員
を含めた資源を割り当てプロジェクトを立ち上げる。

❷要件と戦略…ビジネスインパクト分析を行い，重要なサービスが停止した場合に，
それが事業にどのような影響を与えるかを分析する。次に，リスクアセスメ
ントによってサービス継続のリスクを洗い出し，分析する。それらの結果に
基づき，サービス継続戦略を策定し，リスクの低減措置や後述する復旧計画

（復旧オプション）の選択を行う。サービス継続戦略の策定においては，BCMにおいて策定される事業継続戦略（BCP）との整合をとる。

❸導入…SCMを導入する。ここでは，選択した戦略について計画を立てて実践する。例えば，復旧設備を外部に準備する対策に対しては，用地の交渉や機材の購入などを行う。計画立案においても，BCPとの整合をとる。

❹継続的な運用…計画や手順は定期的にテストする。並行して，SCMの重要性をすべての要員に認識させ（教育），トレーニングする。変更があった場合は計画に反映させ，常に最新の状態に保たれていることを確認するため，定期的にレビューする。

❺発動…災害などの事象の発生に応じて，事業継続計画およびSCM計画で定められたステップを実施する。

5 ビジネスインパクト分析（BIA）

ビジネスインパクト分析（BIA：Business Impact Analysis）は，**あるサービスの中断が事業に与える影響（インパクト）を定量的に表すこと**である。事業影響度分析ともいう。BIAでは，次の事項に関する分析が行われる。

【ビジネスインパクト分析（BIA）】

• 損害や損失が発生する形態（収入の損失，復旧コスト，信用の喪失など）

• 中断時間が長引くことで，影響がどのように増大するか

• 必須ビジネスプロセスを最小限のレベルで継続させるために必要な事項

• 復旧させるべき時間（最小限のレベルと，完全復旧）

• サービスの復旧優先度

例えば，サービスの中断時間と影響の度合が明らかになれば，これをもとに，

• 短時間の中断で影響が増大するサービス → 予防的な対策を重視する

• 影響の度合が小さいサービス → 継続性や復旧対策を重視する

といった方針を立てることができる。

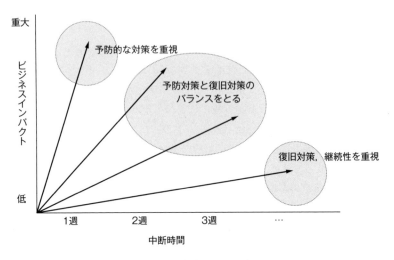

▶**中断時間とビジネスインパクト**

　この図は，サービス中断の発生から短時間のうちに大きな事業へのインパクトをもたらすサービスに対しては，多くの予防的措置を講じるべきであり，逆にインパクトが低いサービスに関しては，継続性や復旧対策を重視するべきであることを示している。インパクトが中間レベルのサービスは，予防対策と，復旧対策のバランスを考慮したアプローチを行うべきである。

6 復旧オプション

　サービス復旧には，次のような方法を選択することができる。なお，次の方法は唯一の選択ではない。多くの場合は，事業の重要度に応じて復旧オプションを組み合わせる。

▶復旧オプション（ITIL® の分類による）

復旧オプション	説明
手作業のワークアラウンド	あまり重要度の高くない小規模な事業では，サービスが正常に回復するまでの間，暫定的に紙ベースの手作業によるサービスに戻すこともある。また，段階的な復旧の初期段階として，手作業を導入することもある。
相互協定	同様の技術を保持する二つ以上の企業・組織間で，災害の際にその技術を相互に利用できるよう合意しておくこと。契約などによる合意が必要である。
段階的復旧（コールドスタンバイ）	外部に物理的な場所（電源，空調，ネットワークが整備された空のマシン室）を確保しておき，災害時にその場所にコンピュータを搬入し，システムを構築してサービスを復旧させる。サービスが数日間あるいは数週間程度停止してもかまわない場合に選択される。
中間的復旧（ウォームスタンバイ）	サービスの継続に必要なハードウェア，ソフトウェアが整備された場所を，外部に借りて確保しておく（サードパーティが提供する商業設備を間借りする形態が多い）。災害時には，そこに本番環境とデータを搬入し，システムを構築してサービスを復旧させる。あらかじめ合意した時間内に復旧しなければならない場合（サービスの中断が数日間程度許される場合）に選択される。
高速復旧（ホットスタンバイ）	本番環境と同一の環境を確保しておき，災害時にバックアップデータをインストールしてサービスを復旧する。サービスをおおよそ24 時間以内に復旧しなければならない場合に選択される。
即時的復旧（ホットスタンバイ，ミラーリング，ロードバランシング，サイト分割など）	本番運用とは別の場所に完全なサービスが提供できる環境を確保して，予備系として稼働させておき，災害時に即座に切り替える。サービスを即時に復旧しなければならない場合に選択される。

7 バックアップとリストア

　事業およびサービスにおいて使用するデータは，適切に保護する必要がある。データのバックアップ及びリストアの計画は，サービスの継続において不可欠の事項である。

　バックアップ及びリストアの計画では，次のような点について検討し，顧客の合意を得る必要がある。

- バックアップ対象のデータはどれか
- バックアップの種類（フル／増分／差分など），間隔と頻度
- バックアップを何世代保管するか
- 保管場所（遠隔地）と移送手段
- バックアップやリストアの手順・確認事項

- 目標復旧時点（RPO），目標復旧時間（RTO），目標復旧レベル（RLO）
- 実施すべきテストの内容

　実施するバックアップの種類によって，バックアップにかかる時間，リストアにかかる時間は異なるので，ビジネスインパクト分析やリスクアセスメントの結果を踏まえて，対象の事業に適切なバックアップ方法およびリストア方法を計画すべきである。例えば，**迅速な復旧が求められる事業の場合には，リストア時間が少なくて済む方法を選択し，多少復旧に時間がかかっても許容される事業の場合には，日々のバックアップ時間を効率化する方法を選択**する。

● 目標復旧時点（RPO）

　目標復旧時点（RPO：Recovery Point Objective）とは，サービスの中断後に回復された時点で失われている可能性のある最大データ量を，"復旧させる時点"という観点から表したものである。例えば，"障害が発生する1日前の時点"をRPOに設定した場合は，その時点から障害発生までに行われた1日分の処理データが失われる可能性があることになる。一般に，障害発生時にどの時点までのデータが失われるのを許容できるかを踏まえて，適切なRPOを設定し，それに見合ったバックアップ計画およびリストア計画を立てる。

● 目標復旧時間（RTO）

　目標復旧時間（RTO：Recovery Time Objective）とは，サービスの中断後，復旧までに許される最長の時間を意味する。一般に，事業のインパクトとデータのリストアや移送にかかる時間などを考慮して，適切なRTOを設定し，それに見合ったバックアップ計画およびリストア計画を立てる。

● 目標復旧レベル（RLO）

　目標復旧レベル（RLO：Recovery Level Objective）とは，サービスの中断後，サービスをどの水準にまで戻すべきかの目標となる値である。

8 サービス継続管理のKPI

　サービス継続管理における主要なKPIには，次のものがある。

- 合意されたすべてのサービス復旧目標値のSCM計画内での達成度
- 起こり得る障害のリスクとインパクトの全体的な軽減　　　など

3 情報セキュリティ管理

このSectionで学ぶこと

Check!

☐ 情報セキュリティ管理は，情報システムとサービスのセキュリティを事業上のセキュリティと整合させる

☐ 情報セキュリティ管理は，機密性，完全性，可用性を達成することを目標とする

1 情報セキュリティ管理

　企業・組織が取り扱う情報の保護は，事業上のニーズに合致していなければならない。そのため，ITサービスマネジメントにおける情報セキュリティ管理は，単にサービス提供者の業務範囲の中で情報を保護するだけではなく，組織全体にわたって保護すべき情報を守るための取組みを行う必要がある。情報セキュリティ管理は，**情報システムとサービスのセキュリティを，事業上のセキュリティと整合させるための管理**を行う。

2 情報セキュリティ管理の達成目標

　一般に情報セキュリティは，機密性，完全性，可用性を達成することを目標とする。

【情報セキュリティ管理の達成目標】

• 機密性…権限を持つ利用者のみが情報にアクセスできること。

• 完全性…情報が正確に保全され，許可を受けない更新から守られていること。

• 可用性…（権限を持つ）利用者が必要なときに情報にアクセスできること。このためには，システムがさまざまな攻撃に耐え，障害から復旧（または障害を防止）できることが必要である。

3 情報セキュリティ管理の活動

　情報セキュリティ管理では，次の活動が行われる。

［情報セキュリティ管理の活動］
- 情報セキュリティ方針を策定する。レビューおよび改訂を行う。
- 情報セキュリティ方針を伝達し，導入および施行する。
- すべての情報資産および文書を評価し，分類する。
- セキュリティコントロール，リスクアセスメント，リスク対応を実施する。
- すべてのセキュリティ違反やセキュリティインシデントを監視し管理する。
- セキュリティ違反やセキュリティインシデントによる影響を分析する。また，その内容を報告し，影響を低減する。
- セキュリティレビューや監査，侵入テストの予定を作成し，実施する。

4 情報セキュリティ管理のKPI

情報セキュリティ管理における主要なKPIには，次のものがある。
- セキュリティ違反の削減率
- セキュリティ手順の受入れと遵守の増加
- 情報セキュリティ方針の認識の向上　　など

10 パフォーマンス評価

… ここをチェック！ …

試験ではこう出る

本章では，**顧客に提供しているサービスのパフォーマンスを評価する活動**について学ぶ。具体的には，変更評価，サービスの測定，品質特性に関する評価項目，性能評価，信頼性評価，サービスの報告などを取り上げる。サービスのパフォーマンスについては，日々監視を行って値を測定したり，定期的に監査を行ったりして，その適切性を評価し，顧客に報告する必要がある。また，評価結果を踏まえてサービスのさらなる改善につなげていく。

---※---

〈午前Ⅱ試験〉オンラインシステムの性能監視，稼働品質率の計算による信頼性の評価，直列結合システムのMTBF・MTTR，ベンチマーキングなどの出題がある。

〈午後Ⅰ試験〉この分野の活動そのものをテーマとした出題はないが，キャパシティ管理（容量・能力管理）やサービス可用性管理，サービスレベル管理，インシデント管理などの問題において，**しきい値を設定してサービスの稼働状況の監視を行ったり，測定した値を分析して評価する活動が取り上げられることが多い。**

〈午後Ⅱ試験〉この分野からは，顧客へのサービスの報告の出題がある。また，継続的改善によるITサービスの品質向上として，KPIやプロセス成熟度の評価について取り上げられている。

午後Ⅰ試験と同様に，本章の内容はキャパシティ管理（容量・能力管理）やサービス可用性管理，サービスレベル管理，インシデント管理などの活動と密接に関わっているので，これらをテーマとする問題において，**サービスの稼働状況の監視や測定を行い評価する視点**を取り入れて論述すると，ITサービスマネージャとしてふさわしい論述になる。

◯ このSectionで学ぶこと

Check!
☐ 変更の実施前に予想されたパフォーマンスを評価する
☐ 変更の実施後に実際に計測したパフォーマンスを評価する

1 変更評価

　欠陥のあるサービスは変更されなければならない。また，サービスは継続的に改善されなければならない。変更評価では，対象のサービスの変更について，投資に見合う価値があるか，継続可能か，使用されているか，対価を支払えるかなどの面から，**変更の実施前と実施後を評価する**。

2 変更評価の活動

　変更評価は，おおよそ次の3段階の活動を行う。

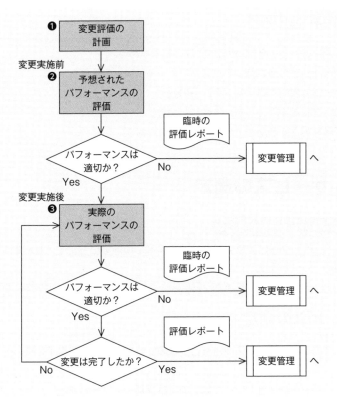

▶変更評価の活動

❶変更評価の計画…変更を評価するための計画を立案する。

❷予想されたパフォーマンスの評価…変更の実施前に，顧客要件や受入れ基準，予測したパフォーマンスなどをもとに，リスクアセスメントを行う。アセスメントの結果，受容できないリスクや受入れ基準を満たさないような状況が生じる場合，臨時の評価レポートを変更管理に送る。

❸実際のパフォーマンスの評価…変更の実施後に，顧客要件や受入れ基準，サービスオペレーションから報告された実パフォーマンスの計測レポートなどをもとに，リスクアセスメントを行う。アセスメントの結果，受容できないリスクや受入れ基準を満たさないような状況が生じている場合，臨時の評価レポートを変更管理に送る。

3 変更評価のKPI

変更評価における主要なKPIには，次のものがある。

- 顧客から求められるサービスパフォーマンスとの差異
- サービスに対するインシデントの数
- 移行された設計のうち，失敗した件数
- 評価を実行するためのサイクル時間　　など

2 サービスの測定

○ このSectionで学ぶこと

Check!
- ☐ サービスマネジメントのすべての活動において，サービスの測定を行う
- ☐ コンポーネントの測定にとどまらず，サービスの測定につなげる

1 サービスの測定

サービス測定は，**サービス改善を行う際のサービスの測定に焦点を置いた活動**である。

一般に，サーバやネットワークなどの「**コンポーネントの測定**」は多くの組織で行われているが，それだけではサービス提供における測定の本質を見失いかねない。コンポーネントの測定は「**サービスの測定**」のための部品に過ぎないからである。ここでは，サービスの測定の活動について説明する。

なお，サービスの測定はサービスマネジメントのすべての活動において行われるものであり，サービスの測定は一つの独立した活動ではない。

2 サービスの測定の活動

サービスの測定においては，主に次の活動を行う。

【サービスの測定の活動】
- サービス測定フレームワークの開発
- 測定と報告

サービス測定フレームワークの開発にあたっては，次の活動を行う。

【サービス測定フレームワークの開発】

- 定義…目標およびその達成をどのように知るかについて定義する。
- フレームワークの構築…戦略的，戦術的，運用上の意思決定を行うために，何を測定すればよいのかを決定する。具体的には，以下の項目の中から測定すべき組合せを決定する。

  サービス，コンポーネント，サービスマネジメントの各活動，アウトプット
- 指標の選択…選んだ測定項目に対して，どのような指標がふさわしいかを決定し，目標値を定める。
- 役割と責任の定義…サービスの測定における役割と責任を明確化する。例えば，指標や目標値を定義する者，モニタリングを行う者，データを収集する者，分析する者，レポートを作成する者などを定める。

---

3 CSFとKPI

サービスを測定し，評価するにあたって，あらかじめ重要成功要因（CSF）を明らかにしておくことが重要である。CSFの達成状況を評価する指標として，重要業績評価指標（KPI）を設定しておき，その値を測定する。

● **重要成功要因（CSF：Critical Success Factor）**

サービスやプロセスを成功させるために必須のもの。

● **重要業績評価指標（KPI：Key Performance Indicator）**

サービスやプロセスの活動を管理し評価する際に用いる測定基準のうち，特に重要なもの。

4 測定基準の観点

継続的サービス改善の活動や他のプロセスの活動を支援するために行うサービスの測定における測定基準には，次の三つの観点がある。

● **技術測定基準**

パフォーマンスや可用性など，コンポーネントやアプリケーションベースの測定基準

- プロセス測定基準

  サービスマネジメントプロセスのCSF，KPI，及び活動測定基準
- サービス測定基準

  エンドツーエンドのサービスのパフォーマンスの測定基準

このSectionで学ぶこと

Check!

☐ 品質特性として，機能適合性，性能効率性，互換性，使用性，信頼性，セキュリティ，保守性，移植性の八つがある

1 品質特性に関する評価項目

JIS X 25010（ISO/IEC 25010）では，システムおよびソフトウェア製品の品質特性として，機能適合性，性能効率性，互換性，使用性，信頼性，セキュリティ，保守性，移植性の八つを挙げている。これらの品質特性にはそれぞれ副特性が示されており，この副特性の観点がパフォーマンス評価の参考になる。

1 機能適合性

機能適合性とは，**明示された状況下で，ユーザの要求を満足する機能が提供されている度合いを示す品質特性**である。機能適合性には，**機能完全性**（目的の網羅度），**機能正確性**（正しい結果を出す度合い），**機能適切性**（作業や目的を達成する度合い）の副特性がある。例えば，機能完全性の具体的な評価項目として，システム運用要件と実装機能との合致率や改修率などが挙げられる。

2 性能効率性

性能効率性とは，**明確な条件の下で使用する資源の量に関係するシステム性能の度合いを示す品質特性**である。性能効率性の副特性としては，**時間効率性**（時間的な要求の満足度），**資源効率性**（資源の量や種類による要求の満足度），**容量満足性**（パラメータの最大限度の満足度）がある。システム運用においては，主に前記の性能評価として，性能効率性を評価する。

③ 互換性

互換性とは，**同じシステム環境あるいは異なるシステム環境において，情報を交換することができる度合いを示す品質特性**である。互換性の副特性としては，**共存性**(同じ環境下を共有できる度合い)，**相互運用性**（二つ以上のシステムで情報交換ができる度合い）がある。システム運用においては，異なるハードウェア環境やソフトウェア環境，あるいはソフトウェアのバージョンの違いなどの下，どれだけの機能が使えるかやどれだけの情報を交換できるかが評価項目となりうる。

④ 使用性

使用性とは，**明示された状況下で，ユーザがシステムを利用する際に，有効に，効率的に使えるかの度合いを示す品質特性**である。いわば，使い勝手に関する特性である。使用性の副特性として，**適切度認識性**（要求に適切かどうかをユーザが認識できる度合い），**習得性**（習得しやすさ），**運用操作性**（操作しやすさ），**ユーザエラー防止性**（ユーザがエラーを起こすのをシステムが防止できる度合い），**ユーザインタフェース快美性**（ユーザインタフェースがユーザにとって楽しく，満足のいく対話ができるか），**アクセシビリティ**（さまざまな心身特性や能力の人が使用できる度合い）がある。例えば，ユーザインタフェース快美性については，入出力装置，画面レイアウト，入力手順，エラーチェック，自動入力などの仕様，GUIやヘルプの充実度などが評価対象として挙げられる。

⑤ 信頼性

信頼性とは，**一定期間，一定の条件の下でシステムが明示された機能を実行する度合いを示す品質特性**であり，システム運用においては，安定性や可用性の意味で使われることが多い。信頼性の副特性として，**成熟性**（信頼性に対する要求の合致度），**可用性**（使いたいときに使える度合い），**障害許容性**（耐故障性，障害があっても使用できる度合い），**回復性**（障害時に回復できる度合い）がある。例えば，機器やシステムの稼働率やダウン率，平均故障間隔（MTBF）などが評価項目となる。

⑥ セキュリティ

セキュリティとは，**システムが認められた権限に応じて利用でき，データを保護する度合いを示す品質特性**である。セキュリティには，**機密性**（アクセスを認められたデータだけにアクセスできる度合い），**インテグリティ**（権限を持たないアクセス等をシステムが防止する度合い），**否認防止性**（事象や行為が否認されないよう，起こ

ったことを証明する度合い），**責任追跡性**（行為が追跡可能である度合い），**真正性**（資源の同一性を証明できる度合い）の副特性がある。

7 保守性

保守性とは，**保守者による修正が有効かつ効率的に行える度合いを示す品質特性**である。保守性の副特性として，**モジュール性**（他の構成要素に与える影響が小さくなるように，構成要素が独立している度合い），**再利用性**（資産を再利用できる度合い），**解析性**（変更の影響評価や障害の原因診断，修正すべき箇所の識別が有効かつ効率的に行える度合い），**修正性**（品質の低下がなく，有効かつ効率的に修正できる度合い），**試験性**（テスト基準の確立やテストの実施が有効かつ効率的に行える度合い）がある。システム運用の場面では，具体的には，平均障害解析時間，平均修復時間（MTTR）などが評価項目として挙げられる。このほか，障害時対応マニュアルの充実度なども保守性の評価項目となる。

8 移植性

移植性とは，**システムをある環境から別の環境に移すことのできる度合いを示す品質特性**である。副特性として，**適応性**（進化する環境に適応できる度合い），**設置性**（うまく設置や削除ができる度合い），**置換性**（同じ目的の別製品と置き換えができる度合い）などがある。システム運用においては，拡張性の観点からとらえることもある。

4 性能評価

● このSectionで学ぶこと

Check!
- □ 情報システムに求める性能に沿った性能評価を実施する
- □ 性能指標には，スループット，レスポンスタイム，ターンアラウンドタイムなどがある
- □ 性能を測定する方法には，モニタリング法，ベンチマーク法，シミュレーション，待ち行列理論などがある

1 性能目標の定義

情報システムの種類や役割によって，レスポンスタイム重視であったり，スループット重視であったりと，情報システムに求める性能は一律とは限らない。性能評価を

行うにあたっては，情報システムに求める性能を定義する必要がある。求める性能指標ごとに目標値を設定し，性能評価を実施する。

目標値を設定するうえで，次のような尺度でデータをとらえることができる。

▶性能評価尺度の例

データの種類	説明	性能評価項目の例
事業データ	利用者の視点から見たシステムの規模	ユーザ数（同時・最大），端末数，処理要求数（平常時・ピーク時），データ量（件数・サイズ）
技術データ	システムインフラストラクチャの技術的な尺度	CPUの演算能力，メモリ容量，ディスク容量，転送速度，利用可能ネットワーク帯域，ユーザ当たりメモリ使用量
サービスデータ	システムが利用者に提供すべきサービスレベル	トランザクション応答時間，バッチ処理時間，トランザクション処理数
利用データ	取得可能な利用実績データ	CPU使用率，プロセス数，メモリ使用率，接続クライアント数，トランザクション応答時間，トランザクション処理数

つまり，事業データと技術データからサービスデータが定まり，サービスデータの状況を監視するために利用データが使われる。

評価尺度として，トランザクション応答時間などのサービスレベルの目標値と同じ項目を利用できればそれが最も望ましいが，実際には各アプリケーションのレベルでの応答時間を正確に取得することは難しい場合がある。このような場合には類似する評価尺度を使ったり，組み合わせたりして性能評価を行う。

1 しきい値の設定

性能評価を行う際には，評価尺度のそれぞれについて，目標値のほかにしきい（閾）値を設定する。しきい値とは，**通常の運用をしている限りでは超えることがない値であり，超えた場合には何らかの調査・対応が必要になる値**のことである。**しきい値は利用者と合意したサービスレベルの目標値より厳しい値に設定しておく必要がある。**

2 システムの性能指標

システムの性能指標には，システムのサービスレベルを評価するための基本的な性能指標と，システムの状態を評価するための指標がある。

基本的な性能指標には，スループット，レスポンスタイム（応答時間），ターンアラウンドタイムなどがある。

① スループット

コンピュータシステムが単位時間に処理できる業務処理量（ジョブ数/時間，トランザクション数/時間など）のこと。

② レスポンスタイム

オンラインリアルタイム処理などで，コンピュータに対する要求の送信開始から応答が開始されるまでの時間。トランザクション応答時間は，ネットワークも含めたシステムの使用状況を把握するのに役立つ。

③ ターンアラウンドタイム

起動（実行）してから処理結果が返ってくるまでの時間。システムの入出力速度やオーバヘッド時間などに影響される。

④ システムの状態を評価する指標

システムモニタリングでは，プロセッサ使用率，実行待ち時間，ページング発生頻度，チャネル使用率，ディスク使用率，多重走行ジョブ数などを測定指標として，システムの利用状況を測定する。

- プロセッサ使用率…プロセッサの使用状況を表す。
- 実行待ち時間…システム資源の競合状態を表す。
- ページング発生頻度…メモリの競合状態を表す。
- チャネル使用率…磁気ディスク装置などへの経路の競合状態を表す。
- ディスク使用率…個々のディスクの使用状況を表す。
- 多重走行ジョブ数…一度に実行されるジョブの数を表す。

これらの指標値を測定し，レーダチャートなどで表現することによってシステムの状態を評価できる。

3 システムの性能評価手法

システムの性能を測定する方法として，モニタリング法とベンチマーク法がある。

① モニタリング法

稼働中のシステムの動作を監視してその性能や状況を測定する方法を，システムモニタリングという。システムモニタリングには，ハードウェアモニタリングとソフト

ウェアモニタリングがある。

● **ハードウェアモニタリング**

命令実行回数，命令実行時間，メモリアクセスの頻度，キャッシュメモリのヒット率などのハードウェア性能を測定する。

● **ソフトウェアモニタリング**

システムの稼働内容をソフトウェアで測定し，システムの性能や状態を測定する。タスクごとのCPU使用時間や仮想記憶のページング回数などを測定する。

② ベンチマーク法

システム性能評価の目的に適合する典型的なプログラムを選定して，そのプログラム実行時間を測定し性能評価を行う。既存システム間の相対評価を行うのに適しており，新規のシステムを導入する場合の機種選定にも有効である。次に，代表的なベンチマーク法を挙げる。

▶**代表的なベンチマーク法**

Dhrystone/MIPS	整数演算性能を MIPS 値として計測するベンチマーク法
Linpack	連立 1 次方程式の解法プログラムを利用したベンチマーク法
SPECint/SPECfp	SPEC で開発された整数演算性能評価と浮動小数点演算性能評価のベンチマーク法
TPC	トランザクション処理性能を測定するベンチマーク法

4 システム性能予測技術

シミュレーションによる性能予測と待ち行列理論による解析に大別される。シミュレーションによる性能予測は，性能評価モデルを作って計算によってシステム性能を予測する。待ち行列理論による解析は，システムの待ち行列モデルを作成し，計算によって性能を解析する。

① 待ち行列理論

ここでは，到着順に処理する待ち行列理論について，単一窓口の場合のM/M/1モデル，複数窓口の場合のM/M/Sモデルについて説明する。

② M/M/1モデル

ポアソン到着，指数サービス時間分布，単一窓口という最も基本的な待ち行列モデルのことを，M/M/1モデルという。

【M/M/1モデル】

- データ到着率（λ）…平均到着率のことで，1秒，1分，1時間などの単位時間当たりの到着数のこと。単位時間は，求める平均待ち時間や平均応答時間の単位に合わせて算出する。データ到着率は平均到着間隔の逆数で求めることができる。
- 平均サービス時間（T_S）…トランザクション処理時間，データ転送時間，伝票処理時間，印刷時間など，目的の処理に費やす処理時間の平均値のこと。
- 資源（窓口）利用率（ρ）…回線利用率，コンピュータ利用率，印刷装置利用率など，目的の処理を行うシステム資源の利用比率のこと。
- 平均待ち時間（T_W）…回線，コンピュータ，印刷装置などの資源が使用中のために待たされる平均時間のこと。
- 平均応答時間（T_q）…平均サービス時間と平均待ち時間の和。
- 平均サービス率（μ）…単位時間当たりに処理できるデータ件数。
- 平均待ち行列の長さ（L_W）…系内に滞留する待ち行列の長さ（サービス中も含む）。

M/M/1の待ち行列モデルにおいては，次の公式の関係が成り立つ。

【M/M/1待ち行列モデルの公式】

- 資源（窓口）利用率： $\rho = \lambda \times T_S$

- 平均待ち時間： $T_W = \dfrac{\rho}{1-\rho} \times T_S$

- 平均応答時間： $T_q = T_S + T_W = \dfrac{1}{1-\rho} \times T_S$

- 平均サービス率： $\mu = \dfrac{1}{T_S}$

- 平均待ち行列の長さ： $L_W = \lambda \times T_q$

---

③ M/M/1モデルの計算例

単一処理を行うオンラインシステムがある。トランザクションは1秒当たり平均

0.6件到着し，トランザクションに対する平均サービス時間は750ミリ秒/件である。このときの平均応答時間（秒/件）を計算する。

$\lambda = 0.6$（件/秒）

$Ts = 0.75$（秒/件）

$\rho = 0.6 \times 0.75 = 0.45$

$Tq = \dfrac{1}{1 - 0.45} \times 0.75 \fallingdotseq 1.36$（秒/件）

④ M/M/Sモデル

ポアソン到着，指数サービス時間分布についてはM/M/1モデルと同じであるが，**窓口が複数あり，それぞれの窓口で並列に処理する待ち行列モデルのことを**，M/M/Sモデルという。

5 ベースライン管理

情報システム基盤の平常時の実測性能値を調査し，それをベースライン（基準値）として設定し，システム性能を管理する方法である。運用テストや運用後の早い段階でベースラインとなる性能評価指標を測定しておき，その後の性能基準値として利用する。

ベースライン管理を行うことによって，しきい値を超える前に，性能上の問題を早期発見することが可能になる。性能管理図などを作成し，ベースラインを超える状態が続いているといった症状を把握し障害の兆候を検知する。大きな損害を被る前にセキュリティ侵犯を発見することも可能になる。

5 信頼性の評価

このSectionで学ぶこと

Check!
- □ 信頼性を評価する指標としてRASISがある
- □ 装置やシステムの可用性評価には稼働率が用いられる

1 RASIS

RASISとは，コンピュータシステムの信頼性評価を行うための指標を頭文字で示した用語である。

[RASIS]
- Reliability（信頼性）…装置故障やシステムダウンのしにくさを示す指標
- Availability（可用性）…装置やシステムを使用できる可能性を示す指標
- Serviceability（保守性）…装置やシステムの保守のしやすさを示す指標
- Integrity（保全性・完全性）…装置やシステムまたはデータが正確かつ完全であることを示す指標
- Security（安全性）…装置やシステムまたはデータの機密性，完全性，可用性を示す指標

2 稼働率

装置やシステムの可用性評価には，稼働率が用いられる。

1 装置やシステムの稼働率

稼働率は，MTBF（平均故障間隔）とMTTR（平均修理時間）を用いた次式で算定される。稼働率が大きいほど，対象の装置あるいはシステムの可用性が高いと評価できる。

$$稼働率 = \frac{MTBF}{MTBF + MTTR}$$

また，装置の直列接続構成と並列接続構成の組合せによってシステム稼働率を計算することもできる。

2 直列システムと並列システムの稼働率の計算式

2台の装置A，Bの稼働率がそれぞれa，bの場合，直列システム構成と並列システム構成の稼働率は，次図に示すとおりである。

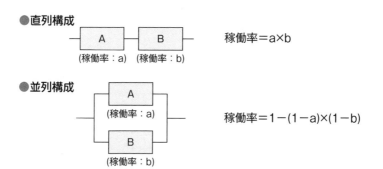

●直列構成

| A | B |

(稼働率：a)　(稼働率：b)

稼働率＝a×b

●並列構成

A

(稼働率：a)

B

(稼働率：b)

稼働率＝1−(1−a)×(1−b)

▶直列システムと並列システムの装置構成と稼働率

❶知識編

3 故障率

故障率とは，装置やシステムが単位時間内に故障する確率のことで，次式のように**MTBFの逆数**で求められる。故障率が小さいほど，可用性が高いと評価される。

$$故障率＝\frac{1}{MTBF}$$

なお，稼働していない確率を意味することもあり，このときには1から稼働率を引いて求める。

$$故障率＝1− 稼働率$$

6 サービスの報告

○ このSectionで学ぶこと

Check!
- ☐ サービスマネジメントのすべての活動でサービスの報告を行う
- ☐ 必要な情報を最適化して報告するために「報告の方針と規則」を明確にする

1 サービスの報告

サービスの報告では，サービスの提供において達成した結果とサービスレベルの状況についての**レポートを作成して提出する責任**について説明している。大量のデータから対象者にとって意味のあるものを抜き出し，最適な形式に変換して報告する。

なお，サービス報告はサービスマネジメントのすべての活動において行われるものであり，サービスの報告は一つの独立した活動ではない。

2 報告の方針と規則

　サービスの報告を効果的に行うためには，事業（顧客）がどのような報告を必要としているかを明確に定義し，そのためのルールを明らかにする必要がある。サービスマネジメントでは，「**報告の方針と規則**」に次のものを含めることが求められる。

- 対象者とサービス内容に関連する事業の視点
- 何を測定し，何を報告するかに関する合意
- すべての条件と責任範囲
- すべての計算の根拠
- 報告スケジュール
- レポートへのアクセス，使用される媒体
- レポートをレビューするミーティング

3 サービスの報告における留意点

　サービスの報告を行う際の留意点には，次のものがある。

> 【サービスの報告における留意点】
> - レポートがITのパフォーマンスを的確にとらえ，情報を明快に提供していること

　例えば，レポートに過去のパフォーマンスを図で示したり，課題に対する軽減策や将来の改善に言及していることなどが挙げられる。

11 改 善

本章では，**サービスの改善**について学ぶ。サービスマネジメントにおいて，継続的サービス改善は重要な考え方であり，活動である。ここでは，継続的サービス改善の活動と，代表的な７ステップの改善プロセスについて取り上げている。

サービスマネジメントのどの活動においても，継続的サービス改善の視点は不可欠である。試験においては，特に午後Ⅱ試験で頻繁に取り上げられている。それぞれの活動において，継続的改善の視点を押さえておくと，午後Ⅱ試験の論述に役立つ。

———————————＊———————————

〈午前Ⅱ試験〉改善についての出題は少ないが，７ステップの改善プロセス，システム改善案の評価などの出題がある。

〈午後Ⅰ試験〉サービス改善そのものをテーマとした出題は少ない。しかし，それぞれの午後Ⅰ問題の一部に継続的改善の視点からの設問が含まれることは多い。

〈午後Ⅱ試験〉**午後Ⅱ試験では，サービスの改善は最も取り上げられる機会の多いテーマである。**また，他のサービスマネジメントプロセスをテーマとした問題の中で，継続的改善の視点からの論述が求められることも多い。

1 継続的サービス改善

○ このSectionで学ぶこと

Check!
- □ サービスを改善することで顧客にとっての価値を創出する
- □ PDCAサイクルを回してサービス品質を向上させる

1 継続的サービス改善 (CSI)

サービスは"商品"なので，使い続けてもらうために，継続的に改善されなければならない。改善されないサービスは，いつの間にか機能が古く信頼性も低い割には高くつくものになってしまうからである。

継続的サービス改善 (CSI：Continual Service Improvement) は，サービスライフサイクル全体にわたって，より良いサービスを提供していくための改善の考え方やアプローチについて説明している。

2 ベースラインの確立

ベースラインとは，**改善を始めるにあたっての起点や基準点となるポイント**である。サービス改善が成功したかどうかは，起点としてのベースラインと比較することで知ることができる。また，改善が行われるごとにベースラインは更新される。

ベースラインは，戦略的な最終目標や達成目標，運用上の測定基準やKPIなどの各方面から設定する。

3 継続的改善モデル

計画 (Plan) →実施 (Do) →点検 (Check) →処置 (Act) からなるPDCAサイクルを繰り返すごとに，サービス品質は向上する。

サービスマネジメントでは，PDCAサイクルをもとにした改善のアプローチ方法として，次の7ステップからなる継続的改善モデルを提示している。これは，ビジョンの定義，現状（ベースライン）の把握，目標の設定，改善の計画，改善の実行，改善の評価，組織への定着（推進力の維持）を繰り返すモデルである。

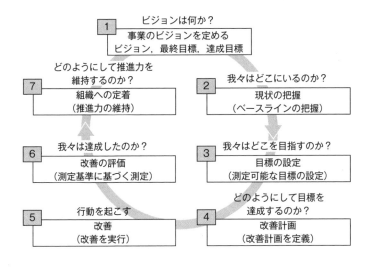

▶継続的改善モデル

2 ７ステップの改善プロセス

● このSectionで学ぶこと

Check! □ ７ステップからなるサイクルで継続的改善を行う

1 ７ステップの改善プロセス

　改善はやみくもに実施しても効果はない。場当たりに実施した改善は，むしろ事態を悪化させるだけである。サービス改善を継続的に成功させるためには，ビジョンや戦略，最終目標を踏まえたうえで，必要なデータの「測定」を行いながら，明確なステップを繰り返して実施しなければならない。サービスマネジメントでは，**継続的サービス改善活動**として，**７ステップからなるプロセス**を提案している。

2 改善活動

7ステップの改善プロセスでは，次の活動が行われる。

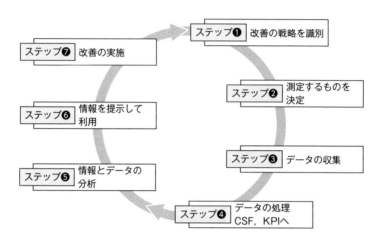

▶ **7ステップの改善プロセス**

ステップ❶…ビジョンやビジネスニーズ，戦略，最終目標などを識別する。

ステップ❷…ステップ❶で識別した戦略や目標を実現させるために，「測定するもの」を決定する。必要であればツール類を準備する。なお，ここで測定不可能と判断されたものについては，SLAに盛り込むべきではない。

ステップ❸…モニタリングを行い，データを収集する。収集は自動であっても手動であってもよい。

ステップ❹…測定したデータを加工して，CSF（主要成功要因）やKPI（重要業績評価指標）などの分析に用いる指標に変換する。

ステップ❺…サービスのギャップ，傾向，事業へのインパクトを識別するため，情報やデータを分析してナレッジに変換する。

ステップ❻…分析結果から取得したナレッジを明確でわかりやすい方法で利害関係者に提示する。

ステップ❼…ナレッジを利用して，サービスを改善，最適化，是正する。ステップ❼の後，新たなベースラインが設定され，次のサイクルに引き継がれ，再び7ステップが繰り返される。

3 改善活動のKPI

改善活動における主要なKPIには，次のものがある。

- 欠陥の改善率
- サービス供給の全体コストの削減率
- 顧客満足度

① 知識編

12 JIS Q 20000

　本章では，ITサービスマネジメントシステムの国内規格であるJIS Q 20000について学ぶ。**本試験では，サービスマネジメントの各活動の名称（プロセス名）として，JIS Q 20000の表現が使われることが多い。**

　まずは，JIS Q 20000の各活動（プロセス）と，それぞれの活動において使われる用語について押さえておいてほしい。同じ活動でも，ITIL®とは異なる表現が使われている場合もあるので，両者の対応を把握しておくとよい。**JIS規格は数年おきに改訂されるので，最新の規格の内容を学習しておこう。** JIS規格には著作権があり，本書にそのまま掲載することは難しい。**Webで規格全文を閲覧できるので，ぜひ目を通しておいてほしい。**

---✳︎---

〈午前Ⅱ試験〉JIS Q 20000-1に定められている事項，例えば経営者の責任，サービス提供者と供給者と顧客の関係，サービスレベル合意書（SLA）の作成指針，レビュー実施のタイミング，SMSの支援，サービスライフサイクルに関与する関係者，事業関係管理，内部監査，マネジメントレビューなどが問われている。近年は出題の詳細度が高まっているので，しっかり押さえておこう。

〈午後Ⅰ試験〉〈午後Ⅱ試験〉**問題文の中に登場するサービスマネジメントのプロセス名は，JIS Q 20000の表現が使われている。** 問われている内容は，この規格の内容そのものよりも，ITIL®に基づくサービスマネジメントの各プロセスの具体的な活動に関することが多い。

1 JIS Q 20000

このSectionで学ぶこと

Check!

☐ JIS Q 20000は，ITサービスマネジメントシステムの国内規格である

☐ JIS Q 20000-1は，組織が満たすべき要求事項を規定している

☐ JIS Q 20000-2は，適用の手引きを提供している

1 JIS Q 20000

JIS Q 20000は，**サービスマネジメントシステムの導入・実践に関する国内規格である**。この規格は当初，2005年に出された国際規格ISO/IEC 20000-1，ISO/IEC 20000-2を日本語化し，2007年にJIS Q 20000-1，JIS Q 20000-2として出された。その後，ISO/IEC 20000-1およびISO/IEC 20000-2の改訂に伴い，2012年にJIS Q 20000-1：2012が，2013年にJIS Q 20000-2：2013が発行された。そして，2018年に再びISO/IEC 20000-1が改訂されたのを受けて，**2020年にJIS Q 20000-1：2020が発行された**。そして，JIS Q 20000-2は2023年に改訂版が発行されている。

① JIS Q 20000-1

●**情報技術－サービスマネジメント－第1部**

　　…**サービスマネジメントシステム要求事項**

サービス提供者が満たさなければならないサービスマネジメントシステムの要求事項を示している。ITサービスマネジメントについて第三者認証を行う際の認証規格でもある。

② JIS Q 20000-2

●**情報技術－サービスマネジメント－第2部**

　　…**サービスマネジメントシステムの適用の手引**

サービスマネジメントシステムの適用に関する手引である。サービス提供者がJIS Q 20000-1を正しく解釈し，適用できるようにするための例や提言を示している。

ここでは，JIS Q 20000について，最新版であるJIS Q 20000-1：2020を中心に説明する。以降，規格名の表記において年号を省略するが，それぞれの最新版を意味する。

② JIS Q 20000-1の構成

　JIS Q 20000-1の構成は，次のとおりである。**ITサービスマネージャ試験の午後の出題範囲は，このJIS Q 20000-1の構成と整合がとられている。**

【JIS Q 20000-1の構成】
序文

1	適用範囲	7	サービスマネジメントシステムの支援
2	引用規格	8	サービスマネジメントシステムの運用
3	用語及び定義	9	パフォーマンス評価
4	組織の状況	10	改善
5	リーダーシップ		参考文献
6	計画		解説

---

③ 各章の概要

□ 序文

　「序文」では，この規格が，ISO/IEC 20000-1を基に技術的内容や構成を変更することなく作成した日本産業規格であることと，**この規格が作成された目的「サービスマネジメントシステム（SMS）を確立し，実施し，維持し，継続的に改善するための要求事項を規定するため」を示している。**また，ISO/IEC 20000-2がこの規格が規定する要求事項を満たすためのサービスマネジメントシステムの適用の手引であるとしている。

　そして，SMSの全体像が示されている。SMSは，次のような構造になっている。

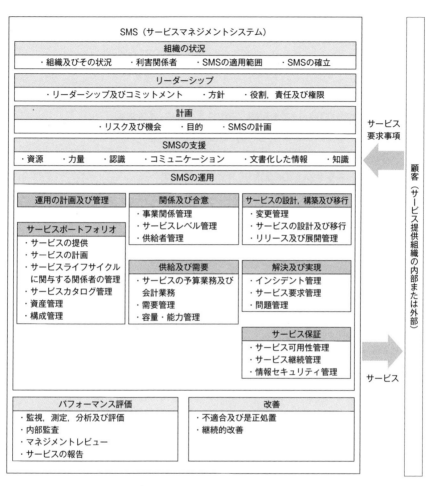

▶サービスマネジメントシステム（SMS）の構造

1 適用範囲

「1　適用範囲」では，この規格を利用できる者として，次を挙げている。つまり，この規格の対象者である。

[JIS Q 20000-1の対象者]
- サービスを求め，保証を必要とする顧客
- サービス提供者によるサービスライフサイクルに対する一貫した取組みを求める顧客
- サービスマネジメントに関する能力を実証する組織
- 自らのSMS及びサービスを監視・測定・レビューする組織
- サービスマネジメントをSMSを通じて改善する組織
- この規格への適合性評価を実施する組織や関係者
- サービスマネジメントの教育訓練や助言の提供者

② 引用規格

「2　引用規格」では，この規格に引用規格はないとしている。

③ 用語及び定義

「3　用語及び定義」では，この規格で用いる主な用語とその定義を説明している。
サービスマネジメント及びサービスマネジメントシステムについて，次のように定義している。

●サービスマネジメント

価値を提供するため，サービスの計画立案，設計，移行，提供及び改善のための組織の活動及び資源を，指揮し，管理する，一連の能力及びプロセス

●サービスマネジメントシステム（SMS）

組織のサービスマネジメント活動を指揮し，管理するマネジメントシステムをいう。SMSには，この規格に規定した要求事項を満たすために必要な，サービスの計画立案，設計，移行，提供及び改善のための，サービスマネジメントの方針，目的，計画，プロセス，文書化した情報，及び資源を含む。

また，サービス提供者，供給者（外部供給者及び内部供給者），顧客については，次のように定義している。

●サービス提供者

顧客へのサービスを管理及び提供する組織

●**外部供給者**

　組織の外部にあって，サービス，サービスコンポーネント又はプロセスの計画立案，設計，移行，提供及び改善に貢献するために契約を結ぶ他の関係者

●**内部供給者**

　SMS（サービスマネジメントシステム）の適用範囲外である，より大きな組織の一部であって，サービス，サービスコンポーネント又はプロセスの計画立案，設計，移行，提供及び改善に貢献するために，合意文書を結ぶ関係者

●**顧客**

　サービスを受ける組織または組織の一部。サービス提供者の組織の内部又は外部のいずれでもあり得る。利用者でもあり得るし，供給者として振る舞うこともあり得る。

　サービス提供者の組織は，外部供給者及び内部供給者から提供されるサービスを含めて，サービス提供者が，顧客にサービスを提供する。

④ 組織の状況

　「4　組織の状況」では，サービス提供者の組織への要求事項を示している。組織が行うべきこととして，

> ・外部及び内部の課題を決定する。
> ・利害関係者のニーズや期待を理解する。
> ・SMSの適用範囲を定めるために，その境界や適用可能性を決定する。
> ・この規格の要求事項に従ってSMSを確立し，実施し，維持し，継続的に改善する。

を挙げている。

⑤ リーダーシップ

　「5　リーダーシップ」では，サービス提供者の組織のトップマネジメントに対する要求事項を示している。トップマネジメントには，次の事項に関するリーダーシップ及びコミットメントを実証することを求めている。

- サービス提供者の組織の戦略的な方向性と両立する，サービスマネジメントの方針や目的の確立
- サービスマネジメント計画が作成，実施，維持されること
- 適切なレベルの権限の割当て
- 組織や顧客にとっての価値を構成するものの決定
- 利害関係者の管理
- 組織の事業プロセスへのSMS要求事項の統合
- 必要な資源が利用可能であること
- 有効なサービスマネジメント及びSMS要求事項への適合の重要性の伝達
- SMSが意図した成果を達成すること
- SMSやサービスの有効性に寄与するよう人々を指揮，支援
- 継続的改善の推進
- 管理層の役割の支援

　トップマネジメントは，サービスマネジメントの方針を確立し，組織内及び利害関係者に伝達しなければならない。また，SMSやサービスにおける責任や権限が割り当てられ，組織内に伝達されるようにしなければならない。

6 計画

　「6　計画」では，サービス提供者の組織が立てるべき計画に対する要求事項を示している。具体的には，

- SMSの計画を策定する際に，取り組む必要があるリスクや機会を決定すること
- サービスマネジメントの目的を達成するための計画を立てること

を示し，計画にはサービスの一覧や制限事項，義務，権限と責任，資源，使用する技術，測定・監査・報告・改善の方法などを含めることを求めている。リスクや機会を決定する目的として，「SMSが，その意図した成果を達成できるという確信を与えること」がある。

7 サービスマネジメントシステムの支援

　「7　サービスマネジメントシステムの支援」では，サービス提供者の組織や組織

内で働く人々に対して，SMSを支援するための次の要求事項を示している。

- 人，技術，情報，財務に関する資源の決定と提供
- 必要な力量の決定とそれを身に付けるための教育・訓練
- 組織で働く人々の認識
- コミュニケーションの内容や実施時期，対象者，方法，責任者の決定
- 文書化した情報の作成と管理
- 必要な知識の決定と維持

力量とは，「意図した結果を達成するために，知識及び技能を適用する能力」をいい，力量については，適切な教育，訓練又は経験に基づいて，知識の管理下でSMS及びサービスのパフォーマンス及び有効性に影響を与える業務を行う人々が力量を備えていることを確実にすることが求められている。

⑧ サービスマネジメントシステムの運用

「8　サービスマネジメントシステムの運用」では，次に示す8.1〜8.7の7つの観点から，サービスマネジメントの具体的なプロセスの目的や活動を示している。**本章がこの規格の中心となっている**ため，詳しく後述する。各プロセスの要求事項は，ITIL®と同様である。

【サービスマネジメントシステムの運用】
- 8.1　運用の計画及び管理
- 8.2　サービスポートフォリオ
  - ・サービスの提供
  - ・サービスの計画
  - ・サービスライフサイクルに関与する関係者の管理
  - ・サービスカタログ管理
  - ・資産管理
  - ・構成管理
- 8.3　関係及び合意
  - ・事業関係管理
  - ・サービスレベル管理
  - ・供給者管理
- 8.4　供給及び需要
  - ・サービスの予算業務及び会計業務
  - ・需要管理
  - ・容量・能力管理
- 8.5　サービスの設計，構築及び移行
  - ・変更管理
  - ・サービスの設計及び移行
  - ・リリース及び展開管理
- 8.6　解決及び実現
  - ・インシデント管理
  - ・サービス要求管理

・問題管理	・サービス継続管理
8.7　サービス保証	・情報セキュリティ管理
・サービス可用性管理	

9 パフォーマンス評価

　「9　パフォーマンス評価」では，サービス提供者の組織が行うサービスのパフォーマンスの評価に関する次の要求事項を示している。

・サービスの監視，測定，分析，評価

　SMS及びサービスに関して，監視及び測定の実施時期や，その結果の分析及び評価の時期を決定し，結果の証拠として，適切な文書化した情報を保持しなければならない。サービスの要求事項に照らして，サービスの有効性を評価しなければならない。

・内部監査

　SMSに関して組織自体が規定した要求事項及びこの規格の要求事項に**適合している状況にあるか否かの情報を提供するために**，内部監査を実施する。内部監査は，あらかじめ定めた間隔で実施しなければならない。また，各監査について，監査の基準及び監査範囲を明確にすることを求めている。

・マネジメントレビュー

　あらかじめ定めた間隔でトップマネジメントがSMS及びサービスをレビューし，その結果の証拠として，文書化した情報を保持しなければならない。アウトプットには，継続的改善の機会に関する決定を含めなければならない。

・サービスの報告

　報告の要求事項や目的を決定して，SMS及びサービスのパフォーマンスや有効性に関する報告を行う。サービス報告には，傾向を含めなければならない。サービス提供者の組織は，サービス報告の所見に基づいて処置をとり，利害関係者に伝達しなければならない。

10 改善

　「10　改善」では，サービス提供者の組織が行うべきサービスの改善に関する要求事項を示している。

- サービスに不適合が発生した場合の対処と是正処置
- 継続的改善

継続的改善とは，パフォーマンスを向上するために繰り返し行われる活動をいう (3.1.4)。

④ 「8　サービスマネジメントシステムの運用」の各プロセス

ここでは，本規格の中心である「8　サービスマネジメントシステムの運用」について，各プロセスの概要を説明する。

8.1 運用の計画及び管理

「8.1　運用の計画及び管理」では，次の活動によって，要求事項を満たすために**必要なプロセスを計画，実施，管理しなければならない**ことを示している。

- プロセスに関するパフォーマンス基準の設定
- パフォーマンス基準に従ったプロセスの管理
- プロセスが計画通りに実施されたことを文書化した情報の保持

8.2 サービスポートフォリオ

「8.2　サービスポートフォリオ」では，サービス提供者が適切な組合せのサービスを提供できるように，**次の活動によって，サービスポートフォリオを管理する**ことを求めている。

1．サービスの提供

SMSを運用するために活動と資源を調整すること，及びサービス提供のために必要な活動を実施することを求めている。

2．サービスの計画

サービスの要求事項を決定し文書化すること，利害関係者のニーズに基づいてサービスの重要性を決定すること，必要な変更を提案し優先度付けを行うことなどを求めている。

3. サービスライフサイクルに関与する関係者の管理

　サービスを提供する組織がサービスの提供に関する説明責任をもちながら，サービスを支援する他の関係者（外部供給者，内部供給者，供給者として行動する顧客）を選定し，他の関係者が提供・運用するサービスも含めて全体のサービスを統合することを求めている。

4. サービスカタログ管理

　サービスカタログを作成し維持すること，利害関係者に対してサービスカタログへのアクセスを提供することなどを求めている。

5. 資産管理

　サービスを提供するために使用される資産を管理することを求めている。

6. 構成管理

　CIの種類を定義し管理すること，適切な詳細度のレベルで構成情報を記録することを求めている。また，CIは追跡可能，監査可能にし，変更に伴って更新すること，あらかじめ定めた間隔で正確性を検証すること，欠陥が発生したら必要な処置をとること，他のサービスマネジメント活動で利用可能にすること，などを求めている。

8.3 関係及び合意

　「8.3　関係及び合意」では，サービスの提供や運用のために供給者を利用してもよいことを示し，供給者との関係，顧客との関係，提供するサービスに関する合意を管理することを求めている。

1. 事業関係管理

　顧客・利用者・利害関係者を特定し文書化すること，サービス提供者は顧客関係を管理する責任を持つ者を1名以上指名すること，コミュニケーションのための取決めを確立すること，サービスのパフォーマンスの傾向や成果をレビューすること，顧客のサービス満足度を測定・分析・レビュー・報告すること，サービスに対する苦情を記録・管理・報告すること，などを求めている。

2. サービスレベル管理

　サービス提供者は，提供するサービスについて顧客と合意すること，文書化した

サービスの要求事項に基づいて，顧客とSLAを合意すること，あらかじめ定めた間隔でサービスレベル目標に照らしたパフォーマンスを監視し，レビューし，顧客に報告することなどを求めている。

3．供給者管理

　サービス提供者は，外部供給者との関係や契約，パフォーマンスの管理に責任をもつ者を一人以上指名すること，外部供給者との契約文書に合意すること，顧客とのSLAと外部供給者の契約義務との整合性をアセスメントしリスクを管理すること，外部供給者とのインタフェースを定義・管理すること，外部供給者のパフォーマンスを監視し，契約義務が満たされない場合には改善の機会を特定すること，定められた間隔で契約をレビューすること，契約の変更の影響についてアセスメントを行うこと，外部供給者との間の紛争を記録・管理すること，などを求めている。

8.4 供給及び需要

　「8.4　供給及び需要」では，サービスの予算業務及び会計業務，需要管理，容量・能力管理についての要求事項を示している。

1．サービスの予算業務及び会計業務

　サービスに対して効果的な財務管理や意思決定ができるよう予算化し，定められた間隔で予算に照らした実際の費用を監視・報告し，財務予測をレビューし，費用を管理することを求めている。

2．需要管理

　サービスに対する現在の需要を決定し将来の需要を予測すること，サービスの需要や消費を監視・報告することを求めている。

3．容量・能力管理

　人・技術・情報・財務に関する資源の容量・能力の要求事項を決定し，文書化し維持すること，これらの容量・能力を計画し提供すること，利用を監視・分析し改善する機会を持つこと，などを求めている。

8.5 サービスの設計，構築及び移行

　「8.5　サービスの設計，構築及び移行」では，変更管理，サービスの設計及び移行，

リリース及び展開管理についての要求事項を示している。

1. 変更管理

　サービスの変更管理方針を確立すること，変更要求を記録し分類し，承認や優先度の決定を行うこと，承認された変更は準備・検証（可能であれば試験）を行うこと，展開の期日や詳細を利害関係者に周知すること，失敗した変更を元に戻す活動を計画すること，変更の有効性をレビューすること，変更の記録は定められた間隔で傾向を分析し，改善の機会を持つためにレビューすること，などを求めている。

2. サービスの設計及び移行

　新規サービスやサービス変更についての要求事項に基づき計画を立案することを求めている。また，廃止するサービスや移管するサービスについても計画を立案すること，変更によって影響が及ぶCIは構成管理によって管理すること，などを求めている。

　計画された新規サービスやサービス変更は，設計して文書化し，構築して試験を行い，リリース及び展開管理によって稼働環境へ展開する。

3. リリース及び展開管理

　リリースの種類・頻度・管理方法を定義し，稼働環境への展開について計画すること，リリースは検証し承認されること，リリースの展開に先立って，影響を受けるCIのベースラインをとること，リリースの成功・失敗や発生したインシデントを監視・分析・記録・レビューを行うこと，これらの情報は他のサービスマネジメント活動で利用可能にすること，などを求めている。

8.6 解決及び実現

　「8.6　解決及び実現」では，インシデント管理，サービス要求管理，問題管理についての要求事項を示している。

1. インシデント管理

　インシデントを記録し分類し，優先度付けを行い，必要に応じてエスカレーションし，解決し，終了する，というインシデント管理の手順を示している。また，重大なインシデントを特定する基準を定め，文書化された手順で管理すること，個々の重大なインシデントの管理責任者を割り当てること，解決後は報告し，改善の機

会を持つためにレビューすること，などを求めている。

2. サービス要求管理

　サービス要求を記録し分類し，優先度付けを行い，実現し，終了する，というサービス要求管理の手順を示している。

3. 問題管理

　問題を記録し分類し，優先度付けを行い，必要に応じてエスカレーションし，可能であれば解決し，終了する，という問題管理の手順を示している。また，問題の記録はとった処置とともに更新すること，及び問題解決に必要な変更は変更管理方針に従って管理することを求めている。さらに，根本原因が特定されたが恒久的な解決に至っていない問題は，サービスへの影響を低減または除去するための処置を決定しなければならないこと，既知の誤りは記録して他のサービスマネジメント活動で利用可能にすること，定められた間隔で問題解決の有効性を監視・レビュー・報告することなどを求めている。

8.7 サービス保証

　「8.7　サービス保証」では，サービス可用性管理，サービス継続管理，情報セキュリティ管理についての要求事項を示している。

1. サービス可用性管理

　定められた間隔でサービス可用性のリスクのアセスメントを行い文書化すること，サービス可用性の要求事項や目標を決定し文書化して維持すること，サービス可用性の監視・記録・目標との比較を行って，計画外に可用性が失われた場合は調査し必要な処置をとること，などを求めている。

2. サービス継続管理

　定められた間隔でサービス継続のリスクのアセスメントを行い文書化すること，サービス継続の要求事項を決定すること，サービス継続計画を作成・実施・維持すること，サービス継続計画や連絡先一覧は通常のサービス提供領域にアクセスできない場合でも利用可能にすること，定められた間隔でサービス継続計画を試験し結果を記録すること，サービス継続計画の発動後レビューを実施し，不備には必要な処置をとること，サービス継続計画が発動された場合，その原因・影響・復旧につ

いて報告すること，などを求めている。

　なお，サービス継続計画には，サービス継続の発動の基準及び責任，重大なサービス停止の場合の手順，サービス継続計画が発動された場合のサービス可用性の目標，サービス復旧の要求事項，平常業務の状態に復帰するための手順を含めるか参照しなければならない。

3. 情報セキュリティ管理

　情報セキュリティ方針は，サービスの要求事項や義務を考慮して定められ，適切な権限を持った経営者が承認すること，文書化して必要に応じて利用可能にすること，方針への順守の重要性やSMS・サービスへの適用可能性を適切な要員（サービス提供者の組織，顧客，供給者などの利害関係者など）に伝達することを求めている。また，定められた間隔で情報セキュリティリスクのアセスメントを行い，文書化すること，情報セキュリティリスクに対応するための情報セキュリティ管理策を決定し実施・運用すること，情報セキュリティ管理策の有効性を監視・レビュー・処置を行うことを求めている。さらに，情報セキュリティインシデントは記録・分類し，優先度付けを行い，必要に応じてエスカレーションし，解決し，終了する，という手順で対処すること，影響ごとに分析し改善の機会を持つためにレビューすること，などを求めている。

第**2**部

運用管理

1 システム運用・オペレーション

1 システム運用管理

1 システム運用管理業務

システムの運用管理業務には，主に次のような作業がある。

▶システム運用管理業務

管理作業	内容
オペレーション管理	ジョブの運用スケジュールやシステムのオペレーション作業の内容を計画し，オペレーション実績を管理するとともに，オペレーション作業の改善を行う。
ユーザ管理	ユーザ登録／抹消，アクセス管理，利用状況の管理，ユーザ支援などを行う。
コスト管理	システム運用コストの予算を策定し，実績を把握し，予実管理を行う。
課金管理	利用部門にシステム運用コストを配賦するために課金方式を決め，課金方式に従い実績を把握し，課金額を算出し配賦する。
要員管理	オペレータなどの要員の適正要員数を設定し，配置するための勤務体制を計画するとともに，要員の健康管理，教育・訓練ならびに外部委託管理を行う。
資源管理	ハードウェア，ソフトウェア，ネットワークなどの資源を導入し，維持管理する。
障害管理	障害の早期発見，関連部署への通知，情報収集，対策の実施を行うとともに，障害内容を管理し，再発防止策を実施する。
システム保守	保守計画を作成し，保守業務を実施する。
情報セキュリティ管理	災害や不正利用などによるセキュリティリスクを監視し，対応策を実施する。
性能管理	性能管理基準を設定し，性能評価を行い，対策を実施する。
システム受入れ・移行	新システムの受入れテストや移行作業支援を行う。

2 アウトソーシング

業務の一部を外部の専門業者に委託することをアウトソーシングという。運用管理業務のアウトソーシングの最大のねらいは，情報システムの運営・運用コストの削減とシステム運用管理部門のスリム化である。

アウトソーシングを行うときは，自社で運用管理を行う以上に，運用のサービスレベルについて委託先と詳細に取り決める必要がある。

情報システムの運用管理を含む，業務のアウトソーシングの形態としてクラウドサービスを利用する形態もある。

3 クラウドサービス

クラウドサービスは，**ハードウェアやソフトウェアなどのさまざまなリソースをイ**

ンターネットを介してサービスの形で提供する仕組みである。クラウドサービスには，提供元のリソースを物理的に意識することなく利用できるという特徴がある。パブリッククラウドとプライベートクラウドに分類できるが，**パブリッククラウドは，世の中の多くの利用者（企業，組織，個人など）に対して広く提供するサービスの提供形態**であり，**プライベートクラウドは，ある企業や組織といった特定の利用者向けに提供するサービスの提供形態**をいう。

NIST（アメリカ国立標準技術研究所）は，クラウドサービスの提供形態をSaaS，PaaS，IaaSの三つのモデルで示している。

▶クラウドのサービスモデル

サービスモデル	概要
SaaS (Software as a Service)	クラウドサービス事業者が運用するアプリケーションをサービスとして利用する形態。電子メールやオンラインストレージのほかにも，会計システム，販売システム，顧客管理（CRM）システム，営業支援（SFA）システムといった業務アプリケーション等がある。
PaaS (Platform as a Service)	開発環境やミドルウェアといったプラットフォームをサービスとして利用する形態であり，ユーザーは提供されたプラットフォーム上で任意のアプリケーションプログラムを実装することができる。インフラの構築や開発環境の整備などを行うことなく自社独自のアプリケーションを作成できるが，プログラミング言語などはサービスによって異なるため，既存のプログラムをそのまま移行できるとは限らない。
IaaS (Infrastructure as a Service)	クラウドサービス事業者がサーバ機能（CPUやメモリ等），ストレージ，ネットワークといったインフラを提供する形態であり，ユーザーは任意のソフトウェアをインストールして実行することができる。ミドルウェアを含め利用するソフトウェアには制限がない反面，アプリケーションやミドルウェア，OSの一部などをユーザーが管理する必要がある。

一般的にSaaSはアプリケーションのカスタマイズに制限がある場合が多く，自社の業務に適したSaaSがない場合や業務をSaaSに合わせて変更することができない場合は，PaaSやIaaSによる独自アプリケーションの開発などが候補となる。また，クラウドサービス提供者が提供するプログラム言語やミドルウェアで開発可能であればPaaSを選択してハードウェアの導入や開発環境の設定に関する期間や費用を削減することもできる。一方，既存の開発環境に適合するPaaSサービスがない場合は，IaaSが選択肢となる。各モデルにおいて各資源を保有・運用管理する主体が提供者と利用者のどちらになるかを整理すると次のようになる。

自由度		ハードウェア ネットワーク	OS ミドルウェア	アプリケーション	利用者の 管理コスト
低	SaaS	提供者	提供者	提供者	小
↕	PaaS	提供者	提供者	利用者	↕
高	IaaS	提供者	提供者 利用者	利用者	大

▶ サービスモデルの関係

このほかにも，仮想デスクトップ環境をクラウドサービスとして提供するDaaS（Desktop as a Service）や，WebAPIを介して細かな機能を提供するFaaS（Function as a Service）という概念などもある。一般的にFaaSはイベントドリブン方式を採用しており，発生した何らかのイベントに応じた処理を実装する。このため，PaaSのような一連の処理を実装する必要はなく，利用者は実行したいビジネスロジックだけを関数（機能）として実装すればよい。このため，PaaSに比べると，ビジネスロジックの開発に集中できるというメリットがある。

● プロビジョニング

利用者からの要求に応じて，必要とされるリソースを割り当てることをプロビジョニングという。クラウドサービスでは，プロビジョニングを自動的に行う仕組みが多く利用される。具体的には，オンデマンドでリソースを提供できるよう，サーバやネットワーク，アプリケーション，ストレージといった各種のリソースをリソースプールとしてあらかじめ確保しておき，要求に応じてリソースの必要量を取り出し，設定や割当てを行う。

● サーバレス

開発者がサーバの設定や管理を行うことなく，アプリケーションやサービスを開発・運用できる環境を提供する概念をサーバレスという。FaaSは，サーバレスを実現する手法の一つといえる。

1 システム運用コスト

　自社でどのようなシステム運用コストが発生し，どのように管理すべきかを把握することは重要である。システム運用コストは幅広く，様々な分類ができる。次にシステム運用コストの分類の一例を示す。

● **システムの資源に着目した分類**

　ハードウェアコスト，ソフトウェアコスト，附帯設備コスト，運用コスト

● **コストの発生時期に着目した分類**

　システム導入時に一次的に発生する初期費用（イニシャルコスト）

　システム運用中に日常的に発生する定常費用（ランニングコスト）

● **システムライフサイクルに着目した分類**

　システム開発コスト，システム運用コスト，システム保守コスト

● **費用項目に着目した分類**

　人件費，材料費，機械設備関連費，外注費，経費

　初期費用の発生原因には，システムの新規導入や増設，改善などの自社の都合によるものと，サポート期限切れによるリプレースや取引先の指示，法律改正や業界標準に合わせるためのアプリケーション修正などの外部都合によるものがある。

　定常費用には，利用時間・利用量にかかわらず一定額が発生する固定費と，使用量に伴い課金額が変化する変動費がある。

2 システム運用コストの削減努力と方法

　限られた予算を新規システム開発に回すため，運用部門にはコスト削減の努力が求められる。コスト削減のためのアプローチには，次のようなものがある。

●必要十分なシステム機器構成

　処理能力を過大に見積もるとコストが高くなる。必要性に応じて最適な処理能力を把握することが重要である。事後的に処理能力を追加することは困難なことが多いため，拡張性を考慮した処理能力の判断も重要である。

　信頼性も同様である。システムに高い信頼性を求めるほどハードウェア構成が複雑になり価格も運用コストも高くなる。例えば，回復時間が1時間程度まで許容されるシステムに対し，1分で回復できるような障害対策を施すことは大きな無駄である。利用部門が高い信頼性を求めるのは当然であるが，実現するためのコストを算出して，費用対効果に見合った，最適な信頼性の水準を判断する必要がある。

●ハードウェアの調達方法

　購入，レンタル，リースなどの調達方法を検討し，システムの性質やライフサイクルから判断して最も有利な方法を選択する。

●運用コストの削減

　オペレーターが行っている作業を自動化ソフトウェアや機器の導入によって置き換えることで，人件費を削減できる。

3 トータルコストの削減

　情報システムの導入から運用に至るライフサイクルの中で直接発生する費用のほか，人件費などのコストも考慮した総合的なコストをTCO（Total Cost of Ownership；総所有費用）という。

　TCOを考えるうえで重要な費目は人件費，特にユーザ部門で発生する人件費である。そのため，TCOの削減方法として，次のことが挙げられる。

●ユーザインタフェースの標準化，ヘルプ機能の充実

　ユーザがアプリケーションを直感的に利用でき，問題を自分で短期間に解決できれば，トータルコストは低下する。そのために，メニューやボタン，ショートカットキーなどアプリケーションの操作性を可能な限り標準的なものにすることが有効である。また，ヘルプ機能，特に状況に応じた内容を表示できるヘルプ機能は，ユーザの操作の助けになる。

●ヘルプデスクやFAQの充実

　ユーザが必要に応じて質問できるヘルプデスクやサービスデスクを運営することは，TCOの削減に繋がる。オペレータによる有人のヘルプデスクのほか，ユーザが疑問点に対する回答を自ら検索できるようなヘルプサイトやFAQ（Frequently

Asked Questions；よくある質問）も有効である。**FAQを充実させることによって，問合せ件数を削減でき，コスト削減や問合せ対応の負荷軽減につなげることができる。**

● **ユーザ教育の充実**

ユーザ教育の実施も有効である。集合教育の他にeラーニングなども利用できるので，費用対効果を検討して適切な教育手段を選択する。

● **ユーザの選択肢の制約**

システムで可能な処理をあえて制限して利便性を下げると，結果として全体のコストの削減に繋がることがある。例えば，配付するアプリケーションの制限，グループウェア上でのユーザのアプリケーション作成の禁止といった対策がこれにあたる。

4 課金

課金とは，**情報システムの運用にかかるコストを把握し，適正な配賦方式によって利用者に割り当てること**をいう。予算実績分析を行い，正しく運用コストを算出し適切な配賦を行う一連の作業を課金管理と呼ぶ。

課金を行う目的として，次のことが挙げられる。

〔課金の目的〕
- 情報システムの運用コストを利用者が納得できる形で配賦する。
- 費用対効果の高いシステム実現のための判断材料となる。
- 利用者のコスト意識を高める。

課金方式は企業の方針に合わせて決定される。代表的な課金方式の例を挙げるが，多くの場合，これらは組み合わせて用いられる。

1 実績課金方式（実績課金法）

実際の資源の使用量に応じた課金方式である。次に挙げるデータなどを収集する。

- CPU使用量（CPU使用時間など）
- 磁気ディスク使用量
- ネットワーク使用量（トラフィック量など）
- プリンター使用量（印刷枚数など）

そして，次の計算式によって計算する。

$$実績課金＝\frac{実際の運用コスト×配賦先の使用量}{全体使用量}$$

②基準課金方式（基準課金法）

資源利用状況とは独立した基準による課金方式であり，利用部門の大きさに応じて運用コストを負担するという考え方に基づく。次のような値を基準に，その値が全体に占める比率によって運用コストを配賦する。

- 部門の売上額
- 部門の人数（構成人員数・登録ユーザ数など）
- 利用端末台数
- データ量（トランザクション数・登録プログラム本数など）

3 バッチジョブスケジューリング

○ このSectionで学ぶこと

Check!
- □ 複数のジョブを効率的に処理できるようスケジュールする
- □ 自動化するなど，処理時間の短縮と効率化を図る

■ バッチジョブスケジューリング

バッチ処理は，1日分，1か月分など，ある期間のデータをまとめて処理する方式のことである。入力データを読み込み，プログラムで加工や計算を行い，出力データとして書き出す。実行結果は，正常終了または異常終了とそのエラー原因などのステータスとして返される。

業務システムでは，複数のジョブを連続して処理することが多い。適切なジョブの実行計画を立てることを，ジョブスケジューリングという。バッチジョブスケジューリングにおいては，次図のようなジョブステップフローとジョブ間の関連（ジョブフロー）を作成して，さまざまな条件に基づいて正しくバッチジョブが実行されるよう計画する。

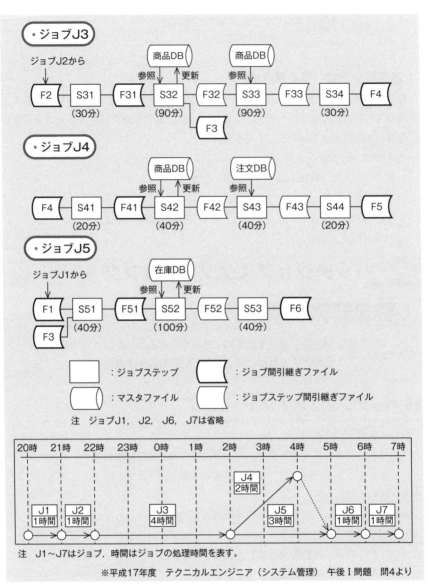

※平成17年度　テクニカルエンジニア（システム管理）　午後Ⅰ問題　問4より

▶ジョブステップフローとジョブ間の関連

2 ジョブの実行時間

　一般の業務システムでは，オンライン処理が終了した状態のデータベースのバック
アップをとり，一連のバッチ処理を行い，バッチ処理の結果を確認し（必要に応じて
バックアップとして保存し），翌朝のオンライン処理を開始する流れとなる。よって，
**バッチジョブをスケジューリングする際には，翌日のオンライン処理への影響やバッ
クアップ処理の実行時間，処理するデータ量などを考慮しなければならない。**翌朝の
オンライン処理開始時刻までにすべてのジョブを終了させるには，何時までにジョブ
を起動させなければならないかを把握しておく必要がある。

　また，障害の発生などによってジョブの実行の遅延が生じ，翌朝のオンライン処理
開始時刻までにすべてのバッチジョブが終了しない事態が発生した場合には，優先度
の高いジョブだけを実行することもある。その場合，月次の管理帳票など日中でも出
力可能なジョブや，業務上，すぐに必要とはならない情報の更新ジョブなどの優先度
を低くする。

3 ジョブの起動条件の管理

　ジョブが連続して実行されるとき，あるジョブの出力データが別のジョブの入力デー
タになる場合がある。ジョブを実行する前にどのファイルが生成されていなければ
ならないか，あるいは，どのジョブが正常終了していなければならないかを管理しな
ければならない。また，複数のジョブを連続実行する処理において，先行ジョブが異
常終了して後続のジョブに影響するような場合には，先行ジョブが正常終了するまで
後続のジョブを起動することができない。よって，**バッチジョブスケジューリングに
おいては，各ジョブの起動順序や後続ジョブの起動条件**などを明確にする。

4 自動化

　複雑な運用スケジュールを正確に効率良く実行するには，自動化が有効である。人
手を介さずに処理を行えれば，オペレータの少ない夜間の運用や遠隔地における運用
が容易になるとともに，人為的なミスを防ぐこともできる。近年では，ソフトウェア
型のロボットによって定型業務を自動化するロボティック・プロセス・オートメーシ
ョン（RPA）の導入も増えている。

　なお，障害が発生した場合など，どうしても人の介入が必要なときがある。そのよ

うな事態をあらかじめ想定しておき，処理内容を説明した運用マニュアルを整備しておく必要もある。

5 処理時間短縮のための工夫

複数のジョブを連続実行する場合，ジョブを一つずつ順に実行させると時間がかかり処理効率が悪い。バッチジョブの起動順序や条件を工夫することで，処理時間の短縮を図れることもある。

4 システム監視

○ このSectionで学ぶこと

Check! □ システムの稼働状況を総合的に監視する
□ メッセージ通知を工夫し，問題箇所の特定を容易にし，見落としを防ぐ

1 システムの一元監視

システムの安定稼働を実現するためには，ハードウェア，ソフトウェア，ネットワークなど，システムの稼働状況を総合的に監視する必要がある。それぞれのサーバやアプリケーションなどを個々に監視すると監視が複雑になるし，障害検知も迅速にしづらくなる。そのため，機器やソフトウェアなどを一元的に監視できる仕組みを構築するとよい。例えば，サーバやネットワークなどの監視対象から収集した情報を一つの画面に表示し，システム全体の稼働状況をリアルタイムに監視できるようにする。システムの状況をビジュアルに表示すれば，システムの状況を把握しやすくなる。

2 メッセージ通知の工夫

設置した機器や購入したソフトウェアは，警告（アラート）やエラー通知のために独自の形式のメッセージを発行することが多い。このような多様なメッセージを画一的に監視すると見落としが発生しやすいし，メッセージからの問題箇所の特定もしづらい。そのため，メッセージの種類や重要度に応じて表示方法や対応方法を変えたり，相関関係や時間軸に沿って集約したりして，問題箇所を絞り込みやすくする。また，

重要なメッセージは**色を変える**，発行されたら**電光掲示板に表示する**，**パトロールランプを点灯させる**，**音を鳴らす**，**関係者にメールを送信する**などの通知手段を用いると，重要なメッセージの見落としを防ぎやすくなる。

2 システム構成技術・高信頼化技術

　本章では，**システム構成技術や高信頼化技術**について学ぶ。具体的には，フォールトアボイダンスやフォールトトレランス，システムの冗長構成，システムのバックアップ構成，RAID，耐障害設計，仮想化技術などについて取り上げている。

---✳---

　本章の内容は，特に〈午前Ⅱ試験〉で取り上げられることが多く，これまで，本章に登場するさまざまな用語が出題されている（RAID，フェールセーフ，フェールソフト，ウォームスタート，ウォームスタンバイ，コールドスタート，フールプルーフなど）。

〈午後Ⅰ試験〉本章に登場する用語そのものが問われることは少ないが，**問題事例の中で，本章に登場するさまざまなシステム構成技術や高信頼化技術が採用されている**ことが多い。

〈午後Ⅱ試験〉障害や災害の予防や対策などが問われた際に，「このようなシステム構成技術や高信頼化技術を採用した」という論述をするのに，本章の知識が役に立つ。

1 高信頼化システム

このSectionで学ぶこと

Check!
□ 信頼性保証の考え方にはフォールトアボイダンスとフォールトトレランスとがある

1 高信頼化システム

　情報システムに要求される信頼性は，システムの利用目的によって異なる。例えば，金融機関の勘定系システムであれば，経済性をある程度犠牲にしても高い信頼性が要

求される。しかし，一般企業の非定型業務を支援するシステムでは，経済性を犠牲にしてまで高信頼性を得るための冗長構成をとる必要性はない。

システムの信頼性を保証していく方法として，次の二つの考え方がある。

● フォールトアボイダンス

システムの構成要素単体の信頼度を高め，障害そのものの発生を防止する高信頼化の考え方である。

● フォールトトレラント

冗長構成や分散処理によって，システムが部分的に故障しても，システム全体としては必要な機能を維持できるようにしておくという高信頼化の考え方である。冗長構成や分散処理などのフォールトトレラント技術を使用して高信頼化を実現したシステムのことを，フォールトトレラントシステムという。

2 システムの冗長構成

○ このSectionで学ぶこと

□ 信頼性の要求と費用対効果を考慮して，システム構成方式を選択する

1 信頼性要求に応じたシステム構成方式

伝統的なシステム冗長構成方式として，デュプレックスシステム，デュアルシステム，マルチプロセッサシステムがある。近年は，情報提供サービスなどにおいて，コンテンツ配信の可用性を確保するために，ミラーサイトを採用する例も多く見られるようになった。

● デュプレックスシステム

主系と従系（待機系）の２系統のシステムで構成され，主系が故障したときは従系に切り替えて処理を続行する。従系では何の処理も行わずに障害時のバックアップ専用の用途としてデュプレックスシステムを構成することもあるが，それではもったいないので正常時は主系でオンライン処理など優先度の高い処理を行い，従系ではバッチ処理や開発作業など優先度の低い処理を行うことが多い。

● デュアルシステム

システムを構成する全装置を二重化し，各系統が同じ処理を行って，その処理結果を照合するシステム構成方式のこと。処理結果に不一致があれば，診断用ソフトウェアが働き，障害が発生したシステムを切り離す措置を行ってから正常なシステムで処理を続行する。切替え時間を必要とせず，障害発生の有無を常に監視しているので，デュプレックスシステムよりも信頼性が高い。しかし，一つの処理を2系統で実行するため，高価である。例えば，人工呼吸器などの高い信頼性が要求されるシステムで採用されている。

● マルチプロセッサシステム

複数のプロセッサで処理を分散するシステム構成方式のこと。複数のプロセッサで主記憶装置を共有し一つのOSの下で実行管理されるシステム構成を，密結合マルチプロセッサという。異なる独立したシステムを外部バスやネットワークで接続し，プロセス間通信によって同期をとりながら，相互に監視したり連携して処理を行ったりするシステム構成を，疎結合マルチプロセッサという。クライアントサーバシステムは疎結合マルチプロセッサの一種である。

● クラスタリング

物理的には複数台のコンピュータを接続しているが，論理的には1台のコンピュータとして動作させるシステム構成技術のこと。複数台のコンピュータに分散処理させたり，1台のコンピュータが故障しても他のコンピュータで処理を代行させたりするなど，処理性能の向上と信頼性の向上の両方を追求する。ミラーサーバを持つサーバ多重化構成などがクラスタリングに該当する。ミラーサーバとは，オリジナルサーバと全く同じコンテンツとアクセス制御を行うサーバのことで，オリジナルサーバが故障したときに処理を代行する。

● ミラーサイト

あるWebサイトと同じ内容のコンテンツを持たせたサイトをいい，インターネット上でのアクセス集中に対処する目的で設置する。ミラーサイトを遠隔地に置き，信頼性向上の目的で使うこともある。

3 バックアップ構成

このSectionで学ぶこと

Check!

- □ バックアップシステムの構成方式には，ホットスタンバイ方式，ウォームスタンバイ方式，コールドスタンバイ方式がある
- □ バックアップサイトの設置方式には，ホットサイト，ウォームサイト，コールドサイトがある
- □ 障害発生時に早期に業務を再開するために縮退運転を行うことがある
- □ システムダウン時の再開方法には，コールドスタートとウォームスタートとがある

1 バックアップシステムの構成方式

冗長構成におけるシステム切替え速度によって，ホットスタンバイ方式，ウォームスタンバイ方式，コールドスタンバイ方式がある。

● ホットスタンバイ方式

フォールトトレラントシステムを実現するシステム構成方式であり，稼働中のシステムに障害が発生したら，即時に待機系システムに切り替えられる冗長構成のこと。主系と全く同じ業務システムをあらかじめ待機系でも起動させておき，待機系では常に主系の障害監視を行い，主系に障害が発生したことを検出すると直ちに自動的に待機系に切り替え，処理を続行する。最近は，クラスタリング構成によるサーバのホットスタンバイ方式を採用することが多くなっている。

● ウォームスタンバイ方式

待機系ではOSは立ち上げているが，業務システムを全く起動していない状態で待機させ，主系に障害が発生した時点で，業務システムを起動する冗長構成のこと。

● コールドスタンバイ方式

待機系には通常ほかの処理を行わせるが，主系に障害が発生したらその処理を中断して，OSの再ロードや業務の起動などを行い，切替え操作を行う冗長構成のこと。デュプレックスシステムによる冗長構成は，コールドスタンバイ方式の一種である。

② 災害対策を考慮したシステム構成方式

　地震や火災などで被災し，現在利用している情報システムが機能停止に追い込まれたとき，早期に回復する手段としてバックアップサイトを準備しておく方法がある。このバックアップサイトの設置方式として，ホットサイト，ウォームサイト，コールドサイトがある。

● ホットサイト

　想定される災害の影響を受けない地域にバックアップサイトを構築し，被災時に短時間に情報システム機能の切替えを行えるように，常時，準備・待機させる方式のこと。

● ウォームサイト

　通常時は別の用途で共同利用するサイトを用意しておき，被災時にはあらかじめ取得しておいたバックアップデータや業務プログラムを持ち込んで業務を再開する方式のこと。

● コールドサイト

　安全と思われる地域にバックアップサイトとして機能できる施設を用意し，通常は事務施設などとして活用しているが，情報システム被災時は機材を搬入してバックアップサイトとして機能させる方式のこと。

③ 回復処理と立ち上げ

　バックアップ構成をとることで，障害発生時にも早期に業務を再開することができる。システム障害からの回復処理の方法の一つに，縮退運転がある。また，回復時のシステムの再起動方法には，コールドスタート，ウォームスタートがある。

● 縮退運転（フォールバック運転）

　システム全体の中で障害が発生している箇所を部分的に切り離し，機能や処理能力を落として稼働させること。縮退運転を実施するには，あらかじめそのようなシステム構造として設計されている必要がある。

● コールドスタート／ウォームスタート

　コールドスタートとは，当該システムを構成する機器の電源を完全に切って，ハードウェアが初期化された状態から再起動することである。一方，ウォームスタートとは，システム機器の電源を切らず，入力された情報が初期化されない状態で再起動を行うことである。障害回復をコールドスタートで行うかウォームスタートで行うかは，

ビジネス内容，障害状況，業務への影響などから適切に判断する。

　一般にコールドスタートは，記憶装置やOSの完全な初期化作業を行うため，再起動にかかる時間はウォームスタートに比べて長くなる。ただし，コールドスタートをした場合，すべての機器にいったんリセットがかかるため，初期状態にリフレッシュされ，起動中のプロセスやメモリに残った不用なデータ，ノイズが取り除かれるというメリットがある。また，障害対応においてシステムにおける重要な項目の設定を変更する場合に，コールドスタートをしないと変更が反映されないことがある点にも留意しなければならない。

4　ディスクの冗長化

○ このSectionで学ぶこと

Check!

□ ディスクの冗長構成として，RAID，ミラーリング，デュプレキシングがある
□ RAID構成ではミラーリング（RAID1）とRAID5がよく利用されている

1 ディスクの多重化

　クライアントサーバシステムの運用においては，クライアントの共有資源であるサーバに対して高い信頼性が要求される。しかし，コストとの兼ね合いで，サーバを二重化することができない場合が多い。このため，経済性も加味した冗長構成として，ディスクの多重化による信頼性の向上が図られている。

　ディスクの冗長構成として，RAID，ミラーリング，デュプレキシングがある。

2 RAID

　RAID（Redundant Arrays of Inexpensive Disks）とは，**複数のディスク装置を並列接続するディスク装置の冗長構成規格のこと**である。小型で安価なディスク装置を並列に接続し経済性を追求するとともに，複数のディスク装置を並列アクセスすることによって性能向上を図る。また，データや冗長ビットを分散記録することによって信頼性向上を追求するねらいがある。並列ディスクへのデータの記録方法や冗長ビットの記録方法および記録位置の組合せなどによって，主に次のタイプが定義されて

いる。

▶ RAID の種類と特徴

RAID0	冗長ディスクを持たず，ストライピングによる複数ディスクの並列アクセスによってディスクアクセスの高速化を図る。
RAID1	2台のディスクに同一の内容を記録するミラーリングによって，ディスク装置の信頼性を向上させる。一方のディスク装置の障害発生時には，冗長ディスク装置でデータを復元して利用できる。RAID 規格の中で最も高い信頼性を確保できるが，実装容量に対する実効容量が 50%と一番低い。
RAID2	データを複数ディスクにビット単位でストライピングし，別のグループの複数ディスクにハミング符号などの ECC（エラー訂正符号）を書き込む。ECC 用の冗長ディスクを持つことによって，信頼性を向上させている。
RAID3	データを複数ディスクにビットまたはバイト単位でストライピングし，1台のディスクにパリティビットを書き込む。冗長化をパリティを用いて実現し，信頼性の向上を図っている。
RAID4	データを複数のディスクにブロック単位でストライピングし，1台のディスクにパリティブロックを書き込む。ストライピングやパリティの記録をブロック単位としているところが RAID3 と異なる。
RAID5	データを複数のディスクにブロック単位でストライピングし，パリティビットも複数ディスクにブロック単位で分散格納することによって信頼性を向上させている。
RAID6	RAID5 を拡張させ，パリティを二重に持つことで信頼性を高めた方式。

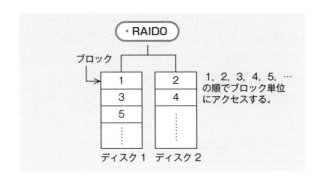

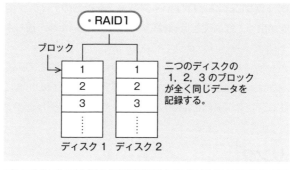

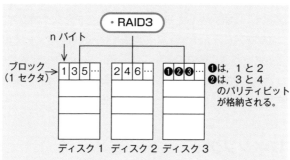

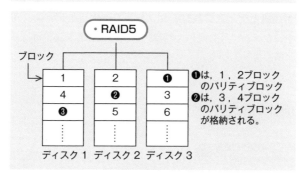

▶ RAID のイメージ

RAID2〜 RAID6は，**データのエラー訂正符号やパリティビット（ブロック）を異なるディスク装置に記録することによって，信頼性の向上を図る。**

RAID2は，データを記録する並列ディスクグループとエラー訂正符号を記録する並列ディスクグループ（3台以上）が必要なため，RAID3〜6よりも経済性で劣る。

RAID3とRAID4は，書込み時にパリティディスクにアクセスが集中するため，性能の面でRAID5より劣る。

RAID5は，データブロックとパリティブロックを複数のディスク装置に分散格納するため，性能が良く，経済性と信頼性のバランスも良いため，最もよく利用されている。

RAID6は，パリティを二重に持つことで，同時に2台のディスク装置が故障してもデータを復旧させることができる。しかし，パリティの記録のために，本来のデータの格納に必要なディスク装置のほかに2台分のディスク装置が追加で必要となる。

3 ミラーリング

ミラーリングとは，**RAID1として規格化されているディスク装置冗長構成**である。1台のディスク制御装置に2台のディスク装置を並列接続させ，一方のディスク装置にデータの書込みを行うと，他方のディスク装置にも自動的に反映される。RAID規格の中では最も信頼性が高いといわれている。二重化されたディスク装置にデータが鏡のように反映されることから，ミラーリングと呼ばれる。

4 デュプレキシング

ディスク制御装置とディスク装置をセットで二重化したディスク冗長構成のことを，デュプレキシングという。信頼性や書込み時のアクセス高速性は，ミラーリングよりも優れている。

5 信頼性設計

このSectionで学ぶこと

Check!
- □ 耐障害設計の考え方には，フェールソフトとフェールセーフがある
- □ 耐障害設計技術としてフェールオーバーがある
- □ 誤操作対応の設計としてフールプルーフがある

1 耐障害設計

システムに異常が発生した場合の対応は，システムに要求される信頼性の度合いによって異なり，フェールソフトとフェールセーフという耐障害設計の考え方や，フェ

ールオーバーという耐障害設計技術がある。

● フェールソフト

フェールソフトとは，システムの一部に故障や不良が発生したとき，故障を起こした装置を切り離し，処理能力を落としてもシステムの全面的な停止にはならないように，システムの信頼性を追求する耐障害設計の考え方である。例えば，マルチプロセッサのシステム構成がこれに該当する。また，障害を起こした装置を切り離し，処理能力を落として処理を続行することを縮退運転（フォールバック運転）という。

● フェールセーフ

フェールセーフとは，システムの一部に故障や異常が発生したとき，その影響が安全な方向に働くように，システムの信頼性を追求する耐障害設計の考え方である。データの消失，装置への障害拡大，運転員への危害などを減じる方向にシステムを制御する。生命への危険や社会的影響の大きな事項にかかわるシステムの信頼性設計の考え方として採用されることが多い。例えば，ある列車運行の信号制御装置が故障したとき，すべての信号を赤色点灯し，すべての列車運行の安全性を確保するといった考え方がフェールセーフに該当する。

● フェールオーバー

障害発生時に冗長資源（代替サーバなど）に処理を引き継ぎ，システムを稼働させ続けることで障害による影響を最小限に抑える耐障害技術のこと。

2 誤操作対応の設計（フールプルーフ）

システムの誤動作や操作ミスを避けるための信頼性設計の考え方のことを，フールプルーフという。オペレーターが不注意によって誤操作を起こさないようにしたり，誤操作によってデータが消去されたりしないようにして，システムインテグリティ（システムの完全性）やデータインテグリティ（データの完全性）を追求するユーザインタフェースを設計する。例えば，データ入力時のデータチェックの組込み，誤操作を防ぐための再確認の仕組み，データ入力漏れの自動確認の仕組みなどがフールプルーフに該当する。

フールプルーフを実現するときに活用する代表的なデータチェック方法を次に挙げる。

▶データチェック方法

データチェック	チェックの内容
フォーマットチェック	データが英字，数字など，一定の書式に従っているかをチェックする。
ニューメリックチェック	数値以外のデータが含まれていないかをチェックする。
文字クラスチェック	指定された文字クラス以外のデータが含まれていないかをチェックする。
妥当性チェック	年月日などのデータのとり得る値に妥当性があるかをチェックする。
チェックディジットチェック	一定長のデータの最後に検査数字を付加して，データの正当性をチェックする。データと重み付け定数の各けたごとの積を求め，その和を基数で割った余りを基数から減じ，その結果の1の位をチェックディジットとしてデータの最後に付加する。
レンジチェック	データが指定された範囲内かをチェックする。
シーケンスチェック	データが指定された順序になっているかをチェックする。
カウントチェック	データ数を数え，入力漏れの有無をチェックする。
照合チェック	データを参照して比較し，目的のデータが存在しているかをチェックする。
重複チェック	データの一意性を確認するために，同じデータが存在していないかをチェックする。
サマリーチェック	データ長やデータ値の合計を算出して，データの正当性をチェックする。
バランスチェック	仕入数と販売数など，対となっている値に矛盾がないかをチェックする。

6 仮想化技術

このSectionで学ぶこと

Check!

☐ 1台のコンピュータ上で複数の仮想マシンを稼働させる技術を，仮想化という

☐ 仮想化の実現方式には，ホスト型，ハイパーバイザー型，コンテナ型がある

☐ 複数の物理サーバを仮想化して集約することで，機器の台数を減らして管理コストを削減できる

1 サーバの仮想化

「Webサーバやデータベースサーバ，業務サーバといった，本来は別々のサーバマシン上で稼働するものを，1台のサーバマシン上で稼働させる」といったように，1台のコンピュータ上に複数の仮想マシン（OSとアプリケーション）を稼働させる技術を，仮想化という。また，仮想マシンを作成し，稼働させるための基盤となるソフトウェアのことを，仮想化ソフトなどという。

仮想化環境でサーバとして動作する個々の仮想マシンのことを“仮想サーバ”，実際のサーバマシンのことを“物理サーバ”と呼ぶことがある。次図は，3台の物理サーバで運用していたシステムを，「1台の物理サーバ上で，3台の仮想サーバが稼働する」システムに移行した例である。

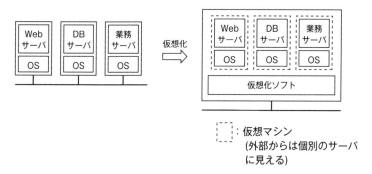

▶ サーバの仮想化

サーバの仮想化による利点には，次のようなものがある。
- ハードウェア資源の有効活用
- 導入コストや運用コストの低減
- 省電力化，省スペース化

仮想化の実現方式は，ホスト型，ハイパーバイザー型，コンテナ型に分けることができる。

ホスト型	実マシンのOS（ホストOS）上に仮想化ソフトをインストールする。
ハイパーバイザー型	実マシンに仮想化ソフトを直接インストールし，実マシン全体を仮想環境とする。
コンテナ型	実マシンのOS（ホストOS）上にコンテナ管理ソフトウェア（コンテナ型仮想化ソフトウェア）をインストールし，その上でアプリケーションを実行環境と共にパッケージングした"コンテナ"を動かす。ホスト型と比べるとオーバーヘッドが小さい（資源の負荷が小さい）。なお，コンテナ管理ソフトウェアとしては，dockerが有名である。

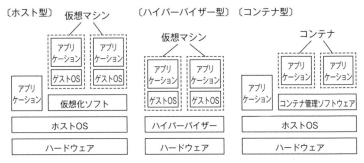

▶仮想化の実現方式

② 仮想化におけるリソース管理

　複数の物理サーバを仮想化して集約することにより，機器の台数を減らして管理コストを削減できる。これをサーバコンソリデーションという。一般的に，サーバのハードウェア資源が100％使われることは少なく，負荷のピーク時間もずれることが多い。このため，物理サーバの資源を効率的に共用できる。

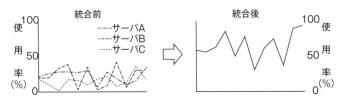

▶仮想化による使用率の変化

　サーバを仮想化する場合，仮想サーバには仮想的なCPUの数や使用できるクロック周波数，メモリ容量などを割り当てる。情報処理技術者試験では，仮想化ソフトのオーバーヘッドは考慮せずに，仮想サーバが必要とするリソース量の合計と物理サー

バのリソース量を比較することが多い。例えば，現行のサーバのハードウェア構成と
使用率が次のようになっていたとする。

▶現行サーバのリソース使用状況

サーバ名	CPU				メモリ	
	クロック周波数	CPU当たりコア数	CPU数	使用率	容量	使用率
サーバA	1GHz	1	1	80%	2Gバイト	40%
サーバB	1GHz	2	1	50%	2Gバイト	80%
サーバC	2GHz	2	1	70%	4Gバイト	40%
サーバD	2GHz	2	1	70%	4Gバイト	70%

　これらのサーバを仮想化する場合，まずは各仮想サーバが必要とするリソース量を
求める。試験では各仮想サーバに必要なリソース量の求め方は問題によって異なるが，
たとえば次のような式で求められる。

> 必要なCPUリソース量 ＝ CPU台数×コア数×クロック周波数×使用率
> 必要なメモリリソース量 ＝ メモリ容量×使用率

　したがって，各仮想サーバに必要なリソース量は次のようになる。

▶仮想サーバの必要リソース量

サーバ名	CPU必要リソース量	メモリ必要リソース量
仮想サーバA	1GHz×1コア×1個×80%＝0.8GHz	2Gバイト×40%＝0.8Gバイト
仮想サーバB	1GHz×2コア×1個×50%＝1.0GHz	2Gバイト×80%＝1.6Gバイト
仮想サーバC	2GHz×2コア×1個×70%＝2.8GHz	4Gバイト×40%＝1.6Gバイト
仮想サーバD	2GHz×2コア×1個×70%＝2.8GHz	4Gバイト×70%＝2.8Gバイト

　これらの仮想サーバを，クロック周波数が2GHz，コア数が2，CPU数が1，メ
モリが4Gバイトの物理サーバを2台用意して動作させる場合，仮に
- 物理サーバのリソース量を超えない範囲で仮想サーバを配置する
- 現行のサーバと新しい物理サーバのクロック周波数当たりの性能が等しい

という条件であれば，一方の物理サーバ上にサーバAとサーバDを，もう一方の物理
サーバ上に仮想サーバBと仮想サーバCを配置すれば，物理リソース量を超えずに配
置できる。

▶仮想サーバの配置

仮想サーバ名	物理サーバ1		物理サーバ2	
	CPU	メモリ	CPU	メモリ
仮想サーバA	0.8GHz	0.8G バイト		
仮想サーバB			1.0GHz	1.6G バイト
仮想サーバC			2.8GHz	1.6G バイト
仮想サーバD	2.8GHz	2.8G バイト		
合計	3.6GHz	3.6G バイト	3.8GHz	3.2G バイト

3 ライブマイグレーション

　物理サーバの仮想化環境上で動作している仮想サーバを，無停止のまま他の物理サーバに転送する機能をライブマイグレーションあるいはホットマイグレーションという。仮想サーバが動作する実マシンを自由に変更できるようになるので，次のような柔軟な運用が可能になり，計画停止や縮退運転を避けることができる。

- 保守対象の物理サーバから仮想サーバを移動させ，保守対象のサーバを完全に停止，あるいは再起動させる。
- 高い負荷の発生が想定される場合など，負荷の低い物理サーバに仮想マシンを移す。

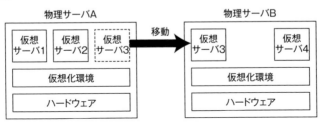

▶ライブマイグレーション

4 仮想化における信頼性設計

　複数台のサーバを仮想化して一台の物理サーバに集約するなど，サーバの台数を減らすとシステム全体の可用性（稼働率）の向上が期待できる。例えば，サーバA，サーバB，サーバCの3台のサーバが全て稼働している必要がある場合，サーバA，サーバB，サーバCの稼働率を等しくrとすると，システム全体の稼働率は，

　　r^3

となる。この3台のサーバを仮想化して1台の物理サーバに集約する場合，仮想サーバはソフトウェアとして実行されるので物理的な故障が発生しない。よって，物理サーバ1台分の稼働率のみを意識すればよい。物理サーバの稼働率をrとすると，システム全体の稼働率は，

r

となる。稼働率rは 0 ＜r＜ 1 なので常にr^3＜rとなり，システム全体の稼働率は向上する。

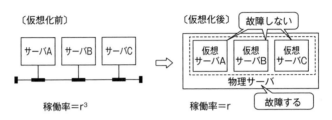

▶仮想化と稼働率

　物理サーバに障害が発生すると，その上で稼働するすべての仮想サーバが停止してしまう。仮想化ソフトによっては，物理サーバに障害が発生すると，その上で稼働していた仮想サーバを他の物理サーバ上で再起動する機能をもつものもあるが，この方法はサーバの起動には若干の時間を要するものが多く，若干の停止時間が生じてしまう。そこで，異なる物理マシン上で仮想マシンをクラスタリング構成とすることにより，障害発生時にも待機系にフェールオーバーすることができる。

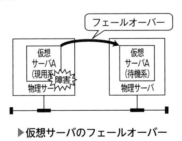

▶仮想サーバのフェールオーバー

3 負荷分散技術

　本章では，**負荷分散技術**について学ぶ。具体的には，負荷分散装置（ロードバランサ）を採用したシステム構成，処理要求の振り分けアルゴリズム，トランザクションのセッション維持などについて取り上げている。

---✳---

　本章の内容は，特に〈午後Ⅰ試験〉の事例の中で取り上げられることが多く，Webサービスの事例においては，多くの問題でこの負荷分散装置を採用して処理の振り分けを行うシステム構成が登場している。午後Ⅰ問題事例を深く理解するために必須の知識である。
　〈午後Ⅱ試験〉においては，処理負荷の軽減を図るための対策の一つとして，本章のような負荷分散装置を採用したシステム構成の知識が役に立つ。

1 負荷分散技術とアルゴリズム

○ このSectionで学ぶこと

Check!
- □ 負荷分散技術を適用して処理能力不足による停止を防ぐ
- □ 負荷分散アルゴリズムには，ラウンドロビン方式，コネクション方式，重み付け方式，優先度方式などがある

1 負荷分散技術の概要

　ネットワークを介して処理連携するクライアントサーバ方式のシステムでは，通信経路のスループット不足やサーバへのアクセス集中によって，処理能力不足が発生し，サービスの可用性が低下するリスクがある。これらへの対策として，負荷分散装置（ロードバランサ）の持つ負荷分散技術を適用することで，故障が発生してもサービスが停止しないように，また，サービスを停止せずに保守ができるようにすることが求められる。

② 負荷分散装置の振分けアルゴリズム

　負荷分散装置の主要な振分けアルゴリズムとして，ラウンドロビン方式，コネクション方式，重み付け方式，優先度方式などがある。

▶**負荷分散装置の振分けアルゴリズム**

振分け方式	振分けアルゴリズム	利用に適している状況
ラウンドロビン方式	クライアントからのアクセスを複数のサーバに順番に振り分ける方法	同一性能のサーバで構成され，振分けを行う処理ごとの負荷に大きな差異がない場合
コネクション方式（最少接続方式など）	接続状況によって振り分けるサーバを判断する方法（同時接続数，サーバの資源の使用率，応答速度など）	サーバの処理性能に大きな差異がなく，接続ごとの通信負荷や処理負荷に大きな差異がない場合
重み付け方式	それぞれのサーバに重みを設定し，その重み付けに従ってアクセスを振り分ける方法	処理性能の異なるサーバで構成されている場合
優先度方式	サーバに優先度を設定し，最も優先度の高いサーバにアクセスを振り分け，そのサーバ処理負荷が設定値を超えたら次に優先度の高いサーバにアクセスを振り分ける方法	サーバのスケーラビリティを実現したい場合や，サーバへのアクセスが短時間に集中したときにアクセス不能通知を行うsorryサーバへ振り分ける場合

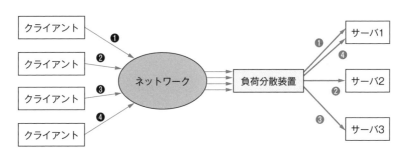

●サーバ1→サーバ2→サーバ3→サーバ1…と順番に振り分ける。

▶**ラウンドロビン方式による負荷分散**

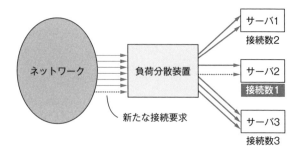

●新たな接続要求がきた時点で，最も接続数の少ないサーバ2に振り分ける。

▶**最少接続方式による負荷分散**

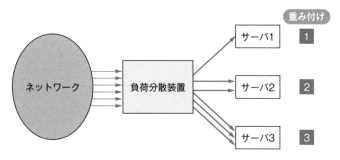

●重み付けに従ってアクセスを振り分ける。
※一般的にはサーバの処理性能によって重み付けを行う。

▶**重み付け方式による負荷分散**

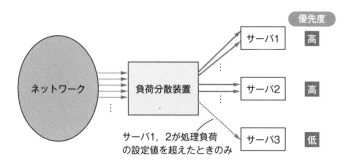

●通常は優先度の高いサーバへ振り分け，それらが処理負荷の設定値を
超えた場合に，優先度の低いサーバに振り分ける。

▶**優先度方式による負荷分散**

2 負荷分散装置によるセッション維持

◯ このSectionで学ぶこと

Check!

☐ 負荷分散装置によってWebアプリケーションのセッション維持を実現することができる

①知識編

1 セッション維持

　Webアプリケーションでは，WebブラウザとWebサーバの間でセッションを確立して処理を進めていく形態が多い。Webサーバの負荷分散構成においてセッションを維持するには，負荷分散装置でセッション情報を識別し，そのセッションが終了するまで，セッション内の処理要求をすべて同じWebサーバに振り分ける必要がある。このようなセッション維持機能は，パーシステンスまたはセッションスティッキーと呼ばれる。クッキーをセッションスティッキーに利用する場合，クッキー情報としてサーバIDを格納する方法がある。

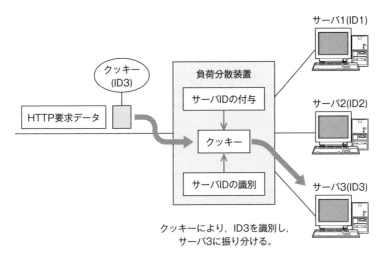

▶負荷分散装置によるセッション維持の例

1 sorryサーバ

　負荷分散構成によって，想定した最大アクセス量に対応していても，不特定多数の
インターネットユーザがアクセスするWebアプリケーションシステムでは，想定外
の大量アクセスが発生してしまうことがある。また，サーバファームの一部のサーバ
に障害が発生し，処理能力不足に陥ることもある。

　このような過負荷への対応方法として，現在アクセスできないことを通知する
sorryサーバを負荷分散装置に接続し，負荷分散装置の優先度方式を利用する方法が
ある。sorryサーバに最も低い優先度を設定しておけば，優先度の高いすべてのサー
バが過負荷に陥ったとき，sorryサーバにアクセスが振り分けられ，「ただ今，アクセ
スが込み合っています」などのメッセージによって，インターネットユーザにアクセ
ス集中の状況を伝えることができる。

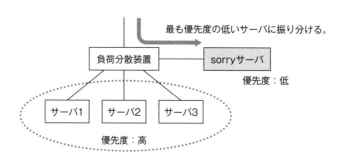

▶ sorry サーバ

4 資源管理

… ここをチェック！ …

試験ではこう出る

　本章では，**ハードウェアやソフトウェア，データなどの資源管理**について学ぶ。具体的には，ハードウェアのリース契約やレンタル契約，構成管理，ソフトウェアのライブラリ管理やライセンス管理，データのバックアップとリストアなどが中心となる。

———————————※———————————

〈午前Ⅱ試験〉**バックアップに関する出題が多く**，これまでにバックアップの種類，バックアップに必要な媒体の本数，バックアップの時間間隔の変更などが出題されている。

〈午後Ⅰ試験〉問題事例の中で，**資産管理の仕組み**や**ライセンスの管理**，**バックアップとリストア方法**などについて，本章の内容が具体的に取り上げられている。

〈午後Ⅱ試験〉構成管理や資源管理，障害対策・災害対策などについて述べる場合に，機器の調達の契約形態やソフトウェアの管理方法，バックアップの仕組みなどを具体的に論述するのに，本章の知識が役に立つ。

1 ハードウェア管理

○ このSectionで学ぶこと

Check!
☐ 管理台帳を作成し，常に最新の管理状況を把握できるようにする
☐ ハードウェアの構成管理を行う

1 ハードウェアの資源管理

　ハードウェアの資源管理では，資産管理，契約管理など，さまざまな管理を行う必要がある。

① 資源管理

　ハードウェアの資源管理の目的は，**端末，サーバなどのハードウェア資源を適切に導入し，維持，管理すること**である。コンピュータセンタ，ユーザ部門，遠隔地，分散サイトなど，使用場所や使用目的に応じて管理対象を設定する。安全性，信頼性，拡張性，可用性を確保するために，必要に応じて資源の導入や拡張を行う。また，情報を正確に保つことで安定的な運用を行うことができる。

　ハードウェアの資源管理の一つに資産管理がある。これは，資産としての評価額を常に算出できるようにするとともに，各種の経費の支払いや台数・資産区分の把握などを効率的に行えるようにするという目的がある。

② 管理台帳

　資源管理のためには管理台帳を作成し，台数，資産価値，設置場所など，常に最新の管理状況を把握できるようにする必要がある。管理台帳の項目には，次のものがある。

- 機器の管理番号
- 棚卸し時点の状態（実施日，設置場所，利用状況，故障の有無など）
- 資産区分（購入，リース，レンタル）
- リースやレンタル物件の場合は契約の内容および契約書の所在
- 自社保有の場合には減価償却の状況

　管理台帳の内容が実際と乖離しないように，購入時の管理番号の付与，管理対象へのラベルの貼付，定期的な点検や棚卸しなどの作業を行う。また，管理責任を明確にするために，資産全体の管理者と機器ごとの管理者を任命する。大きな組織や所在地が広域にわたる組織では，機器を一元的に管理する仕組み作りが重要である。

2 ハードウェアの構成管理

　情報システムのさまざまな変更に伴うシステムの拡張や新システムの追加，また，セキュリティ体制の確立のためには，ハードウェア資源の構成要素や接続形態を常に明確にし，維持管理していく必要がある。

① ハードウェア構成管理

　ハードウェアの構成管理とは，**システムのライフサイクルを通じて，システムを構成するハードウェア資源の構成を常に正確に把握するとともに，資源間の有機的な接**

続状況を把握することである。例えば，設置場所，レイアウト，占有ラック数，電源容量，各種の接続方法（電源，ネットワーク，他機器等）などの最新状況を把握する。

2 機器構成一覧

種類（サーバ，パソコン，ネットワーク機器など），仕様（メモリ容量などのスペック），メーカー名，型番，機種番号，数量，使用者，使用場所などを機器構成一覧として明確に記し，変更が発生すれば随時修正を行う。

3 接続図

ハードウェア全体の接続構成を把握するために，接続図を作成する。機器間の物理的なケーブル配線や，電源の接続内容を図で表す。

4 レイアウト図

機器が物理的にどこに配置されているのかを，レイアウト図で表す。配置図とも呼ぶ。

2 ソフトウェア管理

○ このSectionで学ぶこと

Check!

☐ 「ソフトウェア管理ガイドライン」には，違法複製の防止などソフトウェアを使用するにあたって必要な事項が記されている
☐ 管理対象のソフトウェアについて，構成管理，ライブラリ管理，ライセンス管理などを適切に行う
☐ 近年では，無償で公開されるオープンソースが普及してきている

1 ソフトウェア管理

組織が所有する各種のソフトウェア資源についての管理を適切に行う。

自社で開発したソフトウェアや外部から購入したソフトウェアについて，それぞれの特性を考慮した管理作業が必要となる。自社で開発したソフトウェアについては，企画，開発から保守，廃棄に至るまでのプロセスを効率よく実施し，仕様とその背景にあるユーザ要求を，履歴も含め正しく保存する。外部から購入したソフトウェアについては，違法複製を防止し，ライセンス契約の利用条件を満たしたうえで，最適数

のライセンスを購入する。また，アプリケーションの修正パッチ，特にセキュリティ
パッチの適用や，サポート期間などを考慮する。

管理手順の作成にあたっては，「ソフトウェア管理ガイドライン」が参考になる。

① ソフトウェア管理ガイドライン

「ソフトウェア管理ガイドライン」は，経済産業省から1995年に出されたガイド
ラインである。本ガイドラインは，**ソフトウェアの違法複製などを防止するため，法
人，団体など（以下，「法人等」という）を対象として，ソフトウェアを使用するに
あたって実行されるべき事項をとりまとめたもの**である。法人等が実施すべき基本的
事項，ソフトウェア管理責任者が実施すべき事項，ソフトウェアユーザが実施すべき
事項で構成されている。

② ソフトウェア資源の種類

管理対象となるソフトウェア資源には，次のものがある。

▶ソフトウェア資源の例

ソフトウェアの種類	具体例	留意点
システム制御プログラム	OS，ミドルウェア，データベース管理システム，デバイスドライバ	・各プログラムのバージョンの整合性 ・ライセンスと使用可能な台数 ・インストール時に選択したオプションの内容 ・適用した修正パッチの有無と内容
アプリケーションプログラム	自社向け開発アプリケーション，ソフトウェアパッケージ，ユーティリティプログラム	・バージョンの整合性（システム制御プログラムとアプリケーションプログラム間，アプリケーションプログラム同士など） ・使用可能範囲，複製や改変の可否 ・ユーザ部門への導入支援
分散環境でのソフトウェア	グループウェア，LAN管理ソフトウェア，ネットワーク管理ソフトウェア	・利用ユーザ数と利用場所の確認 ・管理可能な内容と対象範囲
ダウンロード主体のソフトウェア	シェアウェア，フリーウェア	・信頼性や安全性の検証 ・業務目的に合致しているか

3 ソフトウェアの構成管理

ソフトウェアの構成管理とは，ソフトウェアライフサイクルを通じて，システムを構成するソフトウェアの構成を常に正確に把握するための管理である。ソフトウェアの要素やドキュメントの更新が意図したプロセスに沿って行われることを保証し，かつ正確な更新情報・履歴を一貫して提供することを目的として行われる。

① バージョン管理

ソフトウェア開発や運用において，ソフトウェアのバージョン（版，世代）を管理する。どのバージョンのソースコードに障害があり，修正・テストを行ったかを適切に把握する必要がある。例えば，修正後のソフトウェアを本番環境にリリース後，予想外の不具合が発生した場合には，以前のバージョンのソフトウェアに切り戻す必要がある。こうした場合に，ソフトウェアのバージョン管理を行っていないと切り戻すことができない。

4 ライブラリ管理

ライブラリとは，ソフトウェアを動作させるために必要な，ソースファイル，実行ファイル，ドキュメントといったさまざまなファイル群のことである。ライブラリ管理は，コーディングの際のソース管理，実行ファイルの作成（ビルド），テスト環境や本番環境へのリリースまで，ライブラリを整合性のとれた状態に保つための管理である。通常，ライブラリは一元管理され複数の開発者，運用管理者などが参照・更新するため，利用者・利用目的に応じた適切なアクセス権限を設定したり，利用ルールを定めたりする必要がある。これを行わない場合，次の問題が発生する。

- ある作業者による誤ったファイル操作や修正により，ファイルの上書きや消失が発生してしまう。
- 既存バージョンへのバグ修正と新バージョンの開発など，同一アプリケーションに対して複数の作業を同時に行う場合，作業結果が混在して一貫性が失われる。
- バグ調査，障害回復などの目的で過去の特定時点のファイルを取り出す際に，正しいファイルの組合せを保障できない。

① ライブラリ管理ツール

ライブラリ管理を行う際，履歴管理や整合性維持などの機能を持ったツールをライブラリ管理ツールと呼ぶ。

② ライブラリアン

ライブラリ管理を行う担当を，ライブラリアンと呼ぶ。ライブラリ管理におけるルールの策定，適切な運用，プロジェクトへの指導を行う。

5 ライセンス管理

ソフトウェアパッケージの普及やソフトウェア部品の利用増加により，ライセンス料金がアプリケーション費用の大部分を占める場合が多くなっている。

① ライセンス

ソフトウェアに関する**ライセンス**とは，その**ソフトウェアの使用許諾のこと**である。利用者とソフトウェア製作者の間で結ばれる。遠隔ログインやシンクライアントなどでソフトウェアを利用する場合も，ソフトウェアのライセンス内容に沿った管理が必要である。ライセンス方式には，インストール数によるもの，同時利用者数や同時接続数によるもの，CPU数によるもの，などがある。また，開発・テスト用環境のみで利用できる開発用ライセンスやソフトウェアを利用する組織に対して許諾されるサイトライセンスなどがある。

② 使用許諾

使用許諾は，**ソフトウェアの著作権保有者が，そのソフトウェアを利用するユーザに対して，使用を許可するもの**である。利用者，利用環境，利用台数，利用人数，利用期間，複製の可／不可，リバースエンジニアリングの制限，権利の帰属（独占的／非独占的利用権，権利の共有），再利用権，改変権などについて，書面やソフトウェアのダイアログを通じて両者が合意した場合のみ，そのソフトウェアをユーザが利用できる。

③ シュリンクラップ契約

シュリンクラップ契約は，パッケージ表面に使用許諾契約成立に関する注意書きを記載した包装を行い，**購入者が包装を開封したときに，権利者と購入者との間に使用**

許諾契約が成立する契約締結方法のこと。

6 オープンソース

　オープンソースとは，**著作権者の権利は守りながら，無償でソースコードを公開し，自由な改良や再配付が許可されたライセンスのこと**である。代表的なオープンソースライセンスとして，GPL（General Public License）やBSD（Berkeley Software Distribution）スタイルライセンスなどがある。オープンソースライセンスに基づくプログラムの利用は業務環境でも急速に普及してきているが，利用ルールに違反した場合は，オープンソースコミュニティからの非難を通じて社会的な信用失墜につながる可能性がある。

3 データ管理

◯ このSectionで学ぶこと

Check!
□ データのライフサイクルにわたってデータを適切に扱う
□ データの保全対策を考える

1 データのライフサイクル

　企業内で取り扱うデータには，次のライフサイクルがある。

【データのライフサイクル】
　発生 → 収集 → 処理 → 配付 → 利用 → 保存 → 廃棄

　ライフサイクルの各プロセスでは，次の点に注意する。

1 データの利用

　セキュリティの確保と利便性とは，トレードオフの関係にある。このため，データの利用に際しては，セキュリティガイドラインを設定し，利用者の同意を得る必要がある。例えば，重要データにアクセスできるコンピュータには，外部記憶装置などを接続できないようにし，アクセス権限も集中管理できるようにする。

② データの保存

　データの保存方法は，業務上の要求（発生元，利用先，重要度），コスト面での制約（保存費用や再収集費用），社内規則，法令，データ保存容量などによって定まる。保存方法として定めるべき内容には，保存期間，保存手段（ハードディスク，磁気テープ，CD，領収書・請求書等の原始証憑），保存場所（システム内部，社内倉庫，外部倉庫），セキュリティ（改ざんや消失などへの備え）などがある。必要に応じてデータの圧縮を行う。

③ データの廃棄

　重要なデータの情報漏えいを防止するため，データの利用が終われば確実に廃棄する必要がある。記憶媒体上のデータは，OSの通常の削除機能を利用しただけでは完全に消去することができない。このため，機密データを記録した媒体を廃棄する際には，機密度に応じて消磁を行うツールの利用，物理的な破壊，専門業者への焼却・溶解・裁断依頼などの手段を講じる。また，処分に際しては，廃棄記録の作成や承認の手順の明確化，機密情報の取扱いに関する業者との適切な契約，廃棄の際の立会いや確認を行う。

2 データ管理業務

　企業内でのデータ管理業務には，データ管理とデータベース管理がある。

① データ管理者（DA：Data Administrator）

　データ管理者は全社の共通資源としてのデータを扱い，全社データモデルとその運用方法の確立・管理を担当する。

② データベース管理者（DBA：DataBase Administrator）

　データベース管理者は個々のアプリケーションのデータベース設計・運用を担当する。

3 データのバックアップ

　企業が利用するデータは障害や災害など，さまざまな要因で破壊される可能性がある。このような事態が発生すると業務に重大な支障を来し，企業の存続にかかわるこ

ともある。そのため，システム管理者は，データの特性を考えながら適切な保全対策を設計しなければならない。保全対策としては，次のような方法がある。

１ バックアップ

　障害や災害などで問題が発生した場合にもデータを復旧できるようにするため，バックアップはデータ保全対策として重要である。一般に，データとプログラムファイル，システムファイルなどをバックアップとして外部記憶媒体等に保管しておくことで，障害発生時にそれをもとにデータの回復を行えるようにする。ただし，バックアップは，システムへの負荷がかかるため，業務への影響が少ない時間帯に，効率的な方法で採取する必要がある。

　バックアップデータを用いてデータを復元することを，リストアという。データのリストアを高速で行うには，バックアップ回数を増やすなど，データの重要度に応じたバックアップ間隔を設定する必要がある。また，リストアが正しく行われるよう，バックアップ媒体を安全な場所に保管するとともに，破損がないかどうかの定期的なチェックが重要である。データバックアップとプログラムバックアップの同期確保にも注意する。

　バックアップ方法には，フルバックアップ，差分バックアップ，増分バックアップなどがある。

２ フルバックアップ

　一度にまとめて必要なデータ全体のバックアップを取得することを，フルバックアップと呼ぶ。すべてのデータをバックアップするため時間がかかるが，リストア時に複雑な手順を踏む必要はない。

３ 差分バックアップ

　最後のフルバックアップ以降に追加・変更されたすべてのデータのバックアップを取得することを，差分バックアップと呼ぶ。フルバックアップとの差分を取得するため，フルバックアップと比較して時間は短い。リストア時は，フルバックアップと最新の差分バックアップを用いる。

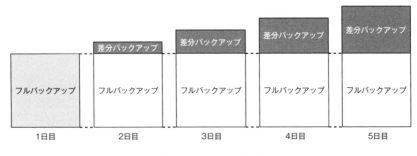

▶差分バックアップ

4 増分バックアップ

前回のバックアップ以降に追加・変更されたデータのバックアップを取得することを，増分バックアップと呼ぶ。差分バックアップと比較してさらに時間は短い。リストア時には，フルバックアップと，以降のすべての増分バックアップが必要となる。

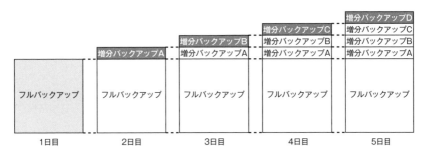

▶増分バックアップ

5 世代管理

過去の複数のバージョンのバックアップファイルをテープやディスク領域に残しておき，**リストアの際，復元ポイントを任意に選択できるようにする運用管理方法**を世代管理と呼ぶ。世代管理を行うことによって，最新バックアップファイルでは何らかの不具合がある場合，一世代前のバックアップファイルを用いてリストアすることが可能となる。

6 データの二重化

RAIDを用いたデータの二重化は，ディスク障害の対策として有効である。

また，RAIDは一つのディスクに故障が発生しても，残りのディスクで継続して利用できる。最近では予備のディスクが自動的にRAID構成ディスクに追加される（ホットスワップ）。そのため，故障に気づかないまま利用を続けてしまうと，別のディスクが故障したときにデータが全損する危険性がある。障害を早期に検出して対応を行う手順を明確にしておく必要がある。

7 データの遠隔地保管

地震などによるサイト全体の障害に対応するには，遠隔地サイトでのデータの保管が有効である。これには，**正サイトと同じ構成を持ちリアルタイムで同期を行うものから**（ミラーサイト），**正サイトと同じ構成を持つが平常時には同期を行わないもの**（ホットサイト），また**バックアップテープのみを保管し障害発生時には機器をレンタルし回復作業を実施するもの**（コールドサイト），などがある。

8 バックアップサーバへのバックアップ

サービス提供時間の長いシステムは，日々のバックアップの時間を十分に取れないことも多い。そのような場合には，バックアップ用のサーバ（バックアップサーバ）を用意し，業務データのコピーをバックアップサーバに保持する方法がある。バックアップサーバにネットワークを介して業務データをコピーするほうが，外部記憶媒体にバックアップを取得するより高速に処理できるからである。

ただし，バックアップサーバがマルウェアに感染したり，障害により停止したりすると，バックアップサーバ内に保持しているデータは使用できなくなるおそれがあるため，別途，外部記憶媒体にもバックアップを取得しておくなどの対応が必要になる。対象システムの特徴に応じて，効率と安全のバランスの取れた最適なバックアップ方法を選択する必要がある。

5 保 守

··· ここをチェック! ···

試験ではこう出る

　本章では，情報システムを構成する**ハードウェアやソフトウェアの保守**について学ぶ。情報システムやサービスの運用において，適切な保守の計画と実施は欠かせない。具体的には，機器のライフサイクルを示し保守の目安となるバスタブ曲線，システム保守計画，JIS X 0161の分類によるソフトウェア保守の種類などを押さえておくとよい。

―――――――――――――――――――✳――――――――――――――――――――

〈午前Ⅱ試験〉ITサービスマネージャ試験ではこれまで出題がないが，他区分において，**バスタブ曲線**や**JIS X 0161のソフトウェア保守の分類**などが出題されており，今後ITサービスマネージャ試験でも出題される可能性がある。

〈午後Ⅰ試験〉サービス可用性管理の問題の中で，**POSシステムの予防保守や事後保守の保守サービスを考察する内容**や，**IoTを活用した状態基準保全（予防保全）に関する内容**が出題されている。ほかにも，サーバのリプレースや適切な保守時間帯を考察する問題なども出題されている。

〈午後Ⅱ試験〉直接「保守」をテーマとした出題はないが，インシデント管理や障害対応に関する出題が多く，これらの問題は，**予防保守や事後保守を適切に行うことが対策の一つになる**ため，本章で説明する保守の知識が論述に役に立つだろう。

1 システム保守

○ このSectionで学ぶこと

Check!

□ 機器のライフサイクルを考慮した保守を行う
□ 障害発生時の対応を含めた保守契約を結ぶ

1 システム保守の必要性

システムを利用すると，さまざまな不具合や故障が発生するため，情報システムを安定稼働させるために保守を行う。また，法規制の変更，社会環境の変化，業務の改革，システム技術の向上，セキュリティ要求の高まり，ユーザの要望など，多くの理由でシステムを変更する必要も生じる。

2 バスタブ曲線

機器のライフサイクルは，初期故障期間，偶発故障期間，摩耗故障期間を経てその役割を終える。この機器の故障率と使用経過時間の関係のグラフが，バスタブのような曲線を描くので，バスタブ曲線と呼ばれている。

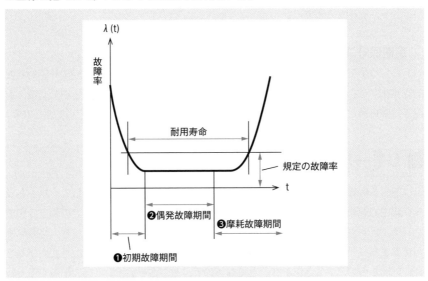

▶バスタブ曲線

❶**初期故障期間**…設計や製造の不良や使用環境との不適合などによって故障率が高くなる，機器の使い始めの時期のこと。慣らし運転が必要となる期間である。

❷**偶発故障期間**…故障率が許容される一定の値に落ち着き，安定して利用できる期間のこと。

❸**摩耗故障期間**…機器を構成する各部品の摩耗や寿命などによって，故障率が再び高くなる期間のこと。

3 システム保守計画

　ユーザに対し，信頼性が高く安定した情報システムを提供し続けるには，適切なシステム保守計画を作成し，それを確実に実行していくことが重要である。スケジュール，予算，保守体制などを明確にして，予定したシステム保守が確実に実施できるようにする。

　システム保守計画には，次の内容を含める。

① リプレース時期

　耐用年数を経過した，あるいは耐用年数に達しそうなハードウェアを新品と交換することをリプレースという。ハードウェアの耐用年数，部品などの供給期限，リース／レンタル契約期間，障害発生度合い，新製品の動向，運用性，性能などを考慮して，リプレース時期を決定する。

② 定期保守スケジュール

　ハードウェアには耐用年数があり，使用に応じて劣化も進むので，期間を定めて保守を実施する必要がある。実施周期は，公開情報や自社の使用実績から得た同種の製品の故障実績と，そこから予想される故障頻度，および使用状況を考慮して決定する。

4 リモート保守

　リモート保守とは，**ベンダーなどの保守担当者の拠点などから接続して，ネットワーク経由で診断・保守を行うこと**である。ハードウェアとソフトウェアの両方で実施される。ヒトやモノが移動することなく，リアルタイムで保守が実施でき，必要な情報をタイムリーに取得できる。障害発生時の早期解決が可能になるという利点があるが，外部からのアクセスを許すことになるので，セキュリティに十分に配慮する必要がある。リモートメンテナンスとも呼ぶ。

　保守実施者に機器や設備へのアクセスを許可する場合には，保守開始直前に接続を許可し，終了後直ちに接続を遮断する。不正アクセスの有無をログで確認する。

5 保守契約

　システム保守を実施するための保守契約には，障害発生時の対応を含めて，委託元・委託先の責任範囲を明確にし，保守要求や予算と併せて，適切な契約を締結する。**機密保持などのセキュリティに関する項目を契約書に盛り込むことも重要である。**保守契約書に記載する項目の例を次表に示す。

▶保守契約書に記載する項目の例

対象	項目
共通	費用
	保守契約期間
	対応時間（平日の日中，24 時間 365 日など）
	保守実施形態
	保守内容（障害情報などの情報提供，障害時専門家派遣，リモート監視）
	災害時（地震，火災，水害など）対応，連絡体制
	保証の範囲，サービスレベル，免責事項，機密保持
ソフトウェア	テクニカルサポート（ヘルプデスク）
	バージョンアップ対応，更新版の提供
	障害分析，解決策作成・提示
ハードウェア	障害対応，障害時の代替品提供
	定期保守実施周期

2 ハードウェア保守・ソフトウェア保守

このSectionで学ぶこと

Check!

□ ハードウェア保守は，日常点検，定期保守，予防保守，事後保守の四つに分類できる
□ ソフトウェア保守には，是正保守，緊急保守，予防保守，改良保守がある

1 ハードウェア保守の種類

　一般に，ハードウェア保守は次のように分類できる。

▶ ハードウェア保守の種類

種類	内容
日常点検	ハードウェアの状態を，監視装置や日常のチェックやテストモードによる点検で確認し，障害を監視する活動
定期保守	ハードウェアの故障，機能低下，誤動作などをなくして安定使用できるように，計画を立てて定期的に保守を実施する活動
予防保守	ハードウェアの故障，機能低下，誤動作などを未然に防止し，安定使用できるように，必要に応じて随時，保守を実施する活動
事後保守	ハードウェアの障害発生時に，障害を取り除き，回復させる活動

2 ソフトウェア保守の種類

　ソフトウェア保守には次のような種類がある。ソフトウェア保守を実施する際は，業務への影響，技術者の時間的余裕などを考慮して，実施タイミングを決定する。

▶ JIS X 0161 の分類によるソフトウェア保守の種類

種類		内容
是正保守		ソフトウェア製品の引渡し後に発見された問題を訂正するために行う，リアクティブな修正。要求事項を満たすための修正
緊急保守		是正保守の実施までの間にシステムを運用状態に保つために行う，計画外で一時的な修正。緊急保守は，是正保守の一部である
予防保守		引渡し後のソフトウェア製品の潜在的な障害が運用障害になる前に発見し，是正を行うための修正
改良保守		新しい要求を満たすための既存のソフトウェア製品への修正。改良保守には，適応保守と完全化保守がある
	適応保守	引渡し後，変化したまたは変化している環境において，ソフトウェア製品を使用できるように保ち続けるために実施する修正。例えば，OS のバージョンアップに伴うアプリケーションソフトウェアの修正など
	完全化保守	引渡し後のソフトウェア製品の潜在的な障害が，故障として現れる前に，検出し訂正するための修正。例えば，ソフトウェアの性能強化，保守性の改善など

6 ファシリティマネジメント

… ここをチェック！ …
試験ではこう出る

　本章では，ITサービスや情報システムを運用するための**施設や設備，機器類の管理にあたる，ファシリティマネジメント**について学ぶ。具体的には，電源設備，空調設備，水冷設備，通信設備，消火設備，防犯設備，耐震設備などを取り上げている。

───────────────✳───────────────

〈午前Ⅱ試験〉**床下空調方式，アレスタ，コールドアイル，UPS設備の冗長性，クールピット，データセンター施設効率指標PUE**などが出題されている。

〈午後Ⅰ試験〉データセンターの運用やデータセンターのファシリティマネジメントの中で，**空調設備の監視や安定的な電力供給を中心としたファシリティマネジメント**が取り上げられている。

〈午後Ⅱ試験〉ファシリティマネジメントそのものをテーマとした出題はないが，本章で取り上げる施設や設備，機器類は，サービスを提供するために適切に管理される必要があり，**ITサービスの監視や障害対策，インシデント管理，サービス継続などをテーマとする問題の題材**として，本章の知識が役に立つ。

1 電源設備

○ このSectionで学ぶこと

Check!
- [ ] 電源設備を適切に管理・点検する
- [ ] 最初に将来の拡張性を考慮して設備計画を立てる

1 電源設備の管理

　コンピュータや各種周辺機器は電子機器であり，電源供給のトラブルは直ちにシステム障害に直結する。インターネット上に公開するアプリケーションやサービスのシ

ステム障害は販売機会の損失だけではなく信用の失墜にもつながる。このため，電源供給の瞬断や電源容量の不足などによるトラブルを防ぐため，ファシリティマネジメントの視点から，電源設備などの適切な管理・点検が必要となる。

2 電源設備の種類

コンピュータ・周辺機器を配置する部屋では，利用する電力に対し余裕率を見込んだ受電容量を確保する。また，引込み線の事故や点検による停電に対しては，複数回線を使った冗長化が有効である。さらに，電源については，障害が発生した場合への対策が必要となる。発生しうる障害の種類とその防止に用いられる装置には，次のものがある。

▶電源障害の種類と防止に用いる装置

障害の種類	防止装置	装置の役割
瞬断・サージ	定電圧装置（AVR） 定電圧定周波装置(CVCF) アレスタ（避雷器）	電源の瞬間的な断絶（瞬断）や雷による瞬間的な高電圧の発生（雷サージ）などが原因のシステムの異常動作やハードウェア障害を防止する。対応可能な時間は最大数分。
短時間の停電	無停電電源装置（UPS）	停電期間中も必要なサービスの提供を継続する。また，システムを正規の手順で停止させ，データの破壊などの各種障害を防止する。対応可能な時間は数分から数時間程度。
長時間の停電	自家発電装置	外部からの電源の供給が完全に断たれた状態でも，燃料の供給によってサービスを継続する。対応可能な時間は燃料の供給が可能な限り無制限。

1 無停電電源装置（UPS）

UPS（Uninterruptible Power Supply）は，**バッテリーなどを内蔵し，停電時にも一定時間は電気を供給する装置である。** ユーザはこの間に安全にシステムを停止するなどの処置を行うことができるが，一定時間を超える停電によってシステムの停止が許されない場合は，自家発電装置を利用する。

2 自家発電装置

自家発電装置は，電力会社からの電源供給が完全に途絶えた場合に，長時間の電源供給を行うために自ら用意した発電装置である。ディーゼルエンジンやガソリンエン

ジンなどによるものが多い。

3 定電圧装置（AVR）

AVR（Automatic Voltage Regulator）は，**急な電圧変動を防ぎ，コンピュータや周辺機器といった電子機器に安定した電圧を供給する装置**である。自動電圧調整器とも呼ぶ。トランス（変圧器）などのコイルで変動の影響を抑える。

4 定電圧定周波装置（CVCF）

CVCF（Constant Voltage Constant Frequency）は，**サージやノイズといった電圧変動，周波数変動に対処するため，電圧・周波数を一定にする装置**である。交流をCVCF内部で直流化してバッテリに接続し，インバータで一定の電圧，周波数に整え，交流電流として出力する。現在ではCVCFの機能を持つUPSが広く普及している。

5 アレスタ（避雷器）

アレスタ（避雷器）は，雷サージによって通信回線に誘起された異常電圧から通信機器を防護する装置である。

3 電源設備管理の注意点

　電源設備は導入後の拡張が難しい場合があるため，最初にサーバや空調など将来の拡張性を考慮して設備計画を立てる必要がある。また，コンピュータは起動時には通常時より大きな電流（突入電流）を必要とするなど，安定した動作に必要な電力は単純な予測よりも大きくなる点に留意する。必要に応じて稼働率の低いサーバは仮想化技術を利用したサーバで運用するなどして，電力の削減を図る。

　非常用電源設備の設計に際しては，想定する障害対策に必要な機器を把握し，それぞれに必要な電源容量を準備する。例えば，停電時に安全な停止を行うことを目的とする場合，機器本体だけでなくコンソールへの電力供給も必要となる。停電発生中にもネットワークアプリケーションを継続利用したい場合，関連するすべてのサーバとネットワーク機器への電源供給も行われなければならない。システムを構成する全機器の中で電源消耗の最も早い機器に合わせて，非常時の動作時間を考える。

　非常用電源設備を導入した後は，電源障害時に非常用電源が正常に動作することを保証するために，**定期的に設備の点検，メンテナンスや動作テストを実施する。**定期点検の項目には，故障などで動作しない機器は存在しないか，電池タイプの無停電電

源装置では劣化による容量低下が想定範囲内に収まっているか，自家発電装置では必要量の燃料が備蓄されているかなどがある。また，災害時に迅速に給油が確保できるかも確認しておく。

4 グリーンITとデータセンター総合エネルギー効率指標

① グリーンIT

　情報化の進展によって，IT機器や情報システムが消費する電力量は急激に増加している。このような状況の中，IT機器等の消費電力量を抑えたり，ITの利用によって省エネ化を達成したり，生産・流通・設備等の効率化を図ったりしてエネルギー消費の削減や地球温暖化対策につなげる技術の開発が積極的に行われている。これらの技術をグリーンITという。

② データセンター総合エネルギー効率指標（DPPE）

　グリーンITの一環として，データセンターの省エネ化が急務となっている。日本では，グリーンIT推進協議会（GIPC；Green IT Promotion Council）や総務省が，データセンターの総合エネルギー効率指標（DPPE；Datacenter Performance Per Energy）を用いたデータセンターのエネルギー効率の総合的な評価の普及に努めている。DPPEの4つの指標は，次のとおりである。

● ITEU（IT Equipment Utilization；IT機器利用率）
IT機器の性能をどれだけ有効に使っているかを示す指標で，次の式で表される。

$$ITEU = \frac{IT機器の総消費電力（実測）}{IT機器の総定格電力（定格）}$$

● ITEE（IT Equipment Energy Efficiency；IT機器電力効率）
IT機器の省エネルギー性能を示す指標で，IT機器のカタログに掲載された省エネ効率の値にあたる。IT機器を調達する際の指標となり，次の式で表される。

$$ITEE = \frac{IT機器の総定格能力（定格）}{IT機器の総定格電力（定格）}$$

● PUE（Power Usage Effectiveness；付帯設備電力効率）
データセンターの消費電力効率を測る指標であり，空調設備や電源設備などの付帯

設備を含め，データセンター施設がIT機器の何倍の消費電力で稼働しているかをみるものである。次の式で表される。

$$PUE = \frac{データセンターの総消費電力（実測）}{IT機器の総消費電力（実測）}$$

● GEC（Green Energy Coefficient；グリーンエネルギー効率）

　太陽光発電や風力発電などのグリーンエネルギーがデータセンターでどれだけ使われているかを測る指標であり，次の式で表される。

$$GEC = \frac{グリーンエネルギーによる電力（実測）}{データセンターの総消費電力（実測）}$$

2 空調設備

○ このSectionで学ぶこと

Check!
- [ ] コンピュータ室は適切な温度・湿度を維持する
- [ ] ホットアイルとコールドアイルを意識してサーバを設置する

1 空調設備の管理

　コンピュータや各種の周辺機器は，温度が正常動作の保証範囲を超えると誤動作する可能性が高まる。また，低温と高湿度の状況下ではシステム内部での結露が発生する。コンピュータ室には適切な機能・能力を持つ空調設備を設置し，メーカーが指定する適切な温度・湿度を維持する必要がある。

　空調設備の導入・運用では，次の注意点がある。

[空調設備導入運用の注意点]
- コンピュータ室内の設備や機器の総発熱量に対して十分な排熱能力を持たせる。
- 導入後は容易に拡張ができなくなるため，装置や照明機器の発熱量，作業員の人数などを考慮し，余裕能力を持たせる。
- 故障や定期保守に対応するために，予備機を設置するなどの冗長構成をとる。
- 空調設備は，可能な限りコンピュータ室とその他のエリアを分ける。
- コンピュータ室内に温度・湿度計を設置し，定期的に値を観測し，熱だまりなどを考慮したうえで，均一になるよう温度・湿度を調整する。
- コンピュータの稼働時間に合わせて，空調設備の稼働時間を確保する。

　また，サーバなどをユーザ部門の部屋に設置する場合，コンピュータ室のような厳格な管理はできない。このような場合でも，高温・低温の場所，高湿度の場所は避ける，通風孔をふさがないなどの注意事項をユーザ側担当者に周知しておく。

2 ホットアイルとコールドアイル

　サーバ・ラックの列で区切られたサーバ室内の空間のうち，**サーバの排熱だけを集めた空間をホットアイル，空調機が送り出してサーバが吸引する冷気を集めた空間を**コールドアイルという。ホットアイルとコールドアイルを明確に分けることで，サーバ室内の冷却効率が向上し，空調機が消費する電力を削減できる。

　サーバやルータの多くは前面から空気を吸い込んで背面から排気する構造になっているため，ラック前面が接する空間をコールドアイル，背面側をホットアイルにすることが多い。ラックを2列並べる際に，ラックの前面と背面が向かい合うようにレイアウトすると，別の機器の排熱を吸い込むことになり，冷却効率が低下し，故障率が上がったり熱だまりが発生したりする。そのため，ラックの前面同士を向かい合わせてコールドアイルを作ることが多い。

　通常は温度の異なる空気をラックの筐体（きょうたい）そのものを使って区分けする。この場合，ラックの上部空間などで冷気と熱気が混ざってしまうおそれがある。そこで，カーテンや断熱材を使ってより厳密に空間を分ける手法を採用するケースもある。

　なお，ラック列間の通路を壁や屋根で区画し，IT機器への給気（低温）とIT機器からの排気（高温）を物理的に分離して効率的な空調環境を実現する気流制御技術を，アイルキャッピングという。

3 クールピット

建物の地下ピット内に夏期の高温の外気を通し，地中熱によって冷却し建物内へ給気する，自然エネルギーを利用した省エネ技術である。ITを使って社会全体の消費エネルギーの削減に貢献しようというグリーンITの取組みの一つである。

3 その他の設備

● このSectionで学ぶこと

Check!

- ☐ 空冷装置では能力が不足する場合には，水冷装置が利用されることがある
- ☐ 障害発生時に備えて通信設備の構成を把握しておく
- ☐ コンピュータ室の消火には水以外の消化設備を用いる
- ☐ 重要なデータを預かるコンピュータ室には防犯設備を備える
- ☐ 地震発生に備えて対震設備を施す

1 プロセッサ水冷装置の管理

一部の大型コンピュータのプロセッサの冷却には，空冷装置では能力が不足するため水冷装置が利用される。これをプロセッサ水冷装置と呼ぶ。このような冷却装置は，短時間の故障でも過熱のために停止してしまう。また，水冷装置ではコンピュータ室内で冷水を利用することによって漏水のリスクも大きくなる。このため，点検を定期的に行うなど，管理には注意が必要である。

2 通信設備の管理

通信設備には，主配線盤（MDF）・中間配線盤（IDF）・構内交換機（PBX）などがある。これらの設備の構成は障害対応などの際に必要になるため，現状の構成を把握しておく必要がある。

① 主配線盤（MDF）

MDF（Main Distributing Frame）は，**建物外部からの数多くの電話回線や通信ケーブル（WANなど）を引き込む場合に設置され**，それらを集約するための配線盤

である。MDFを介して各階のIDFに配線される場合が多い。

② 中間配線盤（IDF）

IDF（Intermediate Distributing Frame）は，ビルの各階などに設置され，**主配線盤と末端（アウトレット）とを中継する配線盤**である。

③ 構内交換機（PBX）

PBX（Private Branch eXchange）は，**ビル構内の電話機と外部の公衆電話網との接続時や，ビル内の内線電話同士の接続時に，中継の役割を果たす交換機**である。近年はIP電話が普及しており，IPネットワーク上のIP電話網と外部の公衆電話網とを接続するIP-PBX（IP Private Branch eXchange）が設置され，ユニファイドメッセージング（電話やコンピュータなどのメッセージを統合管理すること）が利用されるなど，電話とコンピュータの親和性が高まっている。

3 消火設備の管理

コンピュータ室の消火には水が利用できないため，ハロゲン化物（ハロン）や二酸化炭素を用いた消火設備を利用することになる。

① ハロゲン化物消火設備

消火薬剤にハロンガスを使用した消火設備を，ハロゲン化物消火設備と呼ぶ。酸素濃度を低下させ，燃焼の連鎖反応を抑制することで消火する。なお，ハロンガスはオゾン層を破壊するおそれがあるため現在は生産が中止されているが，消火剤として有用であることから，使用は認められている。リサイクルの仕組みが整備されている。

② 二酸化炭素消火設備

二酸化炭素を放出し，酸素濃度を下げることで消火を行う設備を，二酸化炭素消火設備と呼ぶ。複雑な形状の電子機器の消火に対応できる。ただし，高濃度の二酸化炭素は人体に対して強い毒性があり，場合によっては死に至るため，使用前には室内の人を避難させるなど細心の注意が必要である。

4 防犯設備の管理

　企業の重要なデータを預かるコンピュータ室では，IDカードやテンキー，指紋・虹彩・静脈などのバイオメトリクス（生体）認証による入退室管理装置，入退室時の共連れ防止対策が施されたセキュリティゲートや扉，防犯カメラによる録画・監視，防犯センサー，不法侵入時のサイレン，システムの重要度によっては電磁盗聴を防ぐためのケージなど，適切な設備を整える必要がある。これらの設備が整えられない一般オフィス内のサーバには，重要なデータを置くべきではない。

5 耐震設備の管理

　地震による被害からコンピュータ機器を守るため，フリーアクセス床には耐震性能の高いものや免震構造になっているものを採用し，機器やラックの転倒を防止するための必要な固縛を行うとともに，高所には重い機器を設置しないようにする。またサーバ・ラックの下に置く機器用免震装置なども，機器の重要度に応じて導入する。

● フリーアクセス床

　コンピュータ機器などの配線工事を容易にするために，コンピュータ室に敷き詰めた可動式パネルの床をフリーアクセス床と呼ぶ。実際の床に支柱を立て，その支柱上にパネルをはめ込むため，パネルと実際の床の間に配線を通すことができる。ケーブルの張替えや新規サーバの搬入時などには，パネルを外して配線作業を行うことができる。

第3部

情報セキュリティ

1 情報セキュリティマネジメント

··· ここをチェック! ···
試験ではこう出る

本章では，**情報セキュリティマネジメント**について学ぶ。サービス提供者が安定的に顧客にサービスを提供するためには，セキュリティ面への配慮も不可欠であり，ITサービスマネージャにとって情報セキュリティ管理は重要な役割の一つである。ここでは，情報セキュリティマネジメントのなかでも特に重要となる，情報セキュリティとISMS，リスクマネジメントについて取り上げている。

───────────※───────────

〈午前Ⅱ試験〉ここで取り上げているリスクマネジメントの考え方は，監査分野やプロジェクトマネジメント分野から出題されることもある。

〈午後Ⅰ試験〉**情報セキュリティ管理プロセスそのものをテーマとした問題**だけでなく，**他のプロセスをテーマとした問題の中に情報セキュリティ面を考察する設問**が含まれることもある。

〈午後Ⅱ試験〉情報セキュリティ管理をテーマとした出題はまだない。近いうちに出題される可能性の高いテーマの一つである。

1 情報セキュリティとISMS

◯ このSectionで学ぶこと

Check!

☐ 情報セキュリティは情報の機密性，完全性，可用性を維持することである

☐ 情報セキュリティの確保・維持には，組織的な取組みが必要となる

☐ 情報セキュリティ方針は，情報セキュリティに取り組む組織の基本姿勢を示す

1 情報セキュリティとは

セキュリティは，**守るべきものを危険なものから保護し安全な状態にしておくことや，そのための仕組みなどの意味**で用いられる。情報セキュリティは，前記の「守るべきもの」を「**情報やそれを扱う情報システムといった情報資産**」とするセキュリティのことである。

情報セキュリティは情報の機密性（Confidentiality），完全性（Integrity），可用性（Availability），を維持することと定義されている。この三つの特性は，それぞれの頭文字をとってCIAと略称される。

2 情報セキュリティ管理とISMS

企業などの組織体が情報セキュリティを確保し維持していくためには，組織的な取組みが必要となる。すなわち，情報セキュリティのための組織的な管理活動（マネジメント）を行わなければならない。特に，組織体の情報セキュリティレベルは，最も脆弱な箇所で決まってしまうといっても過言ではないため，組織体全体で統一のとれた管理活動を行うことが求められる。また，情報セキュリティに影響を及ぼす外部環境や情報資産・業務などの内部環境は常に変化しているため，それらの変化に対応できるような管理活動を行うことも求められる。そのための管理活動は，計画・実行・評価・改善という各マネジメントプロセスをPDCA（Plan-Do-Check-Act）サイクルを通じ，マネジメントシステムとして体系的に運営する必要がある。これを情報セキュリティマネジメントシステム（ISMS：Information Security Management System）という。

3 情報セキュリティ方針の確立

組織体は，トップマネジメント（経営陣）の意思の下，情報セキュリティ方針に基づいて，整合のとれた具体的な情報セキュリティ管理の目的を関連部門や各階層において設定し，目的達成のための計画を策定する。

● **情報セキュリティ基本方針**

組織がどのように情報セキュリティに取り組んでいくかという基本的な方針を定めたものである。その目的は，情報セキュリティに関する組織の方針を宣言することであり，情報セキュリティのためのトップマネジメント（経営者）の意思を示す。

2 リスクアセスメント

○ このSectionで学ぶこと

Check!

☐ 必要なセキュリティ対策はリスクアセスメントの結果によって導き出される

☐ 脅威，脆弱性を見極めてセキュリティリスクを特定する

1 リスクアセスメントのプロセス

　必要なセキュリティ対策はリスクアセスメントの結果によって導き出される。リスクアセスメントの実施に先立ち，リスクアセスメントの実施要件やリスク受容基準(受容可能なリスクの水準)，リスク特定方法，リスク分析方法，リスク評価方法，リスク対応方法などのリスクマネジメントプロセスの活動内容を策定する。

1 リスク特定

　情報セキュリティ目的に影響を与えるリスク源を出発点として，情報セキュリティ事象，それらの原因および起こり得る結果を特定する。ここで，リスク源は，リスクの原因となる**脅威**，リスクの現実化を誘引したり被害損失を拡大したりする**脆弱性**の要素が含まれた概念である。

2 リスク分析

　リスクが現実化した場合に起こり得る結果とその起こりやすさを利用して，リスクレベルを定量的手法や定性的手法によって算定し決定する。

3 リスク評価

　事前に設定したリスク受容基準に基づいて，算定されたリスク値と比較して，個々のリスクが受容可能レベルのリスクかどうかを評価する。

● リスクアセスメント

　リスクアセスメントは，リスク特定，リスク分析及びリスク評価のプロセス全体と定義されている。評価プロセスだけでなく，リスクを洗い出して特定し，分析するプロセスも含まれる。

2 リスク源の特定

　リスクアセスメントの準備として，情報資産とその管理責任者を特定し，情報資産に対する脅威および脆弱性を特定する。そして，特定したリスク源を出発点として，機密性・完全性・可用性の喪失を生じさせる結果（いわゆるリスク：**損失・損害などの被害を伴う結果事象**）を導き特定する。

1 脅威

　脅威とは**システムまたは組織に損害を与える可能性がある，望ましくないインシデントの潜在的な原因**である。ここでのインシデントとは，情報セキュリティ事件・事故のことである。簡潔にいうと，脅威とは，リスクの原因となる事象である。原因事象は，地震や火災といった現象，不法侵入や破壊といった行為，マルウェアやスパイウェアといった手段，サイバーテロや営業妨害といった目的，などさまざまな視点で表現される。

2 脆弱性

　脆弱性とは**一つ以上の脅威によって付け込まれる可能性のある，資産または管理策の弱点**と定義されている。情報資産に対する脅威が存在しても，必ずしも組織体に損失・損害といった被害をもたらすとは限らない。被害は，脅威の対象となる情報資産に弱点がある場合など，特定の条件が満たされたときに発生する。また，弱点の程度によって被害の程度が変わってくることもある。このように，被害が発生する誘因，あるいは，被害程度を助長する誘因となる弱点が脆弱性である。

3 リスクアセスメントの実施

　ISMSの実施の準備として，情報資産の機密性，完全性，可用性の喪失によって，情報資産価値がどの程度失われ，その影響が事業にどの程度の損害を与えるかといったリスクの影響について，脅威および脆弱性などの分析に基づいて算定し，評価する。また，特定され評価されたリスクのうち，受容可能なものを判定する。

4 リスク対応策の決定

何らかの対応が必要と判断されたリスクに対しては，対応策を計画する。リスク対応の考え方には，主に低減，保有，回避，共有の四つのタイプがある。

① リスク低減

リスク低減とは，**リスクの発生確率もしくはリスクに伴う好ましくない結果，または，それら両方を小さくするためにとられる行為**をいう。リスク低減の具体的方法には，損失予防，損失軽減，リスク分離などがある。適切な情報セキュリティ管理策（情報セキュリティ対策）を適用することで実現する。

② リスク保有（リスク受容）

リスク保有とは，**企業自らの財務状況に応じて，セキュリティリスクを財務上自己負担する資金的対応方法のこと**である。一般にリスクコントロールの目標水準より小さいセキュリティリスクや，リスク共有（リスク移転）によって第三者に転嫁しきれないセキュリティリスクを保有する。

③ リスク回避

リスク回避とは，**リスク発生にかかわる経営資源との関係を絶つことによって，リスクコントロールを達成するリスク対応方法のこと**である。例えば，セキュリティリスクに対する適切な管理策がない場合や費用対効果の観点から管理策が適用できない場合に「業務を停止する」「情報資産を廃棄する」「情報化を断念する」といった選択によって，セキュリティリスクを回避する方法が該当する。

④ リスク共有（リスク移転）

リスク共有とは，**他者との間において，合意に基づいたリスク分散を行うことを含むリスク対応方法のこと**である。リスクコントロールにおけるリスク共有は，契約を通じてセキュリティリスクを第三者に移すリスク対応方法のことである。よってリスク移転ともいう。情報システムの開発や運用などを専門業者にアウトソーシングすることによって，開発や運用に伴うセキュリティリスクを専門業者と共有する形態にする方法などが該当する。また，リスクファイナンス（リスクファイナンシング）におけるリスク共有は，保険会社などの第三者へ資金的なリスクを移すことである。リスク分析の結果，リスクの発生頻度が極めて低く，セキュリティ対策に費用がかかり過

ぎる場合，保険によるリスク対策が有効である。しかし，リスクファイナンスで対応できるセキュリティリスクは資金面の損失だけであり，企業が社会的信用を失う，あるいは，業務継続に支障が発生するといった間接的損失リスクが残り，長期にわたって営業損失を被る危険性があることなどを認識しておく必要がある。

2 管理的・物理的セキュリティ対策

… ここをチェック！ …
試験ではこう出る

　本章では，**管理的セキュリティ対策**，**物理的セキュリティ対策**について学ぶ。具体的には，組織におけるセキュリティ対策や内部犯罪などに対する人的セキュリティ対策といった管理的セキュリティ対策と，不法侵入対策などの物理的セキュリティ対策を取り上げている。

━━━━━━━━━━━ * ━━━━━━━━━━━

　本章の内容についての出題は少ないが，〈午後Ⅰ試験〉において，**データセンタ入館時の本人確認**などが出題されており，**入退室管理**が取り上げられている。管理的・物理的セキュリティ対策は，ITサービスマネージャに必須の知識であることから，〈午前Ⅱ試験〉〈午後Ⅰ試験〉〈午後Ⅱ試験〉を通して，今後取り上げられる可能性の高い分野である。

1 組織的セキュリティ対策

このSectionで学ぶこと

Check!
□ 経営者主導の下，組織的にマネジメントシステムを構築し，PDCAサイクルを回す

1 組織的セキュリティ対策

　情報セキュリティ対策を適切に整備し円滑に運用するために，マネジメントシステムを構築し，経営者主導の下，PDCAサイクルを回す。組織的対策として次のようなことを実施する。

① 組織的セキュリティ体制の確立

　組織全体として情報セキュリティに取り組む体制を確立する。

② 経営者のリーダーシップ

経営トップが情報セキュリティを支えるとともに，CISO（Chief Information Security Officer；情報セキュリティ最高責任者）など，情報セキュリティ活動の責任者を経営者から選出し主導する。

③ 関連部門間の連携の確立

各部門や各業務チームが協力し合い，円滑に連携する。

④ 責任分担の明確化

誰が，何について，どのような責任を持つのかをはっきりさせ，関係者が互いに理解する。

⑤ 情報処理施設・設備の導入ルールの確立

情報処理の機器導入に際してリスクを判断した上で，承認されたもののみを導入するように統制する。

⑥ 情報セキュリティに関する専門家の活用

情報セキュリティの専門家からの助言を受けられるようにしておく。

⑦ 秘密保持や守秘義務などの枠組みの確立

業務の一部，または全部を外部業者に委託する場合や，秘密保持や守秘義務に関する契約を締結する。

2 人的セキュリティ対策

このSectionで学ぶこと

Check!
- [ ] 要員がセキュリティ違反を起こさないような対策を実施する
- [ ] ID，認証情報，権限情報を悪用されないよう管理する
- [ ] 内部犯罪や契約相手の犯罪を防ぐ

1 人的セキュリティ対策

情報は人が取り扱うため，人間の故意や過失に基づく脅威から情報資産を保護する

対策が欠かせない。人的対策として次のようなことを実施する。

① 役割と責任の明確化

　部署や要員の役割に応じた職務上の権限とそれに応じた**責任・義務を分割する**（職務分離）。これは，情報資産の不正使用や誤使用を防ぐうえで役立つ（一人に権限が集中すると不正が起こりやすい）。

② 懲戒手続の明確化

　罰則のないルールは破られやすいため，ルール違反を処罰する手続きを定める。一般に違反に対する懲戒手続は就業規則で定める。

③ 情報セキュリティの教育・訓練の実施

　情報セキュリティに対する知識や認識が不十分であれば，情報セキュリティを浸透させることは困難である。そのため要員の情報セキュリティに関する知識の習得と意識の向上が欠かせない。必要に応じて情報セキュリティの教育・訓練を実施する。

■2 アカウント情報の管理

① ユーザID管理

　ユーザIDは，情報システムのユーザを識別するために個別に付与する。ユーザが情報システムの利用を開始する際に登録・発行する。ユーザ登録申請書などを用いた承認手続きを経てシステムに登録する。

② ユーザ認証と認証情報管理

　情報システムを利用する際には，正当な利用者であることを確認するための認証が行われる。ユーザ認証には，ユーザIDとパスワードなどの認証情報が用いられる。認証情報を他人に利用されないよう，推測されづらいパスワードは使わないなどの工夫をする。

③ アクセス権限管理

　ユーザIDあるいはユーザグループごとに，情報システムおよびシステムが保持する情報資産に対する**アクセス権限**を設定する。アクセス権限の内容（アクセス種別）には，データの参照，更新，登録，削除や，アプリケーションの実行，ファイルやデ

ィレクトリの作成などがある。管理者は，これらのアクセス権限を適切に設計し，必要に応じて速やかに登録，変更，抹消などの作業を行う必要がある。

④ 特権ユーザの管理

"administrator" や "root" などのように，**すべてのアクセス権限が実行できる権限**を管理者権限といい，**管理者権限を持つユーザ**を特権ユーザという。特権ユーザの利用者は制限し，必要以上に特権を与えない。特権ユーザはシステムにデフォルトで設定されているので，これらのユーザIDは無効にしておき，類推しにくい別のユーザIDを特権ユーザとして設定しておくと安全性が高まる。

3 雇用・採用に関する対策

① 遵守条項の合意

要員が業務を通じて知り得た機密情報などを外部に漏らすといった不正行為を行わない（機密保持義務・秘密保持義務・守秘義務）ことや，情報セキュリティのポリシや要求事項に従って，情報セキュリティの役割・責任を果たすことを雇用契約書や誓約書等に明記し，互いに合意する。

② 雇用終了時の情報セキュリティ対策

組織からの離脱時や雇用終了時には，保持している情報資産をすべて返却させ，組織に関する情報や施設へのアクセス権を遅滞なく削除する。

4 内部犯罪対策

情報漏えい等の被害は内部犯罪によってもたらされることが多い。内部者の犯罪には，コンピュータの不正使用，ネットワークへの不正アクセス，ソフトウェアの不正使用，情報漏えい，電子メールなどによる中傷など，主にユーザが犯すこともあれば，システム開発時に許可されていない機能を不正に組み込んだり，運用中のシステムを不正操作したりして情報の窃取や改ざんを行うなど，開発者や運用管理者が犯すこともある。

内部犯罪を防止するために，次のような対策を講じる。

① 情報資産の利用と管理

保護対象となる情報資産の利用と管理を分離し，管理者が情報利用の監視を行う。そのために，**操作ログやアクセスログの分析を行い**，定期・不定期の**セキュリティ監査を実施する**ことが有効である。

② 内部者への牽制策

情報セキュリティポリシの中で内部者に対する犯罪対策事項を規定し，遵守すべき利用ルール（業務ガイドラインなど）とルール違反者の罰則規程を明示し，教育を通じて周知徹底させ，心理的抑制効果を高めておく。

③ 人事的措置

特定の情報資産の利用者と管理者を分けたり，業務の実施者と承認者を分けたりするなど，職務分離を適切に行い，内部牽制機能を作り込む。内部での告発者に対し，適切な保護策を講じることも重要である。

5 契約相手への対策

契約相手とは機密保持契約を結び，必要に応じてセキュリティ上の義務の遵守状況を監査などで確認する。

3 物理的セキュリティ対策

このSectionで学ぶこと

Check!
- ☐ 物理的セキュリティ境界を定め，入退管理策を実施する
- ☐ 不法侵入対策を行う

1 物理的セキュリティ対策

地震，火災，風水害などの災害，不法侵入者による情報機器や設備の破壊・盗難，ハードウェアの障害などで情報セキュリティが脅かされることもある。物理的・環境的脅威から組織体の情報資産を保護するための主要な物理的セキュリティ対策には，地震・火災・風水害などへの災害対策，不法侵入・盗難などへの犯罪対策，ハードウ

ェア障害への対策などが挙げられる。

　物理的・環境的脅威のうち，犯罪・不正・ポリシ違反など，人間の故意に基づく脅威には，情報資産への接近・接触・使用などを制限する「物理的アクセス管理」が対策の中心となる。物理的対策として次のようなことを実施する。

① 物理的セキュリティ境界の設定

　セキュリティの適用範囲である業務施設や情報処理施設に物理的セキュリティ境界を設け，第三者の不法侵入を阻止する。物理的セキュリティ境界には，出入口をIDカードで制御したり有人の受付や警備員を配置したりすることで，不審者の侵入を阻止する。

② ゾーニング

　ゾーニングとは，**建物・部屋の空間を，機能や用途などによって，いくつかの区画（ゾーン）に分けること**である。各区画で扱う情報資産のセキュリティレベルを考慮して，非セキュリティゾーン，セキュアゾーン，ハイセキュアゾーンなどに区分する。

　例えば，企業のオフィスビルには，玄関ロビー，エレベータホール，各階の社員の居室，会議室，応接室，役員室，また，サーバやネットワーク機器を収容するサーバルームなどの区画がある。これらの各区画を，情報資産のセキュリティレベルに応じて区分する。

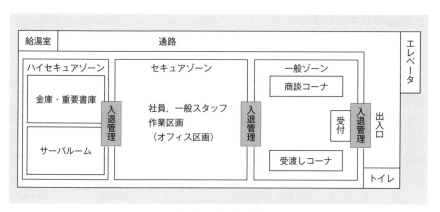

▶ゾーニングの例

③ 情報機器の設置および保護

　重要なデータが保管されているサーバなどの情報機器は，許可された者のみが入室できる情報セキュリティ区画に設置する。情報機器を適切に保護するために，装置周辺での飲食や喫煙を制限するとともに，ほこりや水分，火気や化学物質などの影響から保護する対策を講じる。

④ 机上やスクリーンなどの保護対策

　机上に書類などを放置しておくと，従業員が机から離れている間に盗み見られたり，盗難に遭ったりするおそれがあるため，重要な書類を机上に放置したまま，席を立たないようにする。

　また，パソコンなどの情報機器の表示画面上には，重要な情報が表示される。画面を表示し操作可能な状態で席を離れると，重要な情報が盗み見られたり，情報機器を不正操作されたりすることもある。短時間であっても席を離れるときは，情報機器をログアウトするか，パスワードによって保護されたスクリーンセーバやキーボード・ロック機能を起動させる。机上のクリーン化をクリアデスク，情報機器の表示画面のクリーン化をクリアスクリーンという。

　さらに，重要情報や機密レベルの高い情報を印刷したときには，印刷物を放置せず印刷後すぐに印刷装置から取り出す。ICカードなどを用いて出力・印刷時の認証を行う仕組みを導入するところも増えている。

⑤ 電磁波セキュリティ

　ネットワークでは，機器やケーブルから微弱な電磁波が発生している。無線LANの電波だけでなく，テンペストによって，このような電磁波を外部で傍受し，収集・解析することによって，情報を窃取することができる。

● テンペスト

　情報機器から意図せずに漏れる微弱な電磁波を傍受する盗聴技術。テンペスト対策の基本は，電磁波の放出を低減させるために，ネットワークケーブルを含むすべての機器にシールド（電磁シールド，電磁遮へい）を施すことである。シールド化の単位としては，機器やケーブル，部屋，建物などが考えられる。機器だけをシールドする場合には，専用のラックを使用することも考えられるが，本格的なテンペスト対策としては，部屋単位や建物単位でシールドする場合が多い。シールド材には，亜鉛めっき鋼板，銅箔，鉄板，導電性繊維などが用いられる。

6 持込み・持出し管理

重要な情報が持ち出されないように，カメラ，可搬媒体など，情報を複写して持ち出せる装置などを許可なく持ち込ませないようにする。また，情報を保持した機器や媒体を勝手に持ち出せないようにする。

7 モバイル機器の管理

スマートフォンやタブレットPCなどの携帯情報機器には，個人情報などの，大量の機密情報が保存されていることもあり，携帯情報機器の盗難や紛失は企業にとって大きな問題になりかねない。MDM（Mobile Device Management）機能を利用したり，情報を暗号化して保存したりするなど，紛失や不正操作防止などを考慮する。

2 不法侵入対策

不法侵入行為に対しては，物理的障壁の整備や入退管理を行うゲート機器の設置・運用，あるいは監視活動による侵入抑制・検知・通報などの機能を実現する対策を実施する。また，不法侵入者を早期発見するために身分証明書やセキュリティカードの装着義務など，ひと目で不法侵入者を識別できるようにする。

1 ゲート機器

権限がない者が通過できないゲート機器を設置する。ゲート機器による入退管理では，すれ違いやピギーバック（共連れ）などに備える。

2 入退管理システム

大規模な組織では入退管理システムの認証情報の登録とアクセス権の設定が一括して行えるような仕組みが必要である。また，入室記録のない者の退室や，退室記録のない者の入室を阻止するアンチパスバック機能は，すれ違いやピギーバックなどの不正入退室の防止に有効である。

3 監視カメラとセンサー

建物や部屋の出入り口，部屋内部などにビデオ録画が可能な監視カメラを設置し，不審者を監視していることを明示して，不法侵入を試みようとしている者を心理的に牽制すると同時に，監視と不法侵入者の追跡に使用する。センサーを使った検知が行われることもある。

情報セキュリティ関連の法制度やガイドライン

Check!

☐ 通常の企業活動の中で，情報セキュリティに関する法令やガイドラインを遵守する

1 情報セキュリティ関連の法制度やガイドライン

個人情報保護法や金融商品取引法など，通常の企業活動の中で情報セキュリティ対策を求められる。ここでは，対策実施上考慮すべき重要な法律やそれに関連が深いガイドライン名（名称は略称あるいは慣用名のみを示す）とそのポイントを提示する。最新の改正内容や詳細については，電子政府の対応窓口（e-Gov）の法令データ提供システムなどで確認してほしい。

▶**セキュリティ対策実施上考慮すべき法律やガイドライン**

法律名等 （略称または慣用名）	ポイント
個人情報保護法	個人情報保護のための官民双方共通の基本法的条項とその下に置かれる民間部門向けの一般法的条項で構成される。個人情報データベース等を事業に使用している民間事業者等を個人情報取扱事業者とし，その遵守すべき義務（利用目的の特定とそれに沿った取扱制限，安全管理措置，委託先の監督，同意なしの第三者提供の制限，苦情処理体制の整備など）を定めている。
個人情報保護 ガイドライン	個人情報保護法の枠組みの中で，各主務大臣が所管の個別分野ごとに整備する指針であり，義務内容（法解釈）を具体的に示すことで法の運用基準の役割を担うほか，個別分野の実情に応じて実施が望ましい事項を提示する。特定の業界団体が整備した指針を指すこともある。
JIS Q 15001:2017	個人情報保護マネジメントシステム（PMS）の規格であり，この要求事項を満たすPMSを構築・運営している事業者に第三者認証を与えるプライバシーマーク制度の認定基準として利用されている。
不正競争防止法	秘密管理性，有用性，非公知性の三つの要件を満たす営業秘密を保護対象として，不正取得や不正開示などの不正競争行為を禁止し，刑事上（営業秘密侵害罪）の処罰対象としたり，民事上の損害賠償請求や差止請求などの権利を認める。

法律名等 （略称または慣用名）	ポイント
不正アクセス禁止法	アクセス制御が施されているコンピュータに対してネットワーク経由での不正アクセス行為やそれを助長する行為を禁止し，処罰する。
通信傍受法	犯罪捜査のための傍受令状に基づく捜査機関による通信傍受を認める。
情報流通プラットフォーム対処法 （プロバイダ責任制限法）	インターネット利用者の権利侵害の被害が発生した場合に，侵害者（情報の発信者）の情報開示をプロバイダ（特定電気通信役務提供者）等に請求する権利やプロバイダ等が負う損害賠償責任の範囲を定める。2024（令和6）年，プロバイダ責任制限法から情報流通プラットフォーム対処法に法律名が改められた（施行日未定）。インターネット上の誹謗中傷などへの対応を強化する狙いで，SNSを運営する大手企業に対して，違法な投稿への迅速な対応が義務づけられた。
特定電子メール法	特定電子メール（広告宣伝メール）の送信者を規制し，取引関係にある者などの一定の例外を除き，事前に同意を得ていない受信者への送信を禁止する。迷惑メール防止については，事業者を規制する改正特定商取引法もある。
電子署名法	電子署名にサインや押印と同等の法的効力を与えるものであり，そのための要件を満たす特定認証業務を行う事業者・業務の認定について定める。
金融商品取引法	投資家の保護を目的とし，上場企業に内部統制報告書を義務づける。狭義には，この法律あるいはその内部統制関連の規定を指して日本版SOX法（J-SOX）と呼ぶことも多い。
e-文書法	民間企業が法令で保存を義務づけられている書面の電磁的記録での保存を認めるもので，そのための共通的事項を定める通則法と，個別に不足する部分について別途規定する整備法からなる。スキャナーで読み込んだ電子化文書も一定要件を満たせば原本として扱える。
電子帳簿保存法	一定の要件を満たし税務署長の承認を受ければ，国税関係帳簿書類の電磁的記録での保存ができる。
著作権法	開発業務における職務上の著作物は特段の定めのない限り法人に権利が帰属する。請負契約による委託開発では，契約に定めのない限り開発物の著作権は受託側に帰属する。Web上の掲載では，著作権者の公衆送信権や送信可能化権について配慮しなければならない。
刑法	電磁的記録不正作出及び供用，電子計算機損壊等業務妨害，電子計算機使用詐欺，電磁的記録毀棄，不正指令電磁的記録の作成・提供・供用・取得・保管など，刑法の中には，コンピュータ関連犯罪に関する条文があり，処罰内容が定められている。
GDPR （EU一般データ保護規則）	EUにおける個人データ保護に関する法律。EU域内に拠点のある企業，EU域内に商品・サービスを提供する企業，EU域内の企業から個人データ処理の委託を受けている企業などは，この規則の適用対象となる。

法律名等 （略称または慣用名）	ポイント
サイバーセキュリティ 基本法	サイバーセキュリティに対する基本理念と国の責務を示し，サイバーセキュリティ戦略や関連する施策の基本事項を定める。この法律に基づき，内閣にサイバーセキュリティ戦略本部が，内閣官房に内閣サイバーセキュリティセンター（NISC）が設置された。
サイバー・フィジカル・セキュリティ対策フレームワーク	Society5.0 などの新たな産業社会において付加価値を創造する活動が直面するリスクを適切に捉えるためのモデルを構築し，求められるセキュリティ対策の全体像を整理することを目的に，経済産業省が策定した。

3 技術的セキュリティ対策

··· ここをチェック！ ···

試験ではこう出る

　本章では，**技術的セキュリティ対策**について学ぶ。具体的には，ファイアウォールや侵入検知・防止システム，ログによる監視と解析，マルウェア対策，OSや市販ソフトウェアのセキュリティ対策などを取り上げている。

　ITサービスマネージャ試験においては，セキュリティの技術的な知識より，管理的な側面が問われる傾向がある。したがって，セキュリティ技術の詳細を知る必要はないが，本章で説明している技術的セキュリティ対策の概要程度は押さえておくと，〈午前Ⅱ試験〉〈午後Ⅰ試験〉〈午後Ⅱ試験〉を通して役に立つ。

──────────── ＊ ────────────

　本章の内容は，主に〈午後Ⅰ試験〉で事例を理解するのに役に立つ。

　ログによる監視と解析については，〈午後Ⅰ試験〉の事例の中でこれまでにも何度も登場している。過去問題の演習と合わせてログの活用について把握しておくとよい。コンピュータウイルス及びマルウェア対策も重要であるまた，**ファイアウォール**は〈午後Ⅰ試験〉の事例におけるシステム構成の中に頻繁に登場するセキュリティ機器である。本章でその概要や機能を把握しておくとよい。

1 境界防御

🫵 このSectionで学ぶこと

Check!
- ☐ ネットワーク経由の不正なアクセスを防ぐ
- ☐ ネットワークからの不正侵入の検知・防止を行う
- ☐ バリアセグメントやDMZを適切に設置する

▮1 ファイアウォール

① セキュリティ境界の構成要素

　ファイアウォールとは，**外部ネットワークと内部ネットワークの接続境界（セキュ
リティ境界）において，防火壁のような役割を果たすアクセス制御システム**である。
ファイアウォールを用いたセキュリティ境界は，次のように構成する。

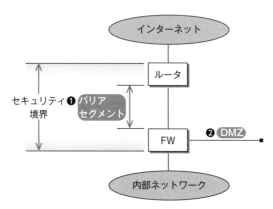

▶**セキュリティ境界のネットワーク構成**

❶バリアセグメント

　外部ネットワークと内部ネットワークの間に設けられた，セキュリティレベル変
更のための障壁領域。バリアセグメントにステルス型NIDSを接続することによっ
て，インターネット側にNIDSの存在を隠して，バリアセグメントを流れるすべて
のパケットを監視することができる。

❷DMZ（DeMilitarized Zone）

　バリアセグメントにおける，ファイアウォールでアクセス制御可能な第三のセグ
メント。非武装セグメントとも呼ばれる。グローバルアドレスを割り当てた公開サー
バは，内部ネットワークと外部ネットワークからのアクセスを許可する必要があ
るため，DMZに配置し，アクセス制御規則に違反する公開サーバへの不正アクセ
スはファイアウォールでブロックする。さらに，公開サーバをDMZに配置してお
けば，公開サーバを踏み台にして内部ネットワークへの侵入を試みる不正アクセス
の防御もファイアウォールで行える。また，ファイアウォールで内部ネットワーク
からDMZの公開サーバへのアクセスを制限することも可能である。

② ファイアウォールの方式

ファイアウォールには，ホスト型ファイアウォールとネットワーク型ファイアウォールがある。**ホスト型ファイアウォール**は，ホストにファイアウォールソフトウェアを実装したもので，パーソナルファイアウォールとも呼ばれる。**ネットワーク型ファイアウォール**とは，セキュリティ境界にゲートウェイとして配置される方式であり，ゲートウェイ型ファイアウォールとも呼ばれる。

ネットワーク型ファイアウォールの実現方式には様々なものがあるが，ここでは主要な方式であるパケットフィルタリング方式について説明する。

● パケットフィルタリング方式

IPアドレスやポート番号，TCPフラグなどのOSI基本参照モデルのネットワーク層とトランスポート層のヘッダ情報（IPヘッダ，TCP/UDPヘッダ）とアクセス制御リストを照合して，パケットをフィルタリングする。

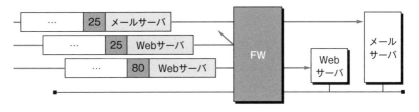

パケットフィルタリングのルール（アクセス制御リスト）

送信元IPアドレス	宛先IPアドレス	送信元ポート番号	宛先ポート番号	通過／遮断
any	Webサーバ	any	80	通過
any	メールサーバ	any	25	通過
any	any	any	any	遮断

▶パケットフィルタリングの例

② 侵入検知システム・侵入防止システム

① 侵入検知・防止のための検知技術

ネットワークセグメントやホストへの侵入を検知および防止するセキュリティ技術として，侵入検知システム（IDS：Intrusion Detection System）と侵入防止シス

テム（IPS：Intrusion Prevention System）がある。ネットワーク上の監視・防御対象を有効かつ効率的に保護するには，IDS/IPSの仕組みや限界を理解したうえで，導入を検討する必要がある。

② 侵入検知システム（IDS）

IDSは，**ネットワークセグメントやサーバへのアクセスをモニタリングおよびロギングし，侵入攻撃を検知したら，システム管理者に通知することによって，侵入攻撃の被害を最小限に抑える監視システム**である。IDSは，監視対象によってネットワーク型IDS（NIDS）とホスト型IDS（HIDS）に分類できる。

③ 侵入防止システム（IPS）

IPSは，**ネットワークセグメントを流れるデータやサーバへのアクセスをモニタリングおよびロギングし，不正や異常を検知したら，そのアクセスをブロックする仕組み**をもつ。IPSもIDSと同様にネットワーク型（NIPS）とホスト型（HIPS）がある。

④ 見逃しと誤検知の対策

IDS/IPSは，検知手法にシグネチャ方式や統計的手法を用いているが，正常アクセスと不正アクセスや異常アクセスを完全に見極めることはできない。正規のソフトウェア製品に用いられる技術が，攻撃の手口にも悪用されるため，侵入攻撃と同じ振る舞いを行うソフトウェアが存在する。また，新しい侵入手口が考案されることもある。IDS/IPSの検知精度を高くすると誤検知頻度が上昇し，低くすると見逃し頻度が上昇する。

● フォルスネガティブ（false negative）

IDS/IPSが侵入を見逃してしまうことをフォルスネガティブという。攻撃パターンがシグネチャに登録されていない場合や，検知レベルが低めに設定された場合などに発生する。

パケットを分割して送り込むなど，意図的にフォルスネガティブを発生させ，IDS/IPSの検知をすり抜ける攻撃手法も存在する。

● フォルスポジティブ（false positive）

IDS/IPSが正常なアクセスを不正や異常と検知してしまうことをフォルスポジティブという。侵入攻撃の特徴を示す振る舞いと同じ動作を正規のソフトウェアが実行した場合や，検知レベルが高めに設定された場合などに発生する。

IDSでフォルスポジティブの発生頻度が高まると，システム管理者はアラート通知

の中から不正アクセスや異常アクセスを見つけ出すことが非常に困難になる。また，IPSの場合は，フォルスポジティブによって正常なアクセスが遮断されるので，ユーザがサービスを利用できなくなる。

● 動作条件の最適化

　フォルスネガティブの発生頻度が高まると攻撃者の侵入の機会が増える。一方，フォルスポジティブの発生頻度が高まるとサービスを受けるユーザに不便を強いる。そのため，IDS/IPSを導入する際は，一定の期間試運転を行い，IDS/IPSの動作条件を最適化する。

3 ゼロトラストネットワーク

　従来は，境界を設定して，内部は安全な領域，外部は安全でない領域という考え方が前提で境界防御を行ってきた。しかし，昨今では境界の内部が必ずしも安全な領域とはいえない状況となっている。そのため，すべてのネットワークについて信頼できない「ゼロトラスト」という考え方で防御を行う必要があるという考え方にシフトしている。

　ゼロトラストネットワークの考え方においては，PCやタブレットなどの端末（エンドポイント）の防御が重要とされる。

2 ログによる監視と解析

○ このSectionで学ぶこと

Check!

☐ システムの状況やシステムに対する振る舞いを記録し原因解析に役立てる
☐ 必要なログを取得し適切に管理する

1 ログ管理とその管理目的

　不正や異常を早期発見し，適切な措置や再発防止策を講じるために，情報システムの状況や情報システムに対する振る舞いを記録し，原因解析に利用できるようにしておく。

① ログとロギング

OS，サーバソフトウェア，アプリケーションソフトウェアや通信機器に実装されたファームウェアにはさまざまな機能が組み込まれている。コマンドによる操作，プログラムの起動・停止，リソースの使用，アクセス，事象発生などの機能は，さまざまな履歴を残す。これらの**履歴の記録**をログと呼び，**履歴を出力する動作**をロギングという。

② ログ管理

リソースに実装されたロギング機能によって，さまざまな種類のログが出力される。しかし，ログをただ出力するだけでは，リソースを無駄に消費するだけである。ログ出力の目的を明確にし，その目的を達成するために必要なログを確実に取得し，不正や異常の検知やその原因解析に利用できるようにすることが重要である。ログ管理とは，**ログ出力の方針を明確にして，ログ出力の目的を達成するために必要な管理策を講じること**である。ログの出力や運用管理の目的，方針，基準などを定めたポリシを策定し，安全かつ効率的にログを管理し，ログの有効性を確保する。

③ ログ管理の目的

ログ管理には，主観的目的と客観的目的がある。

主観的目的とは，**リソースに発生する不正や異常を早期検知し，被害を最小限に抑制するための措置を講じることができるようにすること**と，**同じセキュリティ事件・事故が再発しないようにするための原因究明や再発防止策の策定に寄与できるようにすること**である。

客観的目的とは，**情報システムの可監査性を確保し，情報セキュリティ監査の目的であるITガバナンスの実現に寄与できるようにすること**である。情報システムの安全性を点検・評価するための監査証跡（双方向で追跡するための仕組み）を確保し，不正アクセスの証拠保全を行う。

2 ログの種類

ログは，一般的に次のように分類される。

▶ログの種類

出力元	ログの分類	ログ出力のタイミング
OS	システムログ	ログイン／ログアウト プロセスの起動／停止
	イベントログ	イベントの発生
	オペレーションログ	コマンドの実行，操作ミス
リソース	アクセスログ	リソースがアクセスを受けたとき
通信機器	通信ログ	通信機器への接続時
ツール	セキュリティログ	ウイルススキャン，パケットスキャン
アプリケーション	アプリケーションログ	ログイン／ログアウト データ更新時など

実際に使用されているログの名称やその分類範囲は，製品によって異なる。また，システム監査やセキュリティ監査の監査証跡として用いる場合や法的証拠として保存する場合，監査ログと呼ぶことがある。

3 ログファイルの管理

ログファイルは，システムの状況を知るために重要なものなので，厳重に管理しなければならない。**アクセス権限を適切に設定したうえで，障害や攻撃者から隔絶した安全な場所に保管する。**ディスクに保存する場合には，ユーザファイルとは異なるパーティションを作成して保存することが望ましい。

4 ログの解析

ログ解析の目的は，不正アクセスの監視，不正アクセスの抑止，攻撃経路の解析，攻撃者の特定などである。ツールを利用してログを確実に収集し，解析できるようにしておくとよい。また，ログの照合や解析結果の表示に関する工夫を施すことも必要である。しかし，最も重要なことは**時刻の正確性を確保する**ことである。

1 ログに記録する時刻の同期確保の必要性

複数のリソースのログを総合的に解析するには，リソースのシステム時刻が正確であることが必要である。リソースの時刻を正確に自動設定するには，NTP（Network Time Protocol）を利用する。NTPとは，**国の標準時と同期をとり，UDPでその時刻をネットワーク上に配布するプロトコル**である。

3　マルウェア対策

Check!
- ☐ マルウェア感染のリスクを減らす
- ☐ 感染の疑いがあれば迅速に報告し，必要な対応を行う

1 マルウェア感染防止対策

　マルウェア（malware）とは，malicious software（悪意のあるソフトウェア）を略したもので，**ユーザが意図しない悪意のある不正プログラムの総称**である。

　マルウェアの多くは，他のマルウェアを仕掛けるための重要な手段として用いられている。したがって，マルウェアの感染防止対策は，マルウェアの不正活動を防ぐことはもちろんのこと，マルウェアがシステムに持ち込まれるリスクを大幅に低減するための重要なセキュリティ対策となる。

① マルウェア感染予防ポリシ

　マルウェアの予防ポリシとして，次のような事項を定義することが望ましい。

【マルウェア感染予防ポリシ】
- 利用状況が許す範囲でアプリケーションのセキュリティ設定を高くする。
- 安全性の疑わしいWebサイトにアクセスしない。
- 安全性の疑わしい電子メールの添付ファイル（実行型ファイルなど）は開かない。
- セキュリティソフトを必ず動作させる。
- パターンファイルは常に最新のものに更新する。

　また，アプリケーションなどの実行型ファイルを電子メールで配布する方法は，ユーザの電子メールの添付ファイルに対する危険性の認識を低くするため，このような運用は好ましくない。

② マルウェア感染防止体制の整備

　マルウェア感染が現実化した場合に，適切かつ迅速にシステム管理者やセキュリテ

ィ管理者に報告が届くように，管理組織や連絡体制を事前に整備しておく。**報告ルートや報告方法を定め，マルウェア感染の疑いや感染状況を報告できるようにする。**早期に対応できるよう，感染を確信してから報告するのではなく，感染の疑いがあればすぐに報告させる。

③ 管理的なマルウェア感染防止対策

ゼロデイ攻撃など，セキュリティソフトが対応できていないマルウェアに感染するリスクもある。

セキュリティベンダーやIPAのセキュリティセンターから新しいマルウェアに関する情報を迅速に入手し，関係者に周知させ，必要な対策を実施する体制を整備しておく。また，クライアントのパターンファイルやセキュリティソフトのバージョン管理を，セキュリティ管理部門で一元管理する仕組みを導入し，セキュリティソフトやパターンファイルを最新状態に維持する。

④ 感染時対応策

マルウェアに感染したと思われる場合は，使用を停止し，ネットワークとの接続を速やかに切断する。そして，システム管理者に連絡し，実施すべき措置の指示を仰ぐ。そのためには，マルウェア発見時の対処方法と連絡ルートを手順化したシステム管理策を，情報セキュリティポリシに従って策定しておくことが重要である。次に，マルウェア感染時の一般的な対応手順を示す。

【マルウェア感染時の対応手順】
❶ 感染したと思われるシステムをネットワークから切り離し，使用を中止する。
❷ 最新のセキュリティソフトで検査を行い，マルウェアを特定する。
❸ マルウェアを駆除する。
❹ バックアップなどを利用して，破壊されたデータなどを修復する。
❺ 駆除・修復が完了した後，再度最新セキュリティソフトで検査を行い，感染除去されたことを確認する。
❻ 当該システムで利用したことのあるすべての媒体に対しても検査を行い，感染の有無を確認する。

4 OSや市販ソフトウェアのセキュリティ対策

1 脆弱性情報の収集と検査

OSやブラウザなど，組織では様々な市販ソフトウェアを利用している。これらのプログラムには攻撃を誘引あるいは助長する不備が存在していることもある。これらを放置しておくと攻撃に遭う可能性が高い。

公開された脆弱性情報の中から，使用しているOSや市販ソフトウェアの脆弱性情報を収集し，迅速に対応できる仕組みを整備しておく必要がある。また，プログラムに脆弱性がなくても機能の設定に問題があり，それが脆弱性となることもある。定期的に脆弱性検査を行い，セキュリティホールが露見していないかを確認することも重要である。

① 脆弱性検査の実施

日常的なシステム管理作業の中で，OSや市販ソフトウェアのセキュリティに誤設定があったり設定変更されたりする可能性があり，今日安全なシステムが明日も安全であるとは限らない。例えば，ユーザアカウントや特権アカウントへの設定に誤りがあると，その誤りを利用した不正アクセスによってサーバが攻撃者に乗っ取られることもある。脆弱性スキャナなどの脆弱性検査ツールを用いて，定期的にペネトレーションテストを行い，稼働中のOSに脆弱性がないかを確認し，脆弱性を解消しておく必要がある。

② ペネトレーションテスト

オンラインで擬似攻撃を仕掛け，脆弱性の有無や攻撃への耐性を評価する侵入テスト。セキュリティベンダーなどがペネトレーションテストのサービスを提供している。

第4部

プロジェクトマネジメントの
頻出テーマ

1 プロジェクトマネジメントの頻出テーマ

　本章は，〈午前Ⅱ試験〉対策のための章である。〈午前Ⅱ試験〉では，「サービスマネジメント」と並んで，「プロジェクトマネジメント」が重点分野に指定されている。求められている知識レベルも最も高いレベル４である。

　〈午前Ⅱ試験〉で出題される「プロジェクトマネジメント」の問題は，さまざまな分析技法や見積り手法，契約などに関する内容が多い。ここでは，これまでに繰り返し出題された，定性的・定量的リスク分析，期待金額価値（EMV）分析，デシジョンツリー分析，アーンドバリュー法（EVT），クリティカルチェーン法，外部調達の契約形態などを紹介する。本章の内容を押さえたうえで，問題演習を行うと効果的である。

1 午前Ⅱ試験によく出るプロジェクトマネジメントのテーマ

○ このSectionで学ぶこと

Check!
　□ 午前Ⅱ試験において「サービスマネジメント」とともに重点分野となっている「プロジェクトマネジメント」について，頻出テーマの知識を深める

1 定性的・定量的リスク分析

① リスクマネジメントの計画

　当該プロジェクトで想定されるリスクを特定し，リスクを分析することにより対応計画の要否を判断し，必要なリスク対応を計画する。

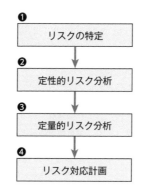

▶**リスクマネジメントの計画**

❶**リスクの特定**…どのようなリスクがプロジェクトに潜在するかを洗い出し，プロジェクトに影響を与えるリスクの特性を記述する。

❷**定性的リスク分析**…リスクがプロジェクト目標に与える影響の大きさや発生確率を求め，リスクの優先順位付けをする。

❸**定量的リスク分析**…プロジェクト全体に対するリスクを数値化し，プロジェクト目標を達成する確率を見積もる。

❹**リスク対応計画**…それぞれのリスクへの対応策を策定する。

② 定性的リスク分析

定性的リスク分析は，**特定されたリスクの定性的な分析を行って，リスクがプロジェクト目標に与える影響の大きさや発生確率を求め，リスクの優先順位付けをするプロセス**である。つまり，特定された多くのリスクのなかで，どのリスクに取り組み，どんな対応を策定するかを決めるために，どのリスクが重要であるかを決めるプロセスといえる。

定性的リスク分析では，リスク識別のプロセスで作成したリスク登録簿に，リスク事象の発生確率とリスク発生時の影響度を求めて，リスクを順位付けする。

▶発生確率・影響度を記入したリスク登録簿の例

リスク項目	事　象 （影響または特性）	トリガ	発生確率	影響度	リスクスコア	優先順位
意思決定ルール	ステークホルダの合意が得られず意見の対立やスケジュールに遅れが生じる。	契約予定日の遅れ	0.3	0.4	0.12	3
要件の安定性	要件が確定せず、スケジュールに遅れが生じる。	要件定義の完了予定日の遅れ	0.5	0.8	0.4	1
要件の完全性	要件が変更されやすく、スケジュールに遅れが生じる。品質が低下する。	変更要求の修正による、予算・資源・スケジュール増加が5％を超える。	0.5	0.8	0.4	1
チームのスキル	業務経験のあるメンバーが集まらない。	事前の自己申告の信頼性が低い。	0.7	0.4	0.28	2

③ 定量的リスク分析

定量的リスク分析は，**プロジェクト全体に対するリスクを数量化し，プロジェクト目標を達成する確率を見積もるプロセス**である。定量的リスク分析は，前節で説明した定性的リスク分析のプロセスに引き続き行うことが多い。しかし，定性的リスク分析と定量的リスク分析を同時に行う場合もあれば，定性的リスク分析だけを実施する場合もある。プロジェクトの特性や予算，スケジュールなどに応じて実施される。

リスクが発生した場合に影響を受けるスケジュールや費用を予測するため，リスクによって発生する作業の所要日数を見積もり，影響度を金額で表す。プロジェクト目標にかかわるリスクの発生確率や影響度を数量化するために，ステークホルダや専門家に対してインタビューも行う。分析の過程では確率分布が使用される。

● 優先順位リスト

定性的リスク分析プロセスで作成される優先順位リストと同様のものである。リスクを定量化した結果判明したプロジェクトに脅威を及ぼすリスクを，影響度の評価とともに優先順位順に記載する。このリストによって，プロジェクトに一番影響を及ぼす重要なリスクや進捗に最も影響するリスクなどが特定される。

▶優先順位リストの例

リスク項目	事象（影響または特性）	発生確率	影響度	スコア	損失量（日数）	期待損失	優先順位
要件の安定性	要件が確定せず、スケジュールに遅れが生じる。	0.5	0.8	0.40	30	12.0	1
要件の完全性	要件が変更されやすく、スケジュールに遅れが生じる。品質が低下する。	0.5	0.8	0.40	20	8.0	2
チームのスキル	業務経験のあるメンバーが集まらない。	0.7	0.4	0.28	10	2.8	3
意思決定ルール	ステークホルダの合意が得られず意見の対立やスケジュールに遅れが生じる。	0.3	0.4	0.12	20	2.4	4
専門知識	技術専門家がいないため専門的な問題に対応できない。	0.3	0.2	0.06	30	1.8	5

2 期待金額価値（EMV）分析・デシジョンツリー分析

　デシジョンツリーは、**関連づけられた意思決定の順序と、ある選択肢を選んだときに期待される結果を記述する図式**である。可能な選択はツリー状に描かれ、左側のリスクの決定から始まり、右に向かって選択肢が伸びていく。リスクの確率と個々の選択肢の決定によってもたらされる費用、期待値を数量化する。デシジョンツリーの解によってどの決定が最大の期待値を生み出すかを示す。

　例えば、次図でプランAは、経費が4万円かかり、40％の確率でプラス60万円の結果を出し、60％の確率でマイナス10万円の結果を出す。プランBでは、経費は6万円かかる。30％の確率でマイナス10万円の結果を出し、70％の確率でプラス40万円の結果を出す。

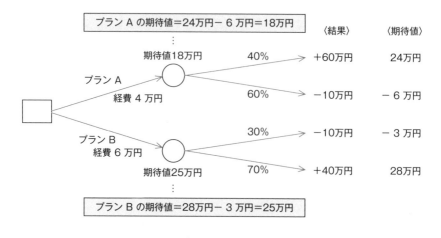

▶デシジョンツリーの例

　これより，プランAの期待値は18万円，プランBの期待値は25万円となり，それ
ぞれの経費を差し引いても，プランBのほうが好ましいという結果になることが分か
る。

　この時のプランAとプランBの期待値から経費をそれぞれ引いた金額をそれぞれの
プランの期待金額価値（EMV）という。このような分析を期待金額価値分析ともいう。

3 アーンドバリューマネジメント（EVM）

　アーンドバリューマネジメント（EVM：Earned Value Management）は，**プロ
ジェクト遂行中の進捗状況（コストとスケジュール）を数量的にかつ統一して把握す
るための手法である。**

　EVMの特徴的な考え方は，プロジェクトの全作業を金銭価値に置き換え，チェッ
クポイントごとの達成予定額を設定し，それぞれの作業の金銭価値の総和をプロジェ
クトの総コストにするという点である。チェックポイントごとに，各作業における達
成作業量を金銭価値に換算し，達成予定額と比較することで，作業の進捗を定量的に
把握する。

　一方，達成額と実出費との比較によってコスト面での進捗も数量的に把握すること
ができ，全体としてスケジュールとコストを統一的に把握することが可能である。

1 EVMで使われる重要な値

EVMではそれぞれの作業に対して三つの数値を金銭価値で計算することが基本である。

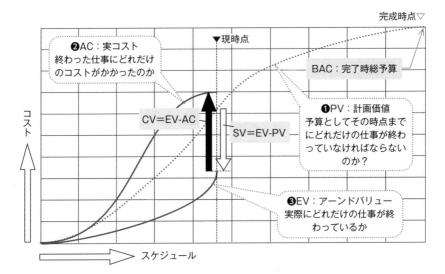

▶分析に使用される三つの値：PV，AC，EV

❶**計画価値（PV）**…計画価値（PV：Planned Value）とは，所定の期間内で，この作業に割り振られた承認済みの見積り金額のことである。

　　下図では，分析工程に15人日，1人日8万円と見積もっているので，

　　分析工程のPV ＝ 15 × 8 ＝ 120（万円）

　　となる。

❷**実コスト（AC）**…実コスト（AC：Actual Cost）とは，所定の期間内で，この作業を完成させるために要した実際の費用（金銭価値）のことである。

　　下図では，分析工程を実際に完成させるために30人日かかっているので，

　　分析工程のAC ＝ 30 × 8 ＝ 240（万円）

　　となる。

❸**アーンドバリュー（EV）**…アーンドバリュー（EV：Earned Value）とは，報告時点でのその作業の成果物（出来高）を金銭換算したものである。

▶計算事例

工程	単金(万円/人日)	予定工数(人日)	実績工数(人日)	1/15	2/15	3/15	4/15 報告日	5/15
分析	8	15	30		★1/30完了			
設計	6	90	80			★3/15完了		
製造	4	240	120					
試験	6	60						

EVの評価ルールは0-100ルール
製造工程のEVの評価単位はプログラム別
48本中4/15時点で24本予定、36本完成

	PV	AC	EV
分析	8×15=120	8×30=240	8×15=120
設計	6×90=540	6×80=480	6×90=540
製造	4×240×(24/48)=480	4×120=480	4×240×(36/48)=720
4/15までの累積値	120+540+480=1,140	240+480+480=1,200	120+540+720=1,380
試験	6×60=360		

		評 価
CV	1,380-1,200=+180	180万円分のコスト低減
SV	1,380-1,140=+240	240万円分成果物が早い
CPI	1,380/1,200=1.15 720/480=1.5	1.15倍のコスト低減傾向 製造工程は1.5倍のコスト低減傾向
SPI	1,380/1,140=1.21 720/480=1.5	予定より1.21倍の生産性 製造工程では予定の1.5倍の生産性
BAC	120+540+ 4×240 +360=1,980	開始時プロジェクト予算
EAC	1,200+(1,980- 1,380)/1.15=1,722	4/15時点の完成時総コストは、予算よりも1,980-1,722=258万円分コスト低減されると予測する

※EACは、このコスト効率指数が続くものとして予測した。

2 分析における評価指標

● コスト差異（CV）

コスト差異（CV:Cost Variance）は、実コストとアーンドバリューとの差である。

$$CV = EV - AC$$

したがって、CVの値は次記の意味を持つ。

$CV \geqq 0$ → 予算内に収まっている

$CV < 0$ → 予算超過

● スケジュール差異（SV）

スケジュール差異（SV：Schedule Variance）は、アーンドバリューと計画価値との差である。

$$SV = EV - PV$$

したがって、SVの値は次記の意味を持つ。

$SV \geqq 0$ → 計画どおり、または計画より早く成果物ができている

$SV < 0$ → 計画より遅れている

● コスト効率指数（CPI）

コスト効率指数（CPI：Cost Performance Index）とは、実コストとアーンドバリューとの比率であり、費用の発生傾向を評価するために用いる。

$$CPI = EV \div AC$$

したがって，CPIの値は次記の意味を持つ。

CPI> 1 → アーンドバリューの割には実コストが少ない

CPI< 1 → アーンドバリューの割には実コストが多い

● 累積CPI

累積CPI（CPI^c：Cumulative CPI）は，プロジェクトの開始から計測時点までの累積実コスト（AC^c）と累積アーンドバリュー（EV^c）の比率であり，プロジェクト終了時点での費用の予測を求めるときに使用する。

$$CPI^c = EV^c \div AC^c$$

なお，CPIとCPI^cの違いは，CPIが一つひとつの作業に対する費用の発生傾向を示すのに対して，CPI^cはプロジェクト全体の費用の発生傾向を示すという点である。

● スケジュール効率指数（SPI）

スケジュール効率指数（SPI：Schedule Performance Index）とは，アーンドバリューと計画価値との比率であり，成果物の出来高傾向，言い換えれば作業進捗の程度を評価するために用いる。

$$SPI = EV \div PV$$

したがって，SPIの値は次記の意味を持つ。

SPI> 1 → 作業が早く進んでいる傾向にある

SPI< 1 → 作業が遅れている傾向にある

● 現時点での完成時総コスト見積り（EAC）

現時点での完成時総コスト見積り（EAC：Estimate At Completion）とは，計測時点までの実コストに基づいたプロジェクトの完了日における総コストの見積りであるが，その見積り方法には次の三つの方法がある。ここで，BAC（Budget At Completion）とはプロジェクト完了時点のPVの累積値である。

❶現在のコスト差異の傾向が将来も続くと予測される場合

これまでの累積コスト効率指数（CPI^c）の傾向でコストが発生したと仮定すると，完成時点ではどれだけのコストになるかを考える。

$$EAC = AC^c + 残りのEV \div CPI^c$$

つまり，

$$EAC = AC^c + (BAC - EV^c) \div CPI^c$$

❷最初の見積りに欠陥があった場合やプロジェクトの遂行条件が変化した場合

これまでの実績を踏まえてこれ以降の作業を見直す場合である。

$$EAC = AC^c + 残り作業の再見積りコスト$$

❸差異は一過性で今後は発生しないと予想される場合

$$EAC = AC^c + 残りのEV$$

つまり,

$$EAC = AC^c + (BAC - EV^c)$$

なお，EACからAC^{c}を引いた値を残作業のコスト見積り（ETC：Estimate To Complete）という。

$$ETC = EAC - AC^c$$

❹ クリティカルパス法・クリティカルチェーン法

スケジュール表を作成する代表的な手法として，クリティカルパス法，クリティカルチェーン法がある。

① クリティカルパス法

クリティカルパス法（CPM：Critical Path Method）は，**ネットワークの経路のうち，作業の開始から完了までの余裕期間が最も少ない工程であるクリティカルパスを検証する手法**で，クリティカルパス上の作業が遅れるとプロジェクト全体の作業工程も遅れるため，クリティカルパスは重点的に管理される。

クリティカルパスの計算は，資源に関する制限は考慮せずに作業の所要期間とそれぞれの作業の依存関係に基いて行う。すなわち，ネットワークの開始から終了に向かう前進（フォワード）パスで求める最早日時と，終了から開始に向かう後進（バックワード）パスで求める最遅日時を用いる。最早日時は開始指定日からスタートしてパス上の各作業の所要日数を加算して求め，一方，最遅日時は終了指定日からスタートしてパス上の各作業の所要日数を減算して求める。

開始または終了の最遅日時と最早日時の差を余裕期間（フロート）といい，ネットワーク全体の余裕を示す。また，作業ごとの最遅終了と最早終了の差をフリーフロートといい，後続の作業に遅れを発生させない範囲での各作業における余裕である。

次図の例は，開始指定日の20日後を終了指定日としたものである。このネットワークのクリティカルパスは，Ⓐ→Ⓑ→Ⓒ→ⒹとⒶ→Ⓑ→Ⓒ→Ⓖの二つのパスで，このクリティカルパスの所要期間は18日である。ネットワーク全体を20日間で終了することが条件なので，余裕（フロート）は，2日間である。

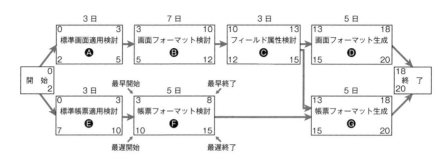

▶ クリティカルパス法の例

② クリティカルチェーン法

　クリティカルチェーン法（Critical Chain Method）では，**人や資源などのリソースの依存関係を考慮して求めた最長経路であるクリティカルチェーンによってプロジェクトスケジュールを修正する。**

　クリティカルチェーン法では，作業それぞれの所要期間を見積もる際には，余裕を含ませずに見積もり，クリティカルチェーンが判明した後で，そのクリティカルチェーンにプロジェクト全体の余裕期間（**プロジェクトバッファ**）を加えたものをプロジェクト全体の期間とする。個々の作業の遅れはこのプロジェクトバッファを消費することで補い，プロジェクトバッファの消費率によって，納期遅れのリスクを把握する。個々の作業に余裕を持たせる場合より短期間での完成が可能である。

③ 所要時間の短縮

　例えば，上図のネットワークの例において，開始指定日の16日後に終了しなければならないという条件が課せられた場合には，所要期間を短縮することを検討する必要がある。所要期間短縮の技法として，各作業に投入する要員を増やす**クラッシング**と，ネットワークを組み替える**ファストトラッキング**がある。なお，所要期間を短縮するときには新たなコストが必要になるので，最小のコストで最大の期間短縮効果が得られるように，スケジュールとコストの調整を十分に検討しなければならない。

⑤ 外部調達の契約形態

　わが国における一般的な契約形態を次表に記す。請負契約は完成責任を伴うので，一般的に納入者側のリスクが大きいと考えられる。準委任契約は完成責任を伴わず，

発生した作業の分だけ費用を支払う必要があるため，一般的に発注者側のリスクが大きいと考えられる。

▶日本国内における一般的な契約形態（民法，労働者派遣事業法による）

契約形態	特　徴
請負契約	当事者の一方が仕事を完成することを約束し，仕事の結果に対して報酬を支払うことを約束することで，効力を生ずる。納入者は完成責任を負う。
準委任契約	「委任」契約とは，当事者の一方が法律行為を行うことを相手方に委任し，相手方がそれを承諾することで効力を生ずる。 「準委任」契約とは，法律行為以外の委託をいい，委任の規定に準ずるもの。仕事の完成を目的としない役務の提供であり，支援タイプの作業形態となる。
派遣契約	派遣元事業主から労働者を派遣してもらい，購入者側の指揮命令の下で作業を実施させる。契約内容の業務を実施してもらう契約であり，派遣元事業主には完成責任はない。

第2編

演習編

第1部

午前Ⅱ試験対策
─問題演習

1 サービスマネジメント

問1 ☑□
□□
ITサービスマネジメントにおけるサービスレベル管理の説明はどれか。
(H30問6)

ア　あらかじめ定めた間隔で，合意したサービス目標に照らしてサービスの傾向及びパフォーマンスを監視する。

イ　計画が発動された場合の可用性の目標，平常業務の状態に復帰するための取組みなどを含めた計画を作成し，導入し，維持する。

ウ　サービスの品質を低下させる事象を，合意したサービス目標及び時間枠内に解決する。

エ　予算に照らして，費用を監視及び報告し，財務予測をレビューし，費用を管理する。

問1　解答解説

　サービスレベル管理は，顧客とサービス提供者とであらかじめ合意したサービスレベル（水準）を維持するためのプロセスである。具体的には，サービス提供時間や稼働率などの目標値を設定し，その実績値について監視し，目標のサービスレベルが実現・維持できなくなるような傾向が見られたならば，他のプロセスと連携して改善を図る。

　イ　サービス継続管理（ITサービス継続性管理）の説明である。
　ウ　インシデント管理の説明である
　エ　サービスの予算業務及び会計業務（ITサービス財務管理）の説明である。《解答》ア

問2 ☑□
□□
ITIL 2011 editionによれば，リアクティブな可用性管理の活動で用いる技法はどれか。
(H29問7)

ア　故障樹解析（FTA）

イ　コンポーネント障害インパクト分析（CFIA）

ウ　サービス障害分析（SFA）

エ　単一障害点分析（SPOF分析）

問2 　解答解説

　可用性管理においては，さまざまな分析技法が用いられる。障害が発生したときの原因究明などのリアクティブな活動に用いられるものと，最適な可用性の設計および改善を行うためのプロアクティブな活動に用いられるものがある。

　サービス障害分析（SFA：Service Failure Analysis）は，さまざまなデータを使ってITサービスの中断の根本原因を究明し，可用性の不足が発生している状況をアセスメントするのに用いられることから，可用性管理のリアクティブな活動で用いられる技法といえる。

- 故障樹解析（FTA：Fault Tree Analysis）…障害がどのように連鎖してサービス停止に至るかを，木構造で分析する手法。可用性管理のプロアクティブな活動の一つ
- コンポーネント障害インパクト分析（CFIA：Conponent Failure Impact Analysis）…サービスを構成する要素（CI）と提供するサービスの一覧から，CIの障害がサービスに及ぼす影響をマトリックスに示し，CIの障害に対するサービスの強さを分析する手法。可用性管理のプロアクティブな活動の一つ
- 単一障害点分析（SPOF分析）…障害が発生したときにインシデントの原因となる可能性のあるあらゆるCIのうち，対策の施されていないものを単一障害点（SPOF：Single Point Of Failure）という。この単一障害点を識別し，できるだけ回避するための分析を単一障害点分析という。単一障害点の識別には，CFIAを用いるのが効果的である。

《解答》ウ

問3

☑□
□□
　ITILにおいて，インシデントに対する一連の活動のうち，イベント管理プロセスが分担する活動はどれか。　　　　（H28問2）

ア　インシデントの発生後に，その原因などをエラーレコードとして記録する。

イ　インシデントの発生後に，問題の根本原因を分析して記録する。

ウ　インシデントの発生時に，ITサービスを迅速に復旧するための対策を講じる。

エ　インシデントの発生を検出して，関連するプロセスに通知する。

問3 　解答解説

　ITサービスの提供において，構成アイテムやITサービスの管理上，重要な状態の変化をイベントという。ITサービスマネジメントにおけるイベント管理プロセスは，これらのイベントの発生を監視し，記録して管理し，適切なプロセスにその情報を送って処置を依頼するプロセスである。例えば，発生したイベントがインシデントであれば，インシデント管理プロ

セスに情報を渡す。よって，イベント管理プロセスが分担する活動は，"エ"である。

　ア，イ　問題管理プロセスが分担する活動である。
　ウ　インシデント管理プロセスが分担する活動である。　　　　　　　　　　《解答》エ

問4　☑□ ITサービスマネジメントにおける変更要求に対する活動のうち，リ
　　　　　□□ リース及び展開管理プロセスに含まれるものはどれか。　（H30問8）

ア　稼働環境に展開される変更された構成品目（CI）の集合の構築
イ　変更の影響を受ける構成品目（CI）の識別
ウ　変更要求（RFC）の記録
エ　変更要求（RFC）を評価するための変更諮問委員会（CAB）の召集

問4　解答解説

　ITサービスに対して承認された変更要求に対する変更を稼働環境に実装するために必要な
構成品目（ハードウェア，ソフトウェア，文書，プロセス，コンポーネントなど）の集合
体をリリースといい，リリースは，リリースユニットまたはリリースパッケージ（リリー
スユニットを組み合わせたもの）の形で構築される。リリース及び展開管理プロセスでは，
このようなリリースユニットやリリースパッケージの構築を行う。よって，稼働環境に展開
される変更された構成品目（CI）の集合の構築を行う "ア" が正しい。

　イ　変更の影響を受ける構成品目（CI）の識別は，サービス資産管理及び構成管理プロセ
　　スが提供する構成管理データベース（CMDB）の情報をもとに行う，変更管理プロセス
　　の活動である。
　ウ　変更要求（RFC）の記録は，変更管理プロセスの活動に含まれる。
　エ　変更要求を評価するための変更諮問委員会（CAB）の召集は，変更マネージャが行
　　うので，変更管理プロセスの活動に含まれる。　　　　　　　　　　　　《解答》ア

問5　☑□ ITIL 2011 editionによれば，サービス・ポートフォリオの構成要素の
　　　　　□□ うちのサービス・パイプラインに収録されるサービスはどれか。

　　　　　　　　　　　　　　　　　　　　　　　　　　　　　　　　　　　　（R元問1）

ア　開発が完了し，顧客に提供することが可能なサービス
イ　今後，段階的に停止されたり，取り消されたりするサービス
ウ　サービスオペレーション段階で実行されているサービス
エ　将来提供する予定である開発中のサービス

問5　解答解説

　サービス・ポートフォリオとは，サービス・プロバイダによって管理されるすべてのサービスを集めたものをいう。サービス・ポートフォリオは，サービス・パイプライン，サービス・カタログ，廃止済みサービスの三つの要素で構成される。そのうちサービス・パイプラインには，将来提供する予定である開発中のサービスが収録される。サービス・パイプラインに収録されているサービスは，顧客には公開されない。

　ア　開発が完了し，顧客に提供することが可能なサービスは，サービス・カタログに収録され，顧客に公開される。
　イ　今後，段階的に停止されたり，取り消されたりするサービスは，廃止されるサービスと呼ばれるが，まだ廃止されていないのでサービス・カタログに収録され，顧客に公開されている状態である。廃止されると，廃止済みサービスとしてサービス・カタログから除外される。
　ウ　サービスオペレーション段階で実行されているサービスは，サービス・カタログに収録される。　　　　　　　　　　　　　　　　　　　　　　　　　　　　《解答》エ

問6　☑□
　　　　□□　アプリケーションサービス供給，インソーシング，パートナシップ，ビジネスプロセスアウトソーシングの長所と短所に関する記述のうち，ビジネスプロセスアウトソーシングはどれか。　　　　　　　　　　　　（H24問15）

ア　サービスを採用する組織にとって，共有ソフトウェアの複雑性とコストが低減できるという長所があるが，提供されたサービスを単に利用するだけで，サービス提供者のナレッジは利用できないという短所がある。
イ　サービスを採用する組織にとって，異なる複数の専門能力や市場機会を戦略的に活用できるという長所があるが，プロジェクトが複雑になり，知的所有権の保護が複雑になるという短所がある。
ウ　サービスを採用する組織にとって，専門スキルが低コストで利用できるという長所があるが，事業上のナレッジを喪失するリスクが存在するという短所がある。
エ　自社の方針やプロセスを熟知しているので，組織間で意思疎通がしやすいという長所があるが，利用可能な要員数やスキルなどによって，時期や成果が左右されるという短所がある。

問6　解答解説

　サービスの供給モデルに関する問題である。サービスの供給モデルには，インソーシング，アウトソーシング，コソーシング，パートナシップ，アプリケーションサービス供給，ビジネスプロセスアウトソーシング，ナレッジプロセスアウトソーシングなどがある。サービス

の設計内容は，選択する供給モデルによって大きく左右される。

> ・インソーシング…サービスの供給に外部委託を行わず，組織内部のリソースだけを活用するモデル
> ・アウトソーシング…サービスの供給に外部のリソースを活用するモデル
> ・コソーシング…複数のアウトソーシング組織と連携してサービスを供給するモデル
> ・パートナシップ（またはマルチソーシング）…複数のアウトソーシング組織と連携してサービスを供給するのはコソーシングと同じであるが，市場の拡大や変化への戦略的な対応が含まれる。
> ・アプリケーションサービス供給…アプリケーションサービスプロバイダ（ASP）からアプリケーション機能の供給を受けるサービス供給モデル
> ・ビジネスプロセスアウトソーシング（BPO：Business Process Outsourcing）…コールセンタ業務を委託するなど，組織のある業務機能の全体を外部委託するサービス供給モデル。専門のビジネススキルを低コストで利用できるが，自社の事業上のナレッジの蓄積にはならない。
> ・ナレッジプロセスアウトソーシング（KPO：Knowledge Process Outsourcing）…BPOの進化形であり，外部組織からビジネスプロセスだけでなく，高度な専門知識（ナレッジ）の供給を受けるサービス供給モデル

ア　アプリケーションサービス供給に関する説明である。
イ　パートナシップに関する説明である。
エ　インソーシングに関する説明である。　　　　　　　　　　　　《解答》ウ

問7 ☑□□□　ITIL 2011 editionによれば，"サービス資産管理および構成管理"のプロセスにおける，構成コントロールが適切に行われないことによって発生する事象として，最も適切なものはどれか。　　　　　　　(R3問7)

ア　許可なく実施された，リリースの稼働環境への展開
イ　構築環境に存在する修正中のプログラムをパッケージ化したリリースの，稼働環境への展開
ウ　不具合のあるリリースの，稼働環境への展開
エ　ライセンス契約数を超えて行われる，ソフトウェアの利用

問7　解答解説

ITIL®の"サービス資産管理および構成管理"のプロセスにおいて，コントロールすべき構成要素は構成アイテム（CI：Configuration Item）と呼ばれる。CIの属性には，名称，

CIタイプ（ハードウェアCI，ソフトウェアCI等），場所，提供日のほかにバージョン情報やライセンス情報が含まれる。したがって構成コントロールが適切に行われないと，「ライセンス契約数を超えて行われる，ソフトウェアの利用」という事象が起こりうる。

ア～ウ　リリース管理および展開管理のプロセスにおいて，リリースに対するコントロールが適切に行われないことによって発生しうる事象である。　　　　　　　《解答》エ

問8　☑□
　　□□　ITIL 2011 editionにおいて，良い目標値を設定するための条件として"SMART"がある。"S"はSpecific（具体的），"M"はMeasurable（測定可能），"R"はRelevant（適切），"T"はTime-bound（適時）の頭文字である。"A"は何の頭文字か。　　　　　　　　　　　　　　　　（H30問1）

ア　Achievable（達成可能）　　　　イ　Ambitious（意欲的）

ウ　Analyzable（分析可能）　　　　エ　Auditable（監査可能）

問8　解答解説

ITIL®では，設定するサービスレベルの目標値は，Specific（具体的）であること，Measurable（測定可能）であること，Achievable（達成可能）であること，Relevant（適切）であること，およびTime-bound（適時）であることが必要である，としている。五つの単語の頭文字をとって"SMART"と呼ぶ。　　　　　　　　　　　　《解答》ア

問9　☑□
　　□□　サービスマネジメントにおいて，構成ベースラインを確立することによって可能になることはどれか。　　　　　　　　　　　　　　　　（R4問9）

ア　ITサービスの存続期間を通したパフォーマンスの変化の測定

イ　インシデントが発生したときの問題管理プロセスでの状況証拠の分析

ウ　構成監査及び切り戻しのための情報の提供

エ　サービスを機能させるために必要な最低限の利用可能レベルの定義

問9　解答解説

サービスマネジメントにおいて，ある時点での構成品目（CI）群のスナップショットを構成ベースラインという。構成ベースラインは，CIを追加する際の標準CIとして利用したり，障害発生時の切り戻しの復旧ポイントとして利用したり，構成監査を行う際の基準となる情報として利用したりする。よって，構成ベースラインを確立することによって可能になるのは，"ウ"の「構成監査及び切り戻しのための情報の提供」である。

ア，イ，エ　これらは，構成ベースラインを確立したからといって可能になるものではない。　　　　　　　　　　　　　　　　　　　　　　　　　　　　　　　　　　　《解答》ウ

問10 ☑□
□□　ITIL v3における変更諮問委員会（CAB）の役割の説明はどれか。

（H24問9）

ア　変更されたリリースパッケージの導入に対する最終承認を行う。

イ　変更に対する切り戻し計画とテスト計画の作成を行う。

ウ　変更の許可を支援し，変更の評価と優先度付けにおいて変更管理を援助する。

エ　変更要求の受領及び登録を行い，非現実的な要求は却下する。

問10　解答解説

ITIL® における変更諮問委員会（CAB：Change Advisory Board）とは，提出されたRFC（変更要求）を評価し，変更のアセスメント，優先度付け，およびスケジューリングにおいて変更マネージャに助言を与える組織である。CABは，顧客（経営者層）の代表，ユーザ（サービスの利用者）の代表，技術的専門家，外部サプライヤなど，部門横断型の階層から招集され，RFCをビジネスの観点から評価する。ただし，RFCの最終承認やそれに基づく変更計画の作成を直接行う組織ではない。

　　ア　許可された変更を本番環境に実装する単位をリリースユニットといい，複数のリリースユニットをまとめたものをリリースパッケージという。リリースをどのような単位でどのように実装するかを決めるのは，リリース管理の役割であることから，リリースパッケージの導入に対する最終承認を行うのは，リリースマネージャの役割である。

　　イ　変更に対する切り戻し計画とテスト計画の作成は，変更管理が行う。よって，これらの作成について責任を持つのは，変更マネージャである。

　　エ　変更要求の受領および登録を行い，非現実的な要求を却下するのは，変更マネージャの役割である。　　　　　　　　　　　　　　　　　　　　　　　　　　《解答》ウ

問11 ☑□
□□　ITILでは，リスクを管理する際のフレームワークの一つとして，Risk ITフレームワークを取り上げている。Risk ITフレームワークの説明はどれか。

（H27問1）

ア　“原則”，“アプローチ”，“プロセス”，“組込みとレビュー”の四つの概念に基づくフレームワークを適用し，プロセスは“識別”，“評価”，“計画”，“実施”のステップに従ってリスクを管理する。

イ　“コミュニケーショシ及び協議”，“組織の状況の確定”，“リスクアセスメント”，“リスク対応”，“モニタリング及びレビュー”の五つのプロセスに基づき，リスクを管

理する。

ウ　"リスクガバナンス"，"リスク評価"，"リスク対応"の三つの領域において，事業目標と関連付けて，リスクを管理する。

エ　"リスクマネジメントは，不確かさに明確に対処する"といったリスクマネジメントの11の原則を遵守して，効果的にリスクを管理する。

問11　解答解説

　Risk ITフレームワークとは，ISACA（情報システムコントロール協会）が策定した，ITに関わるリスクの効果的なガバナンスや管理のためのフレームワークである。

　Risk ITフレームワークでは，"リスクガバナンス"，"リスク評価"，"リスク対応"の三つの領域の中に，それぞれ三つずつの主要なプロセスが提示されている。"リスクガバナンス"において企業にリスク管理の仕組みを確立し，"リスク評価"においてITに関わるリスクが事業に基づいて識別・評価される仕組みを確立し，"リスク対応"において事業の優先度に基づいて費用対効果の高い方法でリスクが対処される仕組みを確立する。

　ITIL®では，リスク管理のアプローチとして，このRisk IT，M_o_R，ISO31000，ISO/IEC27001をとり上げている。

ア　英国OGC（Office of Government Commerce）によるM_o_R（Management of Risk）フレームワークに基づくリスクマネジメントの記述である。

イ・エ　ISO31000（JIS Q 31000）に基づくリスクマネジメントの記述である。

《解答》ウ

問12 　ITIL 2011 editionによれば，インシデント管理において，インシデント・モデルを定義しておくことによって得られるメリットはどれか。

(R4問7)

ア　インシデント管理プロセス及びその運用の，効率性と有効性を判断するための基準を明確にできる。

イ　過去のインシデントについて，履歴，カテゴリ，及び解決するために取られた処置を容易に参照できる。

ウ　繰り返し発生するインシデントに対して，事前に定義された経路で，事前に定義された時間枠内に対応できる。

エ　根本原因が判明していない問題に対する解決策を提供できる。

　インシデント・モデルは，特定の種類のインシデントに対して，とるべきプロセス，責任者，対応のために許容される時間，しきい値，エスカレーション手順などを事前に定義したものである。インシデント・モデルを定義しておくことで，同種のインシデントが発生した際に，事前に定義した経路で，事前に定義した時間枠内で対応することが可能になる。

- ア　インシデント管理の重要成功要因（CSF）や重要業績評価指標（KPI）を定義することによって得られるメリットである。
- イ　過去のインシデントの記録の充実によって得られるメリットである。すべてのインシデントはインシデント・レコードとして記録され，発生から完了までのライフサイクルが管理される。インシデント・レコードは，インシデントを管理する特定のデータベースもしくは構成管理システム（CMS：Configuration Management System）に格納される。
- エ　既知のエラーデータベース（KEDB：Known Error DataBase）を参照することによって得られるメリットである。　　　　　　　　　　　　　　　　《解答》ウ

問13 ☑□／□□　災害時における復旧対策の説明のうち，ウォームサイトのものはどれか。
(R6問10)

- ア　ITサービスが再開されるまで，手作業で業務を遂行する。
- イ　あらかじめシステムを稼働させるために必要な電源，ネットワークなどの設備を備えた拠点に，いつでも利用できる状態の本番環境と同じバックアップシステムを備えておき，災害時にはバックアップシステムに切り替えることでサービスを復旧する。
- ウ　あらかじめシステムを稼働させるために必要な電源，ネットワークなどの設備を備えた拠点に，本番環境とほぼ同じシステムを非稼働状態で待機させておき，災害時にはこのシステムを稼働させて復旧する。
- エ　あらかじめシステムを稼働させるために必要な電源，ネットワークなどの設備を備えた拠点を確保しておき，災害時には自社のコンピュータ機器を設置して，数日から数週間で復旧する。

　災害時における復旧対策として，バックアップサイトを準備しておく方法がある。このバックアップサイトの設置方式として，復旧までの時間が短い順にホットサイト，ウォームサイト，コールドサイトがある。

　ウォームサイトは，システムを稼働させるための拠点を確保しておき，必要な電源，ネッ

トワークなどの設備を備え，本番環境とほぼ同じシステムを用意して稼働せずに待機させておく。災害時にはこのシステムを立ち上げて復旧する方法である。

- ア　災害時にシステムを利用せず，手作業で業務を行う方法である。処理に長時間を要したり，ヒューマンエラーを誘発したりするおそれがある。
- イ　ホットサイトに関する記述である。
- エ　コールドサイトに関する記述である。　　　　　　　　　　　　　《解答》ウ

❷演習編

午前Ⅱ問題演習

問14 ☑□ □□ 　ITサービスマネジメントにおけるインシデントの段階的取扱い（エスカレーション）の種類のうち，階層的エスカレーションに該当するものはどれか。　　　　　　　　　　　　　　　　　　　　　　　（R元問6）

- ア　一次サポートグループでは解決できなかったインシデントの対応を，より専門的な知識をもつ二次サポートグループに委ねる。
- イ　現在の担当者では解決できなかったインシデントの対応を，広範にわたる関係者を招集する権限をもつ上級マネージャに委ねる。
- ウ　自分のシフト勤務時間内に完了しなかったインシデントの対応を，次のシフト勤務者に委ねる。
- エ　中央サービスデスクで受け付けたインシデントの対応を，利用者が属する地域のローカルサービスデスクに委ねる。

問14 　解答解説

　サービスデスク内（一次サポート）でインシデントを解決できない場合に，より高度な知識や権限を関与させ，二次サポート，三次サポートへと処置を依頼することを，エスカレーションまたは段階的取扱いという。エスカレーションには，機能的エスカレーションと階層的エスカレーションがある。このうち，現在の担当者では解決できなかったインシデントの対応を，広範にわたる関係者を招集する権限をもつ上級マネージャに委ねることを，階層的エスカレーションという。

- ア　機能的エスカレーションに該当する。
- ウ　シフト勤務者同士の仕事の引継ぎに関する記述である。
- エ　サービスデスク間でのインシデントの対応の委譲に関する記述である。　《解答》イ

問15 ☑□ □□ 　目標復旧時点（RPO）を24時間に定めているのはどれか。　（R元問7）

- ア　業務アプリケーションのリリースを展開するための中断時間を，24時間以内とする。

イ　業務データの復旧を，障害発生時点から24時間以内に完了させる。

ウ　業務データを，障害発生時点の24時間前以降の状態に復旧させる。

エ　中断したITサービスを24時間以内に復旧させる。

問15　解答解説

　目標復旧時点（RPO：Recovery Point Objective）とは，運用中のサービスが障害や災害などによって中断し，その後回復した時点で失われている可能性のある最大データ量をいい，サービス中断が起こるまでの時間で示される。つまり，サービス中断前のどの時点の状態までデータを戻せるかの目標値ということになる。"ウ"の記述は，"業務データを，障害発生時点の24時間前以降の状態に復旧させる"ことを目標としており，RPOを24時間に設定した記述に当たる。

　本問のようにRPOを24時間に設定した場合，障害発生時点の24時間前の状態のデータに戻るので，そこから障害発生までに発生した業務データは消失するのを許容することになる。よって，消失する分の業務データが業務再開のために必要であれば，再入力を行うなどして障害発生時点の状態までデータを復旧させるといった対策を検討する必要がある。

　ア　RPOの設定ではなく，リリースを展開するための中断時間の目標値を設定した記述である。

　イ　RPOの設定ではなく，業務データの復旧時間の目標値を障害発生時点から24時間以内に設定した記述である。

　エ　目標復旧時間（RTO：Recovery Time Objective）と呼ばれる，サービス復旧にかける時間の目標値を24時間以内に定めた記述である。　　　　　　　　　《解答》ウ

問16 ☑□
　　　　□□　サービス提供時間帯が毎日6時～20時のシステムにおいて，ある月の停止時間，修復時間及びシステムメンテナンス時間は次のとおりであった。この月のサービス可用性は何％か。ここで，1か月の稼働日数は30日であって，サービス可用性（％）は小数第2位を四捨五入するものとする。(R5問6)

〔停止時間，修復時間及びシステムメンテナンス時間〕
・システム障害によるサービス提供時間内の停止時間：7時間
・システム障害への対処に要したサービス提供時間外の修復時間：3時間
・サービス提供時間外のシステムメンテナンス時間：8時間

ア　95.7　　　　　イ　97.6　　　　　ウ　98.3　　　　　エ　99.0

問16　解答解説

サービス可用性（%）は，一般に，次の式で算出される。

$$サービス可用性＝\frac{AST－停止時間}{AST}×100$$

※AST（Agreed Service Time）：SLAや契約で合意したサービス時間

サービス提供時間外の修復時間やサービス提供時間外のシステムメンテナンス時間はサービス可用性の算出には関係しない。

1か月の稼働日数が30日，1日のサービス提供時間が6時～20時の14時間で，そのうちの停止時間が7時間であるから，この式に当てはめると，

$$サービス可用性＝\frac{14×30－7}{14×30}×100$$

$$＝98.3333…$$

$$≒98.3〔％〕$$

となる。　　　　　　　　　　　　　　　　　　　　　　　　　　　　　《解答》ウ

問17 ☑□□□

ITILでは，可用性管理におけるKPIの例として，保守性の指標である平均サービス回復時間（MTRS）の短縮を挙げている。年間5,020時間提供するサービスにおいて，6時間のサービス停止が1回と14時間のサービス停止が1回の合計2回のサービス停止があった。MTRSは何時間か。

(H28問12)

ア　10　　　　　イ　20　　　　　ウ　2,500　　　　　エ　2,510

問17　解答解説

平均サービス回復時間（MTRS：Mean Time to Restore Service）とは，サービスやコンポーネント，構成アイテムなどが使用不能である時間であり，次式で求められる。

$$MTRS＝\frac{停止時間}{中断の回数}$$

年間5,020時間提供するサービスにおいて，6時間のサービス停止が1回と14時間のサービス停止が1回発生しているので，停止時間は合計20時間，中断の回数は2回となる。これを前述の式に当てはめると，

$$MTRS＝\frac{20}{2}$$

$$＝10（時間）$$

となる。　　　　　　　　　　　　　　　　　　　　　　　　　　　　《解答》ア

☑□
□□ ITサービスマネジメントの容量・能力管理において，将来のコンポーネント，並びにサービスの容量・能力及びパフォーマンスの予想は，採用する技法及び技術に応じて様々な方法で行われる。予想するに当たって，モデル化の第一段階として，現在達成されているパフォーマンスを正確に反映したモデルを作成することを何と呼ぶか。 (H30問11)

ア　傾向分析　　　　　　　イ　シミュレーションのモデル化
ウ　分析モデル化　　　　　エ　ベースラインのモデル化

問18　解答解説

ITサービスマネジメントの容量・能力管理は，ITIL®ではキャパシティ管理にあたる。キャパシティ管理においては，将来のコンポーネント，サービスのキャパシティ，パフォーマンスなどを予想するが，その予想にあたって，さまざまな方法でモデル化を行う。モデル化は，次の4段階で行われる。

• 第1段階：ベースラインのモデル化
　これは，現在達成されているパフォーマンスを正確に反映するベースライン・モデルを作成する作業である。この作業によって，起こりうる障害や変更の結果の精度が信頼できるものになる。

• 第2段階：傾向分析
　キャパシティ管理プロセスによって収集されたリソースの利用状況やサービスのパフォーマンスについて，傾向分析や予測を行う。この作業には，スプレッドシート，グラフなどが用いられる。

• 第3段階：分析モデル化
　待ち行列理論などの数学的技法を利用して，コンピュータシステムの動作をモデル化する。一般に，分析モデル化では，ソフトウェアパッケージを用いて，コンポーネントの使用率を待ち行列理論に当てはめ，応答時間などを予測する。

• 第4段階：シミュレーションのモデル化
　任意のハードウェア構成に対して発生するイベントをシミュレーションし，モデル化する。この作業によって，アプリケーションのサイジングや変更における影響に関する精度の高い予測ができる。

ア　傾向分析は，モデル化の第2段階で行われる。
イ　シミュレーションのモデル化は，モデル化の第4段階で行われる。
ウ　分析モデル化は，モデル化の第3段階で行われる。　　　　　　《解答》エ

2 JIS Q 20000

問19 ☑□
□□ JIS Q 20000-1：2020（サービスマネジメントシステム要求事項）によれば，サービスマネジメントシステム（SMS）における継続的改善の説明はどれか。 (R3問1)

ア　意図した結果を得るためにインプットを使用する，相互に関連する又は相互に作用する一連の活動

イ　価値を提供するため，サービスの計画立案，設計，移行，提供及び改善のための組織の活動及び資源を，指揮し，管理する，一連の能力及びプロセス

ウ　サービスを中断なしに，又は合意した可用性を一貫して提供する能力

エ　パフォーマンスを向上するために繰り返し行われる活動

問19　解答解説

　JIS Q 20000-1：2020では，「3　用語及び定義」にこの規格で用いる主な用語及び定義が記されている。サービスマネジメントシステム（SMS）における継続的改善は，「3.1.4　継続的改善（continual improvement）」において「パフォーマンスを向上するために繰り返し行われる活動」と定義されている。よって，"エ"が適切である。

　なお，ここでのパフォーマンスとは，「3.1.16　パフォーマンス（performance）」に定義された「測定可能な結果」のことである。

　ア　「3.1.18　プロセス（process）」に定義された，プロセスの説明である。

　イ　「3.2.22　サービスマネジメント（service management）」に定義された，サービスマネジメントの説明である。

　ウ　「3.2.19　サービス継続（service continuity）」に定義された，サービス継続の説明である。 《解答》エ

問20 ☑□
□□ JIS Q 20000-1:2020（サービスマネジメントシステム要求事項）によれば，"リスク及び機会への取組み"において，サービスマネジメントシステムの計画を策定するとき，組織は，取り組む必要があるリスク及び機会を決定しなければならない。リスク及び機会を決定する目的として，適切なものはどれか。 (R5問2)

ア　サービスマネジメントシステム及びサービスに必要な資源が利用可能であることを確実にする。

イ　サービスマネジメントシステムが，その意図した成果を達成できるという確信を
　与える。

ウ　サービスマネジメント方針と整合するサービスマネジメントの目的を確立する。

エ　設定されたパフォーマンス基準に従ってプロセスの管理を実施する。

問20　解答解説

　JIS Q 20000-1:2020（サービスマネジメントシステム要求事項）では，「6　計画」の「6.1
リスク及び機会への取組み」において，

　　　「6.1.1　SMSの計画を策定するとき，組織は，……次の事項のために取り組む必要
　　　があるリスク及び機会を決定しなければならない。
　　　a）SMSが，その意図した成果を達成できるという確信を与える。
　　　b）望ましくない影響を防止又は低減する。
　　　c）SMS及びサービスの継続的改善を達成する。」
　　　と規定している。

　つまりは，SMS（サービスマネジメントシステム）計画時において取り組むべきリスク
及び機会を決定する目的は，望ましくない影響を防止又は低減したりサービスを改善したり
するためだけではなく，関係者に成果を達成できるという意識を植え付けるためでもあると
いうことである。

ア　「5　リーダーシップ」の「5.1　リーダーシップ及びコミットメント」において，
　トップマネジメントに要求されている事柄である。

ウ　「6　計画」の「6.2.1　目的の確立」において，サービス提供組織に要求されている
　事柄である。

エ　「8　サービスマネジメントシステムの運用」の「8.1　運用の計画及び管理」にお
　いて，サービス提供組織に要求されている事柄である。　　　　　　　　　《解答》イ

問21　☑□／□□　JIS Q 20000-1：2020（サービスマネジメントシステム要求事項）に
　　　　　よれば，サービスマネジメントシステム（SMS）の支援に関する要求
　　　　　事項のうち，"意図した結果を達成するために，知識及び技能を適用する能力"
　　　　　に対するものはどれか。　　　　　　　　　　　　　　　　　　　　　（R6問1）

ア　サービスの運用に必要な人，技術，情報及び財務に関する資源を決定し，提供す
　る。

イ　サービスの運用を支援するために必要な知識を決定し，維持する。

ウ　組織の要員がサービスマネジメントの方針及び目的に関する認識をもつようにす
　る。

エ　適切な教育，訓練又は経験に基づいて，組織の管理下でSMS及びサービスのパフォーマンス及び有効性に影響を与える業務を行う人々が力量を備えていることを確実にする。

❷演習編

午前Ⅱ―問題演習

問21　解答解説

JIS Q 20000-1：2020（サービスマネジメントシステム要求事項）では「3　用語及び定義」でこの規格で用いる主な用語及び定義を示している。この中で，「意図した結果を達成するために，知識及び技能を適用する能力」は「3.1.2　力量」と定義づけられている。

そして，「7　サービスマネジメントシステムの支援」「7.2　力量」の中で，「組織は，次の事項を行わなければならない」とあり，a）～d）の4項目が挙げられている。このうち，a）には「SMS及びサービスのパフォーマンス及び有効性に影響を与える業務をその管理下で行う人々に必要な力量を決定する」，b）には「適切な教育，訓練又は経験に基づいて，それらの人々が力量を備えていることを確実にする」とある。これより，この記述に合致する"エ"が正解である。

ア　「7.1　資源」に関する記述である。
イ　「7.6　知識」に関する記述である。
ウ　「7.3　認識」に関する記述である。　　　　　　　　　　　　　《解答》エ

問22　☑□□□

JIS Q 20000-1:2020（サービスマネジメントシステム要求事項）によれば，組織は，サービスのライフサイクルに関与する他の関係者の評価及び選定のための基準を設定し，適用しなくてはならない。ここでいう"他の関係者"に該当する利害関係者の組みはどれか。　　　（R5問1）

ア　外部供給者，外部顧客，利用者
イ　外部供給者，供給者として行動する顧客，内部供給者
ウ　外部顧客，供給者として行動する顧客，内部顧客
エ　内部供給者，内部顧客，利用者

問22　解答解説

JIS Q 20000-1:2020（サービスマネジメントシステム要求事項）では，「8　サービスマネジメントシステムの運用」の「8.2.3　サービスのライフサイクルに関与する関係者の管理」の8.2.3.1において，「組織は，サービスのライフサイクルに関与する他の関係者の評価及び選定のための基準を決定し，適用しなければならない。他の関係者は，外部供給者，内部供給者又は供給者として行動する顧客のいずれでもあり得る」と規定している。つまりは，供給者となり得る者全般を対象としている。　　　　　　　　　　　《解答》イ

問23 ☑□□□ 　サービスマネジメントの"事業関係管理"において，サービス提供者が実施すべき活動はどれか。　　　　　　　　　　　　　　　　(R6問3)

ア　外部供給者が提供又は運用するサービス，サービスコンポーネント，プロセス又はプロセスの一部に関する適用範囲を含めた契約文書を作成し，外部供給者と合意する。

イ　サービスの顧客，利用者及び他の利害関係者を特定し，文書化し，顧客及び他の利害関係者との間にコミュニケーションのための取決めを確立する。

ウ　提供する各サービスについて，文書化したサービスの要求事項に基づいて，一つ以上のSLAを顧客と合意する。

エ　内部供給者又は供給者として行動する顧客に対して，サービスレベル目標，他のコミットメント，活動及び関係者間のインタフェースを定義するための合意文書を作成し，合意し，維持する。

問23 　解答解説

JIS Q 20000-1:2020（サービスマネジメントシステム要求事項）の「8.3.2　事業関係管理」には，次のように書かれている。

> ・サービスの顧客，利用者及び他の利害関係者を特定し，文書化しなければならない。組織は，顧客関係を管理し，顧客満足を維持する責任をもつ者を一人以上指名しなければならない。
> ・組織は，顧客及び他の利害関係者との間にコミュニケーションのための取決めを確立しなければならない。

よって，"イ"が"事業関係管理"において実施すべき活動に当たる。

ア　「8.3.4.1　外部供給者の管理」に関する記述である。
ウ　「8.3.3　サービスレベル管理」に関する記述である。
エ　「8.3.4.2　内部供給者及び供給者として行動する顧客の管理」に関する記述である。

《解答》イ

問24 ☑□□□ 　JIS Q 20000-1：2020（サービスマネジメントシステム要求事項）によれば，組織は，サービスレベル目標に照らしたパフォーマンスを監視し，レビューし，顧客に報告しなければならない。レビューをいつ行うかについて，この規格はどのように規定しているか。　　　　　(R3問3)

ア　SLAに大きな変更があったときに実施する。

イ　あらかじめ定めた間隔で実施する。

ウ　間隔を定めず，必要に応じて実施する。

エ　サービス目標の未達成が続いたときに実施する。

問24　解答解説

　JIS Q 20000-1：2020では，「8.3.3　サービスレベル管理」の要求事項として，「あらかじめ定めた間隔で，組織は，次の事項を監視し，レビューし，報告しなければならない」とあり，「次の事項」として「a) サービスレベル目標に照らしたパフォーマンス」と「b) SLAの作業負荷限度と比較した，実績及び周期的な変化」の二つを挙げている。よって，"イ"が適切である。

　　ア　サービスのパフォーマンスは，様々な要因によって常に変化するものであり，SLAに大きな変更があったときに限らず，定期的にレビューを行って状況を確認すべきである。よって適切ではない。

　　ウ　間隔を定めず，必要に応じてレビューを実施するとした場合，モニタリングの間隔が人の主観に依存することになり，場合によってはパフォーマンスの変化に気付けないおそれがある。よって適切ではない。

　　エ　「8.3.3　サービスレベル管理」には，「サービスレベル目標が達成されていない場合，組織は，改善のための機会を特定しなければならない」とある。改善のための機会を特定するには，サービス目標の未達成が続くよりも前にレビューを行い，その状況を把握する必要がある。よって適切ではない。　　　　　　　　　　　　　　　　　《解答》イ

問25 ☑□
　　　□□　JIS Q 20000-1：2020（サービスマネジメントシステム要求事項）によれば，"監視，測定，分析及び評価"の活動において，サービスの有効性は何に照らして評価すべきか。　　　　　　　　　　　　　（R5問5）

ア　サービスの要求事項

イ　サービスマネジメントシステムに関して，組織自体が規定した要求事項

ウ　サービスマネジメントシステムに関する外部及び内部の課題の変化

エ　サービスマネジメントの目的の達成状況

問25　解答解説

　JIS Q 20000-1：2020（サービスマネジメントシステム要求事項）では，「9　パフォーマンス評価」の「9.1　監視，測定，分析及び評価」の中で，「組織は，サービスの要求事項に照らして，サービスの有効性を評価しなければならない」としている。よって，"ア"が正解である。

イ 「9.2 内部監査」の内容である。9.2.1において，「SMS（サービスマネジメントシステム）に関して，組織自体が規定した要求事項」に適合している状況にあるか否かに関する情報を提供するために，「あらかじめ定めた間隔で内部監査を実施しなければならない」とある。

ウ 「9.3 マネジメントレビュー」の内容である。9.3において，マネジメントレビューにおいて考慮しなければならない事項の一つとして，「SMSに関連する外部及び内部の課題の変化」が挙げられている。

エ 「9.3 マネジメントレビュー」の内容である。9.3において，マネジメントレビューにおいて考慮しなければならない事項の一つとして，「サービスマネジメントの目的の達成」が挙げられている。 《解答》ア

問26 ☑□□□ JIS Q 20000-1:2020（サービスマネジメント要求事項）によれば，内部監査の要求事項のうち，適切なものはどれか。 (R6問5)

ア 各監査について，監査の基準及び監査範囲を明確にする。

イ 監査は，新しいリスク又はその他の問題が発見されたときに実施する。

ウ 監査を受ける業務を担当する要員の中から，適切な知識を有する人を監査員に選定する。

エ 前回までの監査の結果を考慮せずに，監査プログラムを計画する。

問26 解答解説

JIS Q 20000-1:2020（サービスマネジメント要求事項）の「9.2 内部監査」において，「各監査について，監査の基準及び監査範囲を明確にする」ことがサービス提供組織に求められている。

イ 9.2.1に，「あらかじめ定めた間隔で内部監査を実施しなければならない」とある。

ウ 9.2.2に「監査プロセスの客観性及び公平性を確保するために，監査員を選定し，監査を実施する」とある。したがって，監査を受ける業務を担当する要員を監査人に選定することはふさわしくない。

エ 9.2.2に監査プログラムを計画する際に考慮に入れるべき事項として，「関連するプロセスの重要性」，「組織に影響を与える変更」，「前回までの監査の結果」が挙げられている。 《解答》ア

3　運用管理

問27 ☑□
□□
次の処理条件でサーバ上のファイルを磁気テープにバックアップする
とき，バックアップの運用に必要な磁気テープは何本か。　　　(H24問12)

〔処理条件〕

(1)　毎月初日（1日）にフルバックアップを取る。フルバックアップは1回につき1
本の磁気テープを必要とする。

(2)　フルバックアップを取った翌日から次のフルバックアップまでは，毎日，差分バ
ックアップを取る。差分バックアップは，差分バックアップ用として別の磁気テー
プに追記し，1か月分が1本に記録できる。

(3)　常に6か月前の同一日までのデータについて，指定日の状態にファイルを復元で
きることを保証する。ただし，6か月前の同一日が存在しない場合は，当該月の月
末日以降のデータについて，指定日の状態にファイルを復元できることを保証する
（例：本日が10月31日の場合は，4月30日以降のデータについて，指定日の状態に
ファイルを復元できることを保証する）。

ア　12　　　　　イ　13　　　　　ウ　14　　　　　エ　15

問27　解答解説

　提示された処理条件を満たすためには，当月からさかのぼって6か月前までの7か月分の
フルバックアップおよび差分バックアップが必要となる。各月のフルバックアップ用，差分
バックアップ用にはそれぞれ磁気テープが1本ずつ必要なので，全部で

　　　7＋7＝14〔本〕

が必要となる。

　例えば，本日を10月31日とし，4月30日時点の状態にファイルを復元することを考えた
場合，4月，5月，6月，7月，8月，9月，10月分の7本のフルバックアップ用の磁気
テープと，同じく7本の差分バックアップ用の磁気テープが必要となる。　　　《解答》ウ

問28 ☑□
□□
データの追加・変更・削除が，少ないながらも一定の頻度で行われる
データベースがある。このデータベースのフルバックアップを磁気テー
プに取得する時間間隔を今までの2倍にした。このとき，データベースのバ

　　　　　ックアップ又は復旧に関する記述のうち，適切なものはどれか。　　(R5問11)

ア　復旧時に行うログ情報の反映の平均処理時間が約2倍になる。
イ　フルバックアップ取得1回当たりの磁気テープ使用量が約2倍になる。
ウ　フルバックアップ取得1回当たりの磁気テープ使用量が約半分になる。
エ　フルバックアップ取得の平均処理時間が約2倍になる。

問28　解答解説

　バックアップの周期（時間間隔）が2倍になると，バックアップを取得してから次のバックアップを取得するまでの追加・変更・削除の回数が約2倍となるため，ログ情報の量も約2倍になる。したがって，ログの更新後情報を使用してデータベースをロールフォワードで復旧する場合も，その平均復旧処理時間は約2倍かかることになる。

　　イ〜エ　フルバックアップは，データベースの全データをバックアップする方法である。
　　　　　フルバックアップ取得の時間間隔を2倍にしても，データベースの全データ量が2倍に
　　　　　なったり半分になったりすることはないので，バックアップに必要な磁気テープ使用量
　　　　　やバックアップ取得にかかる時間が，約2倍になったり約半分になったりするとはいえ
　　　　　ない。　　　　　　　　　　　　　　　　　　　　　　　　　　　　　　　　《解答》ア

問29 ☑□□□　RAIDにおいて，信頼性向上ではなく，性能向上だけを目的としたものはどれか。　　　　　　　　　　　　　　　　　　　　　　　　　　　（H23問5）

ア　RAID0　　　　イ　RAID1　　　　ウ　RAID3　　　　エ　RAID5

問29　解答解説

　RAID0では，磁気ディスク装置に書き込むデータを一定の長さに分割し，複数のディスクに並列に書き込むストライピングという技術によって，ディスクアクセスの高速化を図ることができる。データの読込みや書込みの性能は向上するが，冗長情報を持たないため，信頼性の向上には寄与しない。

> ・RAID1…ミラーリングによって信頼性向上を実現している
> ・RAID3，RAID5…ストライピングによって性能向上を実現し，パリティビットの生成・格納によって信頼性向上を実現している

《解答》ア

問30 ☑□
□□
システムの改善に向けて提出された案1～4について，評価項目を設定して採点した結果を，採点結果表に示す。効果及びリスクについては5段階評価とし，それぞれの評価項目の重要度に応じて，重み付け表に示すとおりの重み付けを行った上で，次の式で総合評価点を算出する。総合評価点が最も高い改善案はどれか。 (R元問5)

〔総合評価点の算出式〕

総合評価点 ＝ 効果の総評価点 － リスクの総評価点

採点結果表

評価項目		案1	案2	案3	案4
効果	作業コスト削減	5	4	2	4
	システム運用品質向上	2	4	2	5
	セキュリティ強化	3	4	5	2
リスク	技術リスク	4	1	5	1
	スケジュールリスク	2	4	1	5

重み付け表

評価項目		重み
効果	作業コスト削減	3
	システム運用品質向上	2
	セキュリティ強化	4
リスク	技術リスク	3
	スケジュールリスク	8

ア 案1　　イ 案2　　ウ 案3　　エ 案4

問30　解答解説

案1～案4の総合評価点を，与えられた総合評価点の算出式に当てはめて求める。このと

き，効果の総評価点，リスクの総評価点は，採点結果表中の各案の採点結果の値に，重み付け表中のそれぞれの評価項目の重要度に応じて設定された重みを掛けて求める。

　　総合評価点＝効果の総評価点－リスクの総評価点
　　案1　（5×3＋2×2＋3×4）－（4×3＋2×8）＝3
　　案2　（4×3＋4×2＋4×4）－（1×3＋4×8）＝1
　　案3　（2×3＋2×2＋5×4）－（5×3＋1×8）＝7
　　案4　（4×3＋5×2＋2×4）－（1×3＋5×8）＝－13
　これより，最も総合評価点の高い改善案は，総合評価点が7の案3となる。　　《解答》ウ

問31 ☑□
　　　　□□
情報システムの設計の例のうち，フェールソフトの考え方を適用した例はどれか。　　　　　　　　　　　　　　　　　　　　　（R5問3）

ア　UPSを設置することによって，停電時に手順どおりにシステムを停止できるようにする。

イ　制御プログラムの障害時に，システムの暴走を避け，安全に運転を停止できるようにする。

ウ　ハードウェアの障害時に，パフォーマンスは低下するが，構成を縮小して運転を続けられるようにする。

エ　利用者の誤操作や誤入力を未然に防ぐことによって，システムの誤動作を防止できるようにする。

問31　解答解説

　フェールソフトとは，システムを構成する要素の一部に障害が発生したときに，その障害要素を切り離してシステム構成を縮小し，システムのパフォーマンスが低下してもシステムの運転を続行できるようにする，高信頼性設計の考え方である。

　　ア　フォールトトレランスに関する記述である。
　　イ　フェールセーフに関する記述である。
　　エ　フールプルーフに関する記述である。　　　　　　　　　　　　《解答》ウ

問32 ☑□
　　　　□□
レプリケーションが有効な対策となるものはどれか。　　（H25問5）

ア　悪意によるデータの改ざんを防ぐ。

イ　コンピュータウイルスによるデータの破壊を防ぐ。

ウ　災害発生時にシステムが長時間停止するのを防ぐ。

エ　操作ミスによるデータの削除を防ぐ。

問32　解答解説

　レプリケーションとは，複数のデータベース間で，オリジナルなデータベースの一部または全部を一定時間ごとにもう一方のデータベースに複写して同期をとる機能である。遠隔地に分散している分散データベース間でレプリケーションを行うと，災害発生時には，被災を免れたサイトのデータベースを用いて短時間でデータベースを復旧させることができる。

　ア　悪意によるデータの改ざんを防ぐには，適切なアクセス権を設定することが有効である。
　イ　コンピュータウイルスによるデータの破壊を防ぐには，ウイルス対策ソフトの導入が有効である。
　エ　操作ミスによるデータの削除を防ぐには，フールプルーフ設計が有効である。

《解答》ウ

問33　☑□　基幹業務システムの構築及び運用において，データ管理者（DA）と
　　　　□□　データベース管理者（DBA）を別々に任命した場合のDAの役割として，適切なものはどれか。　　　　　　　　　　　　　　　　　　　　　　　　　　（R6問11）
ア　業務データ量の増加傾向を把握し，ディスク装置の増設などを計画して実施する。
イ　システム開発の設計工程では，主に論理データベース設計を行い，データ項目を管理して標準化する。
ウ　システム開発のテスト工程では，主にパフォーマンスチューニングを担当する。
エ　システム障害が発生した場合には，データの復旧や整合性のチェックなどを行う。

問33　解答解説

　DAとDBAを別々に任命する場合，
　　　　DA：データベースで扱うデータのスキーマ（枠組み），論理構造について管理責任を持つ
　　　　DBA：システムとしてのデータベース運用管理に責任を持つ
という分担がなされる。
　システム開発の設計工程においては，DAが論理データベース設計や標準化の作業を行い，DBAがそれを受けてデータベースの実装を意識した物理（内部）設計を行う。よって"イ"がDAの役割にあたる。

　ア，ウ，エ　DBAの役割に関する記述である。　　　　　　　　　　　　《解答》イ

問34 ☑□ □□ データベースのロールバック処理の説明はどれか。　　　(H28問13)

ア　ログの更新後情報を用いて，トランザクション開始後の障害直前の状態にデータを復元させる。

イ　ログの更新後情報を用いて，トランザクション開始直前の状態にデータを復元させる。

ウ　ログの更新前情報を用いて，トランザクション開始後の障害直前の状態にデータを復元させる。

エ　ログの更新前情報を用いて，トランザクション開始直前の状態にデータを復元させる。

問34　解答解説

　ロールバック処理とは，ログの更新前情報を使用し，障害発生時点から直前のコミット処理終了時点の状態（トランザクション開始直前の状態）にデータを復元（後退復帰）させる処理である。ロールバック処理によって，そのトランザクションが行ったメモリ上の更新操作が取り消される。

　　ア　ロールフォワード処理の説明である。

　　イ　ログの更新後情報を用いて，トランザクション開始直前の状態にデータを復元させることはできない。ロールバック処理では，ログの更新後情報ではなく，更新前情報を使用する。

　　ウ　ログの更新前情報を用いて，トランザクション開始後の障害直前の状態にデータを復元させることはできない。ロールフォワード処理では，ログの更新前情報ではなく，更新後情報を使用する。　　　　　　　　　　　　　　　　　　　　　《解答》エ

問35 ☑□ □□ システム障害が発生したときにシステムを初期状態に戻して再開する方法であり，更新前コピー又は更新後コピーの前処理を伴わないシステム開始のことで，初期プログラムロードとも呼ばれるものはどれか。

(H27問13)

ア　ウォームスタート　　　　イ　コールドスタート
ウ　ロールバック　　　　　　エ　ロールフォワード

問35　解答解説

コールドスタートとは，機器の電源を落としてシステムをいったん初期状態に戻した後，再起動させるシステム回復方法である。初期プログラムロードとも呼ばれる。再起動にかかる時間は，後述のウォームスタートに比べて長くなる。

- ウォームスタート…システム機器の電源を切らず，システムを初期化せずメモリの内容を残してシステムを再起動させる回復方法
- ロールバック…ログファイルの更新前情報を用い，データベースを更新前の状態に回復する処理
- ロールフォワード…ログファイルの更新後情報を用い，コミット（確定）済みの更新をデータベースに反映させる処理

《解答》イ

問36 ☑□
□□

"24時間365日"の有人オペレーションサービスを提供する。シフト勤務の条件が次のとき，オペレーターは最少で何人必要か。　　　　(R5問12)

〔条件〕

(1) 1日に3シフトの交代勤務とする。

(2) 各シフトで勤務するオペレーターは2人以上とする。

(3) 各オペレーターの勤務回数は7日間当たり5回以内とする。

ア　8　　　　　　イ　9　　　　　　ウ　10　　　　　エ　16

問36　解答解説

"24時間365日"の有人オペレーションサービスを提供するために必要なオペレーターの人数を，シフト勤務の条件に従って求めていく。

❶ 「1日に3シフトの交代勤務とする」には，延べ3人／日のオペレーターが必要である。

❷ ❶に加えて「各シフトで勤務するオペレーターは2人以上とする」には，延べ3×2＝6人／日のオペレーターが必要である。

❸ ❶，❷に加えて「各オペレーターの勤務回数は7日当たり5回以内とする」には，6×7÷5＝8.4≒9人／週のオペレーターが必要である。週が変われば，同じオペレーターが働くことができるので，オペレーターは最少で9人必要となる。　　　　《解答》イ

問37 ☑□ □□ データセンタにおけるコールドアイルの説明として，適切なものはどれか。 (R元問15)

ア IT機器の冷却を妨げる熱気をラックの前面（吸気面）に回り込ませないための板であり，IT機器がマウントされていないラックの空き部分に取り付ける。

イ 寒冷な外気をデータセンタ内に直接導入してIT機器を冷却するときの，データセンタへの外気の吸い込み口である。

ウ 空調機からの冷気とIT機器からの熱排気を分離するために，ラックの前面（吸気面）同士を対向配置したときの，ラックの前面同士に挟まれた冷気の通る部分である。

エ 発熱量が多い特定の領域に対して，全体空調とは別に個別空調装置を設置するときの，個別空調用の冷媒を通すパイプである。

問37 解答解説

コールドアイル（cold aisle）とは，データセンタなどで空調機が送り出した冷気だけを集めた空間のことをいう。データセンタに設置されるサーバの多くは，前面から冷気を吸引し，後面から排熱する。したがって，ラックの前面（サーバの吸気面）側がコールドアイルになるように空調機を配置し，効率よく冷却できるようにしている。また，ラックを2列に並べて配置する場合は，ラックの前面（吸気面）同士が対向するように配置して，ラックの前面に挟まれた空間がコールドアイルになるようにし，後面からの熱排気と分離させる。熱排気の集まる後面の空間は，ホットアイル（hot aisle）という。

ア コールドアイルとホットアイルを分離する方法に関する記述である。
イ コールドアイルは，データセンタへの外気の吸い込み口ではない。
エ コールドアイルは，個別空調用の冷媒を通すパイプではない。 《解答》ウ

問38 ☑□ □□ 空調設備の送風方式の一つである床下空調方式の特徴として，最も適切なものはどれか。 (H21問15)

ア 機器の配置に合わせてダクトを設置する。

イ 送風の流れと暖気の上昇の流れが同じ方向であり，効率よく冷却できる。

ウ 適切にダクトを配置することによって，温度分布を均一化できる。

エ 取付けが簡単で工事費用が安いので，小型機用によく使われる。

問38 解答解説

　床下送風方式（床下空調方式）の場合，床下からの冷たい送風によって機器に溜まった暖気が天井側に上昇する流れを加速させ，効率良く機器を冷却させるという特徴がある。

ア　部屋全体を冷却する空調方式に関する記述である。
ウ　天井送風方式（オーバヘッド方式）と床下送風方式のどちらにもいえる内容である。
エ　小型空調設備の特徴に関する記述である。　　　　　　　　　　　　　《解答》イ

問39　☑□□□
雷サージによって通信回線に誘起された異常電圧から通信機器を防護するための装置はどれか。　(H23問13)

ア　IDF（Intermediate Distributing Frame）
イ　MCCB（Molded Case Circuit Breaker）
ウ　アレスタ
エ　避雷針

問39 解答解説

　アレスタは避雷器ともいい，雷サージによって発生する過電圧を接地面に逃がすことによって，電気設備や機器が絶縁破壊するのを防止する機器である。アレスタは雷サージのような異常な過電圧に対してのみ動作し，動作後は回路を元の正常な状態に戻す自己回復の機能を持っている。

- IDF（Intermediate Distributing Frame）…外部から引き込まれた通信回線を構内回線として二次的に分配する集合端子盤（中間配電盤）のことであり，耐雷機能は持っていない
- MCCB（Molded Case Circuit Breaker）…回路のショートや電気の使用量の異常などを自動で検出して，回路を遮断する配線用遮断器のこと
- 避雷針…建物や設備に雷を侵入させないための設備であり，雷による火災や破損を防ぐことができるが，雷に付随して発生する雷サージには効果がない。よって，建物内の電気設備や機器の保護には別途アレスタが必要になる

《解答》ウ

問40　☑□□□
JDCC（日本データセンター協会）が制定する"データセンターファシリティスタンダード"において，UPS設備の冗長性に関するティア基準がある。ティア3に該当する構成はどれか。ここで，ティア3は機器のメンテナンスなどによる一部設備の一時停止時においても，コンピューティン

グサービスを継続して提供できる冗長構成の設備を有するレベルである。また，システム構成として必要となる常用UPSの台数はNとする。　　(R4問13)

ア　2N　　　　イ　N　　　　ウ　N＋1　　　　エ　N＋2

問40　解答解説

　JDCC（日本データセンター協会）が制定する"データセンターファシリティスタンダード"は，クラウドサービスを提供するデータセンタなど，データセンタに求められるファシリティの水準について，ティア1からティア4までの4段階に分類し，段階別にデータセンタが備えるべき建物や設備の基準項目および推奨項目について詳細に定めた基準である。

　その中で，UPS設備の冗長性に関しては，システム構成として必要となる常用UPSの台数をNとした場合，ティア3ではN＋1とされている。ちなみにティア1及びティア2ではN，ティア4ではN＋2である。　　　　　　　　　　　　　　　　　　《解答》ウ

5　プロジェクトマネジメント

問41　☑□　プロジェクトZにおけるプロジェクトとステークホルダ各社の関係の
　　　□□　組合せのうち，適切なものはどれか。ここで関係の呼称は，PMBOKに
　　　従う。　　　　　　　　　　　　　　　　　　　　　　　　　　(H27問16)

〔プロジェクトZの説明〕
親会社A社のシステムを開発・保守・運用しているB社が，A社が吸収合併したC社の基幹システムをA社の基幹システムに統合するプロジェクトを立ち上げた。システム統合に伴う開発作業は，D社に委託することにした。

	プロジェクトとステークホルダ各社の関係		
	A 社	B 社	D 社
ア	顧客	納入者	母体組織
イ	顧客	母体組織	納入者
ウ	母体組織	顧客	納入者
エ	母体組織	納入者	顧客

問41　解答解説

PMBOKによる，顧客，納入者，母体組織の定義は次のとおりである。

〔PMBOKによる定義〕
・顧客…プロジェクトのプロダクト，サービス，または所産に対して支払いを行う個人または組織。母体組織の内部あるいは外部であったりする
・納入者…プロダクト，サービス，または所産の，組織への提供者またはサプライヤ
・母体組織…プロジェクトまたはプログラムの作業に最も直接的に関与する人員が所属する組織体
※所産…ある事象の結果として生み出されたもの，作り出したもの。成果物。

したがって，プロジェクトZを立ち上げ，プロジェクトに最も直接に関与するB社が母体組織であり，B社への支払いを行うA社は顧客である。また，B社から開発作業を委託されたD社は，B社への提供者であるので納入者となる。　　　　　　　　《解答》イ

問42　☑□
　　　□□　　　プロジェクトで必要な作業とメンバの関係を表したものはどれか。
　　　　　　　　　　　　　　　　　　　　　　　　　　　　　　　（H29問16）

ア　コロケーション　　　　　　イ　資源ヒストグラム
ウ　責任分担マトリックス　　　エ　プロジェクト憲章

問42　解答解説

責任分担マトリックスは，プロジェクトで必要な作業とプロジェクトメンバとをマトリックス形式で対応させ，その作業に対するメンバの役割を図示するものである。

・コロケーション…作業効率を高めるためにプロジェクトメンバを同じ場所で作業させること。プロジェクトの全期間を通じて行う場合も，重要な時期のみ行う場合もある
・資源ヒストグラム…プロジェクトの経過に応じて，プロジェクト全体や部門などで必要とする資源の量を週や月ごとに書き表した棒グラフ
・プロジェクト憲章…プロジェクトを公式に認可する文書

《解答》ウ

問43　☑□
　　　□□　　　アローダイアグラムで示す計画に基づいてシステム開発を進めたい。
　　　　　　各作業をそれぞれ最も早く開始するとき，必要となる人数の推移を表す

ものはどれか。ここで，アローダイアグラムのそれぞれの作業に付けられた
記述は，作業に必要な日数と，１日当たりの必要人数を表す。(H23春PM問4)

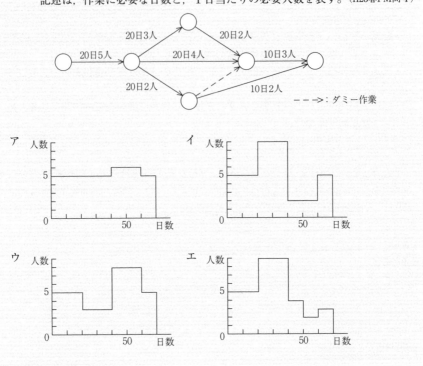

問43　解答解説

アローダイアグラムで示された工程において，必要となる人数の推移を考える。各作業に
次のように番号を振る。

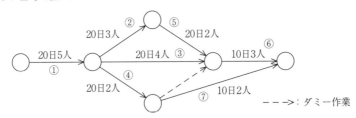

最初の20日間に必要となる人数：作業①の必要人数＝5人
21〜40日目までに必要な人数：作業②，作業③，作業④の必要人数の合計＝9人
41〜50日目までに必要な人数：作業⑤，作業⑦の必要人数の合計＝4人

　ここで，作業⑦は作業開始日の幅があるが，各作業は最も早く開始するという条件により，41日目から開始する。

　51～60日目までに必要な人数：作業⑤の必要人数＝2人

　61～70日目までに必要な人数：作業⑥の必要人数＝3人

　この必要人数の推移を表す図は，"エ"となる。　　　　　　　　　　　　　《解答》エ

問44 ☑□　プロジェクトの進捗管理をEVM（Earned Value Management）で行
□□ っている。コストが超過せず，納期にも遅れないと予想されるプロジェクトはどれか。ここで，それぞれのプロジェクトの開発の生産性は現在までと変わらないものとする。

(H26問16)

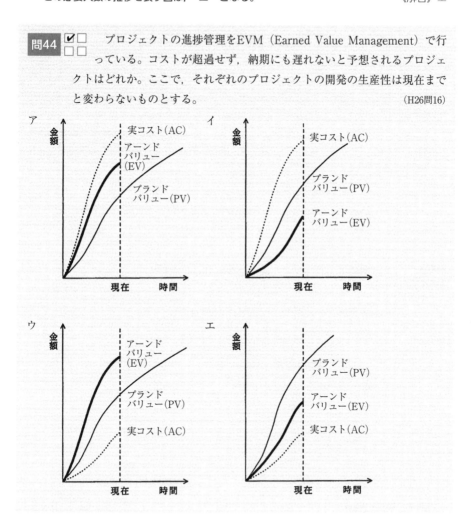

問44 解答解説

　プロジェクトの全作業を金銭価値に置き換えて，チェックポイントごとの達成予定額を設

定し，達成作業量を金銭価値に換算したものと比較することによって，プロジェクトの進捗管理を行う方法をEVM（Earned Value Management）という。アーンドバリュー（EV），実コスト（AC），プランドバリュー（PV）の大小関係から，そのプロジェクトのコスト面，スケジュール面での進捗状況を把握することができる。

コスト差異（CV）＝EV－AC

CV＞0……予算内

CV＜0……予算超過

スケジュール差異（SV）＝EV－PV

SV＞0……計画より早い

SV＜0……計画より遅い

つまり，現在の時点で，EV≧ACであるプロジェクトはコストが予算内に収まっていて，EV≧PVであるプロジェクトは納期に遅れがないことを表している。

プロジェクトの開発の生産性が今までと変わらないものとする場合，現時点で両方の条件を満たしている "ウ" が，コストが超過せず，納期にも遅れないと予想されるプロジェクトと判断できる。

ア　CV＜0，SV＞0であるため，コスト超過が懸念される。

イ　CV＜0，SV＜0であるため，コスト超過と納期遅延の両方が懸念される。

エ　CV＞0，SV＜0であるため，納期遅延が懸念される。　　　　　　　《解答》ウ

問45 ☑□ □□ 期間10日間のプロジェクトを，5日目の終了時にアーンドバリュー分析したところ，表のとおりであった。現在のコスト効率が今後も続く場合，完成時総コスト見積り（EAC）は何万円か。　　　　　　　　　(H27問17)

管理項目	金額（万円）
完成時総予算（BAC）	100
プランドバリュー（PV）	50
アーンドバリュー（EV）	40
実コスト（AC）	60

ア　110　　　　　イ　120　　　　　ウ　135　　　　　エ　150

問45　解答解説

アーンドバリュー分析は，作業状況とコストの進捗状況およびその結果を用いて今後の予測を分析するプロジェクト管理技法である。

完成時総コスト見積り（EAC）とは，計測時点のコストに基づいたプロジェクトの完了

日における総コストの見積りである。

EACは、「現在のコスト効率が今後も続く」と仮定した場合、次式で求めることができる。コスト効率指数（CPI）は、プロジェクトの開始から計測時点までの実コスト（AC）とアーンドバリュー（EV）の比率である。

$$EAC = AC + \frac{残りの作業}{CPI}$$

$$= AC + \frac{BAC - EV}{\dfrac{EV}{AC}}$$

問題で提示されている数値をこの式に代入すると、

$$60 + \frac{100 - 40}{\dfrac{40}{60}} = 60 + 90$$

$$= 150$$

が得られる。

《解答》エ

問46 ☑□ □□　プロジェクトのスケジュールを管理するときに使用する"クリティカルチェーン法"の特徴はどれか。　(H27問18)

ア　クリティカルパス上の作業に生産性を向上させるための開発ツールを導入する。

イ　クリティカルパス上の作業に要員を追加投入する。

ウ　クリティカルパス上の先行作業が終了する前に後続作業に着手し、並行して実施する。

エ　クリティカルパスを守るために、フィーディングバッファと所要期間バッファを設ける。

問46　解答解説

クリティカルチェーン（critical chain）法とは、イスラエルのエリヤフ・ゴールドラット（Eliyahu M. Goldratt）が提唱したTOC（Theory Of Constraints；制約条件の理論）に基づくプロジェクト管理手法であり、不確定要素の多いプロジェクトにおいて、人間の心理や行動特性などを踏まえて作業工程の全体最適化や作業期間の短縮を指向するものである。

プロジェクトにおいて実施すべき複数の作業の実行順序を考えるとき、作業をいくつかの工程に分けてネットワーク状に表し、ネットワークの開始から終了に向かう複数の経路のうち最も余裕期間がない経路をクリティカルパスというが、クリティカルチェーン法では、プロジェクトが思いどおりに進まない理由である"リソースの競合"を排除するために、従来のクリティカルパス法に作業間の従属関係を加味した工程管理を行う。作業を行うためのリソース（要員や設備など）が作業量に対して十分ではない場合、リソースの競合が生じ、本

来は並行で行える作業を順次行わなければならないという状況が生じる。例えば，A機能の設計とB機能の設計のどちらにもCさんの持つスキルが必要になる場合，A機能の設計が終了してからB機能の設計を開始しなければならなくなる，といった状況である。このとき，A機能の設計作業とB機能の設計作業には，従属関係があると考える。この従属関係も考慮に入れたうえで作業工程を考えるときの，最も余裕期間のない経路がクリティカルチェーンである。

　また，人（それぞれの作業タスクの作業者）は，作業の所要時間を見積もる際に，遅れが出ないようあらかじめ十分な余裕（安全時間）を確保しようとする特性があることに着目し，この余裕分（バッファ）を個々の作業タスク単位ではなくプロジェクト全体で集約して設定し（これをプロジェクトバッファ，または所要期間バッファという），かつ各作業タスクは50％の確率で終了する時間で見積もることによって，作業期間の大幅短縮を図る。また，クリティカルチェーン上にない作業タスクがクリティカルチェーンに合流する部分に安全時間（合流バッファ，またはフィーディングバッファ）を設ける。プロジェクトマネージャは，これらのバッファを調整し管理することで，全体最適な工程管理を行う。

ア　開発ツールを導入することによる生産性向上に関する記述である。
イ　クラッシングの説明である。
ウ　ファストトラッキングの説明である。　　　　　　　　　　　　　　　　《解答》エ

問47 ☑☐
　　　☐☐　プロジェクトマネジメントにおけるクラッシングの例として，適切なものはどれか。　　　　　　　　　　　　　　　　　　　　　　　（H30問18）

ア　クリティカルパス上のアクティビティが遅れたので，ここに人的資源を追加した。
イ　コストを削減するために，これまで承認されていた残業を禁止した。
ウ　仕様の確定が大幅に遅れたので，プロジェクトの完了予定日を延期した。
エ　設計が終わったモジュールから順に並行してプログラム開発を実施するように，スケジュールを変更した。

問47　解答解説

　クラッシングとは，プロジェクトのスケジュール短縮技法の一つである。最小の追加コストで，最大の期間短縮を得ることを目指すもので，資源の追加投入によって所要期間が短縮できる場合に効果がある。また，クリティカルパスとは，プロジェクトの複数の作業経路の中で，その経路（パス）に遅れが出ると，プロジェクト全体が遅れてしまうような，時間的余裕のない経路のことである。

　これらより，プロジェクト全体のスケジュールを短縮するには，クリティカルパス上の作業の期間を短縮しなければならない。よって，クリティカルパス上のアクティビティに人員を増強することは，クラッシングの適切な例である。

イ　クラッシングは，コスト削減の手法ではない。

ウ　クラッシングは納期を守るために期間短縮を図る手法である。

エ　作業を並行実施するのは，クラッシングではなく，ファストトラッキングである。

《解答》ア

❷演習編

午前Ⅱ―問題演習

問48 ☑□ □□　自動生産システムの増強に関する次のディシジョンツリーにおいて，新規にシステムを開発する場合の期待金額価値（EMV）は何億円か。

(H29問17)

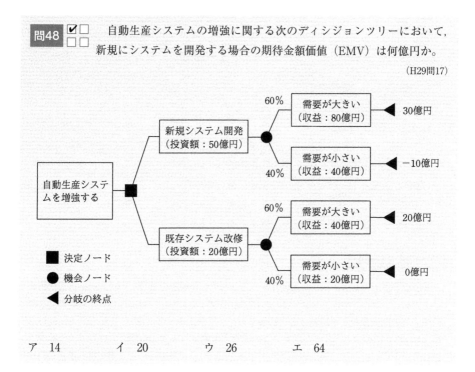

ア　14　　　　イ　20　　　　ウ　26　　　　エ　64

問48　解答解説

　期待金額価値（EMV）は，起こり得る場合ごとの効果額と発生確率の積の総和から投資額を減じたものである。

　したがって新規システム開発のEMVは，次の式で求められる。

　　80×0.6＋40×0.4－50＝14（億円）　　　　　　　　　　《解答》ア

問49 ☑□ □□　システムを開発するときの進捗管理と費用管理を同時に行うために，トレンドチャートを用いる。マイルストーンの予定の位置から実績の位置に結んだ矢印が垂直に下に向かっているときの進捗と費用に関する状況説明のうち，適切なものはどれか。

(H25問18)

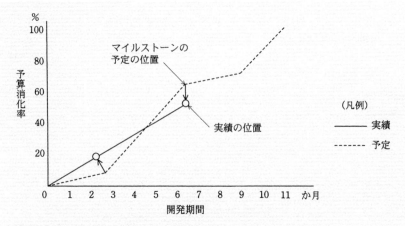

ア　進捗が予定どおりで，費用が予算を下回っている。

イ　進捗が予定どおりで，費用が予算を超過している。

ウ　進捗が予定より遅れ，費用が予算を超過している。

エ　進捗が予定より進み，費用が予算を下回っている。

問49　解答解説

　トレンドチャートは，システム開発を行うときの費用管理と進捗(しんちょく)管理を同時に行うための手法である。プロジェクトスケジュールにおけるマイルストーンが達成された時点で，その時点までの所要期間と予算消化率を評価する。予算消化の状態は縦（Y）軸で見て，進捗は横（X）軸で見るので，マイルストーンの予定の位置より実績の位置が低ければ，予算を下回っていることになり，高ければ予算を上回っていることになる。同じ高さなら予算どおりである。また，マイルストーンの予定位置より実績の位置が左にあれば，進捗が予定より早いことになり，右にあれば遅れていることになる。

　この問題では，マイルストーンの予定の位置に対して実績が垂直線上にあるので，その時点までに要した期間は予定どおり，すなわち進捗は予定どおりである。また，下に向かっているということは予算消化率が計画より低い，すなわち費用は予算を下回っている。

《解答》ア

問50 ☑□ □□
プロジェクトマネジメントで使用する分析技法のうち，感度分析の説明はどれか。
(R5問20)

ア　顕在化したときにプロジェクトの目標に与える影響が大きいリスクはどれかを分析する。

イ　個々の選択肢とそれぞれを選択した場合に想定されるシナリオの関係を図に表し，それぞれのシナリオにおける期待値を計算して，最善の策を選択する。

ウ　時間の経過に伴うプロジェクトのパフォーマンスの変動を分析する。

エ　発生した障害とその要因の関係を魚の骨のような図にして分析する。

問50　解答解説

　感度分析とは，いくつものリスクがプロジェクトの目標に影響を及ぼすとき，それぞれのリスクがプロジェクトに及ぼす影響を定量的に算定する分析である。この結果を示す代表的な方法にトルネード図がある。トルネード図は，リスクを影響度の大きい順に上から並べ，影響度合いを横軸で示す。

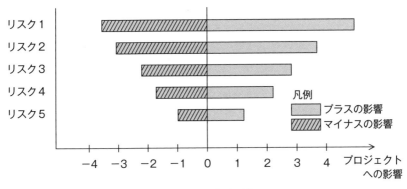

トルネード図の例

イ　デシジョンツリーによる期待金額価値分析の説明である。

ウ　傾向分析の説明である。

エ　QC七つ道具の一つである特性要因図の説明である。　　　　　　《解答》ア

6　セキュリティ

問51　☑□□□　UDPの性質を悪用したDDoS攻撃に該当するものはどれか。

(SC・H30秋問7)

ア　DNSリフレクタ攻撃　　　　　イ　SQLインジェクション攻撃

ウ　ディレクトリトラバーサル攻撃　エ　パスワードリスト攻撃

　DDoS（Distributed Denial of Service attack）攻撃は，ネットワーク上に分散させた多くのホストから攻撃対象サーバに対して一斉に攻撃を仕掛けることによって，サーバやネットワークを過負荷状態にしてサービスを妨害する攻撃である。3ウェイハンドシェイクでコネクションを確立するTCPと比較すると，UDPには送信元IPアドレスを偽装しやすいという性質がある。DNSリフレクタ攻撃は，このUDPの性質を悪用して，送信元IPアドレスを攻撃対象のDNSサーバのものに詐称したDNS問合せを多くのオープンリゾルバに対して送信し，その回答を一斉に攻撃対象のDNSサーバへ送り込むことによってサービスを妨害するDDoS攻撃である。

　そのほかの選択肢はいずれも，サーバやネットワークを過負荷状態にしてサービスを妨害することを目的とした攻撃ではないので，DDoS攻撃ではない。

- SQLインジェクション攻撃…SQLの特殊機能文字を利用して，プログラムが意図していないSQL文を実行する攻撃
- ディレクトリトラバーサル攻撃…ファイル名の指定に相対パスを利用して，プログラムが意図していないファイルにアクセスする攻撃
- パスワードリスト攻撃…複数のWebサイトでパスワードを使い回す利用者がいることを悪用して，あるWebサイトから入手したIDとパスワードのリストをもとに不正ログインを試みる攻撃

《解答》ア

問52　☑□　発信者がメッセージのハッシュ値からディジタル署名を生成するのに
　　　　□□　使う鍵はどれか。
（SC・H30春問7）

ア　受信者の公開鍵　　イ　受信者の秘密鍵
ウ　発信者の公開鍵　　エ　発信者の秘密鍵

　デジタル署名の基本手順は，以下のとおりである。

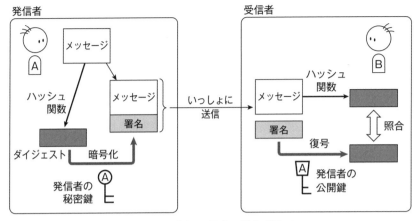

図 デジタル署名の基本手順

〔発信者の手順〕

[1] ハッシュ関数を用いて，メッセージからハッシュ値（ダイジェスト）を生成する。

[2] [1]のダイジェストを「発信者の秘密鍵」で暗号化して，デジタル署名を作成する。

[3] [2]のデジタル署名をメッセージとともに送信する。

〔受信者の手順〕

[4] ハッシュ関数を用いて，受信したメッセージからダイジェストを生成する。

[5] 受信したデジタル署名を「発信者の公開鍵」で復号する。

[6] [4]で得たダイジェストと[5]で得た復号結果を比較する。内容が同一であれば，改ざんのないことを確認できる。　　　　　　　　　　　　　　　　《解答》エ

問53 ☑□ □□ JIS Q 27000：2019（情報セキュリティマネジメントシステム－用語）の用語に関する記述のうち，適切なものはどれか。　　　　（AU・R3問20）

ア 脅威とは，一つ以上の要因によって付け込まれる可能性がある，資産又は管理策の弱点のことである。

イ 脆弱性とは，システム又は組織に損害を与える可能性がある，望ましくないインシデントの潜在的な原因のことである。

ウ リスク対応とは，リスクの大きさが，受容可能か又は許容可能かを決定するために，リスク分析の結果をリスク基準と比較するプロセスのことである。

エ リスク特定とは，リスクを発見，認識及び記述するプロセスのことであり，リスク源，事象，それらの原因及び起こり得る結果の特定が含まれる。

　JIS Q 27000：2019では，「リスク特定」を「リスクを発見，認識及び記述するプロセス」と定義している。そして，注記1に「リスク特定には，リスク源，事象，それらの原因及び起こり得る結果の特定が含まれる」と記されている。

　ア　脅威は「システム又は組織に損害を与える可能性がある，望ましくないインシデントの潜在的な原因」と定義されている。
　イ　脆弱性は「一つ以上の脅威によって付け込まれる可能性のある，資産又は管理策の弱点」と定義されている。
　ウ　リスク対応でなく，リスク評価についての説明である。リスク対応は「リスクを修正するプロセス」と定義されている。　　　　　　　　　　　　　　　　《解答》エ

問54　☑□　ファイアウォールにおけるダイナミックパケットフィルタリングの特
　　　　□□　徴はどれか。
　　　　　　　　　　　　　　　　　　　　　　　　　　　　　　　　（SC・H30春問6）
ア　IPアドレスの変換が行われるので，ファイアウォール内部のネットワーク構成を外部から隠蔽できる。
イ　暗号化されたパケットのデータ部を復号して，許可された通信かどうかを判断できる。
ウ　過去に通過したリクエストパケットに対応付けられる戻りのパケットを通過させることができる。
エ　パケットのデータ部をチェックして，アプリケーション層での不正なアクセスを防止できる。

　ファイアウォールにおけるパケットフィルタリング方式には，スタティックパケットフィルタリングとダイナミックパケットフィルタリングがある。スタティックパケットフィルタリングの場合は，個々のパケットについて単独検査を行う。リクエストに対応した戻りパケットなのか，そうでないのかを判断する情報は持っていない。一方，ダイナミックパケットフィルタリングの場合は，接続情報をメモリ上で管理するため，過去に通過したリクエストパケットに対応付けられる戻りのパケットを通過させるという制御ができる。

　ア　NATやNAPT（IPマスカレード）の特徴を示す記述である。
　イ　VPNゲートウェイと統合化したファイアウォールなどについての記述である。
　エ　アプリケーションゲートウェイ型ファイアウォールの特徴を示す記述である。
　　　　　　　　　　　　　　　　　　　　　　　　　　　　　　　　　《解答》ウ

問55 ☑□
□□　Webアプリケーションの脆弱性を悪用する攻撃手法のうち，Webページ上で入力した文字列がPerlのsystem関数やPHPのexec関数などに渡されることを利用し，不正にシェルスクリプトを実行させるものは，どれに分類されるか。　　　　　　　　　　　　　　　　　　　　(SC・H30秋問13)

ア　HTTPヘッダインジェクション

イ　OSコマンドインジェクション

ウ　クロスサイトリクエストフォージェリ

エ　セッションハイジャック

問55　解答解説

　OSコマンドインジェクションは，Webアプリケーションがシェル呼出し関数によってOSのコマンドなど外部プログラムを呼び出す際の脆弱性を利用し，不正にシェルスクリプトを実行させてしまう攻撃手法である。OSコマンドインジェクションの脆弱性対策として，シェル呼出し関数を利用しない，シェル呼出し関数に外部からパラメタを与えない，OSコマンドに渡すパラメタをエスケープ処理する，などの対応方法がある。

> • HTTPヘッダインジェクション…HTTPレスポンスの出力処理の脆弱性を利用し，任意のレスポンスヘッダを追加したり，レスポンスボディを偽造したりする攻撃手法
> • クロスサイトリクエストフォージェリ…Webサイトにログイン中のユーザが罠サイトを訪れるとスクリプトを実行し，ユーザの意図しないHTTPリクエストをログイン中のWebサイトに自動送信させる攻撃手法
> • セッションハイジャック…セッション管理の脆弱性を利用してセッション識別子を窃取し，セッションを乗っ取る攻撃手法

《解答》イ

問56 ☑□
□□　経済産業省が"サイバー・フィジカル・セキュリティ対策フレームワーク（Version 1.0)"を策定した主な目的の一つはどれか。(AU・R2問20)

ア　ICTを活用し，場所や時間を有効に活用できる柔軟な働き方（テレワーク）の形態を示し，テレワークの形態に応じた情報セキュリティ対策の考え方を示すこと

イ　新たな産業社会において付加価値を創造する活動が直面するリスクを適切に捉えるためのモデルを構築し，求められるセキュリティ対策の全体像を整理すること

ウ　クラウドサービスの利用者と提供者が，セキュリティ管理策の実施について容易に連携できるように，実施の手引を利用者向けと提供者向けの対で記述すること

エ　データセンタの利用者と事業者に対して"データセンタの適切なセキュリティ"とは何かを考え，共有すべき知見を提供すること

問56　解答解説

サイバー空間とフィジカル空間を高度に融合させることにより実現される「Society5.0」では，人・モノ・技術・組織などがつながり，さまざまな情報が共有され，新たな価値を生み出す「Connected Industries」を実現する。経済産業省が，この新たな産業社会におけるサプライチェーン（価値創造過程，バリュークリエイションプロセスという）全体のサイバーセキュリティを確保するために求められるセキュリティ対策をまとめた指針が，"サイバー・フィジカル・セキュリティ対策フレームワーク（CPSF）"である。CPSFでは，サイバーセキュリティの観点から，バリュークリエイションプロセスにおけるリスク源を整理するためのモデル（産業社会の三層構造と六つの構成要素）を構築し，リスク源に対応する対策要件とセキュリティ対策例を提示している。

　ア　総務省が策定した"テレワークセキュリティガイドライン"に関する記述である。
　ウ　JIS Q 27017：2016"情報技術－セキュリティ技術－JIS Q 27002に基づくクラウドサービスのための情報セキュリティ管理策の実践の規範"に関する記述である。
　エ　JDCC（日本データセンター協会）が策定した"データセンターセキュリティガイドブック"に関する記述である。　　　　　　　　　　　　　　　　　　　《解答》イ

問57　☑□□□

サイバーセキュリティ基本法に基づき，内閣にサイバーセキュリティ戦略本部が設置されたのと同時に，内閣官房に設置された組織はどれか。

(R4問15)

ア　IPA　　　イ　JIPDEC　　　ウ　JPCERT/CC　　　エ　NISC

問57　解答解説

NISC（National center of Incident readiness and Strategy for Cybersecurity：内閣サイバーセキュリティセンター）である。NISCは，内閣にサイバーセキュリティ戦略本部（サイバーセキュリティに関する施策を推進する組織）が設置されたことに伴い，内閣官房に設置された。NISCでは主に調査や監査等の活動を行い，サイバーセキュリティ戦略本部をサポートする。

- IPA：情報処理推進機構。ITに関する分析調査を行うとともに，セキュリティ対策の支援，各種ガイドラインの策定及び公開を行う団体
- JIPDEC：日本情報処理開発協会。ISMS適合性評価制度の認定などを行う団体

• JPCERT/CC：日本国内でのコンピュータセキュリティインシデントへの対応を行う民間の非営利団体

《解答》エ

❷演習編
午前Ⅱ─問題演習

問58 ☑□
□□
JIS X 9401：2016（情報技術－クラウドコンピューティング－概要及び用語）の定義によるクラウドサービス区分の一つであり，クラウドサービスカスタマが表中の項番1と2の責務を負い，クラウドサービスプロバイダが項番3～5の責務を負うものはどれか。 (SC・R2秋問11)

項番	責　務
1	アプリケーションソフトウェアに対して，データ利用時のアクセス制御と暗号化の設定を行う。
2	アプリケーションソフトウェアに対して，セキュアプログラミングとソースコードの脆弱性診断を行う。
3	DBMSに対して，修正プログラム適用と権限設定を行う。
4	OSに対して，修正プログラム適用と権限設定を行う。
5	ハードウェアに対して，アクセス制御と物理セキュリティ確保を行う。

ア　HaaS　　　　イ　IaaS　　　　ウ　PaaS　　　　エ　SaaS

問58 解答解説

JIS X 9401：2016（情報技術－クラウドコンピューティング－概要及び用語）では，代表的なクラウドサービス区分として，CaaS（Communications as a Service），CompaaS（Compute as a Service），DSaaS（Data Storage as a Service），IaaS（Infrastructure as a Service），NaaS（Network as a Service），PaaS（Platform as a Service），SaaS（Software as a Service）の七つが定義されている。

選択肢にあるSaaS，PaaS，IaaSには，それぞれ次のような特徴がある。

• SaaS：オンラインストレージ，Webメール，会計ソフトといった，クラウドのインフラ上で稼働するアプリケーションを利用者（クラウドサービスカスタマ）に提供する形態であり，原則として利用者はインフラやアプリケーションの機能等を管理することはできない
• PaaS：利用者が開発したアプリケーションを実装することが可能なインフラ

を利用者に提供する形態であり，利用者はインフラを管理することはできないが，実装したアプリケーションは管理する権限と責任を持つ
- IaaS：CPUやメモリ，ストレージ，ネットワーク，場合によってはOSといったコンピュータ資源を提供する形態であり，利用者はOS，ミドルウェア，アプリケーションなどを管理する権限と責任を持つ

　問題で問われている項番1と2はアプリケーションに関する責務を負うことを示しているので，PaaSかIaaSのどちらか，ということになる。また，項番3〜5の責務を負うのはサービス提供者（クラウドサービスプロバイダ）であり，利用者は責務を負わないということは，利用者がDBMS（ミドルウェア）とOSに関する権限を持たないことを意味する。これらに適合するサービスモデルは，PaaSである。

　なお，HaaS（Hardware as a Service）は，サーバ，ストレージ，ネットワークなどハードウェアを提供するクラウドサービスである。　　　　　　　　　　　　　《解答》ウ

問59 ☑☐ ☐☐　　サイドチャネル攻撃はどれか。　　　　　　　　　（SC・R3春問5）

ア　暗号化装置における暗号化処理時の消費電力などの測定や統計処理によって，当該装置内部の秘密情報を推定する攻撃

イ　攻撃者が任意に選択した平文とその平文に対応した暗号文から数学的手法を用いて暗号鍵を推測し，同じ暗号鍵を用いて作成された暗号文を解読する攻撃

ウ　操作中の人の横から，入力操作の内容を観察することによって，利用者IDとパスワードを盗み取る攻撃

エ　無線LANのアクセスポイントを不正に設置し，チャネル間の干渉を発生させることによって，通信を妨害する攻撃

問59 解答解説

　サイドチャネル攻撃とは，暗号化装置から発生する物理的な特性や動作結果を統計処理などを用いて解析し，当該装置内部の機密情報を推定する攻撃のことである。その方法として，暗号化処理時間の差異を解析するタイミング攻撃，消費電力を測定する電力解析攻撃，装置が発する電磁波を解析するテンペストなどの電磁波解析攻撃，装置にエラーを発生させて解析する故障利用攻撃（フォールト解析攻撃ともいう）などがある。

　イ　既知平文攻撃に関する説明である。
　ウ　ショルダーハックに関する説明である。
　エ　ジャミング攻撃に関する説明である。　　　　　　　　　　　　　《解答》ア

問60 ☑□
□□
CSIRTの説明として，適切なものはどれか。 (R5問16)

ア　企業や行政機関などに設置され，コンピュータセキュリティインシデントに対応する活動を行う組織

イ　事業者が個人情報について適切な保護措置を講じる体制を整備・運用しており，かつ，JIS Q 15001に適合していることを認定する組織

ウ　電子政府のセキュリティを確保するために，安全性及び実装性に優れると判断される暗号技術を選出する組織

エ　内閣官房に設置され，サイバーセキュリティ政策に関する総合調整を行いつつ，"自由，公正かつ安全なサイバー空間"の創出に向け，官民一体となって様々な活動に取り組む組織

問60 解答解説

　CSIRT（Computer Security Incident Response Team）は，コンピュータセキュリティに関するインシデントに対応するための組織の総称である。インシデント，脆弱性，攻撃などの情報を収集して分析し，その対応活動を行う組織のことを指す。CSIRTには，企業組織内に設置される組織，セキュリティベンダーに設置される組織，国レベルの対応活動を行う組織（例えば，JPCERT/CCやNIRT（National Incident Response Team）など，さまざまな組織形態がある。

　イ　プライバシーマーク制度を運用している日本情報経済社会推進協会（JIPDEC）に関する記述である。

　ウ　CRYPTREC（Cryptography Research and Evaluation Committees）に関する記述である。

　エ　内閣サイバーセキュリティセンター（NISC）に関する記述である。　　　《解答》ア

第2部

午後Ⅰ試験対策
—①攻略テクニック

1 午後Ⅰ問題の解き方

1 午後Ⅰ試験突破のポイント

午後Ⅰ試験を突破するポイントは,

- ❶ 問題文を"読解"する
- ❷ "解き方"に従って解く

の2つに集約される。この2つのどちらが欠けても本試験突破はおぼつかない。

問題文にざっと目を通した程度では内容は頭に入らない。その状態でいくら"解き方"を駆使しようとしても, 時間が掛かるだけである。また, 問題文を的確に"読解"できたとしても, "解き方"が誤っていると正解をずばり記述できないことがある。

だが, 問題文の読解も, 解き方に従うことも, 次のトレーニング方法で簡単に身につけることができる。

- ● 問題文の読解法…「二段階読解法」
- ● 解き方…「三段跳び法」

2つのトレーニングのねらい, 方法, そして最終目標をよく理解した上で, 実践してほしい。

2 問題文の読解トレーニング―二段階読解法

問題文は, 概要を理解しつつもしっかりと細部まで読み込む必要がある。

そのためのトレーニング法が「概要読解」と「詳細読解」の二段階に分けて読み込んでいく二段階読解法である。トレーニングを繰り返していくと, 全体像を意識しつつ詳細に読み込むことができるようになる。

 …… 問題文の概要を把握する
タイトルにチェックを入れ, 全体像を意識しながら読む

解答に関係のありそうな情報を発見する
問題文の重要部分に線を引きながら, 細部にも留意して読む

▶二段階読解法

1 全体像を意識しながら問題文を読む—概要読解

長文読解のコツは「何について書かれているか」を常に意識しながら読むことにある。長文を苦手とする受験者は，全体像を理解できていないことが多い。

問題文を理解する最大の手がかりは〔タイトル〕にある。午後 I 試験の問題文は複数のモジュールから構成され，モジュールには必ず〔タイトル〕が付けられている。〔タイトル〕は軽視されがちだが，これを意識して読み取ることで，長文に対する苦手意識はずいぶんと改善される。

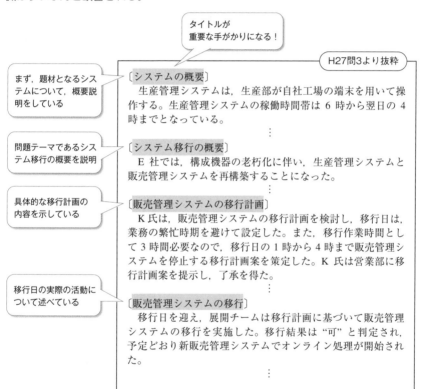

タイトルが
重要な手がかりになる！

H27問3より抜粋

まず，題材となるシステムについて，概要説明をしている

〔システムの概要〕
　生産管理システムは，生産部が自社工場の端末を用いて操作する。生産管理システムの稼働時間帯は 6 時から翌日の 4 時までとなっている。

問題テーマであるシステム移行の概要を説明

〔システム移行の概要〕
　E 社では，構成機器の老朽化に伴い，生産管理システムと販売管理システムを再構築することになった。

具体的な移行計画の内容を示している

〔販売管理システムの移行計画〕
　K 氏は，販売管理システムの移行計画を検討し，移行日は，業務の繁忙時期を避けて設定した。また，移行作業時間として 3 時間必要なので，移行日の 1 時から 4 時まで販売管理システムを停止する移行計画案を策定した。K 氏は営業部に移行計画案を提示し，了承を得た。

移行日の実際の活動について述べている

〔販売管理システムの移行〕
　移行日を迎え，展開チームは移行計画に基づいて販売管理システムの移行を実施した。移行結果は "可" と判定され，予定どおり新販売管理システムでオンライン処理が開始された。

▶タイトルをマークした概要読解

2 アンダーラインを引きながら問題文を読む―詳細読解

次は，問題文に埋め込まれている解答を導くための情報を探しながら，詳細に読み込むためのトレーニングである。このトレーニングは，問題文を読みながら，その中に次のような情報を見いだして，アンダーラインを引いていく方法である。

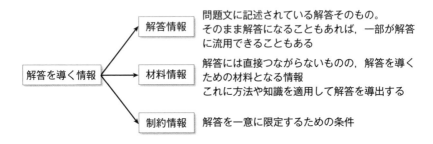

▶解答を導く情報

■ アンダーラインを引く

「アンダーラインを引く」という行為は，問題文をじっくり読むことにつながる。ただし，慣れないうちは問題文が線だらけになってしまい，かえって見づらくなるので，次のことを目安に線を引くとよい。

▶アンダーラインを引くべき情報

目安となる観点	着目度	説明
よいこと	★	「顧客の意見を十分反映した」など，ポジティブに記述されている部分。解答に直接つながるというより，解答を限定する情報になることが多い。
悪いこと	★★★	「チェックは特に行っていない」など，ネガティブに記述されている部分。リスクや管理の問題点を表していることが多く，解答に直接つながりやすい。
目立った現象・行動・決定	★★★	悪いことと同様，リスクや管理の問題点を表していることが多い。解答に直接つながりやすい。
数字や例	★★	例を用いて説明している部分は，問題のポイントになることが多い。「例に倣って計算する」など，材料情報になることもある。

| 唐突な事実 | ★★★ | 「プログラムの著作権は，原則としてE社に帰属するものとした」など，唐突に現れる事実。わざわざ説明するからには何かがある！ |
| キーワード | ★★ | 問題文で定義される用語や分野特有のキーワード。解答で使用することが多い。 |

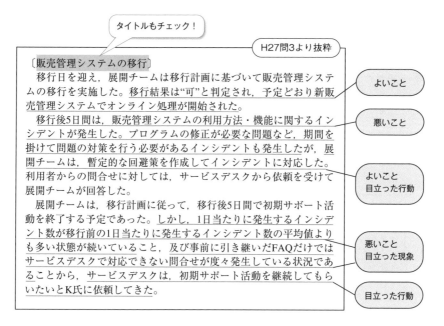

▶詳細読解―アンダーラインの例

3 トレーニングとしての二段階読解法

　二段階読解法は，読解力を訓練するためのトレーニング法である。目指すのは，本試験において，問題文を二段階に分けて別々の目的をもって読み解くことではなく，**少ない回数で解答に必要な情報を集めること**，あるいは解答することである。

　時間配分としては，1問の持ち時間の3分の1の時間内に読み込めるよう，トレーニングしよう。

3 設問の解き方─正解発見の三段跳び法

午後Ⅰ試験の正解の条件は，次の2点である。

❶ 設問の要求事項に正しく答えている
❷ 解答の根拠が問題文にある

❶の要求事項とは，出題者が受験者に答えさせたい内容のことであり，これを満たしていない解答は正解になり得ない。

❷は見落とされやすい。経験や技術のある受験者ほど，設問に対して「自分の経験や業界の知識」から答えてしまいがちだからだ。しかし，午後Ⅰ試験が求めているのはあくまでも問題文の条件や制約に沿った解答であり，個人的な経験や独自の解釈ではない。たとえ実務経験において正しい解答であっても，問題文の条件や制約に沿っていない解答や，根拠が問題文中にない解答は，不正解である。

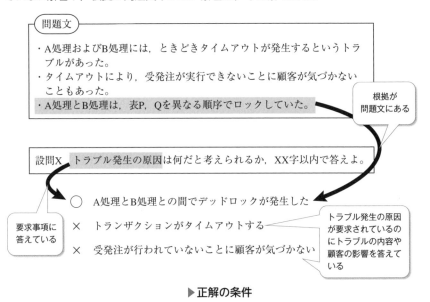

▶正解の条件

1 三段跳び法

正解の条件を満たす答案を導くためのテクニック，あるいはトレーニング法が，三段跳び法である。これは，

- ❶ 設問のキーワードから問題文へ「ホップ」する
- ❷ 問題文のキーワードから，解答を導く情報へ「ステップ」する
- ❸ ❷で発見した情報をもとに，正解に向けて「ジャンプ」する

という，三段跳びで解答を作成していく方法である。

▶三段跳び法の手順

■ ホップ（Hop）

<u>設問を特徴づけるキーワードやキーフレーズ</u>を見つける。キーワードやキーフレーズは，問題文にそのまま現れたり，同等の内容が記述されていたりするので，それらを探す。

■ ステップ（Step）

ホップで見つけた場所の近くまたは，意味的つながりのある部分に，<u>解答を導くための情報</u>が記述されている。設問の要求事項に注意して，その情報を探す。

■ ジャンプ（Jump）

ステップで見つけた情報をもとに，<u>制限字数に注意して解答を作成</u>する。その際，設問の要求事項に適合しているかどうかを必ず確かめるようにする。

設問にもよるが，ステップで見つけた情報の流用が可能であれば，一部でもよいので流用する。独自に言い換えたりせず，できるだけ問題文中の表現を使って解答しよう。

❷演習編

午後Ⅰ-①攻略テクニック

●三段跳び法・例●

問題文 Step

・A処理およびB処理には，ときどきタイムアウトが発生するという**トラブル**があった。
・タイムアウトにより，受発注が実行できないことに顧客が気づかないこともあった。
・A処理とB処理は，表P，Qを異なる順序でロックしていた。

Jump

Hop

設問X

トラブル発生の原因は何だと考えられるか，XX字以内で答えよ。

（解答）　A処理とB処理との間でデッドロックが発生した

2 ステップの繰り返しが必要な場合

　午後Ⅰ試験では，ステップの作業が何度か繰り返される『多段ステップ』で解答するのが基本である。『多段ステップ』になる理由は，ITサービスマネージャの午後Ⅰ試験の問題文は次のような展開になることが多く，設問に答えるには，この展開を遡って正解を見つける必要があるからである。

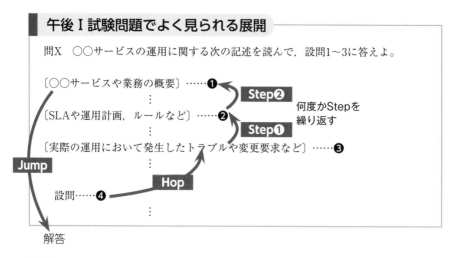

午後Ⅰ試験問題でよく見られる展開

問X　○○サービスの運用に関する次の記述を読んで，設問1〜3に答えよ。

〔○○サービスや業務の概要〕……❶
　　　⋮
〔SLAや運用計画，ルールなど〕……❷
　　　⋮
〔実際の運用において発生したトラブルや変更要求など〕……❸
　　　⋮
設問……❹
　　　⋮

解答

Step❷
Step❶
何度かStepを繰り返す
Jump
Hop

❹設問では，❸に書かれたトラブルや変更要求に関することが問われる。それに解答するには，そこからそのトラブルや変更要求が❷に示されたSLAや運用計画，ルールにおけるどの部分に基づいたり関連したりしているかをたどっていき，さらに❶の対象サービスや業務に関する情報を踏まえて，最終的に解答を作成する，という作業になることが多い。このため，解答を作成するには，

❹　→　❸　→　❷　→　❶

の順に問題文をたどることになり，その結果『多段ステップ』になるのである。

3 テクニックが目指す先

三段跳び法は，午後Ⅰ試験を突破するための重要なテクニックである。

矛盾するようだが，二段階読解法と同様，三段跳び法の最終目標は「<u>三段跳び法を意識せずに問題を解く</u>」ことである。

● **手がかりを見落とさないように問題文をしっかり読む**

● **設問と問題文を関連させ，解答情報を探す**

これを適切にできれば，二段階読解法や三段跳び法などの手順を意識することなく，正解を導くことができる。テクニックは，そこに至るための練習方法だと認識して，トレーニングを繰り返そう。

2 午後Ⅰ問題の解き方の例

第1の作業として，問題文の読解を行う。まず概要読解で全体像を把握し，次に詳細読解でアンダーラインを引きながら読むとよい。第2の作業は，三段跳び法で正解を探す作業である。ホップ，ステップ，ジャンプでチャレンジしてみよう。

具体例　サービス継続及び可用性管理—H25問2

問2　サービス継続及び可用性管理に関する次の記述を読んで，設問1〜3に答えよ。

　X社は，自社ブランドの陶磁器の製造・販売会社である。本社と工場は北陸にあり，営業所と倉庫は関東にある。販売は，主に関東近辺のデパートで行っている。

　工場の生産管理部では生産の計画・管理，工場に隣接する本社では一般管理業務，営業所の販売部では商品の販売業務・売上分析，営業所の近郊にある倉庫ではデパートへの商品発送業務を行っている。また，情報システム部は，北陸のデータセンタA（以下，DC-Aという）と関東のデータセンタB（以下，DC-Bという）で主要システムの運用を行っており，生産管理部及び販売部の業務支援サービスを提供している。

〔主要システムの構成〕

　X社の主要システムの構成を図1に示す。情報システム部は，DC-Aで販売管理システムと生産管理システムを運用し，DC-Bで売上分析システムと在庫管理システムを運用している。また，DC-Bでは，販売管理システムの待機系システムが稼働可能である。ただし，<u>DC-Bは仮想サーバで構築されている関係から，待機系システムが稼働する際は売上分析システムの停止が必要になる</u>。本番系システムに障害が発生した場合は，売上分析システムを停止してから待機系システムを起動し，システムの切替えに必要な作業を行って，販売管理システムのサービスを再開する。

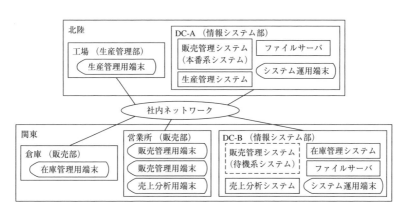

図1　X社の主要システムの構成

〔販売管理システムの機能概要〕

　販売部は，顧客から商品の注文を受けると，手書きで注文伝票を作成する。注文伝票の注文情報は，オンラインで販売管理用端末から販売管理システムに入力される。注文情報は，販売管理システムから在庫管理システムに連携されて，商品の在庫引当処理と出荷指示処理が行われる。注文情報は日次バッチ処理で受注情報として確定し，顧客ごとに受注実績が集計される。受注実績は，翌日にはオンラインで参照可能となり，顧客との商談に利用される。

　販売管理システムは，毎日9時から20時までをオンライン処理時間帯，20時から翌日5時までをバッチ処理実施可能時間帯としている。バッチ処理では，販売管理システムの一部であるジョブ管理ツールによって，ジョブが順番に起動される。販売管理システムにおけるバッチ処理の区分と内容を，表1に示す。

❷演習編

午後I─①攻略テクニック

表1　販売管理システムにおけるバッチ処理の区分と内容

区分	ジョブ番号	処理内容	所要時間
日次バッチ処理	1-1	注文情報のバックアップを取得する。	1時間
	1-2	業務日付[1] を更新する。	5分
	1-3	注文情報を加工して受注情報として確定し、顧客ごとに集計し、受注実績とする。	5時間
週次バッチ処理[2]	2-1	業務日付[1]、受注情報及び受注実績のバックアップを取得して、取得情報をDC-Bのファイルサーバに転送する。	1時間

注[1]　OSなどが使用するシステム日付とは別に、業務アプリケーションが参照する日付として"業務日付"が定義されている。

[2]　週次バッチ処理は、毎週金曜日の日次バッチ処理終了後に実行される。

〔販売管理用端末の増設〕

　X社では現在、営業所に2台の販売管理用端末があるが、販売業務の拡大に備えて、端末を2台増設することになった。販売管理システムには許可された端末からしか接続できないので、ITサービスマネージャのU氏は、増設される端末からの接続を許可するように本番系システムの設定変更を計画した。情報システム部の担当者は変更計画に従って変更を行い、増設された端末の本番運用を開始した。本番系システムの設定変更を待機系システムへ反映する作業については、変更をできるだけ早く展開する必要があるが、売上分析システムの稼働スケジュールとの関係から、3か月に1回設けられている売上分析システムの次回定期保守日に行うことにしている。また、規定に従い、本番系システムの変更に合わせて、"待機系システムの変更に必要なリリース"及び"リリースの展開に必要な関連文書"を、DC-Bに設置されているファイルサーバに格納し、DC-Bの情報システム部員に通知した。

〔事業継続計画の検討〕

　営業所に販売管理用端末を増設してから1か月後、X社は、事業継続計画（以下、BCPという）を策定することになり、BCP策定プロジェクト（以下、プロジェクトという）を発足させた。プロジェクトは、生産管理部、販売部などの責任者から成る全社横断チームで構成され、意思決定には経営陣が関与した。情報システム部からはT部長が参画した。プロジェクトでは、BCPを策定する際の災害発生から全面復旧に至るまでの想定フェーズを図2のように整理した。

図2 災害発生から全面復旧に至るまでの想定フェーズ

注記 業務再開フェーズでは，優先度が高い業務を再開する。業務回復フェーズでは，優先度が高い業務を再開した後，更に業務範囲を拡大する。

プロジェクトでは，北陸に地震が発生し，交通の混乱，通信障害及び大規模停電によって，本社，工場及びDC-Aが1週間稼働できない事態を想定した。

なお，本社，工場及びDC-Aの建物・設備に直接の被害はないものとする。また，関東では，地震による被害は発生しないものとし，X社の主要顧客やデパートは関東地区に集中しているので，被災による顧客やデパートへの影響は少ないものとする。
●前提条件

プロジェクトでは，これらの想定の下で，BCPの方針を表2のように整理した。

表2 BCPの方針

項番	方針
1	地震の発生によって，事業が受ける影響度を分析した。その結果，事業を継続する上で優先度が最も高いのは，販売業務であることが分かった。そこで，生産が1週間滞った場合でも販売を継続できるように，必要な在庫調整を行う。販売業務については，災害発生直後は販売管理用端末からのオンラインによる注文情報の入力を締め，手書きによる注文伝票の作成だけで業務を継続させる。また，生産業務については，業務回復フェーズに北陸で再開する。
2	災害発生時には，社長を対策本部長とする対策本部を設置し，意思決定機関として BCP の実施を指揮する。対策本部長の下に生産，販売といった機能別のチーム体制を編成し，情報システム部からは T 部長が対策本部に加わる。

●決定

プロジェクトでは，商品を販売する際は，販売部が顧客などと商談を行う必要がある点を踏まえ，災害発生から3時間以内に待機系システムで販売管理システムのオンライン機能を正常に使用できるようにすることを，事業継続の要件として取り決めた。また，当日のオンライン開始から災害発生までに登録された注文情報については，販売部が注文伝票を基に再入力することとした。
●具体的な値 ●決定 ●具体的な値 ●決定

T部長はこれらのBCPの検討を受け，販売管理システムがオンライン処理時間帯に被災することを想定し，図2のBCP発動準備フェーズから全面復旧フェーズまでを対象範囲としたサービス継続計画を作成するよう，U氏に指示した。

〔サービス継続計画の作成〕

U氏は，災害発生後の販売管理システムの業務再開に向けての目標値について，販売部

と確認した。その結果，目標復旧時間（以下，RTOという）及び目標復旧時点（以下，RPOという）については，プロジェクトの検討結果を踏まえ，RTOを　　a　　以内，RPOを　　b　　時点に設定した。また，平常運用フェーズではオンラインの応答時間の目標値を3秒以内としているが，業務再開フェーズと業務回復フェーズでは待機系システムでのサービス提供になるので，応答時間の目標値は5秒まで許容することにした。

　U氏は，T部長からの指示を踏まえ，BCPと連携したサービス継続計画を作成し，BCP発動を受け，サービス継続計画が発動されることを規定した。サービス継続計画が発動された場合は，待機系システムを起動し，転送済みのバックアップから必要なデータをリストアした上で，待機系システムに切り替える予定である。しかし，現在のバッチ処理の構成ではRPOの目標値を達成できないと考えたU氏は，（ア）バッチ処理の内容を見直した。

　T部長はサービス継続計画の内容を確認し，U氏に試験の実施を指示した。

〔サービス継続計画の試験〕

　U氏は，BCP発動準備フェーズから全面復旧フェーズまでを対象として，サービス継続計画の試験計画書を作成した。この試験によって，情報システム部員の訓練だけでなく，サービス継続計画全体が正しく機能するかどうかを確認する。試験計画書の内容を，表3に示す。

表3　サービス継続計画の試験計画書の内容

項番	フェーズ	実施項目	確認すべき内容	試験方法
1	BCP発動準備	復旧作業要員の配置	復旧作業に関わる情報システム部員への連絡	机上チェック
2	業務再開	待機系システムを使ったサービス運用の開始	売上分析システムの正常停止，待機系システムの起動，データリストアの実施，切替えの実施確認，及び提供サービスの正常稼働確認	実機訓練
3	業務回復	サービス運用の拡大	生産管理システムの起動及び提供サービスの正常稼働確認	実機訓練
4	全面復旧	全面復旧手順の確認	c	実機訓練

　U氏は，関係者の協力を得て試験を行った。試験では，増設された2台の販売管理用端末から待機系システムに接続できないという事態が発生し，混乱した。

　原因は，売上分析システムの定期保守日に実施予定であった変更リリースが展開される前に試験を実施したからであり，必要な対応を行い，試験は無事終了した。

　試験終了後，T部長は，（イ）サービス継続計画の発動後に今回のような混乱が発生しないように，業務再開フェーズに必要な作業内容の追加をU氏に指示した。

318

●三段跳び法・活用例●

次に設問ごとに，三段跳び法で解答をまとめるまでを具体的に説明する。

設問1

〔事業継続計画の検討〕において対策本部を設置するとしているが，災害発生当初に関係者全員を招集できるとは限らない。このような状況を考慮した上で考えられる，対策本部の要員配置に必要な検討内容を，35字以内で述べよ。

Hop　「対策本部の設置」「要員配置」をキーワードに〔事業継続計画の検討〕へ

すると，「**表2　BCPの方針**」の項番2の「**災害発生時には，社長を対策本部長とする対策本部を設置し，意思決定機関としてBCPの実施を指揮する。対策本部長の下に生産，販売といった機能別のチーム体制を編成し，情報システム部からはT部長が対策本部に加わる**」にたどり着く。

Step　• より，X社における災害発生時の対策本部の役割やチーム体制が分かる。しかし，設問の「**災害発生当初に関係者全員を招集できるとは限らない**」という観点から考えると，関係者全員が揃わなかった場合には，対策本部が想定どおりに機能せず，意思決定やBCPの実施の指揮が適切にできなかったり，想定したチーム体制が編成できなかったりすることが考えられる。

• そこで，問題文から，関係者全員を招集できない場合の記述を探すが，たどり着く記述がないため，事業継続計画に関する専門知識を適用して解答する必要があると判断する。

Jump　事業継続計画において，災害発生時に関係者全員が揃わなかった場合にも，対策本部を適切に機能させるには，

　　・招集する関係者の代替となる者を定めておく

　　・集まることができた関係者の中で，役割分担を決めて対応する

などの対応が必要になる。よって，このような状況で対策本部の要員配置に必要な検討内容は，**予定された要員を招集できない場合に備えて代替要員を定める，要員が不足する場合は，招集できた要員で役割分担を決める**となる。

Hop
ポインタ
をたどる

〔サービス継続計画の作成〕について，(1) に答えよ。

(1) 本文中の a に入れる適切な字句を5字以内で， b に入れる
適切な字句を15字以内で，それぞれ答えよ。

Hop

Hop

問題文

　プロジェクトでは，商品を販売する際は，販売部が顧客などと商談を
行う必要がある点を踏まえ，災害発生から3時間以内に待機系システム
で販売管理システムのオンライン機能を正常に使用できるようにするこ
とを，事業継続の要件として取り決めた。また，当日のオンライン開始
から災害発生までに登録された注文情報については，販売部が注文伝票
を基に再入力することとした。

　T部長はこれらのBCPの検討を受け，販売管理システムがオンライン処理時間帯に
被災することを想定し，図2のBCP発動準備フェーズから全面復旧フェーズまでを対
象範囲としたサービス継続計画を作成するよう，U氏に指示した。

Step RTO

RPO **Step**

〔サービス継続計画の作成〕

　U氏は，災害発生後の販売管理システムの業務再開に向けての目標値について，販
売部と確認した。その結果，目標復旧時間（以下，RTOという）及び目標復
旧時点（以下，RPOという）については，プロジェクトの検討結果を踏
まえ，RTOを a 以内，RPOを b 時点に設定した。また，
平常運用フェーズではオンラインの応答時間の目標値を3秒以内としているが，業務
再開フェーズと業務回復フェーズでは待機系システムでのサービス提供になるので，
応答時間の目標値は5秒まで許容することにした。

Hop	設問文の〔**サービス継続計画の作成**〕および**空欄a**，**空欄b**をポインタとして，問題文をたどる。

❷演習編

Step	〔**サービス継続計画の作成**〕には，**空欄a**，**空欄b**の直前に「**プロジェクトの検討結果を踏まえ**」とあることから，問題文からBCP策定プロジェクトでの検討内容や決定事項に関する記述を探す。すると，直前のモジュールの関連情報にたどり着く。

午後Ⅰ─① 攻略テクニック

Jump	・（**空欄a：RTOについて**） 　　RTOとは，ITサービスの中断後，復旧までに許容される最長の時間を示す指標である。 **Step** によると，事業継続の要件は，「**災害発生から3時間以内に待機系システムで販売管理システムのオンライン機能を正常に使用できるようにすること**」である。これは，"ITサービスの中断から復旧までに3時間の時間を許容する"ということを意味する。よって，RTOは**3時間以内**となる。 ・（**空欄b：RPOについて**） 　　RPOとは，ITサービスの中断後，最低限どの時点のデータまで復旧しなければならないのかを示す指標である。 **Step** の内容は，当日のオンライン開始から災害発生までに登録された注文情報については，再入力するので，システム上では復旧できなくてもよいことを示している。つまり，当日のオンライン開始時点のデータまでを復旧すればよい。よって，RPOは**当日のオンライン開始時点**となる。

〔サービス継続計画の作成〕について，(2) に答えよ。

(2) 本文中の下線 (ア) について，見直し後のバッチ処理の内容を，50字以内で具体的に述べよ。

問題文

〔販売管理システムの機能概要〕

　販売部は，顧客から商品の注文を受けると，手書きで注文伝票を作成する。注文伝票の注文情報は，オンラインで販売管理用端末から販売管理システムに入力される。注文情報は，販売管理システムから在庫管理システムに連携されて，商品の在庫引当処理と出荷指示処理が行われる。注文情報は日次バッチ処理で受注情報として確定し，顧客ごとに受注実績が集計される。受注実績は，翌日にはオンラインで参照可能となり，顧客との商談に利用される。

> オンライン開始時点のデータ
> ＝前日の日次バッチ処理終了
> 　時点のデータということ

表1　販売管理システムにおけるバッチ処理の区分と内容

区分	ジョブ番号	処理内容	所要時間
日次バッチ処理	1-1	注文情報のバックアップを取得する。	1時間
	1-2	業務日付[1] を更新する。	5分
	1-3	注文情報を加工して受注情報として確定し，顧客ごとに集計し，受注実績とする。	5時間
週次バッチ処理[2]	2-1	業務日付[1]，受注情報及び受注実績のバックアップを取得して，取得情報をDC-Bのファイルサーバに転送する。	1時間

注[1]　OSなどが使用するシステム日付とは別に，業務アプリケーションが参照する日付として"業務日付"が定義されている。

[2]　週次バッチ処理は，毎週金曜日の日次バッチ処理終了後に実行される。

> 金曜日にしか処理されない
> ⇒毎日処理できるようにするには？

322

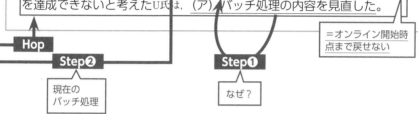

〔サービス継続計画の作成〕

　U氏は，T部長からの指示を踏まえ，BCPと連携したサービス継続計画を作成し，BCP発動を受け，サービス継続計画が発動されることを規定した。サービス継続計画が発動された場合は，待機系システムを起動し，転送済みのバックアップから必要なデータをリストアした上で，待機系システムに切り替える予定である。しかし，現在のバッチ処理の構成では RPOの目標値を達成できないと考えたU氏は，(ア) バッチ処理の内容を見直した。

＝オンライン開始時点まで戻せない

| Hop |
| Step❷ |
| 現在のバッチ処理 |

| Step❶ |
| なぜ？ |

Hop　設問文の〔**サービス継続計画の作成**〕および**下線（ア）**をポインタとして，問題文をたどる。

Step❶　下線（ア）の直前のバッチ処理の内容を見直した理由の記述にたどり着く。この記述は，起動した待機系システムに転送済みのバックアップからデータをリストアしても，現在のバッチ処理の構成では，当日のオンライン開始時点のデータに復旧できないことを意味している。そこで次に，問題文から「**現在のバッチ処理の構成**」に関する記述を探す。

Step❷　〔**販売管理システムの機能概要**〕の「**表1　販売管理システムにおけるバッチ処理の区分と内容**」に示されている，現在のバッチ処理の構成にたどり着く。また，〔**販売管理システムの機能概要**〕の日次バッチ処理に関連する情報にもたどり着く。この記述は，(1) 当日のオンライン処理開始時点のデータは，前日の日次バッチ処理終了時点のデータと同じであることを示している。また，表1の週次バッチ**処理のジョブ番号2-1**の処理内容および**注2）**より，待機系システムにデータをリストアするためのバックアップは，毎週金曜日の週次バッチ処理で取得されて，DC-Bのファイルサーバに転送されたものであることが分かる。

Jump **Step❷** より，バックアップからリストアして復旧できるデータは，直前の金曜日のバッチ処理終了時のデータであり，当日のオンライン開始時点のデータ（＝前日の日次バッチ処理終了時点のデータ）までには戻らない。したがって，RPOの目標値を達成することができない。RPOの目標値を達成するには，週次バッチ処理で行っている**ジョブ番号2-1**の処理を，**ジョブ番号1-3**の日次バッチ処理の後に，日次バッチ処理として組み入れ，毎日処理されるようにするのが適切である。よって，見直し後のバッチ処理の内容は，**ジョブ番号2-1を週次バッチ処理から日次バッチ処理に変更し，ジョブ番号1-3の後に実行する**となる。

・・・・・・・・・・・・・・・・・・・・・ MEMO ・・・・・・・・・・・・・・・・・・・・・

〔サービス継続計画の試験〕について，(1) に答えよ。
(1) 表3中の項番2の業務再開フェーズにおいて，提供サービスの正常稼働に関して，機能面に加えて，確認すべき内容を，35字以内で具体的に述べよ。

問題文

〔事業継続計画の検討〕

Step❷

イベント	災害発生	BCP発動	業務継続 の拡大	平常運用への 切替え開始
フェーズ	平常運用	BCP発動準備	業務再開	業務回復	全面復旧

Hop

ポインタを
たどる

注記　業務再開フェーズでは，優先度が高い業務を再開する。業務回復フェーズでは，優先度が高い業務を再開した後，更に業務範囲を拡大する。

図2　災害発生から全面復旧に至るまでの想定フェーズ

〔サービス継続計画の作成〕

Step❶

U氏は，災害発生後の販売管理システムの業務再開に向けての目標値について，販売部と確認した。その結果，目標復旧時間（以下，RTOという）及び目標復旧時点（以下，RPOという）については，プロジェクトの検討結果を踏まえ，RTOを　a　以内，RPOを　b　時点に設定した。また，平常運用フェーズではオンラインの応答時間の目標値を3秒以内としているが，業務再開フェーズと業務回復フェーズでは待機系システムでのサービス提供になるので，応答時間の目標値は5秒まで許容することにした。

Step❷

〔サービス継続計画の試験〕

表3　サービス継続計画の試験計画書の内容　**Step❸**

項番	フェーズ	実施項目	確認すべき内容	試験方法
1	BCP発動準備	復旧作業要員の配置	復旧作業に関わる情報システム部員への連絡	机上チェック
2	業務再開	待機系システムを使ったサービス運用の開始	売上分析システムの正常停止，待機系システムの起動，データリストアの実施，切替えの実施確認，及び提供サービスの正常稼働確認	実機訓練
3	業務回復	サービス運用の拡大	生産管理システムの起動及び提供サービスの正常稼働確認	実機訓練
4	全面復旧	全面復旧手順の確認	c	実機訓練

設問から「非機能」を確認する必要がある

Hop

〔サービス継続計画の試験〕および「**表3　サービス継続計画の試験計画書の内容**」の**項番2の業務再開フェーズ**をポインタとして問題文をたどる。

業務再開フェーズは、「**待機系システムを使ったサービス運用の開始**」について試験するフェーズであり、確認すべき内容として「**売上分析システムの正常停止、待機系システムの起動、データリストアの実施、切替えの実施確認、及び提供サービスの正常稼働確認**」が挙げられている。

Step❶

Hop で示されている業務再開フェーズに関連する記述をさらに探すと、「**図2　災害発生から全面復旧に至るまでの想定フェーズ**」にたどり着く。業務再開フェーズとは、図2に示されたBCPの作業フェーズの一つであり、注記にあるように、BCPの発動直後に「**優先度が高い業務を再開する**」フェーズであることが分かる。

Step❷

Step❶ を踏まえて、表3の業務再開フェーズの内容を確認すると、待機系システムを使って業務を再開できるかどうかを、サービスの機能面から実機を使って確認する試験であることが分かる。しかし、設問の「**機能面に加えて**」は、サービスの「**機能**」ではなく「**非機能**」について確認すべき内容を答えることを指示していると読み取れる。一般に、サービスやシステムの「非機能」としては、レスポンスなどの処理性能、使い勝手、可用性、セキュリティなどが考えられる。

Step❸

問題文から「**非機能**」に関連する記述を探す。すると、〔**サービス継続計画の作成**〕に「**平常運用フェーズではオンラインの応答時間の目標値を3秒以内としているが、業務再開フェーズと業務回復フェーズでは待機系システムでのサービス提供になるので、応答時間の目標値は5秒まで許容することにした**」にたどり着く。

Jump

Step❶❷❸ でたどり着いた記述の"オンラインの応答時間"は、「非機能」にあたる。よって、確認すべき内容は、**販売管理システムのオンラインの応答時間が5秒以内であること**となる。

327

〔サービス継続計画の試験〕について，(2)に答えよ。

(2) 表3中の　　c　　に入れる確認すべき内容を，55字以内で述べよ。

Hop ポインタをたどる

問題文

〔主要システムの構成〕

　X社の主要システムの構成を図1に示す。情報システム部は，DC-Aで販売管理システムと生産管理システムを運用し，DC-Bで売上分析システムと在庫管理システムを運用している。また，DC-Bでは，販売管理システムの待機系システムが稼働可能である。ただし，DC-Bは仮想サーバで構築されている関係から，待機系システムが稼働する際は売上分析システムの停止が必要になる。本番系システムに障害が発生した場合は，売上分析システムを停止してから待機系システムを起動し，システムの切替えに必要な作業を行って，販売管理システムのサービスを再開する。

〔事業継続計画の検討〕

　営業所に販売管理端末を……

Step❷

イベント	災害発生	BCP発動	業務継続の拡大	平常運用への切替え開始

フェーズ	平常運用	BCP発動準備	業務再開	業務回復	全面復旧

注記 業務再開フェーズでは，優先度が高い業務を再開する。業務回復フェーズでは，優先度が高い業務を再開した後，更に業務範囲を拡大する。

図2　災害発生から全面復旧に至るまでの想定フェーズ

〔サービス継続計画の試験〕　**Step❶**

　U氏は，災害発生後の……

表3　サービス継続計画の試験計画書の内容

項番	フェーズ	実施項目	確認すべき内容	試験方法
1	BCP発動準備	復旧作業要員の配置	復旧作業に関わる情報システム部員への連絡	机上チェック
2	業務再開	待機系システムを使ったサービス運用の開始	売上分析システムの正常停止，待機系システムの起動，データリストアの実施，切替えの実施確認，及び提供サービスの正常稼働確認	実機訓練
3	業務回復	サービス運用の拡大	生産管理システムの起動及び提供サービスの正常稼働確認	実機訓練
4	全面復旧	全面復旧手順の確認	c	実機訓練

328

Hop　〔サービス継続計画の試験〕および**表3**中の**空欄c**をポインタとして，問題文をたどる．

すると，「**表3　サービス継続計画の試験計画書の内容**」の項番4「**全面復旧フェーズ**」の試験における実施項目「**全面復旧手順の確認**」において確認すべき内容の**空欄c**にたどり着く．

Step❶　**Hop**で示されている全面復旧フェーズに関連する記述をさらに探すと，**図2**にたどり着く．**全面復旧**フェーズとは，**図2**に示されたBCPの作業フェーズの一つであり，業務回復フェーズの直後にあり，**平常運用に切り替えられた後の最終フェーズ**にあたることが分かる．

Step❷　そこで，業務回復フェーズでは主要システムがどのような状態であるかを確認する．すると，〔**主要システムの構成**〕の「**DC-Aで販売管理システムと生産管理システムを運用し，DC-Bで売上分析システムと在庫管理システムを運用している**」「**本番系システムに障害が発生した場合は，売上分析システムを停止してから待機系システムを起動し，……，販売管理システムのサービスを再開する**」にたどり着く．

これらより，業務回復フェーズにおける主要システムは，次の状態であることが分かる．

- ・DC-Bの販売管理システム（待機系システム）が稼働
- ・DC-Bで在庫管理システムが稼働
- ・DC-Aで生産管理システムが稼働
- ・DC-Bの売上分析システムは非稼働

Jump　**Step❷**の状態から，システム全体の正常稼働を目指すには，

- ・DC-Aの販売管理システム（本番系システム）が稼働
- ・DC-Bの売上分析システムが稼働

を実現しなければならない．つまり，平常運転への切替え過程である全面復旧フェーズで行わなければならない作業は，

- ・作業1：販売管理システムを，DC-Bの待機系システムからDB-Aの本番系システムへ切替え
- ・作業2：売上分析システムの起動

の二つとなる．そして，それぞれの作業で確認すべき内容を，表3の

業務再開フェーズや業務回復フェーズの記述を参考に表現すると，

　　　・作業1：本番系システムの起動，データリストアの実施，切替
　　　　　　えの実施確認，及び提供サービスの正常稼働確認，待
　　　　　　機系システムの正常停止

　　　・作業2：売上分析システムの起動及び提供サービスの正常稼働
　　　　　　確認

となる。しかし，これらすべてを表現すると，制限字数には収まらない。そこで，作業1の内容を"販売管理システム（本番系システム）への切り戻し"と表現し，**販売管理システム（本番系システム）への切り戻し，売上分析システムの起動及び提供サービスの正常稼働確認**のようにまとめる。

・・・・・・・・・・・・・・・ MEMO ・・・・・・・・・・・・・・・

Hop
ポインタ
をたどる

〔サービス継続計画の試験〕について，（3）に答えよ。

(3) 本文中の下線（イ）について，業務再開フェーズに追加すべき作業内容を，35字以内で具体的に述べよ。

Hop

問題文

〔販売管理用端末の増設〕

　X社では現在，営業所に2台の販売管理用端末があるが，販売業務の拡大に備えて，端末を2台増設することになった。販売管理システムには許可された端末からしか接続できないので，ITサービスマネージャのU氏は，増設される端末からの接続を許可するように本番系システムの設定変更を計画した。情報システム部の担当者は変更計画に従って変更を行い，増設された端末の本番運用を開始した。本番系システムの設定変更を待機系システムへ反映する作業については，変更をできるだけ早く展開する必要があるが，売上分析システムの稼働スケジュールとの関係から，3か月に1回設けられている売上分析システムの次回定期保守日に行うことにしている。また，規定に従い，本番系システムの変更に合わせて，"待機系システムの変更に必要なリリース"及び"リリースの展開に必要な関連文書"を，DC-Bに設置されているファイルサーバに格納し，DC-Bの情報システム部員に通知した。

〔サービス継続計画の試験〕

> 設定変更のタイミングは
> 3か月に1回

> 端末増設の
> 情報へ **Step❷**

　U氏は，関係者の協力を得て試験を行った。試験では，増設された2台の販売管理用端末から待機系システムに接続できないという事態が発生し，混乱した。原因は，売上分析システムの定期保守日に実施予定であった変更リリースが展開される前に試験を実施したからであり，必要な対応を行い，試験は無事終了した。

Step❶

どんな
混乱？

　試験終了後，T部長は，（イ）サービス継続計画の発動後に今回のような混乱が発生しないように，業務再開フェーズに必要な作業内容の追加をU氏に指示した。

> 原因が明らか
> ↓
> 必要なリリースを
> 展開すればよい

❷演習編

午後Ⅰ─①攻略テクニック

| Hop | 〔サービス継続計画の試験〕および**下線（イ）**をポインタとして，問題文をたどる。 |

Step❶　下線（イ）の直前の段落の「**今回のような混乱**」についての記述にたどり着く。「**増設された2台の販売管理用端末**」のトラブルであることが読み取れるので，さらに問題文から，販売管理用端末の増設に関する情報を探す。

Step❷
- 〔販売管理用端末の増設〕の端末増設に関する記述にたどり着く。端末増設に伴い，本番系システムの設定変更を待機系システムに反映させる必要があること，および，その作業を3か月に1回設けられている売上分析システムの次回定期保守日に行う計画であることが読み取れる。
- これらから，作業の実施タイミングを売上分析システムの次回定期保守日としたために，設定変更が反映される前に試験が実施されてしまい，増設された2台の販売管理用端末からは，設定が変更されていない待機系システムに接続できなかったと考えられる。これについては，〔サービス継続計画の試験〕の「**原因は，売上分析システムの定期保守日に実施予定であった変更リリースが展開される前に試験を実施したから**」という記述からも明らかである。

Jump　「**今回のような混乱**」が発生しないようにするためには，待機系システムに展開すべき変更リリースがある場合には，業務再開フェーズの待機系システムの起動前に，待機系システムに変更リリースを展開しておくようにすればよい。よって，追加すべき作業内容は，**待機系システムに未実施の変更がある場合は，切替え前までに当該リリースの展開実施判断を行い，必要ならば展開する**となる。

　なお，待機系システムへのリリースの展開は，〔販売管理用端末の増設〕に「規定に従い，本番系システムの変更に合わせて，“待機系システムの変更に必要なリリース”及び“リリースの展開に必要な関連文書”をDC-Bに設置されているファイルサーバに格納し，DC-Bの情報システム部員に通知した」とあるので，ファイルサーバに格納されているリリース内容と関連文書をもとに行なえばよい。

第3部

午後Ⅰ試験対策
—②問題演習

午後Ⅰ問題の演習

1 新サービスの提案，計画，導入

問1 デジタルトランスフォーメーション（DX）の取組における，サービスの計画及び提供 （出題年度：R5問3）

デジタルトランスフォーメーション（DX）の取組における，サービスの計画及び提供に関する次の記述を読んで，設問に答えよ。

E社は，本社と全国に五つの営業所をもつ中堅の建設事業者であり，主に系列の鉄道会社から土木一式工事を請け負っている。工事内容には，一般の建設工事のほか，一部鉄道事業に特化した軌道や土木構築物に関する工事を含んでいる。E社では，営業，設計，見積り，施工管理といった事業運営に関する基幹システムが稼働しており，E社の情報システム部が，基幹システムの運用と管理を行っている。

E社では，現場作業員の人手不足が深刻化していて，DXに取り組むことによって，長時間労働の常態化や深夜作業といった過酷な労働環境を改善することが経営課題となっている。ICTを活用した働き方改革や業務改革を推進する役割は，情報システム部が担っている。

〔営業所の課題〕

営業所では，工事全体の工程，品質及び安全を管理し，各現場での作業をスムーズに進めるための施工管理を行っている。現在，営業所には図1に示す課題がある。

（課題 1）現場責任者は，毎朝営業所で基幹システムによって作成される工事計画表を紙に出力して現場に持参し，1 日の作業管理を実施している。作業進捗の基幹システムへの反映は，現場責任者が営業所に戻ってから実施する。1 日の途中で工事関係者が基幹システムを使って即時性のある情報を閲覧できないので，当日の工事の進捗確認は，電話などで対応することが多くなり，課題となっている。

（課題 2）現場作業員は，会社が貸与する業務用スマートデバイス（以下，携帯 SD という）を使って，工事の進捗状況を記録するための写真を，現場で撮影している。現場作業員は，毎日営業所に戻ってから，現場で撮影した写真を基幹システムのサーバに格納して，報告書をまとめる作業（以下，報告作業という）を行っており，報告作業の大半が残業時間となっていた。現場作業員の残業時間の多さが課題となっている。

（課題 3）営業所員は，施主に，工事の進捗を報告している。営業所員は，月に一度，基幹システムの施工情報や報告情報などを使って，手作業で施主向け報告書を作成する。営業所員の施主向け報告書の作成に掛かる工数が多く，課題となっている。

図 1　営業所の課題

〔改善策の検討〕

　営業所の課題を受け，情報システム部は IT サービスマネージャの F 氏を中心に，次の改善策を検討した。

- ・全ての携帯 SD に専用のアプリケーションソフトウェア（以下，専用アプリという）を配付する。
- ・現場責任者にも携帯 SD を貸与した上で，携帯 SD から工事計画表の閲覧・更新を可能にする。
- ・作業員が現場で撮影した写真のアップロード及び報告作業を，携帯 SD を使って営業所以外の場所からでも実施可能とする。
- ・施主向け報告書に必要な情報加工作業をシステム化する。

　F 氏は，改善策に適した建設事業者向けの業務管理パッケージ（以下，G システムという）を導入し，新サービスとして提供する検討に入った。

　G システムは，建設業界で多くの導入実績をもつ G 社が販売する業務管理パッケージであり，利用者が運用する基幹システムと連携可能なインタフェースをもつ。G システムの機能を用いて E 社が実現したい内容は次のとおりである。

- （1）現場向け機能：インターネットを使って，携帯 SD から G システムを経由して，基幹システムの各種情報操作を可能にする。
- （2）施主向け機能：基幹システムの施工情報を編集し，施主向けに情報提供する。

　G システムの利用者は，利用者 ID とパスワードを入力してログインすると，利用

者権限に応じた機能が利用可能となる。Gシステムは，保守時間帯以外は常に利用可能であり，全ての操作履歴を利用者IDとともにGシステムのログファイルに記録する。システム構成図を図2に示す。

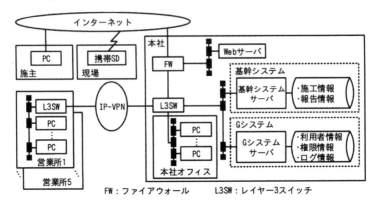

図2　システム構成図

〔新サービスの提案〕

　F氏の検討を受け，情報システム部は，DXの取組となる新サービスの提案資料を取りまとめ，Gシステムの導入及び運用に掛かる費用とともに経営会議に提案し，承認を得ることにした。新サービスによって期待される効果を表1に示す。

表1　新サービスによって期待される効果

Gシステムの機能	解決課題[1]	期待される効果
(1)現場向け機能	課題1 課題2	・現場の情報をリアルタイムで基幹システムに反映させることで，即時性の高い情報が閲覧できる。 ・現場責任者が現場から作業進捗の更新を行うことで，工事関係者は最新の情報が閲覧できる。 ・現場作業員が営業所に戻ることなく報告作業を行うことで，残業時間を抑制することができる。
(2)施主向け機能	課題3	・営業所員が，基幹システムの施工情報などから手作業で施主向け報告書を作成し，提供していた作業が不要になる。 ・施主は，　　　a　　　ができる。

注[1]　解決課題に示す課題1〜3は，図1における課題1〜3に対応する。

経営会議で提案は承認されたが，情報システム部に三つの指示事項があった。

①　新サービスの導入は，経営課題の解決に貢献する。新サービスの導入による(ア)現場作業員への効果を定量的に測定し，報告すること

②　新サービスの展開で，現場に混乱がないようにすること

③　全ての現場作業員に新サービスの利用が定着するようにすること

〔新サービスの準備〕

経営会議での承認を受け，F氏は新サービスの導入準備に着手した。新サービス開始以降は，情報システム部がサービス運用を担当し，社内からの各種問合せ対応及びインシデント対応を行う。また，現場に混乱がないように，F氏は，Gシステムの専門知識をもつG社要員による初期サポートが必要と判断した。そこで情報システム部とG社との間で，次の取決めを行い，(イ)初期サポートの契約を行った。

・初期サポートとして，表２に示すサポート内容を行う。

・新サービスの展開１週間前から展開３週間後までの４週間の初期サポートを実施する。

・表２の完了基準を設け，サポート終了の１週間前時点でサポート内容の状況を測定し，全ての完了基準を満たしていれば予定どおりに初期サポートを完了する。ただし，項番３が完了基準に満たない場合，項番３のサポート終了日を１週間延長し，サポート終了の１週間前時点で再度状況の測定を行う。

表２　初期サポートのサポート内容と完了基準

項番	サポート内容	完了基準
1	利用者マニュアルの提供	利用方法説明会までの納品
2	利用方法説明会の開催	展開までに開催完了
3	インシデントの解決	未解決インシデントなし

初期サポート期間中は，専門知識をもつG社要員が情報システム部に常駐して初期サポートを行う。新サービス展開から初期サポート完了までの間，G社の初期サポート要員は，インシデント対応を行い，解決したインシデントについては，その都度，情報システム部の要員に報告を行う。

〔新サービスの展開〕

新サービスの展開は，社内業務への影響と運用側の負荷を考慮し，２段階方式で行

うこととした。第1段階は本社と東京営業所に，第2段階はその他四つの営業所を含む全社に，展開することとなった。

第1段階の展開開始の1週間前から，利用者に対する利用者マニュアルの提供が開始され，利用方法説明会が開催された。また，現場作業員の携帯SDには専用アプリが配付された。説明会では，利用者マニュアルに記載された用語の意味が分からず，内容が理解できないという声が多く上がった。システムを使い慣れていない作業員が理解できない専門用語が，利用者マニュアルにそのまま用いられていたことと，鉄道事業に特化した工事で使われている用語で記述されていないことが原因と考えられた。

利用方法に関する同様の問合せは，説明会の後もしばらくの間続いたが，G社の初期サポートの対応によって，問合せの9割以上は即時に解決していた。しかし，F氏は，第2段階の展開開始までには，次の対応を速やかに実施する必要があると考えた。

・利用者マニュアルの内容を　　　b　　　すること
・Gシステムの利用方法についてのよくある問合せを，利用者が自ら解決できるようFAQとして整備し，社内PC及び携帯SDから検索できるようにすること

F氏は，"FAQの材料として過去に他社でGシステムを導入した際に発生した，利用方法についてのよくある問合せの提供"をG社に依頼し，G社は，よくある問合せの一覧表をF氏に提供した。F氏は，E社現場の特性を踏まえて，受領した一覧表の内容に対して (ウ) 必要な追加をしてFAQを社内に展開した。

〔全社への展開と定着の確認〕

情報システム部は，新サービスの第1段階展開の2週間後，問合せに対する対応が完了したのを確認して，1か月後に第2段階として新サービスの利用を全社に展開した。第1段階展開のときと同様，システムを使い慣れていない一部の利用者からは，問合せがあったが，FAQの効果もあり，全社展開はスムーズに行われた。

新サービスの全社展開から1か月が過ぎた頃，F氏は，新サービスの利用状況を確認するため， (エ) 必要な情報を収集した。その結果をGシステムの利用者情報に照らし合わせたところ，本来利用すべき現場作業員のうち，8割程度の要員は新サービスを利用しているが，2割程度の要員は新サービスを利用せず，依然として営業所で報告作業を行っていることが分かった。

F氏は，新サービスの定着には，現場作業員の声を拾う必要があると考え，新サービスを利用している要員と利用していない要員のそれぞれに対して，ヒアリングを実施した。その結果，"システムのユーザビリティが悪く操作しづらい"，"操作方法が

分からない",“営業所での報告作業が習慣化している"といった意見が上がった。F氏は,ヒアリングで上がった意見について,新サービスを定着させる上で深刻度が高い阻害要因があると考え,（オ）経営層から支援をもらい,現場に対する説明会を開催することとした。

設問1 〔新サービスの提案〕について答えよ。

　⑴　表1中の　　a　　には,新サービスを利用することによる施主側のメリットが入る。適切な内容を20字以内で答えよ。

　⑵　本文中の下線（ア）について,定量的に測定できる効果の内容を10字以内で答えよ。

設問2 〔新サービスの準備〕の本文中の下線（イ）の初期サポートの契約の終了時において,インシデント対応でG社要員から情報システム部にサポート業務の引継ぎが発生する場合がある。引継ぎが必要なインシデントは,どのようなものか。40字以内で答えよ。

設問3 〔新サービスの展開〕について答えよ。

　⑴　本文中の　　b　　には,利用者マニュアルの変更内容が入る。適切な内容を20字以内で答えよ。

　⑵　本文中の下線（ウ）について,FAQに追加した内容を25字以内で答えよ。

設問4 〔全社への展開と定着の確認〕について答えよ。

　⑴　本文中の下線（エ）について,新サービスの利用状況を確認するために必要な情報は何か。図2中の字句を使って10字以内で答えよ。

　⑵　本文中の下線（オ）について,経営層から支援をもらい,現場に対する説明会を開催する理由を30字以内で答えよ。

労働環境の改善を経営課題とする建設事業者が舞台となっており，課題解決のために新サービスを提案し，実際に準備して稼働環境に展開する，という事例である。経営会議で提案するために「新サービスによって期待される効果」をとりまとめるなど，ITサービスマネージャがITストラテジストに近い活動を行っていることが興味深い。

設問では，新サービスを利用することによる施主側のメリット，現場作業員への効果，初期サポート終了時のインシデント対応の引継ぎ事項，利用者マニュアルの変更内容，FAQへの追加内容，利用状況を確認するために必要な情報，経営層から支援を受けて説明会を開催する理由，などが取り上げられている。新サービス導入時には，利用者への教育や支援が不可欠である。マニュアルやFAQの整備はITサービスマネージャの重要な役割の一つであり，過去問でも何度か取り上げられている。また，新サービスをなかなか利用してもらえない状況においては，利用を促進するためにトップダウンでの意識改革が必要になることがある。本問では，経営層の支援を得て現場への説明会を行い，新サービスを定着させる取組が行われている。実務において新サービスを導入する際にも参考になる問題である。

［設問1］(1)

〔新サービスの提案〕の「表1　新サービスによって期待される効果」中の空欄aに入る施主側のメリットが問われている。空欄aは（2）施主向け機能の課題3に対する期待される効果にあたるが，「図1　営業所の課題」中に示されている課題3には施主側の課題や要望は書かれていない。よって，営業所の課題を解決することで施主側にどのようなメリットがあるかを考える。課題3には「営業所員は，月に一度，基幹システムの施工情報や報告情報などを使って，手作業で施主向け報告書を作成する」とある。ここから施主向けの報告は月に一度というタイミングで行われることが分かる。そして〔改善策の検討〕を見ると，「施主向け報告書に必要な情報加工作業をシステム化する」，「(2) 施主向け機能：基幹システムの施工情報を編集し，施主向けに情報提供する」などの記述がある。つまり，新サービスでは情報はリアルタイムで基幹システムに反映され，施主向け報告書に必要な情報加工作業がシステム化される。よって施主はいつでも必要な施工情報を閲覧することができ，タイムリーに進捗を把握できるようになる。これまで毎月報告を受けていた情報は自ら入手できるようになるので報告書も不要になる。解答は，空欄の後の「ができる」につながるよう

に，**最新の施主向け報告書を確認すること**あるいは**いつでも施主向け報告書を確認すること**とまとめればよい。

[設問1] (2)

〔新サービスの提案〕中の下線（ア）「現場作業員への効果」について，定量的に測定できる効果の内容が問われている。下線（ア）の前には「新サービスの導入は，経営課題の解決に貢献する」とあるので，経営課題を探す。すると，問題文の冒頭部に「DXに取り組むことによって，長時間労働の常態化や深夜作業といった過酷な労働環境を改善することが経営課題となっている」とあるので，これを定量的に測定できる効果を考える。表1の（1）現場向け機能の期待される効果の中に「現場作業員が営業所に戻ることなく報告作業を行うことで，残業時間を抑制することができる」という記述があるように，残業時間をどれくらい抑制できたか，その削減量や削減率は数値化できる。したがって，定量的に測定できる効果の内容は，**残業時間の削減量**あるいは**残業時間の削減率**となる。

[設問2]

〔新サービスの準備〕中の下線（イ）「初期サポートの契約」の終了時に，G社要員から引継ぎが必要なインシデントが問われている。

初期サポートの完了基準を整理すると，次のようになる。

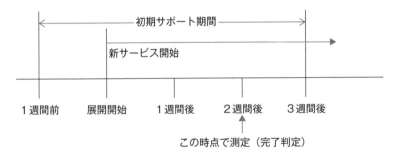

初期サポートは，「新サービスの展開1週間前から展開3週間後までの4週間」実施される。「サポート終了の1週間前時点でサポート内容の状況を測定し」とあるので，つまり新サービス展開から2週間後に測定が行われ，「全ての完了基準を満たしていれば予定どおりに初期サポートを完了する」。そして，「項番3が完了基準に満たない場合，項番3のサポート終了日を1週間延長し，サポート終了の1週間前時点で再度状況の測定を行う」とある。項番3とは「インシデントの解決」であり，完了基準は

「未解決インシデントなし」である。これより，新サービスの展開2週間後の測定において「未解決インシデントなし」の状態になっていれば，初期サポートは終了し，未解決のインシデントが残っている場合には，サポート終了日が1週間延長される。そして終了1週間前の時点で再度測定して，「未解決インシデントなし」となれば終了する。

つまり，初期サポートを終了するかの判定は常にサポート終了の1週間前に行われる。ということは，1週間前以降に発生したインシデントについては，サポート終了時点で未解決のまま残っている可能性がある。この未解決のインシデントについては，情報システム部に引き継がなければならない。したがって，**初期サポート完了判定後に発生し，初期サポート終了時点で未解決のインシデント**とまとめればよい。

［設問3］(1)

〔新サービスの展開〕中の空欄bに入る利用者マニュアルの変更内容が問われている。直前の記述を見ると，これは「第2段階の展開開始までには」「速やかに実施する必要がある」対応であることが分かる。第1段階では，「利用者マニュアルに記載された用語の意味が分からず，内容が理解できない」という声が現場作業員から多く上がった。その原因として「システムを使い慣れていない作業員が理解できない専門用語が，利用者マニュアルにそのまま用いられていたこと」と「鉄道事業に特化した工事で使われている用語で記述されていないこと」が挙げられている。両方とも用語の問題である。第2段階の展開開始までには，E社作業員になじみがあり，理解できる用語に書き換える必要がある。よって，空欄bに入る変更内容は，利用者マニュアルを**E社で使われている用語や表現に変更**することである。

［設問3］(2)

〔新サービスの展開〕中の下線（ウ）「必要な追加」について，FAQに追加した内容が問われている。G社から提供されたのは「過去に他社でGシステムを導入した際に発生した，利用方法についてのよくある問合せ」である。いわば一般的な問合せということになる。下線（ウ）の前には「E社現場の特性を踏まえて」とある。設問3（1）で解説したように，第1段階の展開の時点でE社現場の利用者の意見や問合せがあった。例えば「鉄道事業に特化した工事で使われている用語」に関する問合せである。これはG社から提供された一般的な問合せには含まれておらず，かつ第2段階においても多く寄せられる可能性がある。これをFAQに追加しておけば，利用者が自ら解決する助けになるはずである。したがって，FAQに追加した内容は，**第1段階の展**

開で実際に発生した問合せの内容とまとめることができる。

[設問4] (1)

〔全社への展開と定着の確認〕中の下線（エ）「必要な情報」について，新サービスの利用状況を確認するため必要な情報が問われている。「図2中の字句を使って」という条件が付いていることに注意する。また，Gシステムによる新サービスの利用に関して収集する情報なので，「図2　システム構成図」中のGシステムサーバが保有する利用者情報，権限情報，ログ情報のいずれかである，という見当はつく。よってこの中で利用状況を確認できるのはどれかを考える。利用者情報はGシステムの利用者に関する情報であり，権限情報は各利用者がどのような権限を有しているかに関する情報である。ログ情報とはコンピュータの利用履歴を記録したデータである。「いつ」「誰が」「何をしたか」を記録し，そのデータを蓄積したものといえる。これを収集すれば，Gシステムが「どれだけの時間」「誰に」「どういう使われ方をしたか」を調査することができる。したがって，収集したのは，**ログ情報**，あるいは**Gシステムのログ情報**である。

[設問4] (2)

下線（オ）「経営層から支援をもらい，現場に対する説明会を開催」について，その開催理由が問われている。下線（オ）の前に要員へのヒアリング結果が書かれている。「"システムのユーザビリティが悪く操作しづらい"，"操作方法が分からない"，"営業所での報告作業が習慣化している"」の3点である。これらはどれも新サービスに対する否定的な意見である。

このように，新サービスの導入時には，使い慣れたものへの執着や新しいものへの拒否反応などがあり，変化にすぐに対応できない者が一定数いるものである。このため，利用者の理解を得られず新サービスが現場になかなか定着しないことがある。そのような場合には，経営層の力を借りて現場への説明会を行うなど，トップダウンでの意識改革が有効である。

そもそも新サービスの導入は「長時間労働の常態化や深夜作業といった過酷な労働環境を改善する」という経営課題の解決のためである。新サービスを利用することが自身の労働環境改善に寄与するということを，現場に理解してもらい，新サービスを定着させる必要がある。そのためには，経営層から直接説明してもらうのが効果的である。よって，現場に対する説明会を開催する理由は，**経営課題の解決には，新サービスの定着が必要だから**，となる。あるいは，**新サービスの定着は，経営課題の解決**

に貢献する取組だからとまとめてもよい。

問1 解答

設問		解答例・解答の要点
設問1	(1)	・最新の施主向け報告書を確認すること ・いつでも施主向け報告書を確認すること
	(2)	・残業時間の削減量 ・残業時間の削減率
設問2		初期サポート完了判定後に発生し，初期サポート終了時点で未解決のインシデント
設問3	(1)	E社で使われている用語や表現に変更
	(2)	第1段階の展開で実際に発生した問合せの内容
設問4	(1)	・ログ情報 ・Gシステムのログ情報
	(2)	・経営課題の解決には，新サービスの定着が必要だから ・新サービスの定着は，経営課題の解決に貢献する取組だから

※IPA発表

SMの視点 ●本問から学べること・ITサービスマネージャの着眼点

問1 デジタルトランスフォーメーション（DX）の取組における，サービスの計画及び提供（R5年問3）
※テーマは，サービスの提案・計画・導入

❷演習編

午後 I —②問題演習

1.新サービスの提案活動……設問1

　新しいシステムやサービスを導入するにあたり，提案資料を作成し経営層に提案を行う。経営層への提案はITストラテジストが主体となり行われるが，導入対象がITサービスの場合には，ITサービスマネージャがその役割を担うことがある。具体的には，サービスの導入及び運用にかかる費用や新サービスによって期待される効果などをまとめた資料を作成し，経営会議において提案する。期待される効果は，顧客への効果，エンドユーザへの効果，などのように，それぞれのステークホルダの視点からまとめられる。

2.初期サポート終了時の引継ぎ事項……設問2

　新サービスの導入初期にはさまざまなインシデントが発生したり，利用者への支援が必要となったりするため，その期間に限って専門組織にサポートを委託することがある（初期サポートという）。初期サポートでは，利用者マニュアルの提供や利用者への教育や説明，インシデント対応などが行われる。専門組織による初期サポートが終了すると，通常の担当部署が運用及び利用者支援を担当することになるが,仕掛中のインシデント対応業務（特に，未解決のインシデントの対応状況）については，引継ぎが必要となる。

3.利用者マニュアルやFAQの整備……設問3

　新サービスの導入に当たって，利用者への支援として利用者マニュアルやFAQの整備を行う。利用者マニュアルは，専門用語ではなく，利用者が理解しやすい用語を使って表現すべきである。また，FAQを整備することでよくある問合せを利用者が自ら解決できるようになり，問合せ数の削減につながる。

4.新サービス導入後の定着に向けた活動……設問4

　新サービスの導入においては，利用者の理解を得られずサービスが現場になかなか定着しないことがある。そのような場合には，経営層の力を借りて現場への説明会を行うなど，トップダウンでの意識改革が有効である。

サービスレベル管理に関する次の記述を読んで，設問1～4に答えよ。

Q社は，事務用品を製造販売する中堅企業である。Q社のシステム部は，受注システムのオンライン処理を受注業務サービスとして提供している。サービスの利用者は，Q社の営業部の営業担当者である。利用者は，受注業務サービスを利用して商品の受注業務を行う。Q社の営業日は，月曜日から土曜日までである。サービスの提供時間は，営業日の7時から23時までである。

受注システムが稼働する業務サーバのハードウェアの保守期限切れに伴い，システム部は受注システムを再構築し，新受注業務サービス（以下，新サービスという）を2022年3月から利用者に提供することになった。再構築では，業務サーバを更改し，受注システムのアプリケーションソフトウェア（以下，Tアプリという）を更改後の業務サーバに移行する。再構築前の受注システムは，システム障害の発生によって，利用者がサービスを利用できない状況になることがあった。新サービスでは，サービス可用性と保守性の向上が求められている。

〔サービスレベル目標の設定〕

Q社では，今まで社内に提供するサービスについてはサービスレベル目標を定めていなかったが，新サービスではサービスレベル目標を明確にし，営業部とシステム部との間でSLAを合意することになった。

システム部のITサービスマネージャU氏は，新サービスのSLA案の作成に当たって，主要なサービスレベル項目のサービスレベル目標について，営業部の要望を基にした目標値を作成した。U氏は，サービスレベル目標の実績値を測定する作業負荷には問題がないことをシステム部内で確認後，営業部とシステム部との間で，新サービス開始後1か月間における仮のサービスレベル目標を合意した。また，（ア）正式なサービスレベル目標は，1か月間のサービスレベル目標の達成状況を評価後に決定することとなった。

合意した主要なサービスレベル目標（仮）を表1に示す。

表1　主要なサービスレベル目標（仮）

種別	サービスレベル項目	サービスレベル目標
サービス可用性	サービス時間 [1]	営業日の7時から23時まで（計画停止時間を除く）
	計画停止時間	5時間（第1土曜日の18時から23時まで）
	サービス稼働率	99.3%以上
保守性	計画外の停止時間	サービス停止 [2] 1回当たり2時間以内
性能	オンライン応答時間 [3]	平均3秒以内

注 [1]　利用者がサービスを利用できる時間
注 [2]　サービス停止には，サービスが全面停止している事象だけでなく，一部の利用者がサービスを利用できない事象も含める。
注 [3]　受注システムの業務サーバが，要求を受け付けてから応答するまでの時間

2022年3月の1か月間のサービスレベル目標（仮）の達成状況は，翌月にシステム部から営業部に報告される。

合意した1か月間のサービス時間の目標値の合計（以下，計画サービス時間という）は，2022年3月の場合，　a　時間となる。ここで，2022年3月の営業日の日数は27日である。また，サービス稼働率は，次の計算式で算出する。

（計画サービス時間 − 計画外の停止時間の合計）÷ 計画サービス時間

新サービスには表2に示す複数の組織が関わっている。

表2　新サービスに関わる組織

組織		機能	役割
Q社	営業部	サービス利用	新サービスを利用する。
	システム部	サービス提供	営業部に対して新サービスを提供する。
		システム運用	受注システムのシステム運用を担う。
R社		ソフトウェア保守	Tアプリのソフトウェア保守を担う。
S社		ハードウェア保守	受注システムのハードウェア保守を担う。

R社は再構築前のTアプリのソフトウェア保守を，S社は受注システムのハードウェア保守を担当している。システム部は，R社及びS社（以下，それぞれをサプライヤーという）と，サービスに関する取決めを契約に定めている。これらの契約は，新サービスの開始後も継続することとしている。システム部とR社との主な契約事項を表

3に，システム部とS社との主な契約事項を表4に示す。

表3　システム部とR社との主な契約事項

項番	契約事項
1	システム部からの調査依頼，及びインシデントの解決の依頼を毎日7時から23時まで受け付け，調査依頼の回答又はインシデントの解決を行う。
2	調査の結果，Tアプリの不具合が判明した場合，Tアプリに関する改修を行う。

表4　システム部とS社との主な契約事項

項番	契約事項
1	システム部からの調査依頼，及びインシデントの解決の依頼を毎日7時から23時まで受け付け，調査依頼の回答又はインシデントの解決を行う。
2	調査の結果，ハードウェアの部品交換が必要と判明した場合，部品交換の依頼から交換までを90分以内に行う。

なお，再構築後の受注システムのハードウェアには，新サービスの性能要件を満たす必要があることから，S社推奨の新製品を採用した。

〔新サービスの開始から1か月間の状況〕
　システム部は，2022年3月から新サービスを開始し，表1のサービスレベル目標(仮)の実績値（以下，初回実績値という）を測定した。新サービスはオンライン応答時間のサービスレベル目標を達成していたが，2022年3月に3回インシデントが発生し，計画外にサービスが停止した。計画外のサービス停止の状況を表5に示す。

表5　3月の計画外のサービス停止状況

発生日	3月4日	3月10日	3月19日
計画外の停止時間	150分	30分	20分

　U氏は，初回実績値が表1に示すサービスレベル目標を達成できているかどうかを評価し，未達成の場合は改善策を検討することとした。
　U氏が初回実績値を算出したところ，サービス稼働率は　　b　　％となった。

〔3月4日のサービス停止の詳細〕

　表5の3月4日の計画外の停止時間は長時間となった。U氏が当該インシデントの回復手順を確認したところ，表6のとおりであった。ここで，計画外の停止時間は，インシデントの回復手順の所要時間合計である。

表6　3月4日のインシデントの回復手順

項番	手順	内容	所要時間
1	検出	・システム部は，営業部から"一部の利用者が新サービスを利用できない"という連絡を受けた。 ・連絡から15分経過後，監視システム[1] がアラートを検知して監視端末で警報を鳴らし，システム部はインシデントを記録した。	20分
2	診断	・システム部は，インシデントの内容を調査し，監視システムを使って診断を行った。診断の結果，一部の利用者で，新サービスの応答が極端に遅延する事象が起きていることが分かった。 ・診断と並行して，Tアプリに問題がある可能性を考慮し，システム部はR社に調査を依頼した。 ・R社は，Tアプリに問題はないことをシステム部に回答した。 ・システム部は，監視システムの診断結果からハードウェア障害と認識し，S社に連絡した。 ・S社は，故障箇所を磁気ディスク装置と特定し，システム部に回答した。	20分
3	修理	・システム部は，故障した磁気ディスク装置の部品交換をS社に依頼した。 ・S社が，保守部品を持参してQ社に到着し，交換を行った。	90分
4	復旧	・システム部は，規定されている磁気ディスク装置故障時の復旧手順書に従って，受注システムを復旧させた。	10分
5	回復	・システム部は，営業部に"新サービスの応答に遅延がなく回復している"ことを確認したので，インシデント対応を完了した。	10分
		合計	150分

注[1]　監視システムは，CPU使用率，オンライン応答時間などを管理項目として常時監視し，管理項目がしきい値を超える事象が発生した場合，アラートとして検知する。しきい値には，インシデント発生につながる測定基準を，管理項目ごとにあらかじめ設定する。

　U氏は，当該インシデントの問題と同じ磁気ディスク装置の故障によるインシデントが再発した場合に，現状のままではサービスレベル目標を達成できないと考えた。そこで，U氏は，表6のそれぞれの手順の所要時間に焦点を当て，(イ) 一つの手順の改善を行うことによって，サービスレベル目標を達成できると考えた。そこで，U氏は，(ウ) サプライヤーとの契約内容を調整することとした。

〔システム部内の振り返り〕

　システム部は，2022年3月のサービスレベル目標（仮）の達成状況，インシデントへの対応状況について部内レビューを行った。部内レビューでは，3月4日のインシデントにおいて，サプライヤーとの契約内容の調整以外にも，計画外の停止時間を長時間化させない対策を取るべき手順があると指摘があった。そこで，U氏は，<u>(エ)インシデントの検出に着目して調査を行う</u>ことにした。

設問1　〔サービスレベル目標の設定〕について，(1)，(2)に答えよ。

　　(1)　本文中の下線（ア）で，正式なサービスレベル目標は，1か月後に決定する方式としている。サービス提供者としてのシステム部の立場から，このような決定方式とした目的について，30字以内で述べよ。

　　(2)　　　a　　の値を整数で求めよ。

設問2　〔新サービスの開始から1か月間の状況〕について，　　b　　のサービス稼働率を％単位で求め，小数第2位を四捨五入して小数第1位まで答えよ。ここで，2022年3月の営業日の日数は27日である。

設問3　〔3月4日のサービス停止の詳細〕について，(1)，(2)に答えよ。

　　(1)　本文中の下線（イ）について，U氏が改善を行うことにした手順を表6から一つ選び，項番で答えよ。また，その理由を25字以内で述べよ。

　　(2)　本文中の下線（ウ）について，調整すべき内容を30字以内で述べよ。

設問4　〔システム部内の振り返り〕について，本文中の下線（エ）で，U氏がインシデントの検出に着目したのはなぜか。考えられる理由を，30字以内で述べよ。

問2　解 説

　受注システムの再構築に伴い，新受注業務サービスの提供者であるシステム部と利用部門との間でSLAを合意することになった，という事例である。サービス開始前に仮のサービスレベル目標を設定し合意しておき，稼働後1か月間の実績値をみたうえで正式なサービスレベル目標を決定する，という手順がとられており，そのようにした目的や計画上のサービス提供時間，実際のサービス稼働率などが問われている。また，稼働中に発生したインシデントとサービスレベル目標の達成状況を振り返り，目標達成に向けての対策の検討が行われる。新受注業務サービスの保守にはサプライヤーの協力を得ており，目標達成のためにサプライヤーに行う契約内容の調整なども設

問で取り上げられている。

[設問1] (1)

　正式なサービスレベル目標を，1か月後に決定する方式とした目的が問われている。〔サービスレベル目標の設定〕に，Q社では，「新サービスではサービルレベル目標を明確にし，営業部とシステム部との間でSLAを合意することになった」とあり，まず「新サービス開始後1か月間における仮のサービスレベル目標を合意」しておき，「正式なサービスレベル目標は，1か月間のサービスレベル目標の達成状況を評価後に決定する」ことにした。

　SLAはサービス提供者が提供するサービスの品質を保証する約束である。そこには一般に，サービス内容と範囲，サービスレベルの目標値と，それが守られなかった場合のルールなどが含まれる。サービスレベルの目標は，客観的に判断できる数値で表現される。この精度が低いと，実現することが難しい目標値となったり，利用側が要求するレベルに達しない目標値となったりするリスクがある。サービス開始前に予測した値をそのまま目標値とするより，ある程度の稼働期間における実績値をみて評価するほうが，より実現性のある，精度の高い値を設定することができ，達成可能なSLAになる。よって，目的は，**現実的に達成可能なSLAを，営業部と合意するため**，あるいは，**現実的に達成可能なSLAであることを確認するため**，または，より達成可能な値に改善していくという観点から，**目標値を実現する上で，改善が必要かを確認するため**，のように表現できる。

[設問1] (2)

　空欄aは〔サービスレベル目標の設定〕中にあり，2022年3月のサービス時間の目標値の合計である。サービス時間は営業日の7時から23時までの16時間，2022年3月の営業日の日数は27日である。また計画停止時間が5時間あり，これはサービス時間に含まれない。したがって，次の式で求めることができる。

　　16×27−5 =**427**（時間）

[設問2]

　〔新サービスの開始から1か月間の状況〕中の空欄bにあたる2022年3月のサービス稼働率を求める。サービス稼働率の計算式は，〔サービスレベル目標の設定〕に次のように与えられている。

　　（計画サービス時間−計画外の停止時間の合計）÷計画サービス時間

設問1（2）で求めた計画サービス時間は427時間である。計画外のサービス停止時間は，表5の値を合計すると，

　　150＋30＋20＝200（分）

となる。ここからサービス稼働率は次のように求められる。計画サービス時間は分に換算する。

　　（427×60－200）÷427×60＝0.9921・・・

設問の指示通り％単位にし，小数第2位を四捨五入して，**99.2**％となる。

[設問3]（1）

　下線（イ）は〔3月4日のサービス停止の詳細〕中の「一つの手順の改善を行うことによって，サービスレベル目標を達成できる」である。ITサービスマネージャのU氏は，3月4日の長時間にわたるサービス停止と同様のインシデントが再発した場合に，現状のままではサービスレベル目標を達成できないと考えている。ここでのサービスレベル目標に該当するのは，「表1　主要なサービスレベル目標（仮）」のうち，「計画外の停止時間」の「サービス停止1回当たり2時間以内」という保守性の目標値である。3月4日のインシデントの回復時間は150分であり，サービスレベル目標の2時間（120分）以内を超過してしまっている。これを踏まえて，U氏が改善を行うことにした「表6　3月4日のインシデントの回復手順」中の手順の項番と，その理由が問われている。

　ヒントは下線（イ）の前後にある。前には「それぞれの手順の所要時間に焦点を当て」とあり，後には「そこで，U氏は，サプライヤーとの契約内容を調整することとした」とある。つまり，正解は表6の回復手順のうち，所要時間が長く，サプライヤーとの契約内容を調整することでそれを短縮できる手順，ということになる。

　所要時間が長くかかった手順は，それだけ短縮の余地がある，ということであり，大きく短縮できれば目標達成への影響は大きい。そこで，最も所要時間が長くかかった項番3に着目する。90分かかっているので，ここを30分以上短縮できる可能性は最も高く，30分短縮できれば合計120分となり，サービスレベル目標を達成できることになる。この「修理」の手順はサプライヤーであるS社に依頼している。したがって，改善を行うことにした手順は項番**3**，その理由として，IPAの解答例では，**30分以上短縮できる可能性があるから**，**手順の中で最も時間を要しているから**，の2つを挙げている。

[設問3] (2)

　下線（ウ）は「サプライヤーとの契約内容を調整」である。（2）では，（1）を受けて契約で調整すべき内容が問われている。S社との契約事項は「表4　システム部とS社との主な契約事項」に書かれている。その項番2には「調査の結果，ハードウェアの部品交換が必要と判明した場合，部品交換の依頼から交換までを90分以内に行う」とある。この90分が短縮できれば，インシデントからの回復時間を短縮でき，サービスレベル目標を達成できる可能性が高い。そこで，S社との契約事項における部品交換の所要時間を短縮してもらうよう調整することとなる。具体的な調整内容としては，**表4の項番2の90分以内を60分以内に変更する**こととなる。調整が成功するかどうかは分からないが，（1）で回答したように最も時間を要しており，目標達成への影響が大きいだけに，S社と交渉してみる必要はある。

[設問4]

　下線（エ）は，〔システム部内の振り返り〕中の「インシデントの検出に着目して調査を行う」である。設問3（2）に挙げたサプライヤーとの調整以外で，計画外の停止時間を長時間化させない対策について，特にインシデントの検出に着目した理由が問われている。表6の項番1の検出の手順では，その所要時間として20分かかっている。これは所要時間合計の150分の中でかなりの時間を占める。また，その内容に「連絡から15分経過後，監視システムがアラートを検知して監視端末で警報を鳴らし，システム部はインシデントを記録した」とある。ユーザからの"新サービスを利用できない"という連絡を受けたにもかかわらず，監視システムがアラートを検知するまでの15分間は，インシデントとは認識していなかったということになる。ユーザからの連絡を受けた時点でインシデントと認識し，次の手順に移行していれば，この検出の手順の所要時間を短縮できたと思われる。

　また，監視システムがなぜアラートを検知するまでに時間がかかったかを考える。表6の注に「監視システムは，CPU使用率，オンライン応答時間などを管理項目として常時監視し，管理項目がしきい値を超える事象が発生した場合，アラートとして検知する。しきい値には，インシデント発生につながる測定基準を，管理項目ごとにあらかじめ設定する」という記述がある。このしきい値の設定が適切でないと，アラートの検知がされなかったり遅れたりすることがあるので，しきい値の見直しを検討すべきかもしれない。

　以上のことを踏まえて回答すればよい。IPAの解答例では，**インシデントの検出に20分掛かったから**，**アラート検知が営業部の連絡より15分遅いから**，の2通りの解

答例が挙げられている。

設問		解答例・解答の要点	
設問1	(1)	・現実的に達成可能なSLAを，営業部と合意するため ・現実的に達成可能なSLAであることを確認するため ・目標値を実現する上で，改善が必要かを確認するため	
	(2)	427	
設問2		99.2	
設問3	(1)	項番	3
		理由	・30分以上短縮できる可能性があるから ・手順の中で最も時間を要しているから
	(2)	表4の項番2の90分以内を60分以内に変更する。	
設問4		・インシデントの検出に20分掛かったから ・アラート検知が営業部の連絡より15分遅いから	

※IPA発表

●本問から学べること・ITサービスマネージャの着眼点
SMの視点　問2　サービスレベル管理（R4年問1）

1.より実現性の高いサービスレベル目標の設定……設問1

　SLAで合意したサービスレベルを実現・維持することは，サービス提供者の責務である。設定した**サービスレベル目標**が実現不可能であったり，顧客のビジネスへの貢献度の低いものであっては意味がない。サービスレベル目標は，顧客のためになる，実現性の高い値を設定する必要がある。

　本問では，正式なSLAを合意する前に**仮のSLA**を設定しておき，サービス開始後1か月間の達成状況を評価してから正式なサービスレベル目標を決定する方法を取り，SLAがより実現性の高いものになるようにしている。

2.サービス稼働率の計算……設問2

サービス稼働率は，次の式で求められる。

(計画サービス時間－計画外の停止時間の合計) ÷計画サービス時間

計画サービス時間は，規定のサービス提供時間から定期保守などの計画停止時間を除いた時間である。サービス稼働率は，計画サービス時間からインシデント等で計画外に停止した時間を除いた時間を，計画サービス時間で割って求める。

3.サービスレベル目標達成のためのインシデント回復時間の短縮……設問3

SLAでは，保守性のサービスレベル項目として，「**計画外の停止時間**」を設定することがある。これは，インシデントの発生等でサービスが停止した場合の回復時間の目標値である。目標達成のためには，インシデントからの回復にかける時間をできる限り短くすることが求められる。具体的な方法としては，回復のために必要な作業を細分化し，それぞれに短縮できる余地はないかを検討していくことになる。修理などサプライヤに依頼する作業も検討対象となるが，その場合にはサプライヤとの契約内容やSLAの内容の調整が必要になる場合がある。

4.インシデントの検出としきい値の設定……設問4

CPU使用率やオンライン応答時間などのサービスの稼働状況は，監視システムで常時監視し，インシデントの発生やその兆候を適時に把握できるようにする。具体的には，**しきい値**を設定しておき，しきい値を超える事象が発生した場合にアラートを出すようにする。このしきい値の設定が適切でないと，適時にアラート検知が行われず，インシデントの検出の遅れにつながる。常に適切なしきい値を維持するために，稼働状況に応じて適宜見直しを行うことも重要である。

キャパシティ管理に関する次の記述を読んで，設問1～3に答えよ。

＊制限時間45分

　R社は，カード決済システムをITサービスとして提供している。R社が発行するクレジットカードの利用者（以下，カード利用者という）は，R社のクレジットカード決済を行う店舗（以下，加盟店という）及びオンラインショッピングサイト（以下，オンラインサイトという）で，クレジットカードを使って決済することができる。

〔カード決済システムの構成〕
　R社が発行しているクレジットカードの情報は，R社のシステム部が運用するカード決済システムで管理されている。カード決済システムの構成を，図1に示す。

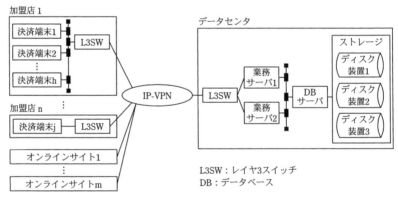

図1　カード決済システムの構成（2012年12月末現在）

　データセンタには，業務サーバ（2台），DBサーバ（1台），ストレージ（ディスク装置3台）が設置されている。ディスク装置にはカード利用者の会員情報の他にカード利用者ごとの利用履歴が1年分保管されている。これらのデータはDBサーバで管理されている。業務サーバ1，2では，カード決済システムのアプリケーションが

稼働しており，L3SWを経由して加盟店及びオンラインサイトとIP-VPNで接続され
ている。

　加盟店には，IP-VPNに接続する決済端末が設置されている。決済端末は処理装置，
メモリ，クレジットカードの読取りを行うカードリーダ，及びカード利用者が暗証番
号を入力する際に利用するPINパッドで構成されている。

〔加盟店向けサービス〕

　加盟店は，クレジットカードを利用して決済するために，加盟店向けの決済サービ
ス（以下，加盟店決済サービスという）を利用する。システム部での対応は，次のと
おりである。
・加盟店では顧客との対面販売が中心で短時間での応答が求められるので，システム
　部は加盟店決済サービスの応答時間については特に考慮し,営業部と合意している。
・クレジットカードが利用されると，決済要求が業務サーバにリアルタイムに送信さ
　れる。このとき，業務サーバに対して要求が均等になるよう，加盟店ごとに送信先
　サーバを決めている。
・業務サーバが要求を受け付け，カード利用者の情報についてDBサーバを経由して
　参照し，応答を反す。
・加盟店でのカードの利用頻度と決済処理時の通信データ量を考慮して，加盟店と
　IP-VPN間は64kビット／秒の回線で接続している。

〔オンラインサイト向けサービス〕

　最近，カード利用者によるオンラインサイトの利用が増えている。そこでR社では，
オンラインサイト向けの決済サービス（以下，オンライン決済サービスという）を強
化している。システム部での対応は次のとおりである。
・オンライン決済サービスでは，オンラインサイト経由のカード利用者からの決済要
　求をリアルタイムに処理する。業務サーバに対して要求が均等になるよう，オンラ
　インサイトごとに送信先サーバを決めている。
・加盟店決済サービスと同様，短時間での応答が求められる。特に，昼休み，夜間な
　どの繁忙時間帯に，オンラインサイトで大量の決済処理が集中する場合を考慮して，
　オンラインサイトとIP-VPN間は，オンラインサイトごとの決済要求量に応じて，
　128kビット／秒以上の回線で接続している。
・一部のオンラインサイトでは，有料登録会員に対して月額基本料を毎月継続して請
　求している。そこで，オンライン決済サービスでは，複数のカード利用者の月額基

本料をまとめて処理するための一括決済サービスを提供している。一括決済サービスでは，オンラインサイト側が任意のタイミングで，業務サーバにデータを送信できる。業務サーバでは，一括決済サービスのためのバッチ処理を 1 時間に 1 回起動し，全てのカード利用者の決済処理終了後に，送信元の全てのオンラインサイトに一括して処理結果を回答している。

〔キャパシティ計画〕

営業部では，2012年にカード利用者の拡大を計画し，その後 3 年間の需要予測を行い，業務計画値として管理を開始した。業務計画に基づいて，カード利用者数，加盟店数，オンラインサイト数の12月末時点での予測値を，表 1 に整理した。

表1　カード利用者数，加盟店数，オンラインサイト数の予測値

予測項目　　　　　　　　　年	実績値	予測値		
	2012 年 12 月末	2013 年 12 月末	2014 年 12 月末	2015 年 12 月末
カード利用者数	200 万人	500 万人	650 万人	750 万人
加盟店数	150 店	200 店	250 店	300 店
オンラインサイト数	10 サイト	20 サイト	60 サイト	80 サイト

システム部のITサービスマネージャであるL氏は，営業部が策定する業務計画に合わせて，毎年 1 月にキャパシティ計画を作成している。サーバ及びディスク装置については，これまでのサービス運用実績に基づき，要求基準に従って計画する。具体的には，当該年の12月末の予測値に基づき，業務サーバ，DBサーバ及びディスク装置の増強計画を策定する。キャパシティの増強が必要と判断された場合のサーバ及びディスク装置の増設作業は，あらかじめ決められたサービス停止期間中に行う。表2に，サーバ及びディスク装置の容量・能力と要求基準を示す。

表2　サーバ及びディスク装置の容量・能力と要求基準

業務サーバ	1台当たり30件／秒のサービス要求を処理できる。	・加盟店は1店舗当たり0.1件／秒，オンラインサイトは1サイト当たり1件／秒の要求が送信されるものとして，必要な台数を決定する。
DBサーバ	1台当たりカード利用者数800万人のデータを処理できる。	・カード利用者数が1台当たり750万人を超えた時点で増設する。
ディスク装置	1台当たり10Gバイト（10,000Mバイト）の容量のデータを保管できる。	・会員情報：カード利用者1万人当たり20Mバイトを確保 ・利用履歴[1]：加盟店は1店舗当たり100Mバイトを確保，オンラインサイトは1サイト当たり500Mバイトを確保

注[1]　利用履歴は，カード利用者の利用頻度に比例して増加する。

〔加盟店向けサービスの応答時間悪化〕

　2013年1月のある日，加盟店から，"サービスの応答時間が時々長くなる"という苦情があった。L氏が調査したところ，昼休みの時間帯に遅延が生じていること，及びオンラインサイト数の増加に伴って，オンラインサイトでの一括決済サービスのデータ量が多くなっていることから，データセンタとIP-VPNを接続する回線が遅延の原因になっていることが分かった。そこで，L氏は次のような対策を検討した。

・オンラインサイト数の拡大に伴って一括決済サービス利用の増加が見込まれるので，(ア) データセンタとIP-VPNを接続する回線を増設し，一括決済サービスの要求と回答は，新規に敷設する回線を経由させる。

・回線の敷設には時間が掛かるので，増設完了までの間，(イ) 一括決済サービスの運用方法を工夫して回避する。営業部に一括決済サービスの処理結果の回答期限について確認したところ，0時から12時までに受け付けた要求は18時までに，12時から24時までに受け付けた要求は翌日6時までに回答すればよいことが分かった。

〔大口オンラインサイトの追加〕

　2013年2月になって，営業部では，計画外であるが既存オンラインサイトと比べて利用量が多い大口オンラインサイトを獲得した。これによって，2013年12月末のオンラインサイト数が一つ増えて，21サイトとなる。大口オンラインサイトは，多数のカード利用者の利用が見込まれており，サービス要求数とカード利用者の利用頻度は，それぞれ既存オンラインサイトの1サイト当たりのサービス要求数と利用頻度の5倍であることが分かった。そこで，L氏は，2013年1月に策定した (ウ) キャパシティ計画の見直しを行った。

〔電子サインサービスの開始〕

2013年10月になって，R社では，加盟店向けの新規サービスとして，2014年7月から電子サインサービスを導入することを決定した。現在，加盟店では，カード利用者本人がサインした伝票を保管しているが，今後は電子データとして保管し，ペーパレス化を実現する。決済端末に電子サインパッドを接続し，カード利用者が電子サインパッドにサインすると，取引データとサインが電子データとして保管される。電子データは，利用履歴の一部としてディスク装置に保管される。L氏は電子サインの導入計画を営業部に確認したところ，“当初は加盟店の1割程度と見込んでいる。今後は2014年6月に需要予測を行い，詳細計画を策定する。”とのことであった。L氏は，1割の加盟店が利用する想定でデータ量を算出して2014年1月のキャパシティ計画の見直しに反映し，2014年5月に電子サインを保管するディスク装置を増設することにした。また，加盟店からの電子サインデータの送信について検討した結果，回線の見直しは必要ないと判断した。

電子サインサービスを利用するためには，加盟店が営業している日中時間帯にプログラムを決済端末に配付する。プログラムの配付が完了した後，決済端末に電子サインパッドを接続し，電子サインサービスの利用を開始する。決済端末に配付するプログラムのサイズは，1台当たり5Mバイトである。

電子サインサービス開始に当たり，営業部では電子サイン導入キャンペーンを実施し，多数の加盟店に対して積極的に営業活動を行い，導入を拡大していく予定である。

設問1 〔加盟店向けサービスの応答時間悪化〕について，(1)，(2)に答えよ。

(1) L氏が，本文中の下線（ア）で回線を増設した理由を，サービスのキャパシティ管理の観点から40字以内で述べよ。

(2) 本文中の下線（イ）で実施する方策を，40字以内で述べよ。

設問2 〔大口オンラインサイトの追加〕について，当初考えた2013年1月のキャパシティ計画で計画した構成品目ごとの台数に対して本文中の下線（ウ）で見直した内容を，増設が必要となった根拠とともに，50字以内で具体的に述べよ。
なお，回線の見直しは必要ないものとする。

設問3 〔電子サインサービスの開始〕について(1)，(2)に答えよ。

(1) 電子サインサービスの開始に伴い，〔キャパシティ計画〕の見直しが必要である。

(a) L氏が実施することにしたディスク装置増設計画のリスクを，40字以内で述べよ。

  (b)　リスクを低減するのに必要な対策を，40字以内で述べよ。

 (2)　決済端末にプログラムを配付する活動に含まれるリスクを，サービス運用
　　の観点から40字以内で述べよ。

◀ 問3 解説 ▶

　クレジットカード会社の決済サービスのキャパシティ管理がテーマである。カード
の利用者数，加盟店数，オンラインサイト数の需要予測に従って，キャパシティ計画
を立てたり，状況の変化に応じて計画を見直したりする内容である。サービスの応答
性能を確保するための対策，機器増設計画の見直し，新サービスの開始によって発生
するリスクや計画の見直しについて問われている。
　設問2は，機器増設計画の見直し内容についての考察だが，問題文に当初の計画内
容が示されていないため，正解を導くために段階的に計算を行う必要がある。ミスし
やすいので気をつけて，的確に正解を導いてほしい。

［設問1］

　〔加盟店向けサービスの応答時間悪化〕に関して，回線を増設した理由と，回線が
増設されるまでの応答遅延回避の方策が問われている。問題文には，サービスの応答
遅延が発生しており，「データセンタとIP-VPNを接続する回線が遅延の原因になって
いる」ことが示されている。これを踏まえて解答を導く。

［設問1］(1)

　下線 (ア)「データセンタとIP-VPNを接続する回線を増設し」は，この応答遅延の回
避策である。
　サービスの応答時間については，〔加盟店向けサービス〕に「加盟店では顧客との
対面販売が中心で短時間での応答が求められるので，システム部は加盟店決済サービ
スの応答時間については特に考慮し，営業部と合意している」との記述があり，サー
ビスの応答時間は，サービス提供者であるシステム部と顧客に当たる営業部との間で
の合意事項(つまりSLAと同等のもの)であることが読み取れる。キャパシティを超過
し応答遅延が発生すると，この合意事項を守れなくなるおそれがあるため，この合意
事項を守るために回線を増設したと考えることができる。よってキャパシティ管理の
観点からの解答は，**営業部と合意した加盟店決済サービスの応答時間を保証する必要**

があるからとなる。

[設問1](2)

下線（イ）「一括決済サービス」については，〔オンラインサイト向けサービス〕に記述があり，オンライン決済サービスで提供している「複数のカード利用者の月額基本料をまとめて処理するための」サービスである。具体的には，「オンラインサイト側が任意のタイミングで，業務サーバにデータを送信できる。業務サーバでは，一括決済サービスのためのバッチ処理を1時間に1回起動し，全てのカード利用者の決済処理終了後に，送信元の全てのオンラインサイトに一括して処理結果を回答」する処理である。

一方，〔加盟店向けサービスの応答時間悪化〕では，「オンラインサイトでの一括決済サービスのデータ量が多くなっていること」をデータセンタとIP-VPNを接続する回線が遅延する原因としている。**バッチ処理の場合，データ量が多いとそれだけ処理負荷がかかり，応答時間が悪化する原因となる。**このため，一括決済サービスの起動を，**処理負荷が高い繁忙時間帯を避けて，処理負荷の低い時間帯に行うよう工夫すれ**ばよい。

下線（イ）の直後に「営業部に一括決済サービスの処理結果の回答期限について確認したところ，0時から12時までに受け付けた要求は18時までに，12時から24時までに受け付けた要求は翌日6時までに回答すればよいことが分かった」とあるので，回答期限までには余裕があり，繁忙時間帯を避けた運用が可能であることが読み取れる。

よって解答は，**一括決済サービスのためのバッチ処理は，繁忙時間帯には起動しない**となる。

[設問2]

まず，設問文にある「2013年1月のキャパシティ計画」とは何かを確認する。〔キャパシティ計画〕に「システム部のITサービスマネージャであるL氏は，営業部が策定する業務計画に合わせて，毎年1月にキャパシティ計画を作成している」とある。さらに，「サーバ及びディスク装置については，これまでのサービス運用実績に基づき，要求基準に従って計画する。具体的には，当該年の12月末の予測値に基づき，業務サーバ，DBサーバ及びディスク装置の増強計画を策定する」とある。よって，2013年1月のキャパシティ計画とは，2013年12月末の予測値に基づいて計画されたものと読み取れる。また，ここでいうサービス運用実績や予測値は「表1 カード利用者数，加盟店数，オンラインサイト数の予測値」に示されており，要求基準は「表2 サー

バ及びディスク装置の容量・能力と要求基準」に示されている。

　一方，〔大口オンラインサイトの追加〕を見ると，営業部が大口のオンラインサイトを獲得したことによって，「2013年12月末のオンラインサイト数が一つ増えて，21サイトとなる。大口オンラインサイトは，……サービス要求数とカード利用者の利用頻度は，それぞれ既存オンラインサイトの1サイト当たりのサービス要求数とカード利用頻度の5倍であることが分かった」とあり，当初の2013年12月末の予測値を超えることが見込まれ，キャパシティ計画の見直しを行わなければならないことが分かる。

　よって，大口オンラインサイトの追加を踏まえて，まずは表1に示されている2013年12月末の予測値を変更したうえで，新たな予測値の下で表2に示された要求基準を満たすかどうかを確認し，計画の見直しが必要な箇所を探せばよい。

　まず，表1の2013年12月の予測値のうち，オンラインサイト数は20サイトから1サイト増えて21サイトになる。しかし，この1サイトは「1サイト当たりのサービス要求数とカード利用頻度の5倍である」ことから，5サイト分増えて25サイト分になるとみなす。この予測値の変更をもとに，表2の要求基準を確認する。

(業務サーバについて)

　要求基準に「加盟店は1店舗当たり0.1件／秒，オンラインサイトは1サイト当たり1件／秒の要求が送信されるものとして，必要な台数を決定する」とある。

・加盟店：200店のまま変化はないので，0.1(件／秒)×200(店)＝20(件／秒)
・オンラインサイト：1(件／秒)×25(サイト)＝25(件／秒)

　合計すると，45(件／秒)となる。**業務サーバは，1台当たり30件／秒のサービス要求を処理できるので，2台必要ということになる。すでに業務サーバは2台あるので，増設の必要はないと判断できる。**

(DBサーバについて)

　要求基準に「カード利用者数が1台当たり750万人を超えた時点で増設する」とある。

　2013年12月末時点でのカード利用者数の予測値は500万人である。オンラインサイトの追加によってカードの利用頻度が5倍になることは記されているが，カード利用者数の増加は明らかではない。**DBサーバは，1台当たりカード利用者数800万人のデータを処理できるので，すでにある1台で十分と考えてよく，増設の必要はない。**

(ディスク装置について)

　要求基準は，次のとおりである。

・会員情報：カード利用者1万人当たり20Mバイトを確保

・利用履歴：加盟店は1店舗当たり100Mバイトを確保

オンラインサイトは1サイト当たり500Mバイトを確保

❶2012年12月末時点での状況

2012年12月末時点での状況を確認すると，

・会員情報：20（Mバイト）×200（万人）＝4,000（Mバイト）

・利用履歴：加盟店　100（Mバイト）×150（店）＝15,000（Mバイト）

オンラインサイト　500（Mバイト）×10（サイト）＝5,000（Mバイト）

合計すると，4,000＋15,000＋5,000＝24,000（Mバイト）必要になる。

ディスク装置は，1台当たり10Gバイト（10,000Mバイト）の容量のデータを保管でき，2012年12月末時点で3台あるので，30,000Mバイト格納できる。よって，この時点では3台で足りている。

❷2013年12月末の予測値

次に，2013年12月末の予測値を見ていくと，

・会員情報：20（Mバイト）×500（万人）＝10,000（Mバイト）

・利用履歴：加盟店　100（Mバイト）×200（店）＝20,000（Mバイト）

オンラインサイト　500（Mバイト）×20（サイト）＝10,000（Mバイト）

合計すると，10,000＋20,000＋10,000＝40,000（Mバイト）となり，この時点でディスク装置は4台必要になり，2013年1月に策定したキャパシティ計画では，ディスク装置を1台増設する計画であったことが分かる。

❸大口オンラインサイトが追加になった場合

さらに，大口オンラインサイトが追加になった場合を見ていくと，

・会員情報：会員数の増加の記載は無いので，変化なし

・利用履歴：加盟店　変化なし

オンラインサイト　500（Mバイト）×25（サイト）＝12,500（Mバイト）

合計すると，10,000＋20,000＋12,500＝42,500（Mバイト）となり，ディスク装置が5台必要になることが分かる。よって，**大口オンラインサイトが追加になると必要なデータ量が増え，2013年1月に策定したキャパシティ計画からストレージ容量が2,500Mバイト（2.5Gバイト）足りなくなることが想定され，さらに1台の増設が必要になる。**

よって解答は，==2013年12月末にストレージ容量が2.5Gバイト不足するので，ディスク装置を1台増設する==となる。具体的には，必要なディスク容量が40Gバイトから42.5Gバイトに増えるので，当初の1台増設の計画から2台増設に変更する，ということであるが，ここでは当初考えた2013年1月のキャパシティ計画で計画した構

成品目ごとの台数に対して見直した内容が問われているので, IPAの解答例のように "1台増設" という表現になる。

[設問3] (1)

〔電子サインサービスの開始〕に伴い, 〔キャパシティ計画〕の見直しが必要であり, L氏は「1割の加盟店が利用する想定でデータ量を算出して2014年1月のキャパシティ計画の見直しに反映し, 2014年5月に電子サインを保管するディスク装置を増設することに」した。**この計画のリスクと, リスクを低減するのに必要な対策**が問われている。

(a) について

L氏は, 「1割の加盟店が利用する想定で」 データ量を算出している。これは, 営業部が策定した導入計画に基づいており, 営業部は「当初は加盟店の1割程度と見込んでいる。今後は2014年6月に需要予測を行い, 詳細計画を策定する。」 という方針である。つまり, 需要予測によって詳細が明らかになる前に, 利用する加盟店の割合を1割と見込んでデータ量を算出している。もし, この想定が誤っており1割以上の加盟店が利用した場合は, データ量が増えディスク装置の容量が不足するおそれがある。よって, ディスク装置増設計画のリスクは, **加盟店の1割を想定して計画しているので, ディスク装置の容量が不足する**ことである。

(b) について

(a) のリスクを低減するためには, 2014年6月に実施する需要予測の結果を踏まえてキャパシティ計画を適宜見直せばよい。よって解答は, **営業部の需要予測に基づいて適切なタイミングでキャパシティ計画を見直す**となる。

[設問3] (2)

プログラムの配付については, 〔電子サインサービスの開始〕に「電子サインサービスを利用するためには, 加盟店が営業している日中時間帯にプログラムを決済端末に配付する。プログラムの配付が完了した後, 決済端末に電子サインパッドを接続し, 電子サインサービスの利用を開始する。決済端末に配付するプログラムのサイズは, 1台当たり5Mバイトである」とある。これより, プログラムの配付が加盟店の営業時間内に行われることが読み取れる。

一方で, 〔加盟店向けサービスの応答時間悪化〕に記され, [設問1]でもとり上げられているように, 加盟店では "サービスの応答時間が時々長くなる" ことが苦情となっており, サービスの応答時間に対する要求は厳しいことが読み取れる。プログラム

の配付は，一時的にネットワーク回線を圧迫する。**配付を営業時間内に行うことで，サービスの応答時間が悪化し業務上問題となる**ことが十分に想定される。よって解答は，**配付を開始すると，加盟店向けサービスの応答時間に影響を与える**となる。

問3 解 答

設問			解答例・解答の要点
設問1	(1)		営業部と合意した加盟店決済サービスの応答時間を保証する必要があるから
	(2)		一括決済サービスのためのバッチ処理は，繁忙時間帯には起動しない。
設問2			2013年12月末にストレージ容量が2.5Gバイト不足するので，ディスク装置を1台増設する。
設問3	(1)	(a)	加盟店の1割を想定して計画しているので，ディスク装置の容量が不足する。
		(b)	営業部の需要予測に基づいて適切なタイミングでキャパシティ計画を見直す。
	(2)		配付を開始すると，加盟店向けサービスの応答時間に影響を与える。

※IPA発表

●本問から学べること・ITサービスマネージャの着眼点

問3　容量・能力(キャパシティ)管理　(H26年問2)

・・

1.SLAを満たすために，必要なキャパシティを計画する…… 設問1 (1)

　　サービス提供に必要なキャパシティは，顧客と合意したサービスレベルを満たすことを前提に計画する。過度なキャパシティの増強は，コスト増につながる。

2.キャパシティ管理の工夫

〈工夫❶〉 オンライン処理のピーク時間帯にはバッチ処理を起動しない

…… 設問1 (2)

　　オンライン処理が集中する時間帯は，サービスにかかる負荷が高くなり，応答時間の遅延を招きやすい。その時間帯に，同じく処理負荷の高いバッチ処理を起動すると，応答時間のさらなる悪化の原因となる。このため，バッチ処理は，オンライン処理のピーク時間帯を避けて起動時間を計画すべきである。

〈工夫❷〉 サービス運用実績と需要予測をもとに，将来のキャパシティを計画する…… 設問2 ， 設問3

　　キャパシティ管理では，現在だけでなく将来にわたる長期的な視点でキャパシティを計画する。サービスの利用者数やデータ量など，実績値と今後見込まれる予測値に基づいて，将来に必要なキャパシティを見積もり，実装させていく。

〈工夫❸〉 プログラムの配付など負荷の高い処理は，サービス提供時間外に実施する…… 設問3 (2)

　　多くの利用者への更新プログラムの配付は，ネットワーク負荷が高く，応答時間の悪化など，サービス提供に影響を及ぼすおそれがある。そのため，サービス提供時間帯を避けて実施するようにする。

リリース及び展開管理に関する次の記述を読んで，設問1～4に答えよ。

E社は，中堅の化学薬品製造会社である。E社では，自社工場で製造した薬品を，取引先の小売店に販売している。生産部が生産管理業務を行い，営業部が販売管理業務を行っている。情報システム部は自社データセンタで生産管理システムと販売管理システムを運用している。

〔システムの概要〕

生産管理システムは，生産部が自社工場の端末を用いて操作する。生産管理システムの稼働時間帯は6時から翌日の4時までとなっている。

販売管理システムは，営業部と小売店が利用する。小売店へは販売サービスとしてインターネット経由で提供されており，情報システム部は，販売サービスのSLAを営業部と合意している。SLAではサービスレベル項目と目標値を表1のように設定している。

表1　販売サービスのサービスレベル項目と目標値

種別	サービスレベル項目	目標値
可用性	サービス時間	24時間365日（計画停止を除く）
性能	オンライン処理の性能	1分間に30件の注文を処理

また，情報システム部は，販売サービスの利用に関する小売店からの問合せに対応するために，毎日9時から18時までサービスデスクを開設している。

システムの概要を表2に，システム構成の概要を図1に示す。

❷演習編

午後I—②問題演習

表2　システムの概要

名称	処理の概要
生産管理システム	・工場の端末から入力された製造実績をオンライン処理し，生産実績情報を作成する。 ・毎日3時，9時，15時及び21時にバッチ処理を自動起動し，生産実績情報を販売管理サーバに送信する。バッチ処理の対象は，該当するバッチ処理直前の6時間で作成された生産実績情報である[1]。バッチ処理時間は10分以内である。 ・販売管理サーバから注文情報を受信したときは，バッチ処理が自動的に起動される。バッチ処理では，注文情報を工場の生産計画情報に反映させる。 ・工場では端末を利用して，生産状況を確認する。
販売管理システム	・小売店からの注文をオンライン処理し，注文情報を作成する。 ・生産管理サーバから生産実績情報を受信したときは，バッチ処理が自動的に起動される。バッチ処理では，在庫情報を更新する。 ・毎日2時，8時，14時及び20時にバッチ処理を自動起動し，注文情報を生産管理サーバに送信する。バッチ処理の対象は，該当するバッチ処理直前の6時間で作成された注文情報である[2]。バッチ処理時間は10分以内である。 ・営業部では端末を利用して，商品情報（新商品登録，価格改定など）を更新する。

例 [1]　3時のバッチ処理は，前日21時から当日3時までに作成された生産実績情報を対象とする。
　　[2]　2時のバッチ処理は，前日20時から当日2時までに作成された注文情報を対象とする。

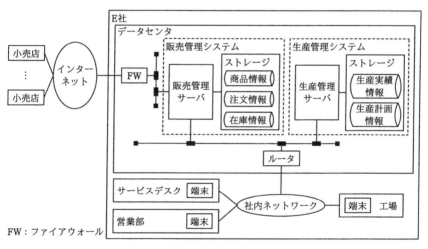

FW：ファイアウォール

図1　システム構成の概要

〔システム移行の概要〕

　E社では，構成機器の老朽化に伴い，生産管理システムと販売管理システムを再構築することになった。

　システムの移行計画は，情報システム部のITサービスマネージャのK氏が作成する。

データセンタ内にそれぞれ新サーバを構築して，両システムを別々に移行させる。また，営業部からの要求を受けて，情報システム部の開発チームが販売管理システムの機能改善を行うことになった。このとき，移行後の稼働環境に使用する新サーバを機能改善の開発環境として利用する。

K氏は，社内だけで利用している生産管理システムを最初に移行し，その後，小売店が利用している販売管理システムを移行することにした。生産管理システムの移行は前月に完了し，現在は正常に稼働している。

〔販売管理システムの移行計画〕

K氏は，販売管理システムの移行計画を検討し，移行日は，業務の繁忙時期を避けて設定した。また，移行作業時間として3時間必要なので，移行日の1時から4時まで販売管理システムを停止する移行計画案を策定した。K氏は営業部に移行計画案を提示し，了承を得た。

販売管理システムの機能改善は，開発チームによって予定どおり完了した。そこで，K氏は，移行作業の内容と移行作業時間について検討し，詳細計画を作成した。移行作業では，販売管理システムの停止中に，移行対象情報をバックアップする必要がある。また，移行作業中に，生産管理システムと情報の連携を行うバッチ処理が必要である。これらの点を考慮し，表3に示す移行日の作業スケジュール案を作成した。

表3　販売管理システム移行日の作業スケジュール案

開始時刻	作業内容		所要時間（分）
	現販売管理システムでの作業	新販売管理システムでの作業	
1時00分	・注文のオンライン処理終了 ・バッチ処理の自動起動を停止	－	10
1時10分	ア	－	10
1時20分	・移行対象情報のバックアップ	－	60
2時20分	－	・バックアップデータを復元	40
3時00分	－	・生産管理システムから取得した生産実績情報をバッチ処理で反映	30
3時30分	－	・移行確認試験	20
3時50分	移行結果の可否判定		5
3時55分	（移行結果が"不可"と判定された場合） ・現システムでオンライン処理開始	（移行結果が"可"と判定された場合） ・新システムでオンライン処理開始	5

システムの移行は情報システム部が展開チームを編成して実施する。展開チームには，機能改善を行った開発チームの要員も参加する。移行後は展開チームが初期サポート活動を行う。初期サポート活動ではサービスのパフォーマンスデータを収集し，

サービスの正常性を検証する。また，初期サポート活動期間中，展開チームはサービスの正常化に役立つよう改善を実施して問題を解決する。

　既に移行を完了した生産管理システムでは，移行後初日から5日間は，1日当たりに発生するインシデント数が移行前の1日当たりに発生するインシデント数の平均値よりも多く，6日目以降は移行前のインシデント数と同程度となった。そこで，K氏は，生産管理システムの状況を参考にして，販売管理システムの初期サポート活動期間を移行後5日間とした。

　なお，展開チームは，移行後に想定されるよくある問合せとその回答をFAQとして事前に作成し，サービスデスクに引き継ぐ。

〔初期サポート活動の確認項目〕

　K氏は，初期サポート活動の確認項目について検討した。その結果，初期サポート活動期間中の販売管理システムの正常性に関する確認項目を，次のように設定した。

　①　販売管理システムが正常に稼働し，異常を示すエラーメッセージなどが出力されていない。

　②　インターネットからの注文は，SLAのサービス性能の目標値である1分間に30件の注文を処理できている。

　③　　　　　　　　　イ

〔販売管理システムの移行計画の承認〕

　K氏が，情報システム部長に移行計画を提示したところ，"表3のスケジュール案には，計画どおりに作業が進まなかった場合に問題点がある。改善策を検討するように。"という指示があった。K氏は改善策を移行計画に反映させ，情報システム部長に移行の準備が整ったことを報告した。情報システム部長は問題点の改善を確認し，移行計画を承認した。

〔販売管理システムの移行〕

　移行日を迎え，展開チームは移行計画に基づいて販売管理システムの移行を実施した。移行結果は"可"と判定され，予定どおり新販売管理システムでオンライン処理が開始された。

　移行後5日間は，販売管理システムの利用方法・機能に関するインシデントが発生した。プログラムの修正が必要な問題など，期間を掛けて問題の対策を行う必要があるインシデントも発生したが，展開チームは，暫定的な回避策を作成してインシデン

トに対応した。利用者からの問合せに対しては，サービスデスクから依頼を受けて展開チームが回答した。

　展開チームは，移行計画に従って，移行後5日間で初期サポート活動を終了する予定であった。しかし，1日当たりに発生するインシデント数が移行前の1日当たりに発生するインシデント数の平均値よりも多い状態が続いていること，及び事前に引き継いだFAQだけではサービスデスクで対応できない問合せが度々発生している状況であることから，サービスデスクは，初期サポート活動を継続してもらいたいとK氏に依頼してきた。

設問1 〔販売管理システムの移行計画〕の表3中の ┃　ア　┃ は，移行作業開始までに行っておくべき作業である。その作業内容を40字以内で述べよ。

設問2 〔初期サポート活動の確認項目〕の確認項目③の ┃　イ　┃ は，他システムとの連携に関する確認項目である。その確認内容を40字以内で述べよ。

設問3 〔販売管理システムの移行計画の承認〕について，(1)，(2)に答えよ。
　(1) 情報システム部長が指摘した問題点を，理由とともに40字以内で述べよ。
　(2) (1)の問題点の改善策を30字以内で述べよ。

設問4 〔販売管理システムの移行〕について，(1)，(2)に答えよ。
　(1) 初期サポート活動について問題点がある。移行計画の検討における改善策を，40字以内で述べよ。
　(2) サービスデスクがサービス利用者からの問合せに対応できるように，初期サポート活動の中で実施すべき内容を，40字以内で述べよ。

◀┃ 問4 **解説** ┃▶

　「リリース及び展開管理」に関する問題である。午後I試験ではあまり見ない分野からの出題と思われるかもしれないが，問題の内容は「システム移行」である。「システム移行」は，これまでに何度も出題されている頻出テーマである。設問の観点もこれまでと大きく変わらず，移行作業開始までに行っておくべき作業や，移行日のスケジュール案の検討（切り戻し時間の考慮や改善策），専門部署による移行直後の初期サポートの計画などが問われている。

[設問1]

〔販売管理システムの移行計画〕の「表3　販売管理システム移行日の作業スケジュール案」中の空欄アの穴埋め問題である。表3を見ると，空欄アは1時10分から開始される「現販売管理システムでの作業」である。また，この作業は「移行作業開始までに行っておくべき作業」であることが設問文に示されているので，これらを踏まえて問題文からヒントを探す。

「移行作業開始までに行っておくべき作業」であることから，現システムから新システムへの移行作業ではなく，販売管理システムで行うべき業務処理に関連する作業，と考えるのが妥当である。例えば，販売管理システムで日常的に行われる作業が移行日には行われないためにこの時点で行う，といった作業である。

そこで，問題文から販売管理システムの処理内容を確認すると，「表2　システムの概要」に記述がある。その中に，「毎日2時，8時，14時及び20時にバッチ処理を自動起動し，注文情報を生産管理サーバに送信する。バッチ処理の対象は，該当するバッチ処理直前の6時間で作成された注文情報である。バッチ処理時間は10分以内である」という記述が見つかる。つまり，6時間おきにバッチ処理が行われ，前回のバッチ処理以降の注文情報を処理していることになる。

この記述を踏まえて，移行日はどのような処理になるのかを確認する。

表3より，1時00分に現販売管理システムの「バッチ処理の自動起動を停止」している。これより，バッチ処理は移行日の前日20時に起動されたものが最終であり，移行日の2時のバッチ処理は自動では行われない。しかし，現販売管理システムの注文のオンライン処理は1時00分に終了しており，前日20時から当日1時までの注文については，バッチ処理が行われていない状況である。よって，移行を行う前にこの注文分についてのバッチ処理を行わなければならない。

よって空欄アに入る作業は，**前日20時から作成されている注文情報を生産管理システムに送信**となる。この注文情報は通常の運用では2時に実施されるものであるので，**販売管理システムの通常の運用で2時に開始しているバッチ処理を実施**と表現しても正解である。

[設問2]

〔初期サポート活動の確認項目〕の確認項目③にあたる空欄イの穴埋め問題である。

この確認項目は，「初期サポート活動期間中の販売管理システムの正常性に関する確認項目」である。

ここで，初期サポート活動とは何かを確認すると，〔販売管理システムの移行計画〕

に「移行後は展開チームが初期サポート活動を行う。初期サポート活動ではサービスのパフォーマンスデータを収集し，サービスの正常性を検証する。また，初期サポート活動期間中，展開チームはサービスの正常化に役立つよう改善を実施して問題を解決する」とある。つまり，移行直後から新システムでの稼働が正常化するまでの期間は，移行を行った展開チームがサポートを行う，ということである。この初期サポート活動において確認すべき項目を答える。空欄イは，「他システムとの連携に関する確認項目である」と設問文にあるので，他システムでの連携の観点から，サービスの正常性を検証すべき点を問題文から探す。

E社では生産管理システムと販売管理システムが連携しながら稼働しており，本問での移行対象は販売管理システムである。生産管理システムはすでに新システムへの移行が完了している。よって，販売管理システムが，生産管理システムとどのような連携を取っているのかを確認する。

表2中の販売管理システムの処理の概要から，連携部分を抜き出すと，次の二つが挙げられる。

・生産管理サーバから生産実績情報を受信したときは，バッチ処理が自動的に起動される。バッチ処理では，在庫情報を更新する。

・毎日2時，8時，14時及び20時にバッチ処理を自動起動し，注文情報を生産管理サーバに送信する。

よって，「他システムとの連携」に関して，「サービスの正常性を検証する」ための確認項目は，これらの連携処理が正しく行われたかを確認することに他ならない。

解答例は，**注文情報を販売管理サーバから生産管理サーバに正常に送信できている**であり，前述の二つの連携処理のうちの後者のみを対象としている。これは，今回の移行対象である販売管理システムが主体で行う処理を重視しているものと推測できる。よって，後者の送信処理については必ず解答すべきであるが，前者の受信処理の確認を解答に含めても正解となると考えられる。

[設問3]（1）

〔販売管理システムの移行計画の承認〕に関する設問である。情報システム部長が指摘した問題点と理由，そしてその改善策が問われている。

まずは問題点と理由を答える。

ITサービスマネージャのK氏は，情報システム部長に移行計画を提示したところ，"表3のスケジュール案には，計画どおりに作業が進まなかった場合に問題点がある"との指示を受けた。

そこで，表3のスケジュール案を見ると，1時に作業を開始し，最終作業を3時55分から実施して，5分後の4時に作業が完了することが分かる。〔販売管理システムの移行計画〕には，「移行作業時間として3時間必要なので，移行日の1時から4時まで販売管理システムを停止する移行計画案を策定した」とある。さらに「表1 販売サービスのサービスレベル項目と目標値」を見ると，販売サービスのサービス時間の目標値は「24時間365日」となっている。つまり，販売管理システムは原則無停止で稼働しており，移行日は特別に1時から4時までの3時間を停止させることと，その3時間をフルで移行作業に費やすこと（余裕時間がないこと）がこれより読み取れる。

あらためて表3を見ると，スケジュール案には正常処理しか記載されていない。移行作業がすべて順調に進み，移行結果の可否判定で"可"と判定された場合のスケジュールになっている。その場合でも，停止時間のすべてが移行作業に使われる予定である。移行の途中で問題が発生し，移行結果が"不可"と判定された場合に必要な作業とそれにかかる時間が想定されていない。

システム移行では，移行当日の作業のどこかで問題が発生した場合に，その日の新システムでの稼働を断念して元のシステムに切り戻す場合がある。移行計画を策定する際には，この切り戻しにかかる時間も想定しておかなければならない。

このスケジュール案では，移行結果が"不可"と判定された場合に現システムに切り戻す時間が考慮されておらず，結果的にサービス開始時刻が遅れてしまうことになる。また，切り戻しを行うと3時間の計画停止時間内に移行作業を完了できないため，サービス時間のSLAを守れなくなる。よって解答は，**移行結果が"不可"と判定され切り戻しを行う場合に，サービス開始時刻が遅れる**，**移行結果が"不可"と判定され切り戻しを行う場合に，SLAを満たさなくなる**となる。

[設問3] (2)

(1) の問題点の改善策を考える。表3のスケジュール案について，切り戻しも含めて3時間以内に移行作業が完了できるためには，どうすればよいかを考える。

表3のスケジュール案に，切り戻しに必要な作業を含めることになるので，切り戻しに必要な作業とは何かを考える。切り戻しとは，現システムでサービスを開始できる状態にすることである。それには，移行作業において新システムでのみ行っている作業があれば，それを現システムでも実施する必要がある。

表3から，新システムでのみ行っている作業を探すと，3時00分から「生産管理システムから取得した生産実績情報をバッチ処理で反映」という作業が見つかる。こ

の処理は，表2の「生産管理サーバから生産実績情報を受信したときは，バッチ処理が自動的に起動される。バッチ処理では，在庫情報を更新する」という処理にあたり，販売管理システムで通常行われている処理である。よって，切り戻しを行う際には現システムで行わなければならない処理になる。

この処理は所要時間30分であり，3時50分の「移行結果の可否判定」の後に実施したのでは，3時間以内に作業を完了させることができない。よって，それより前の移行作業の中で実施しておく必要がある。新販売管理システムでは3時00分からこのバッチ処理が行われる。現販売管理システムでは作業の予定の入っていない時間帯であるので，現販売管理システムにおいても同様に，バッチ処理を並列で行っておけばどうだろうか。そうすれば，移行結果の可否判定において"不可"と判定された場合でも，現販売管理システムでは必要なバッチ処理がすでに完了しているので，スムーズに切り戻しができる。よって解答は，**現販売管理システムにも生産実績情報を反映させておく**となる。

［設問4］（1）

〔販売管理システムの移行〕に関する設問である。移行計画に基づいて販売管理システムの移行を実施した後の，初期サポートの活動について問われている。

初期サポート活動について問題点があり，移行計画の検討における改善策が問われている。この設問は，初期サポート活動の問題点そのものが問われているのではない。改善策が求められており，それも，移行計画の検討時点の改善策であることに注意して解答しなければならない。

まず，〔販売管理システムの移行〕より，初期サポート活動に関する記述を探し，問題点を探る。「移行後5日間は，販売管理システムの利用方法・機能に関するインシデントが発生した。プログラムの修正が必要な問題など，期間を掛けて問題の対策を行う必要があるインシデントも発生したが，展開チームは，暫定的な回避策を作成してインシデントに対応した。利用者からの問合せに対しては，サービスデスクから依頼を受けて展開チームが回答した」との記述が，展開チームによる初期サポートの活動にあたる。さらに，「展開チームは，移行計画に従って，移行後5日間で初期サポートを終了する予定であった。しかし，1日当たりに発生するインシデント数が移行前の1日当たりに発生するインシデント数の平均値よりも多い状態が続いていること，及び事前に引き継いだFAQだけではサービスデスクで対応できない問合せが度々発生している状況であることから，サービスデスクは，初期サポート活動を継続してもらいたいとK氏に依頼してきた」とある。つまり，当初計画の"移行後5日間"で

は，インシデントの発生が収束せず，サービスデスクで対応できない問合せも度々発生しており，サービスデスクでは，展開チームの初期サポートをまだ必要としていることが示されている。設問文より，このような状況が発生したのは，当初計画に問題があったからと考えられるため，今度は問題文から初期サポート活動の計画に関する記述を探す。

初期サポート活動の計画については，〔販売管理システムの移行計画〕に記されており，サポート期間の設定について，「既に移行を完了した生産管理システムでは，移行後初日から５日間は，１日当たりに発生するインシデント数が移行前の１日当たりに発生するインシデント数の平均値よりも多く，６日目以降は移行前のインシデント数と同程度となった。そこで，Ｋ氏は，生産管理システムの状況を参考にして，販売管理システムの初期サポート活動期間を移行後５日間とした」とある。つまりＫ氏は，生産管理システムの状況を参考にして販売管理システムの初期サポート期間を決めている。

そもそも生産管理システムと販売管理システムでは，システムの稼働時間や利用者の範囲など，稼働状況が大きく異なる。生産管理システムは生産部のみが利用するのに対し，販売管理システムは営業部と小売店が利用するため，利用者が圧倒的に多いと考えられ，発生するインシデントの数は生産管理システムの比較にならないと推測できる。また，販売管理システムは移行と同時に機能改善が行われており，これに関するインシデントも発生することが予測される。よって，生産管理システムの状況のみを参考にして初期サポート期間を決めたのは問題である。販売管理システムの初期サポート期間（終了時期）は，販売管理システムの稼働状況，特に稼働後のインシデントの発生状況を踏まえて決める必要がある。したがって改善策は，**初期サポート活動の終了時期は，インシデントの発生状況を加味して判断する**となる。

［設問４］（2）

サービスデスクがサービス利用者からの問合せに対応できるように，初期サポート活動の中で実施すべき内容が問われている。

（1）で挙げたように，移行後５日間が過ぎても「事前に引き継いだFAQだけではサービスデスクで対応できない問合せが度々発生している状況である」ことが示されている。また，初期サポート期間中は「利用者からの問合せに対しては，サービスデスクから依頼を受けて展開チームが回答した」とあり，展開チームがサポートしていた。これが初期サポート期間が終了すると，利用者からの問合せに対応するのはサービスデスクのみとなる。よって，サービスデスクが自ら利用者からの問合せに対応で

きるようになるためには，初期サポート期間中に発生し展開チームが回答した暫定的な回避策や回答の内容を，すべてサービスデスクが引き継ぐ必要がある。ここで，「事前に引き継いだFAQだけでは」という記述に着目すると，展開チームからの引継ぎは，FAQで行われていることが分かる。これは，〔販売管理システムの移行計画〕の最後に「なお，展開チームは，移行後に想定されるよくある問合せとその回答をFAQとして事前に作成し，サービスデスクに引き継ぐ」との記述からも読み取ることができる。

　これより，初期サポート期間中に展開チームが実施した暫定的な回避策や回答の内容を，FAQに追加して整理しておけば，サービスデスクが利用者からの問合せに自ら対応できるようになると考えられる。したがって，初期サポート活動の中で実施すべき内容は，**展開チームが初期サポート活動で実施した回避策をFAQに反映し，整備する**となる。

問4 解 答

設問		解答例・解答の要点
設問1		・前日20時から作成されている注文情報を生産管理システムに送信 ・販売管理システムの通常の運用で2時に開始しているバッチ処理を実施
設問2		注文情報を販売管理サーバから生産管理サーバに正常に送信できている。
設問3	(1)	・移行結果が"不可"と判定され切り戻しを行う場合に，サービス開始時刻が遅れる。 ・移行結果が"不可"と判定され切り戻しを行う場合に，SLAを満たさなくなる。
	(2)	現販売管理システムにも生産実績情報を反映させておく。
設問4	(1)	初期サポート活動の終了時期は，インシデントの発生状況を加味して判断する。
	(2)	展開チームが初期サポート活動で実施した回避策をFAQに反映し，整備する。

●本問から学べること・ITサービスマネージャの着眼点
問4 リリース及び展開管理（H27年問3）
※テーマはシステム移行，リリース及び展開管理

1.移行当日の作業を短時間で行うための工夫……設問1，設問3

　　移行は，夜間のサービス停止時間帯などの限られた時間の中で行うため，できるだけ短時間で作業できるよう工夫し，業務再開までの余裕時間を確保することが重要になる。

〈工夫❶〉前もってできる作業は行っておく

　　更新の少ないマスターファイルの移行や，移動を伴わない機器の接続などは，移行当日に行う必要はなく，前もって作業することができる場合が多い。

〈工夫❷〉並列作業や作業順序を入れ替えて効率アップ

　　移行作業は，並列で行ったり，作業順序を入れ替えると時間を短縮できる場合がある。例えば，旧システムでバックアップをとっている間に，並行で新システム側で機器を接続したり，プログラムの起動確認をしたりすることができる。

〈工夫❸〉旧システム，新システムのどちらで行ってもよい作業は，効率の良いほうで行う

　　新システムのほうが機器の性能が良いことから，同じ処理に対して短時間で完了できる場合がある。

2.移行が失敗した場合に備えて，切戻しについても計画しておく……設問3

　　移行に失敗した場合，移行前の状態に戻すことを「切戻し」という。移行は，必ず成功するとは限らないため，切戻しについても綿密に計画を立てておく必要がある。切戻しを判断するタイミング，切戻しにかかる時間，切戻しが必要なファイル，作業内容などを明らかにして，業務への影響をできるだけ少なくする。

3.移行後はインシデントが発生しやすい……設問2，設問4

　　移行によってシステムの機能や利用環境が変わることから，インシデントの発生や利用者からの問合せが多くなるので，対応が必要になる。FAQを充実させておくことも有効な対策となる。

②演習編

午後Ⅰ—②問題演習

（出題年度：H30問3）

サービスデスクに関する次の記述を読んで，設問1〜3に答えよ。　＊制限時間45分

A社は情報サービス会社である。A社のIaaS事業部は，数年前から演算リソース及びストレージリソース（以下，これらをITインフラ群という）を顧客企業向けに提供するクラウドサービス事業を営んでいる。ITインフラ群は，A社システムセンタに設置されており，IaaS事業部の技術課では，サービス利用者の要求を受けて実施する変更作業及びインシデント対応を行っている。

〔インシデント対応の概要〕

　これまで技術課では，顧客が利用するITインフラ群を担当する技術者が，サービス利用者からのインシデントの受付を行ってきた。しかし，技術課の業務効率向上の観点から，次のように運営することにした。

・IaaS事業部内に新たに設置したサービスデスクで，インシデントを受け付ける。
・サービスデスクの受付手段は電話とし，受付時間帯は平日の9〜17時の8時間とする。
・技術課は，サービスデスクで対応できるインシデントの解決手順をノウハウデータベース（以下，ノウハウDBという）に登録し，サービスデスクは，インシデント対応に利用する。
・インシデントの解決手順をノウハウDBに追加する場合，及び既存の解決手順に問題点又は改善点があってノウハウDBを更新する場合は，サービスデスクではなく，内容の妥当性が判別でき専門知識がある技術課が対応する。
・サービスデスクがノウハウDBだけではインシデントを解決できない場合，サービスデスクから技術課に解決を依頼する。

インシデント対応の種類を表1に示す。

表1 インシデント対応の種類

種類	内容
タイプ1	サービスデスクがノウハウDBを参照し，解決手順に従ってインシデントを解決する。
タイプ2	サービスデスクがノウハウDBだけではインシデントを解決できない場合，技術課に解決を依頼する。依頼を受けた技術課が技術者を割り当て，その技術者がサービスデスクで解決できると判断したときは，サービスデスクに解決手順を指示し，サービスデスクが解決する。
タイプ3	タイプ2と同様に，技術課に解決を依頼する場合であるが，割り当てられた技術者がサービスデスクでは解決できないと判断したときは，技術者自らが解決し，結果をサービスデスクに回答する。

〔インシデント対応のフロー及びインシデント対応の手順〕

　インシデント対応のフローを図1に，インシデント対応の手順を表2に示す。

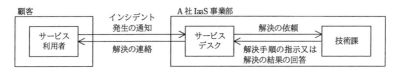

図1　インシデント対応のフロー

表2　インシデント対応の手順

手順	内容
記録	・サービスデスクは，サービス利用者からインシデント発生の通知を受け付け，受付内容をインシデント管理簿[1]に記録する。
優先度の割当て	・インシデントに，対応の優先度（"高"，"中"，"低"のいずれか）を割り当てる。 ・優先度によって解決目標時間[2]が定められている。 （優先度"高"：2時間，優先度"中"：4時間，優先度"低"：8時間）
分類	・インシデントを，あらかじめ決められたカテゴリ（ストレージの障害など）に分類する。
記録の更新	・インシデントの内容，割り当てた優先度，分類したカテゴリの内容などで，インシデント管理簿を更新する。
段階的取扱い	・インシデントがタイプ1に該当する場合は，サービスデスクが解決するので，段階的取扱い（以下，エスカレーションという）は行わない。 ・インシデントがタイプ2又はタイプ3に該当する場合は，サービスデスクが回答期限[3]を定めて技術課に解決を依頼する。これを，機能的エスカレーションという。
解決	・タイプ1の場合，サービスデスクはノウハウDBに登録されている文書化されたインシデントの解決手順に従って解決する。 ・タイプ2の場合，割り当てられた技術課の技術者がサービスデスクに解決手順を指示し，サービスデスクが指示された解決手順に従って解決する。 ・タイプ3の場合，割り当てられた技術課の技術者が専門知識に基づいて解決する。解決後，サービスデスクに解決の結果の回答を行う。
終了	・サービスデスクは，サービス利用者に解決の連絡をする。 ・サービスデスクは，サービス利用者がサービスを利用できるかどうかを確認する。 ・サービスデスクは，インシデント管理簿に必要な内容[4]を記録・更新する。

〔エスカレーションの手順における問題点とその改善策〕

　IaaS事業部のITサービスマネージャのS氏は，顧客に対するサービス責任者として，顧客に対して定期的にサービス報告を行っている。

　ある日，サービス報告の一環として，インシデントの解決時間について調査したところ，タイプ1の場合は全て解決目標時間を達成していた。タイプ2及びタイプ3のインシデント対応に関しても，解決目標時間は達成していたものの，技術課はサービスデスクが定めた回答期限に遅れることがあった。S氏は，サービスデスクと技術課の対応状況について，次のように整理した。

　(1)　サービスデスクの対応状況

　　　・問題点：技術課の技術者の回答期限が迫っている場合，サービスデスクは技術者に回答を督促していた。しかし，技術者からの解決手順の指示又は解決の結果の回答が回答期限に遅れることがあった。

　　　・改善策：解決目標時間を達成できないおそれがある場合は，エスカレーションの手順に，　　　a　　　を追加する。この場合，エスカレーション先は，顧客に対するサービス責任者であるS氏とし，インシデント対応の手順"解決"に関与することによって，組織的なインシデント対応を行うことにした。

　(2)　技術課の対応状況

　　　・問題点：解決までに時間を要したインシデント対応の中には，難易度の高いものもあった。しかし，大半はサービスデスクが定めた回答期限内で対応できる内容であった。インシデントの解決を担当した数名の技術者へのヒアリングによって，次の状況が判明した。"ITインフラ群の変更作業を計画的に実施していることから，サービスデスクからインシデントの解決の依頼を受けた場合に，解決手順の指示，技術者自身での解決を後回しにしてしまうことがある。"

　　　・技術課への要請：S氏は技術課の課長に，"技術者が回答期限を遵守する対策を取ってほしい"と要請した。技術課の課長は，対策を検討することにした。技術者は，毎日始業時に当日の作業計画を策定し，作業を計画的に実施してい

た。そこで，技術課の課長は技術者が策定する当日の作業計画について
(ア) 調査を行った。

〔タイプ１の比率向上への取組〕

　S氏は，解決時間について，タイプ１がタイプ２及びタイプ３に比べて短い点に着
目し，"タイプ１の比率が増加すれば，インシデントの平均解決時間は短くなる"と
考えた。サービス利用者にとって利点となることから，S氏は，タイプ１の比率向上
への取組として，ノウハウDBに関する二つの改善活動を開始した。

(1)　検索容易性の向上

　　サービスデスクでタイプ２と判断されたインシデント対応の中には，ノウハウ
　DBに解決手順が登録されていたものもある。しかし，解決手順の抽出に必要な
　条件の設定が複雑でノウハウDBの検索がうまく行えず，結果としてタイプ１と
　判断できていないことがあった。

　　そこで，ノウハウDBの検索にAIを活用し，入力したキーワードから適切に
　インシデントの解決手順を検索するシステムを開発し，経験の浅いサービスデス
　ク担当者でも迅速かつ適切に対応できるようにする。

(2)　登録内容の充実

　　S氏は，技術者がサービスデスクからインシデントの解決の依頼を受け，解決
　までに実施した対応の詳細をヒアリングした。ヒアリング結果は，次のとおりで
　ある。

　　・タイプ２については，技術者からサービスデスクに対して解決手順を速やか
　　　に指示できている。技術者は過去に同様のインシデントが発生したときでも
　　　同じ指示を行い，サービスデスクも同じ対応を行っている。

　　・タイプ３については，技術者でなければ解決できないインシデントだけでな
　　　く，工夫をすれば，サービスデスクで解決できるものも含まれていることが
　　　分かった。サービスデスクで解決できるインシデントは主に二つに分類でき
　　　た。一つ目は，再発性のあるインシデントであり，タイプ３全体の半数以上
　　　を占めていた。これらは，初回発生後に解決手順を文書化しておけば，２回
　　　目以降はサービスデスクで対応できる。二つ目は，ITインフラ群の使用状
　　　況を可視化している"ダッシュボード"の機能拡充のような，サービスを変
　　　更した際に発生するインシデントであり，タイプ３全体の３割程度を占めて
　　　いた。これらはサービス変更後の短期間に集中して発生する。

　S氏は，このような状況から，"ノウハウDBの登録頻度をこれまでよりも高め

て，ノウハウDBの登録内容を充実する取組が必要である"と考えた。そのために，S氏は次の2点を技術課の課長に提案した。

- ・サービスデスクにおいては，インシデントの再発に備えて，タイプ2及びタイプ3のインシデントが解決した後に，インシデントの解決手順をノウハウDBに登録し，技術課に登録内容の確認を依頼する。ここで，タイプ3のインシデントの解決手順は技術者があらかじめ文書化したものをサービスデスクが受け取って，ノウハウDBに登録する。
- ・技術課においては，これら以外に必要な　(イ) ノウハウDBへの登録を，業務として実施する。

技術課の課長は，"S氏の提案を実施するには，技術者の取組が必要となるが，(ウ) 技術課にとっても利点がある"と考え，S氏の提案に同意した。

〔サービスデスクの業務拡大〕

IaaS事業部の業務拡大に伴い，技術課の技術者の業務量が増加した。そこで，技術課の業務の一部をサービスデスクに移行できないか，S氏が検討することになった。技術課の現在の業務について調査したところ，サービス利用者の要求によって実施するITインフラ群の変更作業の一部が，移行可能な業務の候補として挙げられた。具体的な内容は，次のとおりである。

- ・サービス利用者がストレージリソースにアクセスするときの，アカウント作成及び更新についての変更作業である。
- ・サービス利用者からの変更要求の頻度は高く，内容的に失敗するリスクが低い作業である。
- ・変更要求は，A社の変更管理プロセスに従って，週1回実施している社内の変更審査会の前日までに申請が必要であり，変更審査会で承認を受けてから，翌日以降に行う作業である。

今後，サービスデスクで変更要求の処理を行えるようにするには，変更管理プロセスに従って，IaaS事業部として事前に認可を受ける必要がある。S氏は，該当する変更要求の処理をサービスデスクで作業可能となるよう検討を進めた。検討の結果，サービスデスクの体制強化及び必要な教育は，実施可能であることが分かった。サービスデスクで行う変更要求の処理は，優先度"低"として行うことにした。

S氏は，技術課に依頼して，(エ) 技術課が実施すべき作業をまとめた。

設問1　〔エスカレーションの手順における問題点とその改善策〕について(1)，(2)に

答えよ。

(1) 本文中の　　a　　に入れるエスカレーションの具体的な内容を，30字以
内で答えよ。

(2) 技術課の課長が，本文中の下線（ア）で調査すべき内容を，40字以内で答
えよ。

設問2　〔タイプ1の比率向上への取組〕について，(1)，(2)に答えよ。

(1) 本文中の下線（イ）でS氏が提案した技術課において実施するノウハウD
Bへの登録の内容を，ヒアリング結果に着目して，30字以内で答えよ。

(2) 本文中の下線（ウ）で技術課の課長が，技術課にとっても利点があると考
えた理由を，40字以内で述べよ。

設問3　〔サービスデスクの業務拡大〕について，(1)，(2)に答えよ。

(1) 本文中の下線（エ）で技術課が実施すべき作業の内容を，40字以内で述べ
よ。

(2) サービスデスクの業務拡大は，技術者だけでなく顧客にも利点がある。考
えられる顧客側の利点を，30字以内で述べよ。

問5 解 説

[設問1] (1)

　空欄aは〔エスカレーションの手順における問題点とその改善策〕(1)サービスデス
クの対応状況の改善策「解決目標時間を達成できないおそれがある場合は，エスカレ
ーションの手順に　　a　　を追加する」の中にある。ここでいう「エスカレーショ
ンの手順」とは，「表2　インシデント対応の手順」中の「段階的取扱い」に示され
ている。

　表2の「段階的取扱い」には，「インシデントがタイプ2又はタイプ3に該当する
場合は，サービスデスクが回答期限を定めて技術課に解決を依頼する。これを機能的
エスカレーションという」とある。ところが，この回答期限に遅れることがあり，そ
のために解決目標時間を達成できない事態を招いている。インシデントのタイプ別に
振り分けた機能的エスカレーションだけでは問題があるということである。

　一般に，段階的取扱い（エスカレーション）には，機能的エスカレーションと階層
的エスカレーションの2種類がある。機能的エスカレーションはインシデントを解決
するために必要な知識が不足している場合，より専門性な知識を有するグループに解

決を委ねる行動である。難易度の高いインシデントは，２次サポート，３次サポートへ引き継がれる。階層的エスカレーションは，インシデントの解決に支障が生じた場合やコストがかかる場合などに，マネージャなどの上位権限者に判断を仰ぐ行動である。

　ここでのエスカレーション先は，「顧客に対するサービス責任者であるS氏」であり，S氏が「インシデント対応の手順"解決"に関与することによって，組織的なインシデント対応を行う」という改善策をとっている。したがってこの改善策は，インシデント対応を上位権限者に委ねる階層的エスカレーションにあたるといえる。具体的にS氏にしてもらうことは，インシデントの解決を後回しにしている技術課に対して，インシデント対応を優先してもらうよう伝えてもらうことである。よって，空欄aには**技術課に対してインシデント対応を優先してもらうための依頼**が入る。

［設問１］(2)

　調査が必要になったのは，〔エスカレーションの手順における問題点とその改善策〕(2)にあるように，技術課では技術者が「サービスデスクからインシデントの解決の依頼を受けた場合に，解決手順の指示，技術者自身での解決を後回しにしてしまうことがある」からである。「ITインフラ群の変更作業を計画的に実施している」ことのほうが優先されてしまっている。技術者は「毎日始業時に当日の作業計画を策定し，作業を計画的に実施していた」とあるので，この作業計画にインシデント対応作業を組み込んでいれば，インシデントの解決が後回しになることはないはずである。そこで調査すべきなのは，**作業計画策定のときに想定されるインシデント対応の作業時間を確保していること**となる。

［設問２］(1)

　ノウハウDBへの登録に関する問題文の記述を確認すると，〔タイプ１の比率向上への取組〕(2)に「タイプ２及びタイプ３のインシデントが解決した後に，インシデントの解決手順をノウハウDBに登録し」とある。インシデントの解決手順は，タイプ３のインシデントについては，「技術課があらかじめ文書化したものをサービスデスクが受け取って，ノウハウDBに登録」している。技術課は「これら以外」のものを登録することになる。

　〔タイプ１の比率向上への取組〕(2)には，ヒアリング結果としてインシデント解決までに実施した対応が３種類，挙げられている。この中で，技術課が実施したほうがよいものがあるか（サービスデスクで登録可能かどうか）を検討する。

・タイプ２のインシデント

　技術者は過去に同様のインシデントが発生したときでも同じ指示を行い，サービスデスクも同じ対応をしているので，サービスデスクで登録可能である。

・タイプ３のうち再発性のあるインシデント

　初回発生時に開発手順を文書化しておけば，２回目以降はサービスデスクで対応できるので，サービスデスクで登録可能である。

・タイプ３のうちサービスを変更した際に発生するインシデント

　サービス変更後の短期間に集中して発生している。技術課はどのタイミングでどんなインシデントが発生するかある程度予測でき，その解決手順も分かっているため，このインシデントは技術課で登録したほうがよいといえる。

　よって解答は，**サービスを変更した際に想定されるインシデントの解決手順**となる。

［設問２］(2)

　設問１にあったように，技術者はインシデントの解決手順の指示や，技術者自身での解決を後回しにしがちである。インシデント解決の依頼は不定期に発生し計画に組み込みにくい上に，それなりの時間を割く必要があるからである。もしタイプ１の比率が向上すれば，必然的に依頼件数が減少し，その対応時間をITインフラ群の変更作業など他の作業に充てることができる。よって解答は，**技術課が行うインシデント対応の作業負荷が低減するから**となる。

［設問３］(1)

　〔サービスデスクの業務拡大〕にあるように，移行するのは「アカウント作成及び更新についての変更作業」である。これは「サービス利用者からの変更要求の頻度は高く，内容的に失敗するリスクが低い作業」である。S氏がサービスデスクで作業可能となるよう検討を進めた結果，「サービスデスクの体制強化及び必要な教育は，実施可能であることが分かった」とある。このうち「サービスデスクの体制強化」は技術課の職域ではない。一方，教育面については，これまで技術課が行ってきた作業であることを考えると，標準的な内容の変更作業については，技術課で手順書を作成し，サービスデスクに伝達するようにすれば，サービスデスクで支障なく実施することができるようになるだろう。そこで，**サービスデスクで実施できるように標準変更の手順を整備する**とまとめればよい。

　まず，業務拡大によってサービスデスクに移行される「アカウント作成及び更新についての変更作業」が今までどのような手順で行われてきたかを確認する。

　〔サービスデスクの業務拡大〕に「変更要求は，A社の変更管理プロセスに従って，週1回実施している社内の変更審査会の前日までに申請が必要であり，変更審査会で承認を受けてから，翌日以降に行う作業である」とある。とすると，これまでは変更要求を申請してから作業完了まで，最大で1週間かかっていたことになる。サービスデスクで処理が行われるようになると，インシデントと同様の扱いになる。優先度を"低"とするので，解決目標時間は8時間となり，大幅に短縮される。よって，顧客側の利点は，**変更要求の依頼から実施までの期間が短くなる**こととなる。どれくらい短くなるかを具体的に示し，**変更要求の依頼から実施までの期間が1営業日以内となる**と解答してもよい。

問5 解 答

設問		解答例・解答の要点
設問1	(1)	技術課に対してインシデント対応を優先してもらうための依頼
	(2)	作業計画策定の時に想定されるインシデント対応の作業時間を確保していること
設問2	(1)	サービスを変更した際に想定されるインシデントの解決手順
	(2)	技術課が行うインシデント対応の作業負荷が低減するから
設問3	(1)	サービスデスクで実施できるように標準変更の手順を整備する。
	(2)	・変更要求の依頼から実施までの期間が短くなる。 ・変更要求の依頼から実施までの期間が1営業日以内となる。

※IPA発表

●本問から学べること・ITサービスマネージャの着眼点

問5　サービスデスク（H30年問3）

1. 上位権限者への階層的エスカレーション…… 設問1（1）

エスカレーション（段階的取扱い）には，次の2種類がある。

・階層的エスカレーション：

インシデントを，より上位のマネージャ層に引き継ぐこと。
インシデントの対応を委ねるというよりも，インシデントの存在を
上位者に通知するという意味合いが強い。

・機能的エスカレーション：

インシデントを技術上の専門家に引き継ぐこと。
本問では，サービスデスクでは解決困難な技術的なインシデントは，
技術課にエスカレーションしている。

2. 解決手順やノウハウを記録しデータベース化して，回答効率を向上させる。

…… 設問2（1）

インシデントの対応状況や解決方法，解決手順，ノウハウ等を蓄積しデー
タベース化して検索可能にすることで，次に同様のインシデントが発生した
ときにスムーズに回答ができるようになる。

3. サービスデスクの一次解決率が上がると，エスカレーション先の負荷が軽減される。…… 設問2（2）， 設問3（2）

サービスデスクで対応可能なインシデントが増え，サービスデスク内で解
決できる割合（一次解決率）が上がると，エスカレーションする割合が減り，
エスカレーション先の負荷は軽減される。また，エスカレーションの手間が
省ける分だけ，インシデントの平均解決時間が短くなる。

ITサービスの可用性に関する次の記述を読んで，設問1〜3に答えよ。

＊制限時間45分

U社は，POSシステムを小売業者に販売している電気通信機器メーカである。扱っているPOSシステムの構成は，表1のとおりである。

表1　POSシステムの構成

機器	説明
POSレジ	・ストアコントローラと接続して単品情報管理を行う端末機であり，精算に必要なプログラム及びデータを保有している。 ・自動で入金・釣銭を管理する自動釣銭機をもち，自動釣銭機が故障するとPOSレジも利用不可となる。
ストアコントローラ	・POSレジの上位コントローラであり，接続しているPOSレジの状態監視を常時行い，POSレジから30分間隔でデータを収集する。 ・他システムとのデータ送受信を行う。

POSシステムを設置した店舗では，POSシステムが提供するサービス（以下，POSサービスという）によって，レジ業務の初心者でも精算ミスが発生せず，かつ，効率的な現金管理が可能である。POSサービスには，レジでの精算待ち時間の短縮が求められており，高い可用性が必要である。

〔Z社のPOSシステムの利用〕

Z社は，全国に100店舗をもつ小売業者であり，3年前にU社のPOSシステムを導入した。Z社のPOSシステムの利用状況は，次のとおりである。

・1店舗当たり1台のストアコントローラを設置し，1台以上のPOSレジが稼働している。

・本社に設置されている販売システムでは，店舗のPOSシステムのストアコントローラから販売データを収集・集計している。

また，Z社はU社との間でPOSサービスのSLAを締結している。SLAの可用性につ

いては，店舗ごとにサービス稼働率を計算して求める。店舗にPOSレジが複数台設置されている場合は，POSレジごとにサービス稼働率を計算した値を設置台数で平均して，店舗のサービス稼働率とする。SLAの抜粋を表2に示す。

表2　POSシステムサービスのSLA（抜粋）

種別	サービスレベル項目	サービスレベル目標
可用性	サービス時間	店舗の営業時間帯（営業日の7時から23時まで）
	サービス稼働率 [1]	月間99.5％以上

注 [1]　サービスを利用できる確率（（計画サービス時間 － 停止時間）÷ 計画サービス時間）
　　　ここで，停止時間は，POSレジが故障したときのPOSレジの故障時間を使用する。

　Z社では，全ての店舗のPOSシステムの監視を含む保守サービスを，U社に委託している。U社では，監視センタから監視システムを利用してPOSシステムの稼働状況を監視する。全体のシステム構成を図1に，Z社の各店舗に設置したストアコントローラがPOSレジから収集している稼働状況のデータを表3に示す。

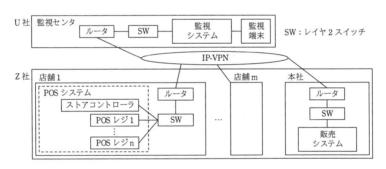

図1　全体のシステム構成

表3　ストアコントローラがPOSレジから収集している稼働状況のデータ

データ	内容
資源の状況	POSレジのCPU使用率，メモリ使用率及びストレージの使用量
機器の状態	データ収集時点及び障害発生時点におけるPOSレジの詳細な状態情報
故障エラーログ	POSレジ故障に関する情報
稼働履歴情報	レシート印刷，釣銭返却などの履歴情報。詳細な情報を記録しているので，利用頻度に比例してデータ量が増加する。

〔U社のPOSシステムの保守サービス〕

U社では，次に示す予防保守及び事後保守の2種類の保守サービスを提供している。

(1) 予防保守は，定められた時間計画に従って実施される時間計画保守と，POSシ
ステムの監視に基づく状態監視保守に分かれる。さらに，時間計画保守には，次
に示す2種類の保守がある。

  ・定期保守：予定の時間間隔で部品の検査・交換を実施する。

  ・経時保守：予定の累積動作時間・累積動作回数に達したときに，部品の検査・
交換を実施する。POSシステムの構成部品には，稼働状況や消耗度
合いに応じて交換が必要な部品がある。

(2) 事後保守は，POSシステムに故障が発生し，監視システムで故障を検出した場
合に緊急で修理を行う保守である。POSレジに故障が発生した場合の回復手順は，
表4のとおりである。

表4　POSレジに故障が発生した場合の回復手順

手順	内容
①検出	・POS レジ故障を検出し，インシデントとして記録する。
②診断	・インシデントを調査し，診断を行う。 ・故障した POS レジの店舗担当者へのヒアリング，POS レジの状況の確認に必要な情報収集，及び故障部位の特定を行う。 ・監視システムの情報収集ツール[1] を利用して診断を行う。
③修理	・故障した POS レジの店舗に保守員を派遣して，診断で特定した故障部位を修理（交換）する。 ・部品交換が必要な場合は，近隣の部品倉庫から修理に必要な部品を調達する。
④復旧	・POS レジを復旧させる。 ・POS レジの利用再開に当たってデータの修正が必要な場合は，データの修正を行う。
⑤回復	・故障した POS レジの店舗担当者に，POS レジが回復しているかを確認する。回復していれば，対応を終了する。

注 [1]　POS システムのストアコントローラから，指定する POS レジの情報を収集するプログラムである。
収集するデータの種類，期間を指定することができる。

U社は，これらの保守サービスのうち，店舗で行う作業をC社に委託している。C
社では，修理用部品の在庫を確保し，サービス拠点に保守員を配置している。新規に
POSサービスを開始する店舗がある場合，U社は，事前にC社に連絡する。C社は，
POSシステムの設置場所及び機器の設置数に応じて，修理用部品の在庫及び保守員の
配置を見直すことにしている。

〔POSシステムの監視〕

(1) 予防保守で行うPOSシステムの監視は，次のとおりである。

・監視システムは，ストアコントローラに蓄積された表3のデータから必要な情報を受信する。具体的にはストアコントローラが，POSレジから表3のデータを収集した直後の処理として，監視システムに通知情報を送信する。

・通知情報には，POSレジの自動釣銭機の釣銭詰まりなど，故障ではないが店舗で対応可能な軽微な障害に関する機器の状態情報，部品の累積動作時間が一定時間以上，又は累積動作回数が一定回数以上になったことを示す経時保守に必要な情報が含まれる。

(2) 事後保守で行うPOSシステムの監視は，次のとおりである。

・ストアコントローラからの異常通知を契機として行う。具体的には，ストアコントローラがPOSレジ故障を検出したとき，故障した機器の情報と異常通知を監視システムに送信する。

・U社で対応が必要な通知の一覧は，監視システムに登録されている。

・監視システムでは，異常通知を受信すると，監視端末で警報を鳴らし，監視センタのインシデント担当者に対応を促す。

・異常通知を受信した場合，インシデント担当者はPOSレジ故障と判断し，表4に示す回復手順に従って対応する。

・異常通知は監視システムに記録され，後日，担当者が分析に利用する。

〔Z社のPOSレジ故障の事例〕

ある日，Z社のある店舗で自動釣銭機が故障し，POSレジを利用できなくなった。この店舗では，POSレジ1台でPOSシステムが運用されていた。U社のインシデント担当者のV氏は，表4に示す回復手順に従って①〜⑤の対応を行った。

① ストアコントローラがPOSレジ故障を検出し，U社の監視システムに異常通知を送信した。監視端末で警報が鳴り，V氏はインシデントとして記録した。

② V氏は，Z社の店舗担当者にヒアリングを行った。店舗担当者は，"21時から自動釣銭機が故障し，POSレジ利用できない。前日から，釣銭詰まりが複数回発生しており，その都度対応していたが，今回は店舗だけでは対応できない。"と回答した。V氏は，釣銭詰まりの通知情報が監視システムに記録されていることを確認し，次のように対応した。

・情報収集ツールを利用して，店舗のストアコントローラからPOS当該レジに関する，表3の全てのデータを収集した。

・当該POSレジは利用期間が長く，利用頻度も高かったので，通常は10分程度で終了する情報収集に30分掛かった。
・情報収集後，故障部位の特定のための診断を行った。機器の状態のデータと故障エラーログのデータから，自動釣銭機の硬貨搬送ベルトが正常に動作していないことを特定した。
・収集したその他のデータには，診断に役立つ情報はなかった。

③　C社はV氏の依頼を受けて，保守員をZ社の店舗に派遣した。C社保守員が店舗に到着して，硬貨搬送ベルトを確認したところ，硬貨搬送ベルトが破損していることが分かった。硬貨搬送ベルトは定期保守で一定期間ごとに交換しているが，当該POSレジは利用頻度が高く，自動釣銭機の硬貨搬送ベルトが摩耗して破損したことが故障の原因であった。C社保守員は，持参した修理用部品に交換して自動釣銭機の修理を完了した。

④　C社保守員は当該POSレジを再起動して復旧させた。データの修正は必要なかった。

⑤　Z社の店舗担当者は，V氏の依頼を受けて当該POSレジが回復していることを確認した。

Z社の店舗の対応は，当該POSレジの故障発生から3時間後の24時に終了した。

〔監視データの分析〕

U社のITサービスマネージャのD氏は，表4の各回復手順を短縮するために，故障対応記録と，監視システムに蓄積された過去数年間の監視データを分析した。監視データは膨大なデータ量なので，ビッグデータの解析手法を適用し，今回の故障に関する次の知見を得た。

①　異常通知の受信から，C社保守員の派遣手配までの平均時間は，20分である。
②　経時保守で交換している部品の故障発生頻度は低い。
③　自動釣銭機が故障する前に，店舗で対応可能な釣銭詰まりの障害が頻発している。

これらの分析結果から，D氏は今回と同様の故障が発生する兆候を捉えることができると考えた。そこで，POSレジ故障を未然に防止するために，D氏は，(ア) ストアコントローラの機能変更と (イ) 保守サービスの見直しを行うことによって，サービス稼働率を向上できると考えた。

〔修理時間の短縮〕

D氏は，サービスレベルを維持するためにC社と連携して，修理時間の短縮について，次のような対策を検討した。

- 修理用部品の欠品を防ぐことによって部品手配時間を短縮し，C社保守員を適正に配置することによって駆け付け時間を短縮することができる。そのために，U社からC社に，POSレジごとの利用状況と故障傾向に関する情報を提供する。
- C社はU社からの情報を活用し，　　a　　を定期的に見直すととともに，POSレジの修理方法などの勉強会を開催する。
- 修理時間を確実に短縮するために，故障発生時の部品手配時間及び駆け付け時間について，新たにサービスレベルの目標値を設定し，C社とSLAを締結する。

設問1　〔Z社のPOSレジ故障の事例〕について，(1)，(2)に答えよ。

(1)　SLAに基づく可用性に関して，今回故障したPOSレジ故障発生月の当該店舗におけるサービス稼働率を％単位で求め，小数第2位を四捨五入して小数第1位まで答えよ。ここで，故障発生月の稼働日は30日とし，故障発生月には今回の故障だけが発生したものとする。

(2)　回復手順中の診断時間を短縮するための改善策を，情報の収集に着目して，40字以内で述べよ。

設問2　〔監視データの分析〕について，(1)，(2)に答えよ。

(1)　本文中の下線（ア）でD氏が考えた機能変更の内容を，50字以内で述べよ。

(2)　本文中の下線（イ）でD氏が考えた見直しの内容を，30字以内で述べよ。

設問3　〔修理時間の短縮〕について，(1)，(2)に答えよ。

(1)　本文中の　　a　　に入れる適切な内容を，20字以内で述べよ。

(2)　U社がC社と目標値を設定するときに考慮すべき内容を，ITサービスマネジメントの視点から，40字以内で述べよ。

◁│ **問6 解説** │▷

POSシステムを題材にした，**サービス可用性管理の問題**である。スーパーやコンビニエンスストアでPOSが故障したら，顧客がどれほど困るかは想像に難くない。高い可用性が要求されるPOSシステムにおいて，サービス稼働率の計算や故障の発生自体を抑える方策，修理時間の短縮の方策などを問う問題である。

[設問1] (1)

〔Z社のPOSレジ故障の事例〕に関して，**サービス稼働率を求める**。「表2　POSサービスのSLA（抜粋）」の注に書かれているサービスを利用できる確率の計算式を用いて求めればよい。

(計画サービス時間－停止時間)÷計画サービス時間

計画サービス時間は，表2より，サービス時間が「営業日の7時から23時まで」の16時間であり，設問に「故障発生月の稼働日は30日」とあるので，

16（時間）×30（日）＝480（時間）

である。

一方，停止時間は，〔Z社のPOSレジ故障の事例〕②に「21時から自動釣銭機が故障し，POSレジを利用できない」とある。対応の終了は〔Z社のPOSレジ故障の事例〕の最終行に「故障発生から3時間後の24時に終了した」とあるので，3時間のようにも読める。しかし，サービス時間が23時までであるので，計算に使用する実質停止時間は21時から23時までの2時間となる。したがって，これらを前記の計算式に当てはめると，次のようになる。

(480－2)÷480×100＝99.58（％）

小数第2位を四捨五入して**99.6**％である。

[設問1] (2)

回復手順中の診断時間を短縮するための改善策について，逆に時間がかかってしまった原因を探ってみる。〔Z社のPOSレジ故障の事例〕②に「表3の全てのデータを収集した」「当該POSレジは利用期間が長く，利用頻度も高かったので，通常は10分程度で終了する情報収集に30分かかった」とある。結果として「機器の状態のデータと故障エラーログのデータから」原因は診断できたが，「収集したその他のデータには，診断に役立つ情報はなかった」とある。

「表3　ストアコントローラがPOSレジから収集している稼働状況のデータ」のデータは，資源の状況，機器の状態，故障エラーログ，稼働履歴情報，の四種類である。これらのデータの全種類を全件確認していたのでは，時間がかかり効率が悪い。そこで，これらのデータのうち，最近の機器の状態と故障エラーログの情報だけを収集して確認するなど，**診断に必要な期間の必要なデータだけを収集できれば**，診断時間の短縮につながるはずである。そこで解答は，**情報収集ツールを利用するときに，データの種類と期間を指定する**となる。

[設問2] (1)

　下線 (ア)「ストアコントローラの機能変更」により，サービス稼働率を向上させる方策が問われている。〔監視データの分析〕③に「自動釣銭機が故障する前に，店舗で対応可能な釣銭詰まりの障害が頻発している」とある。〔Z社のPOSレジ故障の事例〕②でも「前日から，釣銭詰まりが複数回発生しており，その都度対応していたが，今回は店舗だけでは対応できない」とある。一方で〔POSシステムの監視〕(1)に「通知情報には，POSレジの自動釣銭機の釣銭詰まりなど，故障ではないが店舗で対応可能は軽微な障害に関する機器の状態情報……が含まれる」とあるので，この情報をストアコントローラは保有していることが分かる。だが，故障ではない軽微な障害であるため，異常通知として警報で監視センタのインシデント担当者に伝えられる情報ではないので対応は行われない。そこで，この種の**軽微な障害が一定回数になったときに異常通知と同様の扱いで通知をすれば，予防保守が可能である。**解答は，**釣銭詰まりの情報が一定回数以上になった場合，予防保守を促すために，その情報を通知情報に加える**となる。

[設問2] (2)

　下線 (イ)「保守サービスの見直し」により，サービス稼働率を向上させる方策が問われている。〔監視データの分析〕②に「経時保守で交換している部品の故障発生頻度は低い」とある。一方で，今回のサービス停止の原因となった硬貨搬送ベルトは，〔Z社のPOSレジ故障の事例〕③に「定期保守で一定期間ごとに交換している」とある。結果として「当該POSレジは利用頻度が高く，自動釣銭機の硬貨搬送ベルトが摩耗して破損したことが故障の原因であった」となる。したがって，硬貨搬送ベルトのように**利用頻度が高いものは，定期保守だけでなく経時保守を行うことにより故障を未然に防ぐことができる。**解答は，**硬貨搬送ベルトの点検に経時保守を追加する**となる。

[設問3] (1)

　空欄aの前に「U社からC社に，POSレジごとの利用状況と故障傾向に関する情報を提供する」とある。これを受けて，空欄aにはC社で定期的に見直すべき内容が入る。

　U社とC社との連携事項であるので，ヒントは〔U社のPOSシステムの保守サービス〕にある。この末尾に「新規にPOSサービスを開始する店舗がある場合，U社は，事前にC社に連絡する。C社は，POSシステムの設置場所及び機器の設置数に応じて，修理用部品の在庫及び保守員の配置を見直すことにしている」とある。〔修理時間の短縮〕に修理時間の短縮のために検討した対策として「修理用部品の欠品を防ぐことによっ

て部品手配時間を短縮し，C社保守員を適正に配置することによって駆け付け時間を短縮することができる」とあるので，この観点から解答を考えると，U社から提供される情報(POSレジごとの利用状況と故障傾向)をもとに，**修理用部品の在庫及び保守員の配置**を見直すべきことが分かる。

[設問3] (2)

ITサービスマネジメントの視点で見ると，本問では，Z社が顧客にあたり，U社がサービス提供者(サービスプロバイダ)である。この両社はSLAを締結している。そしてC社はU社の提供するサービスを支援する供給者(サプライヤ)である。このとき，サービス提供者U社が供給者C社と設定する目標値は，顧客Z社と締結したSLAを支えるものとなり，これらは整合が取れていなければならない。したがって，U社はC社と目標値を設定する際に，**目標値はZ社のSLAと整合を図り，サービスレベルについてC社と合意する**必要がある。

ここでは，ITサービスマネジメントにおけるセオリーとして，"**サービス提供者が供給者と交わすSLAの内容は，サービス提供者が顧客と交わすSLAの内容と整合させる**"，ということを押さえておいてほしい。試験でとり上げられやすい観点である。

問6 解 答

設問		解答例・解答の要点
設問1	(1)	99.6
	(2)	情報収集ツールを利用するときに，データの種類と期間を指定する。
設問2	(1)	釣銭詰まりの障害が一定回数以上になった場合，予防保守を促すために，その情報を通知情報に加える。
	(2)	硬貨搬送ベルトの点検に経時保守を追加する。
設問3	(1)	修理用部品の在庫及び保守員の配置
	(2)	目標値はZ社のSLAと整合を図り，サービスレベルについてC社と合意する。

※IPA発表

●本問から学べること・ITサービスマネージャの着眼点
問6 ITサービスの可用性（H29年問1）
※テーマはサービス可用性管理

1.サービス稼働率の計算式…… 設問1（1）

$$サービス稼働率 = \frac{計画サービス時間 - 停止時間}{計画サービス時間}$$

2.可用性管理の工夫
〈工夫❶〉 サービス監視と経時保守の利用…… 設問2（1）（2）

　利用頻度の高い機器は，サービス監視を行い，故障が発生したら直ちに通知を受け取れる仕組みにしておく。また，定期保守だけでなく，利用頻度に伴って行う経時保守を利用する。

〈工夫❷〉 修理用部品の在庫の確保…… 設問3（1）

　修理用部品は適切な在庫を確保する。定期的に適切な在庫量を見直す。

〈工夫❸〉 保守員の配置…… 設問3（1）

　保守が適時に，適切に行われるよう，保守員の配置計画を行う。計画は定期的に見直す。

3.供給者（サプライヤ）とのSLAは，顧客とのSLAとの整合をとる
…… 設問3（2）

　サプライヤとサービス提供者との間で設定するサービスレベルの目標値は，顧客とサービス提供者が交わすサービスレベルの内容（SLA）と整合させる。

サービス継続及び可用性管理に関する次の記述を読んで，設問1～3に答えよ。

＊制限時間45分

　R社は，中堅の製薬会社である。R社の本社は関東地方のC市にあり，工場，関東支店及びサーバ室（全て同じ建物内にある）はC市に隣接するD市に，近畿支店は近畿地方のE市にある。両支店には倉庫が併設されており，関東支店は東日本地域の注文受付と入出庫，近畿支店は西日本地域の注文受付と入出庫を担当している。

　R社の製造部の部員は，工場に勤務して製品の製造記録及び倉庫への輸送記録を端末から生産管理システムに入力している。R社の販売部の部員は，関東支店又は近畿支店に勤務して注文の入力を行っている。顧客からの注文は，両支店で毎日8時から19時までの間，電話又はファックスで受け付け，端末から販売管理システムに入力している。また，端末から製品の入出庫を販売管理システムに入力している。

〔システム全体の構成〕

　R社のシステム全体の構成を図1に，システム全体の概要を表1に示す。

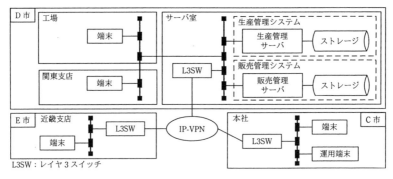

図1　R社のシステム全体の構成

表1　R社のシステム全体の概要

項番	内容
1	工場と同じ建物内のサーバ室には，製品の製造から倉庫への輸送までを管理する生産管理システム，及び顧客との取引と製品の入出庫を管理する販売管理システムが設置されている。
2	工場，両支店及び本社には，両システム共用のデータ入力用の端末が設置されている。
3	本社には，運用端末が設置されており，IP-VPN経由で両システムの運用に使われている。
4	生産管理システムのストレージには製品の製造及び倉庫への輸送の記録ファイルが格納され，販売管理システムのストレージには受注ファイル及び在庫ファイルが格納されている。

〔両システムの運用〕

　R社の情報システム部員は，本社に勤務して両システムを運用している。両システムとも，毎日4時から23時までオンライン処理を行う。23時から24時までは，テープ媒体にファイルのフルバックアップを取得し，サーバ室に保管している。

　システムのオペレーションは，販売管理システム専任のAチームと，生産管理システム専任のBチームの2チームに分かれている。部員は自身が担当するシステムについて教育を受け，オペレーションを実施している。

　なお，部員は自身が担当するシステム以外のオペレーションは実施していない。両チームともシフト体制を組み，それぞれ1シフト1名でオペレーションを実施している。

〔事業継続計画の策定〕

　関東地方に震度6弱レベルの地震が発生した場合の，R社の建物が損傷を受けるリスクについて調査した。その結果は次のとおりである。

(1) C市にある本社の建物は耐震性能が高く，震度6弱レベルの地震で損傷を受ける確率が低い。

(2) D市にあるR社の敷地の地盤は軟弱であって，R社の建物（工場，関東支店，倉庫及びサーバ室）は，震度6弱レベルの地震で損傷を受ける確率が高い。

(3) E市にある近畿支店の建物及び倉庫は，損傷を受ける確率が低い。

　この調査結果を受け，R社では情報システム部も参加する検討チームを設置して，事業継続計画（以下，BCPという）の策定に着手した。BCPの概要を表2に示す。

表2　BCPの概要（抜粋）

項番	業務	計画内容
1	販売活動	・関東支店は注文受付と入出庫を停止する。 ・近畿支店は在庫を活用して，注文受付と出庫を通常どおり継続する。
2	製造活動	・3年後を目途に，地盤が強固な地域に工場を移転する。 ・移転までの間に被災した場合は，一時的に工場の操業及び近畿支店への輸送を停止する。

〔災害対策用システムの検討〕

　工場，関東支店及びサーバ室の建物の被災によって両システムが停止することが想定された。一方で，近畿支店の販売活動は可能なので，販売管理システムのRTO（目標復旧時間）は被災時点から120分，生産管理システムのRTOは被災時点から5日と設定した。ただし，RPO（目標復旧時点）は関係部署との調整が必要なので，継続して検討することになった。

　RTOの設定を受け，ITサービスマネージャであるG氏は，被災時の技術的対策の検討を始めた。検討した結果，現在稼働中の販売管理システムと同一機能で，被災時だけ使用する災害対策用システム（以下，災対システムという）を構築することになった。概要は次のとおりである。

・災対システムと本社との間に専用線を新規に敷設し，本社の運用端末から遠隔操作を行う。
・クラウドサービスの活用も検討する。現在稼働中の販売管理システムとの互換性を考慮し，クラウド事業者が提供するPaaSを利用する。PaaSは，サービスの利用量に応じた料金体系であり，システム環境の構築だけであれば少額の費用で利用できる。

G氏はこれらの検討結果を踏まえ，災対システムの方式案を表3のようにまとめた。

表3　災対システムの方式案

方式案	概要	費用 [1]	復旧時間 [2]	RPO
案1	・災対システムを近畿支店に構築し、被災時はフルバックアップからデータを復元する。 ・フルバックアップの取得先を、現在のテープ媒体から、近畿支店に新設するストレージに変更する。取得対象データと取得時期は現在のままとする。	1.3	a	被災当日のオンライン開始時点
案2	・災対システムはクラウドサービスを使用して構築し、現在稼働中の販売管理システムとホットスタンバイ構成とする。	1.0	60分	被災時点
案3	・災対システムはクラウドサービスを使用して構築し、被災時はフルバックアップからデータを復元する。 ・フルバックアップの取得方式を、データ保管サービス [3] の利用に変更する。取得対象データと取得時期は現在のままとする。	0.7	120分	b 時点

注 [1] 総所有費用（TCO）のことである。数値は、案2を1.0とした場合の相対的な倍率である。
　 [2] インシデントの発生（被災時点）からサービスが再開されるまでの所要時間である。被災時点から災対システムの起動開始までには、被災状況の確認作業などが必要であり、所要時間は30分である。また、その後の作業内容は案ごとに異なるが、必要となる場合には、災対システムの起動作業に30分、フルバックアップからのデータ復元に30分、システムの正常稼働の確認に30分掛かる。
　 [3] クラウドサービスの利用者が指定するデータを、利用者が指定する時期に複写し、クラウド事業者のデータセンタに保管するクラウドサービスのことである。

　案1で、RPOを被災当日のオンライン開始時点と設定した場合、(ア) 情報システム部が販売部とあらかじめ合意すべき内容がある。

　G氏は、案1～3について検討した結果、案3を推奨案として検討チームに提案し、案3に決定した。

〔復旧手順の検討及びクラウドサービスの選定〕

　案3の決定を受け、G氏は、販売管理システムの復旧手順の検討と、使用するクラウドサービスの選定に着手した。

(1)　復旧手順の検討

　①　災対システムは、平常時は停止状態としておき、被災時に運用端末から起動する。被災状況の確認作業などに30分、その後、災対システムの起動作業に30分、さらに、フルバックアップからのデータ復元に30分掛かる。データ復元の完了後、システムの正常稼働の確認に30分掛かるが、RTO内に復旧できる。

　②　ストレージは、平常時は最低限の容量だけを確保しておき、被災時点のデータ量に応じて、災対システムの起動作業と並行して容量の追加を行う。

(2)　災対システム稼働中にインシデントが発生した場合の対応

　　災対システム稼働中にインシデントが発生し、災対システムが停止した場合、クラウド事業者がインシデントの解決及び災対システムの起動を実施する。その

後，R社でフルバックアップからのデータ復元及びシステムの正常稼働の確認を実施し，サービスを再開する。

(3) クラウドサービスの選定

G氏は，災対システムの候補として，表4の4社のクラウドサービスを選んだ。

表4　G氏が検討したクラウドサービス

項番	クラウド 事業者	データセンタ の所在地 1)	ストレージ容量 追加の所要時間 2)	インシデントが発生した場合， クラウド事業者が行う作業所要時間 3)
1	Q社	九州地方	20分以内	40分
2	S社	北陸地方	30分以内	20分
3	U社	関東地方	30分以内	60分
4	W社	中部地方	40分以内	60分

注 1)　サービスを提供しているクラウド事業者のデータセンタの所在地
　　2)　利用者がクラウド事業者に申込みを行ってから，利用可能となるまでの時間
　　3)　災対システム稼働中に PaaS でインシデントが発生し，災対システムが停止した場合，クラウド事業者はインシデントの解決を行い，災対システムを起動する。作業所要時間とは，インシデントの発生から解決までの時間であり，災対システムを起動する時間は含まない。

G氏は，各社のサービスを比較し，次の条件に合致するクラウドサービスを提供する1社を選定した。

・事業継続に関する要求事項として，サービスを提供するデータセンタが，R社のサーバ室と同じ地方にないこと
・災対システム稼働中にインシデントが発生し，災対システムが停止した場合，インシデントの発生から120分以内にサービスが再開可能なこと
・□□□□□□□□□□□c□□□□□□□□□□□

〔災対システムの構築〕

G氏は変更計画として，災対システムの構築計画，災対システムに関連する既存システムの稼働環境の修正計画，及び既存システムのオペレーションマニュアルの修正計画をまとめた。変更計画はR社で規定する変更管理プロセスに従って承認され，災対システムが構築された。災対システムの構築が完了した後，G氏は災害対策用マニュアル（以下，災対マニュアルという）も作成した。

当初，災対システムと本社との間は，1本の専用線で接続する予定であった。しかし，災対システムの構築完了後，G氏は予備の専用線を追加して，可用性を向上させることにした。この場合，災対システムの正常稼働の確認で予備の専用線の切替え作

❷演習編

業と疎通確認作業が増えるが，想定している30分の範囲内で作業可能と判断した。予備の専用線の追加は，変更管理プロセスに従って承認された後，予備の専用線の敷設作業が実施された。

〔災害復旧訓練の準備・実施〕

　災対システムの構築完了後，G氏は災害復旧訓練（以下，訓練という）の実施を計画した。訓練には，実施日時に勤務中の販売管理システム専任のAチームのオペレータと運用責任者が参加し，実機を使用して災対システムへの切替えなどを行う。

　G氏は訓練の計画書を作成し，参加者向け会議で訓練計画及び災対マニュアルについて説明を行った。会議において，"被災時には，勤務中のAチームのオペレータが何らかの理由で作業を行えなくなり，非番のオペレータも招集できないという不測の事態も考えられる。RTO内に復旧するために，こうしたリスクへの備えも必要である。"という指摘を受け，G氏は　(イ)　対策を検討した。

　訓練は予定した日時に実施された。訓練終了後，訓練実施者の会議において，"<u>(ウ)災対マニュアルの復旧手順では，予備の専用線の疎通確認が漏れていた</u>ので，作業に手間取ってしまった。"という報告があった。

設問1　〔災害対策用システムの検討〕について，(1)，(2)に答えよ。
(1)　表3中の　　a　　に入れる適切な字句を5字以内で，　b　　に入れる適切な字句を15字以内で，それぞれ答えよ。
(2)　本文中の下線（ア）について，合意すべき内容を40字以内で述べよ。

設問2　〔復旧手順の検討及びクラウドサービスの選定〕について，(1)，(2)に答えよ。
(1)　本文中の　　c　　には，ストレージに関する条件が入る。適切な条件を，40字以内で具体的に述べよ。
(2)　表4のクラウド事業者のうち，G氏が選定した1社を答えよ。

設問3　〔災害復旧訓練の準備・実施〕について，(1)，(2)に答えよ。
(1)　本文中の下線（イ）について，有効な対策を50字以内で述べよ。
(2)　本文中の下線（ウ）について，サービスマネジメントの観点から，改善すべき内容を40字以内で述べよ。

サービス継続及び可用性管理の中でも，事業継続計画の策定や災害対策用のシステム方式の検討を中心とした問題であり，**サービス継続管理**の活動に当たる。RTO（目標復旧時間），RPO（目標復旧時点）の設定やクラウドサービスの選定など，最近話題となっている事柄が多く含まれている。**事業継続に関しては，経済産業省『事業継続計画策定ガイドライン』，『ITサービス継続ガイドライン』，内閣府『事業継続ガイドライン』などのガイドラインが出されている**が，本問の事業継続計画の策定における考え方は，これらのガイドラインに基づいている。

［設問1］(1)

（aについて）

空欄aは，「表3　災対システムの方式案」の案1の復旧時間である。まず，表3下部の注2)にある復旧時間の説明を確認すると，復旧時間とは，「インシデントの発生（被災時点）からサービスが再開されるまでの所要時間」を示す。その内訳として，

　　　　・被災状況の確認作業など：30分……❶
　　（必要となる場合には）
　　　　・災対システムの起動作業：30分……❷
　　　　・フルバックアップからのデータ復元：30分……❸
　　　　・システムの正常稼働の確認：30分……❹

が挙げられている。

案1の概要を確認すると，「災対システムを近畿支店に構築し，被災時はフルバックアップからデータを復元する」「フルバックアップの取得先を，現在のテープ媒体から，近畿支店に新設するストレージに変更する。取得対象データと取得時期は現在のままとする」というものである。つまり，D市（関東）に機器が置かれている販売管理システムが被災した場合，近畿支店に用意した災対システムに切り替えて業務を継続するという方法である。

サービス再開までに必要な前記❶～❹の作業について，案1において必要かどうかを一つずつ判断し，必要な作業の所要時間を合計すれば，それが案1の復旧時間になる。

❶被災状況の確認作業

被災状況の確認は，災対システムの起動開始までに必要な作業である。所要時間は

30分である。

❷災対システムの起動作業

　災対システムは、「被災時だけ使用する災害対策用システム」であることから、被災時に起動作業が必要になると考えられる。所要時間は30分である。

❸フルバックアップからのデータ復元

　案1の概要に「被災時はフルバックアップからデータを復元する」とあり、この作業は必要である。所要時間は30分である。

❹システムの正常稼働の確認

　災対システムを起動し、データを復元した後、システムが正常に稼働しているかを確認する必要がある。所要時間は30分である。

　これらより、案1の場合、災対システムでサービスを再開するには①〜④のすべての作業が必要であると考えられる。すべての作業の所要時間を合計すると、120分となり、空欄aには**120分**が入る。さらに、〔災害対策用システムの検討〕に「販売管理システムのRTO（目標復旧時間）は被災時点から120分」とあるので、RTOの時間内に復旧可能であり、解答として適切な値であると判断できる。

　なお、この解答は、案1の災対システムが**被災時のみ起動されるコールドスタンバイ構成**であることが前提となっている。

（bについて）

　空欄bは、案3における**RPO（目標復旧時点）**である。つまり、**被災時にデータをどの時点の状態にまで復旧させるか**、ということである。

　案3の概要を確認すると、「災対システムはクラウドサービスを使用して構築し、被災時はフルバックアップからデータを復元する」「フルバックアップの取得方式を、データ保管サービスの利用に変更する。取得対象データと取得時期は現在のままとする」というものである。つまり、D市（関東）に置かれている販売管理システムが被災した場合、クラウド事業者が提供するサービスを使用して構築した災対システムで業務を継続するという方法である。

　この場合の災対システムも、案1と同様、被災時に起動されるコールドスタンバイ構成となるため、データの復元が必要となる。「フルバックアップからデータを復元する」とあるので、問題文から、フルバックアップの取得に関する記述を確認する。すると、〔両システムの運用〕に「両システムとも、毎日4時から23時までオンライン処理を行う。23時から24時までは、テープ媒体にファイルのフルバックアップを取得し、サーバ室に保管している」とある。つまり、フルバックアップに取得されているのは、当日のオンライン終了時点のデータである。翌日のオンライン開始時点ま

でデータに変化はないので，翌日のオンライン開始時点のデータ，と言い換えることができる。

　これを被災日のデータ復旧方法の面から確認すると，被災し災対システムへの切替えが必要になった場合，データの復元に使用するバックアップデータは，前日のオンライン終了時点のデータである。これはつまり，当日のオンライン開始時点のデータである。同じコールドスタンバイ構成の案1もバックアップからのデータ復元を必要とし，案1のRPOには「被災当日のオンライン開始時点」と記されている。案3も同様に表現すればよい。したがって，空欄bには**被災当日のオンライン開始**が入る。

　下線 (ア) は，〔災害対策用システムの検討〕の表3の後にある「案1で，RPOを被災当日のオンライン開始時点と設定した場合，情報システム部が販売部とあらかじめ合意すべき内容がある」という一文に含まれている。

　RPOを被災当日のオンライン開始時点と設定した場合，被災した時刻にかかわらず，**バックアップから復旧可能なデータは当日のオンライン開始時点まで**である。オンライン開始後に被災した場合には，オンライン開始時点から被災するまでにオンライン処理で登録されたデータをすべて再入力して，データを被災時点の状態まで復旧させる必要がある。通常，販売管理システムへの注文入力作業は販売部が行っていることから，この再入力の作業も販売部が行うと考えるのが自然である。そのため，販売部がこの作業を行うことについて，あらかじめ合意が必要になる。したがって解答は，**被災日に入力済みのデータを，システム復旧後に再入力する必要があること**となる。

　空欄cは，三つ挙げられている**クラウドサービス選定条件**のうちの一つである。ほかの二つの条件は，

- 事業継続に関する要求事項として，サービスを提供するデータセンタが，R社のサーバ室と同じ地方にないこと
- 災対システム稼働中にインシデントが発生し，災対システムが停止した場合，インシデントの発生から120分以内にサービスが再開可能なこと

である。これ以外の条件を答えなければならない。

　〔復旧手順の検討及びクラウドサービスの選定〕(1) 復旧手順の検討②に「ストレージは，平常時は最低限の容量だけを確保しておき，被災時点のデータ量に応じて，

災対システムの起動作業と並行して容量の追加を行う」とあり，①によると「災対システムの起動作業に30分」掛かる。よって，災対システムの起動作業時間の30分以内に，ストレージの容量追加が完了しなければならないことになる。これを超えると，RTOである120分以内に復旧ができなくなる。

したがって，空欄cに入る条件は，**ストレージ容量の追加作業が，災対システムの起動作業完了までに終わること**となる。

［設問2］(2)

「表4　G氏が検討したクラウドサービス」に挙げられている項番1〜4のクラウド事業者について，(1)に挙げた三つのクラウドサービス選定条件を一つずつ考えていく。

❶サービスを提供するデータセンタが，R社のサーバ室と同じ地方にないこと

R社のサーバ室は関東地方にあるので，この条件から項番3のU社が除外される。

❷インシデントの発生から120分以内にサービスが再開可能なこと

〔復旧手順の検討及びクラウドサービスの選定〕(2) 災対システム稼働中にインシデントが発生した場合の対応に「災対システム稼働中にインシデントが発生し，災対システムが停止した場合，クラウド事業者がインシデントの解決及び災対システムの起動を実施する。その後，R社でフルバックアップからのデータ復元及びシステムの正常稼働の確認を実施し，サービスを再開する」とあり，さらに表4の注3)に「災対システム稼働中にPaaSでインシデントが発生し，災対システムが停止した場合，クラウド事業者はインシデントの解決を行い，災対システムを起動する。作業所要時間とは，インシデントの発生から解決までの時間であり，災対システムを起動する時間は含まない」とある。これらより，RTOである120分以内にサービスを再開させるには，クラウド事業者によるインシデント解決は30分以内でなければならない。表4の「インシデントが発生した場合，クラウド事業者が行う作業所要時間」の欄が30分以内なのは，項番2のS社だけである。

これより，項番1のQ社はインシデントの解決時間が40分あることから条件に合わず，項番3のU社は関東地方にあることとインシデント解決時間が60分であることから条件に合わず，項番4のW社は，ストレージ容量追加の所要時間が40分かかることとインシデント解決時間が60分であることから，**❸ストレージ容量の追加作業が，災対システムの起動作業完了までに終わること**という条件に合わない。残る項番2のS社は，三つの条件をすべて満たしている。したがって，G氏が選定したのは**S社**である。

　下線(イ)の対策の検討に至ったのは，G氏が災害復旧訓練の実施計画書の会議の場で説明した際に，「被災時には，勤務中のAチームのオペレータが何らかの理由で作業を行えなくなり，非番のオペレータも招集できないという不測の事態も考えられる。RTO内に復旧するために，こうしたリスクへの備えも必要である」という指摘を受けたことによる。

　〔両システムの運用〕に「システムのオペレーションは，販売管理システム専任のAチームと，生産管理システム専任のBチームの2チームに分かれている。部員は自身が担当するシステムについて教育を受け，オペレーションを実施している」とある。そして，〔災害復旧訓練の準備・実施〕では，「訓練には，実施日時に勤務中の販売管理システム専任のAチームのオペレータと運用責任者が参加し，……」とあり，訓練に参加するのはAチームであることが分かる。被災時は，交通手段がストップしたり，道路が寸断されたり，本人や家族が被災したり，といったことも考えられ，**当初予定していた要員がすべて招集できるとは限らない。事業継続計画は，そのような不測の事態も起こりうるということも想定して，計画しなければならない。**このことは，解説冒頭で挙げた各省庁の事業継続に関するガイドラインでもとり上げられている。

　したがって，Bチームのオペレータも訓練に参加させたり販売管理システムのオペレーション教育を行ったりして，このような不測の事態にもRTO内に復旧が可能な体制にしておくことが，有効な対策と考えられる。IPAの解答例は，**Bチームのオペレータを販売管理システムのオペレーションもできるように教育する**である。販売管理システムのオペレーションができるような教育・訓練をBチームに実施する内容であれば，正解である。

　下線(ウ)は，訓練終了後に，訓練実施者の会議において，「"災対マニュアルの復旧手順では，予備の専用線の疎通確認が漏れていたので，作業に手間取ってしまった"という報告」の一部である。必要な作業がマニュアルに記載されていないのであれば，マニュアルに追加すればよい。しかし，ここでは「サービスマネジメントの観点から，改善すべき内容」が問われていることに着目してほしい。継続的にサービスを運用していくうえでは，このような作業漏れが繰り返し発生しないよう，継続的にマネジメントに組み入れられるような仕組みが必要である。そのためには，災対マニュアルをサービスの構成品目(CI)として当該サービスに含める方法がある。**災対マニュアルがサービスの構成品目の一つとして認識されていれば，必然的に変更や改善の対象とな**

り，今後も同様のマニュアルの記載漏れなどの発生を防ぐことができる。したがって
解答は，災対マニュアルをサービスの構成品目として認識し，変更計画の対象とする
となる。

問7 解答

設問			解答例・解答の要点
設問1	(1)	a	120分
		b	被災当日のオンライン開始
	(2)		被災日に入力済みのデータを，システム復旧後に再入力する必要があること
設問2	(1)		ストレージ容量の追加作業が，災対システムの起動作業完了までに終わること
	(2)		S社
設問3	(1)		Bチームのオペレータを販売管理システムのオペレーションもできるように教育する。
	(2)		災対マニュアルをサービスの構成品目として認識し，変更計画の対象とする。

※IPA発表

SMの視点

問7　サービス継続及び可用性管理（H28年問1）

※テーマはサービス継続管理

....

1.RTO，RPO…… 設問1（1）（2）

　災害で被災した場合などを想定して，あらかじめ，適切なRTO，RPOを計画しておく。

　　RTO（目標復旧時間）：被災時にデータをどれくらいの時間で復旧させるか

　　RPO（目標復旧時点）：被災時にデータをどの時点の状態にまで復旧させるか

2.RPO設定の注意点…… 設問1（2）

　災害（または障害）でデータを失った場合，業務を再開するには，災害の発生直前の状態にまでデータを復旧させる必要がある。しかし，バックアップの取得タイミングなどによって，発生直前の状態には戻せないことがある。本問はその例であり，RPOを「被災当日のオンライン開始時点」に設定している。この場合，災害の発生直前の状態にまでデータを復旧させて業務を再開するためには，**オンライン開始時点から災害の発生直前までに発生したデータをシステムに再入力する必要があるので注意が必要**である。データの再入力には，業務部門の協力が不可欠である。

3.サービス継続管理の工夫

〈工夫❶〉遠隔地でのサービス運用環境，データの確保…… 設問2（1）（2）

　サービス継続計画として，災害時に予備システムへの切換えやデータの復旧を行ってサービスを継続することを計画するが，予備のシステムやデータが被災してしまってはサービスが継続できない。これらは，遠隔地に確保しておく。

〈工夫❷〉被災時の要員確保には余裕をもたせる…… 設問3（1）

　被災時には，交通手段がストップしたり，道路が寸断されたり，本人や家族が被災したりということもありうるので，当初計画していた要員がすべて招集できるとは限らない。

　サービス継続計画を立てる際には，このことを踏まえ，余裕のある要員計画を作成しておく必要がある。

8 情報セキュリティ管理

問8 情報セキュリティの管理

(出題年度：R3問2)

情報セキュリティの管理に関する次の記述を読んで，設問1，2に答えよ。

＊制限時間45分

B社は，精密機械の製造・販売を行っている。精密機械の生産は，関東工場及び九州工場で，毎週日曜日22:00から作業を開始し，その週の金曜日22:00まで連続で行われている。B社生産部では，工場の生産活動に関わる計画及び管理を行っている。

〔B社のシステム概要〕

B社情報システム部では，生産部の生産活動を支援する生産システム，社員からのメール送受信機能を担うメールシステム及びIT機器の構成情報を管理する構成管理システムを運用している。関東工場及び九州工場のPCは，それぞれの工場に勤務する生産部及び情報システム部の部員が使用する。B社のシステム構成を図1に，B社のシステム概要を表1に示す。

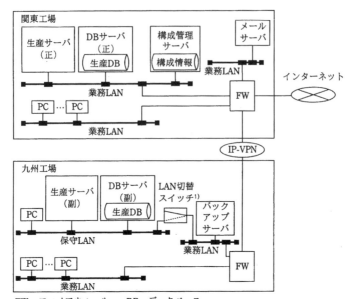

FW：ファイアウォール　　DB：データベース
注1)　業務LANと保守LANの接続・切断を制御するスイッチ

図1　B社のシステム構成

表1　B社のシステム概要

システム名	システム概要
生産システム	・生産システムは，関東工場の生産サーバ（正），DB サーバ（正）及び九州工場のバックアップサーバで構成される。 ・関東工場及び九州工場に勤務する生産部の部員が，PC を使って生産システムを利用する。 ・関東工場の生産サーバ（正）で，毎週日曜日 22:00 から金曜日 22:00 までのオンライン処理を実行する。オンライン処理では，DB サーバ（正）の生産 DB を更新し，データ更新ログを生産サーバ（正）のログファイルに記録する。 ・毎週金曜日 22:00 から 24:00 まで週次バッチ処理を実行する。週次バッチ処理の最終工程で，DB サーバ（正）の生産 DB のデータを九州工場のバックアップサーバにフルバックアップする。このバックアップ処理は 30 分で完了する。 ・オンライン処理実行中の 0:00，8:00 及び 16:00 に定期バッチ処理を実行する。定期バッチ処理では，処理の開始時刻から 8 時間前までのデータ更新ログを対象としてバックアップサーバにコピーする。この処理は 30 分で完了する。 ・保守 LAN に接続されている生産サーバ（副）及び DB サーバ（副）（以下，これらを副サーバ群という）は，土曜日の日中を除いて LAN 切替スイッチによって業務 LAN から切り離されており，生産システムのプログラムの開発とテストに使用される。テストが完了したプログラムは，土曜日の日中に生産サーバ（正）に展開される。 ・障害が発生し，生産システムが長時間使用できない場合は，保守 LAN を業務 LAN に接続し，副サーバ群を稼働環境として使用することができる。
メールシステム	・社内及び社外との電子メール送受信が，メールサーバで処理される。
構成管理システム	・構成管理システムでは，B 社で使用するサーバ及び PC の構成情報を構成管理サーバに登録している。全てのサーバ及び全ての PC には，エージェントプログラムが導入されていて，業務 LAN 上のサーバ及び PC の構成情報の変化を検出した場合，エージェントプログラムは構成管理サーバに通知し，構成管理システムが構成情報を更新する。保守 LAN 上のサーバ及び PC の場合は，土曜日の日中に構成情報を更新する。 ・構成情報には，OS セキュリティパッチ（以下，OS パッチという）の適用状況，及びマルウェア対策用のマルウェア定義ファイル（以下，マルウェア定義という）の更新状況が分かるマルウェア定義の版の情報が含まれる。

〔情報セキュリティ対策の概要〕

　情報システム部のセキュリティ管理課は，情報セキュリティ管理を担当している。セキュリティ管理課は，情報セキュリティ運用支援サービスを提供している会社（以下，C社という）と情報セキュリティサービスを契約している。C社がB社に提供しているサービスの内容は，次のとおりである。

　　・マルウェア対策ソフトウェア（以下，対策ソフトという）をB社に提供しており，B社の全てのサーバ及び全てのPCにはC社の対策ソフトが導入されている。

　　・OSベンダと連携して，OSの脆弱性に関する情報を収集し，B社に適切な助言を行う。

　　・情報セキュリティインシデント対策の対応方針や手順の策定を支援する。

　情報システム部の担当者は，平日6:00に，OSベンダから最新のOSパッチが公開されているかどうかを確認する。サーバのOSパッチが公開されている場合は，図2に

示す手順に従って，PCのOSパッチが公開されている場合は，図3に示す手順に従って，それぞれOSパッチを適用する。

- （当日 6:00～7:00）九州工場の業務 LAN に接続されている PC を使って最新の OS パッチを入手し，外部記憶媒体に保存する。保守 LAN 上の副サーバ群に，外部記憶媒体に保存した最新の OS パッチをインストールし，再起動する。各サーバが正常に動作することを確認する。
- （当日 7:30～10:00）副サーバ群を稼働環境として使用し，保守 LAN 上で生産システムのオンライン処理が正常に稼働することを確認する。
- （当日 10:00～10:30）業務 LAN 上のバックアップサーバに，最新の OS パッチをインストールし，再起動する。バックアップサーバが正常に動作することを確認する。
- （土曜日 9:00～10:00）確認が完了した最新の OS パッチを，業務 LAN 上の生産サーバ（正）及び DB サーバ（正）にインストールし，再起動する。業務 LAN 上で生産システムが正常に稼働することを確認する。

注記　図は，生産システムに関わるサーバについての手順の抜粋である。

図2　サーバのOSパッチの適用手順

- （当日 7:00～7:30）九州工場の業務 LAN に接続されている PC を使って最新の OS パッチを入手し，外部記憶媒体に保存する。保守 LAN 上の PC に最新の OS パッチをインストールし，再起動する。PC が正常に動作することを確認する。
- （当日 11:00～12:00）保守 LAN 上で，最新の OS パッチを適用した PC を使って生産システムのオンライン処理が正常に利用できることを確認する。
- （当日 13:00～15:00）確認が完了した最新の OS パッチを，業務 LAN に接続された稼働中の PC にインストールイメージとして配付する。

注記　使用している PC への OS パッチの適用は，PC の再起動を契機として実施される。社員が PC を再起動する際に，自動でインストールが行われ，OS パッチが適用される。関東工場及び九州工場の生産部では，平日夜間も PC を利用しているので，PC のシャットダウンは，金曜日の 22:00 に実施され，その後 PC を再起動することで，OS パッチが適用される。

図3　PCのOSパッチの適用手順

また，C社から最新のマルウェア定義が提供されている場合は，最新のマルウェア定義が提供される都度，次の対応を行う。

- 業務LANに接続されている機器については，マルウェア定義が自動的に配信され，マルウェア定義が更新される。
- 保守LANに接続されている機器については，情報システム部の部員が，OSパッチの入手と同じ方法を使ってマルウェア定義を入手し，マルウェア定義を手動で更新する。

〔情報セキュリティインシデントの発生〕

2020年9月15日（火）10:00に，生産システムの利用者からセキュリティ管理課に情報セキュリティインシデント（以下，今回インシデントという）の発生連絡があった。今回インシデントの対応状況を表2に示す。

表2　今回インシデントの対応状況

時刻	経緯と対応
10:00	・関東工場の PC の利用者（以下，通告者という）からセキュリティ管理課に "PC に保存したファイルが意図せず暗号化されておりファイルを開くことができない。" と，電話があった。セキュリティ管理課の IT サービスマネージャの D 氏は，通告者に対し PC を業務 LAN から切り離すように依頼した。
10:30	・インシデント対応チームが発足され，D 氏が対応を指揮することになった。C 社の技術者から "今回インシデントは，9 月 7 日（月）に他社で発生したランサムウェアの感染例に似ている。B 社社内にマルウェアが拡散しているリスクがある。業務 LAN に接続されている全てのサーバ及び全ての PC を業務 LAN から切り離す必要がある。" と，D 氏に連絡が入った。D 氏は，経営幹部に状況を報告し対策実施の了解を得た。サーバ及び PC は，業務 LAN から切り離され，生産システムは停止した。 ・生産部から D 氏に，"今月の生産計画を達成するためには，遅くとも本日の 18:00 までに生産システムを稼働する必要がある。" との要請が入った。
11:00	・D 氏が調査したところ，通告者が 9 月 14 日（月）9:45 頃に不審な電子メール（以下，不審メールという）の添付ファイルを開封していたことが分かった。 ・D 氏は，通告者が開封した添付ファイルを C 社に送付し，支援を要請した。
13:00	・C 社の技術者から，次の報告があった。 　① 当該の添付ファイルは，ランサムウェアである。他社で発生したランサムウェアに似ているが別のランサムウェアである。このランサムウェアは，感染から 24 時間以内に，感染した機器のストレージに保存されたファイルの暗号化を開始する。感染した機器から，LAN に接続している他の機器に OS の脆弱性を利用して攻撃を行い，短時間で急速に感染を広める。 　② 今回のランサムウェアの攻撃は，OS ベンダが 9 月 14 日 3:00 に公開した最新の OS パッチを適用することによって，回避できる。 　③ 今回のランサムウェアに対応できる最新のマルウェア定義の版を，本日の 16:00 に提供できる。
13:30	・D 氏は，復旧計画の検討を行った。 ・まず，D 氏は生産サーバ（正）及び DB サーバ（正）を使用して，生産システムを再開する方法を検討した。16:00 以降，最新のマルウェア定義の版で対策ソフトの機能を使って，マルウェア感染の有無を確認する作業を行うことになるが，この作業には 2 時間 30 分必要となる。その後，最新の OS パッチを適用するが，完了予定時刻は 19:00 となるので，生産部から要請されている 18:00 までに生産システムを稼働できない。 ・次に，D 氏は，災害時立上げ計画 1) に基づいて，九州工場の副サーバ群を使って生産システムを稼働させる案の検討を開始した。副サーバ群及びバックアップサーバに，図 2 の手順によって，最新の OS パッチが 9 月 14 日 10:30 までに導入され，必要な確認作業が完了していることを確認した。

表2　今回インシデントの対応状況（続き）

時刻	経緯と対応
14:00	D氏は，復旧計画を次のとおり作成した。 ・生産システムの復旧（16:00に作業を開始し，18:00までに作業を完了する） 　① 生産サーバ（正）及びDBサーバ（正）の代替機として，(ア)副サーバ群を起動する。 　②〔　　　　　　a　　　　　　〕 　③〔　　　　　　b　　　　　　〕 　④ LAN切替スイッチを使って保守LANを業務LANに接続する。 　⑤ バックアップサーバから生産DBのフルバックアップをDBサーバ（副）にコピーする。 　⑥ バックアップサーバのデータ更新ログを使って，DBサーバ（副）を8:00の状態に復元する。 　⑦ 生産システムのオンライン処理を開始する。 　⑧ 8:00から生産システムが停止した時点までのデータは，生産部員がデータを再投入する。 ・業務LANから切り離されたPCの復旧（16:00から18:00までの間にPC利用者が対応する） 　① PCには最新のOSパッチのインストールイメージが配付されているので，PCを再起動し，最新のOSパッチが適用されている状態とする。 　② PCのマルウェア定義を最新の版に更新し，マルウェア感染の有無を確認する。感染している場合は，マルウェアを駆除する。 　③ PCを業務LANに接続する（生産システムの利用は，18:00からとする）。
15:00	・D氏は，復旧計画を経営幹部に説明し，了解を得た。
16:00	・D氏は，C社から最新のマルウェア定義の版を受領したのち，復旧計画の作業を開始した。
18:00	・復旧計画の全ての作業を完了した。

注 1) 災害時立上げ計画とは，大規模地震などの災害が発生し，関東工場が被災したときに，九州工場の各サーバを使って生産システムを稼働させる計画のことである。

〔問題点と対策〕

　D氏は，今回インシデントの対応を振り返り，C社の技術者の支援も得て，情報セキュリティに関する現状の問題点と対策案を表3のとおり整理した。

表3　現状の問題点と対策案（抜粋）

項番	問題点	対策案
1	社員が，不審メールに添付されているファイルを十分確認せずに開封してしまう。	B社の全社員を対象に，不審メール受信時の対応教育をeラーニングで定期的に実施する。また，図4に示す不審メール対応訓練を実施する。
2	セキュリティ管理課では，今回のように添付ファイルを誤って開封してしまう社員がどのくらいの割合でいるか，現状を把握できていない。	図4に示す不審メール対応訓練を行うことによって，(イ)現状を把握する。
3	セキュリティ管理課では，最新のOSパッチが適用されていないPCを把握していない。	〔　　　c　　　〕を使って，PCのOSパッチの適用状況を把握する。
4	バックアップサーバがマルウェアに感染すると，バックアップのデータが利用できなくなる。	〔　　　　　　　d　　　　　　　〕

> ・不審メール対応訓練の実施に先立って，訓練の内容及び時期を，全社員に電子メールで通知する。
> ・関連会社のメールアドレスを装って，業務連絡を模擬した訓練メールを全社員に送付する。訓練メールにはファイルを添付して，本文に添付ファイルの開封を促すメッセージを記載しておく。
> ・業務 LAN に集計サーバを設置し，社員が不審メールと判断できずに添付ファイルを開封した場合は，開封した社員のメールアドレスの情報が自動で集計サーバに送信されるシステムを構築する。

図4　不審メール対応訓練

設問1　〔情報セキュリティインシデントの発生〕について，(1)，(2)に答えよ。

(1)　表2中の下線（ア）について，今回インシデントの対応として，副サーバ群を使って生産システムを稼働できる理由を40字以内で答えよ。ただし，最新のOSパッチが副サーバ群に適用されていることは除く。

(2)　表2の　　a　　及び　　b　　には，通常の災害時立上げ計画の手順にはない作業で，今回インシデントの対応として，バックアップサーバに必要な作業が入る。

 (a)　　a　　には，マルウェア対策の作業が入る。作業内容を40字以内で述べよ。

 (b)　　b　　には，バックアップサーバを利用できるようにするための作業が入る。作業内容を20字以内で述べよ。

設問2　〔問題点と対策〕について，(1)～(3)に答えよ。

(1)　表3中の下線（イ）について，現状を把握する方法を30字以内で述べよ。

(2)　表3の　　c　　に入れる適切な字句を15字以内で答えよ。

(3)　表3の　　d　　には，バックアップサーバのデータが利用できなくなる事態を想定した対策が入る。対策の内容を50字以内で述べよ。

不審な電子メールを原因とするランサムウェアへの感染について，その対応と今後
の対策を考察する，情報セキュリティ管理の問題である。システム構成図から業務用
のサーバ（正，副），バックアップサーバ，PC等の接続状況を確認し，感染の可能性
を考えながら，適切な復旧方法を考察する。また，今後の対策案の一つとして，社内
で不審メールへの対応訓練を行い，不適切な対応をしてしまう社員がどれくらいいる
かを調査する。同様の訓練は，平成29年度の問3で「標的型攻撃メールの訓練」と
して取り上げられており，2度目の出題である。

　表2の14:00の欄に発生したインシデントの復旧計画が示されており，その中の
空欄の作業を埋める設問があるが，実際にこの作業を行うのは14:00からではなく
16:00からであることに気付けないと，適切に解答するのが難しい。問題が複雑で
読解が難しく，難易度が高めの問題である。

[設問1] (1)

　「表2　今回インシデントの対応状況」の下線（ア）について，今回インシデント
の対応として，副サーバ群を使って生産システムを稼働できる理由が問われている。
下線（ア）は「副サーバ群を起動する」であり，副サーバ群がなぜ生産サーバ（正）
及びDBサーバ（正）の代替機として使えるのかを答える。OSベンダが公開した最新
のOSパッチが副サーバ群に適用されていることもあるが，これは除くとされている。
　今回インシデントの特徴について，表2の13:00の欄にC社の技術者からの報告
として，「このランサムウェアは，……感染した機器から，LANに接続している他の
機器にOSの脆弱性を利用して攻撃を行い，短時間で急速に感染を広める」とある。
これより，当初の感染源であるPCと同じ業務LANに接続している機器は既に感染し
ているおそれがあることになる。しかし，「表1　B社のシステム概要」の生産シス
テムの欄に，副サーバ群は，「土曜日の日中を除いてLAN切替スイッチによって業務
LANから切り離されており，」という記述がある。今回インシデントの発生連絡は火
曜日であり，その原因となる電子メールの添付ファイルを開いた日は月曜日であるか
ら，副サーバ群は業務LANから切り離されていた。したがって副サーバ群が今回の
ランサムウェアに感染しているおそれはなく，これらを使って生産システムを稼働で
きる。以上の点を，**業務LANに接続していない副サーバ群は，ランサムウェアに感
染していないから**とまとめればよい。

[設問1] (2)

(aについて)

　表2の空欄aに入る，マルウェア対策の作業内容が問われている。空欄aは，今回インシデントの復旧計画として挙げられた作業の②に当たり，バックアップサーバに必要な作業である。復旧に必要な作業は，表2の13:30の欄に検討内容が記されている。まず「最新のマルウェア定義の版で対策ソフトの機能を使って，マルウェア感染の有無を確認する作業」を行い，その後，「最新のOSパッチを適用する」とあり，この二つの手段が考えられる。これらは，生産サーバ（正）及びDBサーバ（正）を使用して生産システムを再開する場合の検討内容であるが，副サーバ群を使った場合でも，復旧のために必要な手段は変わらないので，これらの手段が副サーバ群を使った復旧の場合にも当てはめられるかを考えてみる。

　まず，OSパッチについては，OSベンダが9月14日3:00に公開したものが最新版であり，この版を副サーバ群に適用すればよい。このことは，表2の13:30の欄に「副サーバ群及びバックアップサーバに，図2の手順によって，最新のOSパッチが9月14日10:30までに導入され，必要な確認作業が完了していることを確認した」とあり，適用済みであることが明らかである。

　一方で，マルウェア定義は，表2の13:00の欄に「③今回のランサムウェアに対応できる最新のマルウェア定義の版を，本日の16:00に提供できる」とある。つまり，9月15日の16:00にC社から提供される。また，14:00の欄に，この復旧作業は同日の「16:00に作業を開始し，18:00までに作業を完了する」とあるので，まずマルウェア定義をこのC社から提供される最新版に更新する必要がある。そしてそれを使って，マルウェア感染の有無を確認すればよい。よって解答は，**マルウェアに感染していないことを最新のマルウェア定義で確認する**となる。

　本問は，空欄aが14:00の欄内にあることから，実際に作業を行うのは16:00からであるということに気付きにくい。表内の記述をしっかり読み取り，作業を時系列にみて，引っ掛からないようにしてほしい。

(bについて)

　表2の空欄bに入る，バックアップサーバを利用できるようにするための作業内容が問われている。空欄bは，今回インシデントの復旧計画として挙げられた作業の③に当たり，バックアップサーバに必要な作業である。

　「図1　B社のシステム構成」に，バックアップサーバは業務LAN上にあることが示されている。表2の10:30の欄を見ると，「業務LANに接続されている全てのサーバ及び全てのPCを業務LANから切り離す必要がある」というC社の技術者からの連

絡が記されており，それに従い「サーバ及びPCは，業務LANから切り離され」た。
したがって，この時点でバックアップサーバは業務LANから切り離されていること
になる。生産システムを稼働させるには，業務LANに繋げる必要があるので，解答は，
業務LANに接続するとなる。

「表3　現状の問題点と対策案（抜粋）」の下線（イ）について，現状を把握する方
法が問われている。これは，表3の項番2にある「図4に示す不審メール対応訓練を
行うことによって，現状を把握する」方法ということである。不審メール対応訓練の
目的は，項番2の問題点の欄内に記されているように「添付ファイルを誤って開封し
てしまう社員がどのくらいの割合でいるか」の現状を把握することである。

「図4　不審メール対応訓練」に具体的な訓練の内容が書かれており，「業務連絡を
模擬した訓練メールを全社員に送付する」とある。これに添付されたファイルを社員
が開封した場合は「開封した社員のメールアドレスの情報が自動で集計サーバに送信
される」のであるから，集計サーバに届いた件数を訓練メール送付数で割った値を求
めることにより，添付ファイルを誤って開封してしまう社員の割合（開封率）を把握
できる。よって解答は，**集計サーバへの送信情報から開封率を計算する**とまとめるこ
とができる。

空欄cは表3の項番3の対策案にあたり，PCのOSパッチの適用状況を把握するた
めに使われるものである。OSパッチの適用状況については，表1の構成管理システ
ムの欄に「構成情報には，OSセキュリティパッチ（以下，OSパッチという）の適用
状況，……の情報が含まれる」とある。また，同じ欄に「構成管理システムでは，B
社で使用するサーバ及びPCの構成情報を構成管理サーバに登録している」とあるの
で，**構成管理システムの構成情報**を使えれば，PCのOSパッチの適用状況が把握でき
る。

空欄dには，表3の項番4の「バックアップサーバがマルウェアに感染すると，バ
ックアップのデータが利用できなくなる」という事態を想定した対策案が入る。バッ
クアップ取得のタイミングによっては，バックアップサーバもマルウェアに感染して
しまうリスクが想定される。ランサムウェアのなかには，感染から数か月にわたって

潜伏した後に活動を開始するものも存在するからである。この設問については，問題文中に決め手となるヒントの記述がないので，ITサービスマネージャとして考えられる対策を答えることになる。

　ネットワークに接続されたストレージはOSからデータの保存場所として認識できてしまうために，マルウェアがこの仕組みを悪用して感染を広げることがある。そこで，ネットワーク上に設置されたバックアップサーバだけでなく，完全にネットワークから切り離した外部記憶媒体にもバックアップデータのコピーを取得しておくことが対策となる。つまり，業務LANからアクセスできない場所にコピーを保管する必要があるということである。よって解答は，**バックアップサーバを外部記憶媒体に複写し，業務LANからアクセスできない場所に保管する**とまとめることができる。

　なお，IPAでは**週次バッチ処理及び定期バッチ処理でバックアップをライトワンス光ディスクに複写する**という解答例も提示している。ライトワンス光ディスクとは，一度しか書き込みができない光ディスク媒体のことである。一度書き込んだデータは消去や書き換えができないため，媒体内に記録されたバックアップデータは改変されるおそれがない。また，この作業を行うタイミングとして週次バッチ処理や定期バッチ処理が挙げられているのは，バックアップデータの複写の取得を定期的かつ継続的に行う必要があるためである。こちらも設問の解答として正しいが，"ライトワンス光ディスク"という用語は問題文に一度も登場していないことから，受験者がこの表現で解答することは難しいと思われる。

◀ 問8 解答 ▶

設問		解答例・解答の要点
設問1	(1)	業務LANに接続していない副サーバ群は，ランサムウェアに感染していないから。
	(2)	(a) マルウェアに感染していないことを最新のマルウェア定義で確認する。
		(b) 業務LANに接続する。
設問2	(1)	集計サーバへの送信情報から開封率を計算する。
	(2)	構成管理システムの構成情報
	(3)	・バックアップを外部記憶媒体に複写し，業務LANからアクセスできない場所に保管する。 ・週次バッチ処理及び定期バッチ処理でバックアップをライトワンス光ディスクに複写する。

※IPA発表

問8　情報セキュリティの管理（R3年問2）

1.マルウェア対策…… 設問1

　マルウェアの感染を予防する対策として，

・**最新のOSパッチ（セキュリティパッチ）を適用しておく。**

・**マルウェア対策ソフトを導入し，常に最新版のマルウェア定義ファイルに更新する。**

などがある。

　また，マルウェアに感染してしまったときには，

・**直ちに感染した機器をネットワークから切り離し，他の機器への感染拡大を防ぐ。**

ことが重要である。

2.不審メールによるマルウェア感染と対応訓練…… 設問2（1）

　電子メールの添付ファイルを開封したことによるマルウェアの感染事例が増えている。このマルウェアは，例えば，感染したPC内のファイルを勝手に暗号化して開けないようにし，ネットワークで接続された他の機器に同様の感染を拡げるなどの被害をもたらす。企業や組織では，**従業員が不審なメールの添付ファイルを十分に確認しないまま開くことがないよう，教育する**必要がある。

　企業や組織では，業務連絡を模擬した訓練メールを従業員に送付して，添付ファイルの開封を促すメッセージを記載しておき，これを不審メールと判断できずに添付ファイルを開封した従業員がどれくらいいるのか，その実態を調査することがある。この"不審メールの対応訓練"は，本問だけでなく，平成29年問3でも**"標的型攻撃メールへの訓練"**として同様の事例が取り上げられている。

3.効率と安全を考慮したバックアップの取得…… 設問2（3）

　業務データのバックアップ（データコピー）を，バックアップサーバに取る方法がある。**バックアップサーバへのデータコピーは，外部記憶媒体にバ**

ックアップを取るよりも時間短縮になり，**サービス提供時間（稼働時間）の長いシステムには効率の良い方法である**。ただし，バックアップサーバがマルウェアに感染したり，障害が起きて停止したりした場合には，バックアップサーバ内に取得したバックアップは使用できなくなってしまう。そのため，**別途，持ち運び可能な外部記憶媒体にも定期的にバックアップを取っておく**べきである。サービス提供時間を踏まえて，効率と安全のバランスの取れたバックアップ方法を選択する必要がある。

継続的サービスの改善に関する次の記述を読んで，設問1〜3に答えよ。

*制限時間45分

　H社は情報システム会社であり，F事業部では営業支援業務に関するクラウドサービスを提供している。F事業部には技術課，データ課及びサービスデスク（以下，SDという）がある。データ課では，名刺情報データ化サービス（以下，本サービスという）を提供している。SDでは，本サービスの利用に関する問合せを受け付けていて，営業時間は平日9:00〜17:00である。

　本サービスの利用者は，PCやスマートフォンの専用アプリケーションソフトウェア（以下，専用アプリという）を使って，名刺の画像情報をH社のサーバに送信する。送信された名刺の画像情報はシステム処理され，顧客データベース（以下，顧客DBという）に必要な情報が登録される。データ課では，名刺の画像情報とシステム処理の結果を目視で確認し，誤り箇所などに補正処理を行い，顧客DBの登録内容を確定させる。利用者は，平日の日中であれば画像情報の送信から数十分後に，専用アプリで顧客DBの登録内容を確認できる。

　本サービスの概要は，H社のWebサイトに，サービスカタログとして掲載されている。サービスカタログのサービス目標値（以下，カタログ目標値という）では，平日9:00〜16:00に送信された名刺の画像情報について，送信後60分以内で顧客DBに登録すると案内している。

　H社のWebサイトにはFAQが掲載されており，本サービスの利用者はFAQを検索することによって，自らの疑問を解決できるようになっている。FAQで解決できない場合には，電子メールでSDに問合せができる。SDでは，問合せに対する初回回答を3時間以内（SDの営業時間外となる場合は，翌営業日の12時まで）に返信することを社内サービス目標値として定めている。

〔サービスの利用状況〕
　F事業部のITサービスマネージャであるJ氏は，本サービスの大口顧客であるA社の担当であり，A社に月次で提供サービスの状況を報告している。ある月のサービス

428

報告会で，"A社の利用者の意見を吸い上げてほしい"との相談があったので，本サービス及びSDへの問合せに対するアンケート調査を実施した。F事業部は，これまで顧客に対してアンケート調査を実施していなかったので，H社の他事業部が実施した新規サービスの顧客満足度調査を参考にした。

A社に対して実施した顧客アンケート調査の結果（抜粋）を表1に示す。

表1　A社に対して実施した顧客アンケート調査の結果（抜粋）

項番	カテゴリ	利用者の意見
1	本サービス	名刺の画像がデータ化され，スマートフォンで確認できるようになるまでの時間は，とても早くて便利である。
2	本サービス	外国人の方の名刺画像を送信したら，顧客DBに氏名が誤って登録されたので修正してもらった。
3	本サービス	朝9時台と夕方16時直前に送信した名刺の画像については，スマートフォンで参照できるまでに1時間近くの時間が掛かる。
4	SD	FAQに記載のない特殊な材質の名刺の取込み手順について，SDに電子メールで質問したら10分で返信が来てすぐに解決することができた。
5	SD	SDに電子メールで質問するときは，問題の状況を細かく記述しないと正確な回答が返ってこないので，少し面倒である。
6	SD	SDに電子メールで質問したが，初回回答までの時間が長い。また，最終解決までに1週間以上も掛かった。

J氏は，顧客アンケート調査の結果を受けて，サービスの改善に取り組む必要があると考えた。そこで，表2に示すH社の継続的サービス改善の手順に従って，サービスの改善を検討することにした。

表2　H社の継続的サービス改善の手順

手順	概要
①改善の戦略の識別	（省略）
②測定対象の定義	現状どこにいるかのベースラインを決め，どこを目指すかの達成目標を評価できるように，何を測定すべきかの測定対象を決定する。
③データの収集	データ収集のための手順を決定し，サーバのログやSDの対応履歴などの記録を参照し，効率的にデータを収集する。
④データの処理	③で収集したデータを改善に役立てるために，サービス目標値やKPIがどの程度達成できたかが分かるように加工する。
⑤情報とデータの分析	④の加工されたデータによって導出された情報を基に，改善すべき内容を分析する。サービス目標値やKPIの目標値を達成できていない場合，原因は何かなどを分析する。
⑥情報の提示と利用	⑤の分析結果を取りまとめ，問題点と改善計画を上長に報告し，レビューする。
⑦改善の実施	⑥のレビューの結果，必要と判断された場合に改善計画を実施する。

注記　手順は，ITIL 2011 editionの"7ステップの改善プロセス"を参考にしてH社が作成したものである。

〔SDの改善〕

J氏は，表1項番6のSDの対応における，初回回答時間と最終解決時間の二つに着目した。

(1) 初回回答時間

J氏は，表2の手順②の測定対象として，社内サービス目標値の達成状況を調査する必要があると考えた。そこで，表2の手順③に従って，SDの問合せに対するデータを収集することにした。J氏は，10月1日に，SDの対応履歴を入手し，A社からの9月分の問合せと対応状況を表3にまとめた。

表3　A社からの9月分の問合せと対応状況

項番	受付日時	問合せ内容	初回回答日時 [1] （経過時間）	エスカレーション先 [2]	完了日時 [3]
1	9/2（月） 13:52	顧客DBのデータ誤り	9/2（月）14:16 （24分）	データ課	9/2（月） 14:16
2	9/11（水） 13:05	新規利用者登録の手順に関する質問	9/11（水）13:18 （13分）	－	9/12（木） 16:22
3	9/12（木） 10:44	ネットワーク障害によるサービス利用不可	9/12（木）13:24 （160分）	技術課	9/12（木） 16:46
4	9/13（金） 15:04	顧客DBのデータ誤り	9/13（金）15:21 （17分）	データ課	9/13（金） 15:21
5	9/24（火） 9:09	利用者設定の誤りの修正方法	9/24（火）9:30 （21分）	－	対応中
6	9/25（水） 16:01	名刺取込み手順に関する質問	9/25（水）16:14 （13分）	－	9/27（金） 11:21
7	9/26（木） 18:10	PCとスキャナが接続できない	9/27（金）11:55 （175分）	技術課	9/30（月） 16:44
8	9/30（月） 18:55	スマートフォンに専用アプリをインストールするときのエラー	－		受付

注 [1] 経過時間とは，受付日時から初回回答までに掛かった時間である。利用者からの質問がSDの営業時間外の場合は，翌営業日の9時からの経過時間で表示している。ここで"－"印は，初回回答を行っていないことを表している。
[2] エスカレーション先とは，SDでは解決できない問合せに対して，段階的取扱いを行った解決の依頼先のことである。ここで"－"印は，段階的取扱いを行っていないことを表している。
[3] 完了日時欄で，"対応中"とは初回回答後から対応完了前までを示し，"受付"とは受付後から初回回答前までを示している。

J氏は，表2の手順④に従って，社内サービス目標値がどの程度達成できているかを調べたところ，表3の内容から，社内サービス目標値は達成していることを確認した。次に，表2の手順⑤に従って，SDへの問合せに対する初回回答時間の状況を分析した。J氏は，社内サービス目標値は達成していたものの，　(ア)

達成が危ぶまれた事象があることに注目した。そこで，表2の手順⑥に従って，初回回答に関する社内サービス目標値の達成を確実にするために，エスカレーション先に要請し，スキャナの障害かどうかをSDで切り分けて対応することができる手順書を整備するなどの改善策を策定した。さらに，改善策の実施によって見込むことができる改善効果を測定するための<u>（イ）KPIを設定して運用する改善計画を策定した。</u>

(2) 最終解決時間

　J氏は，他の月のSDの対応履歴も確認した。その結果，最終解決までに1週間を超えた場合に，再問合せやクレームが発生していることが分かった。そこで，J氏は問合せの受付日から完了日までの期間を，受付日を含めて5営業日以内とする新たな目標を設定し，4営業日を経過しても対応が完了しない問合せを"目標未達のおそれがある問合せ"として抽出し，5営業日までに完了させる改善計画を策定した。具体的には，"毎日の営業終了時点で，受付日を含めた経過日数が4営業日目の問合せで，かつ，□□□a□□□の問合せ"を，"目標未達のおそれがある問合せ"の対象として抽出することにした。

　それぞれの改善計画は，表2の手順⑥に従ってF事業部長のレビューを経て承認され，来月から実施されることになった。レビューの席上，F事業部長から，"今回のSDの改善は，A社に実施した顧客アンケートをきっかけとして取り組むことができた。今後も，定期的に現状を把握して表2の改善プロセスが回るよう，<u>（ウ）必要な対策案を検討すること</u>"との指示があった。

〔FAQ掲載方法の改善〕

　J氏が，SDの担当者と打合せを行ったところ，"H社のWebサイトに掲載しているFAQを見れば利用者自ら疑問を解決できるにもかかわらず，SDに問合せをする利用者が散見される"との意見が出された。J氏が調査した結果，問合せの約10%がFAQに掲載している内容であることが分かった。

　FAQは，利用者が求めている情報を提供するために重要な役割を担っており，SDへの問合せ件数を削減する効果も期待できる。そこで，J氏は，FAQの構成，掲載方法及び回答内容を見直すことによって，FAQの検索性を高め，より多くの利用者が自ら疑問を解決できるよう改善を行った。また，<u>（エ）KPIを設定して改善効果を測定することにした。</u>

〔本サービスの改善〕

　J氏は，SDの改善を取組を参考に，本サービスの改善検討に着手した。

　データ課では，午前中の作業量が多くなることを把握していた。これは，利用者からの名刺画像の送信数が午前中に多いことに加え，前営業日の夜間に送信されたものも処理する必要があるからである。データ課では，カタログ目標値を達成するために，数年前から午前中だけ要員を増強して運営し，目標値を全て達成してきた。しかしJ氏は，表1の結果から，カタログ目標値についても (オ) 達成が危ぶまれる事象がないかどうか，(カ) データを分析しておく必要があると考えた。

設問1 〔SDの改善〕について，(1)～(4)に答えよ。

- (1) 本文中の下線（ア）について，サービス目標値の達成が危ぶまれた事象に共通する内容は何か。表3から判断して40字以内で述べよ。
- (2) 本文中の下線（イ）で設定すべきKPIは何か。40字以内で答えよ。ただし，サービス目標値は除くこと。
- (3) 本文中の　　a　　に入れる内容を，表3中の字句を用いて20字以内で答えよ。
- (4) 本文中の下線（ウ）で実施すべき対策案の内容を，20字以内で答えよ。ただし，KPIに関する内容は除くこと。

設問2 〔FAQ掲載方法の改善〕について，本文中の下線（エ）で設定したKPIは，どのような内容と考えられるか。40字以内で答えよ。

設問3 〔本サービスの改善〕について，(1)，(2)に答えよ。

- (1) 本文中の下線（オ）について，J氏が，"達成が危ぶまれる事象の有無を確認する必要がある"と考えたきっかけとなった利用者の意見を選び，表1の項番で答えよ。
- (2) 本文中の下線（カ）について，データの分析によって把握すべき情報は何か。40字以内で答えよ。

432

問9 解説

　「継続的サービス改善」がテーマだが，サービスデスクにおける初回回答時間や最終解決時間などについて活動実績とサービス目標値とを照らして改善を図る，という内容であり，サービスデスクを題材にサービスレベル管理の観点が問われている。

　設問では，改善を進めるにあたって設定すべきKPI（重要業績評価指標）が二つ問われているが，一般に，KPIとして設定する指標には，○○の"件数""割合""量""平均値"など，いろいろな切り口が考えられる。そのため，解答を一意に絞りにくい。知識的な難易度はそれほど高くないものの，得点しづらい問題かもしれない。

[設問1] (1)

　サービス目標値の達成が危ぶまれた事象に共通する内容が問われている。「表3から判断して」とあるので，「表3　A社からの9月分の問合せと対応状況」のうち社内サービス目標値である「問合せに対する初回回答を3時間以内」の達成が危ぶまれる事象を抽出してみる。すると，項番3が160分，項番7が175分で，3時間（180分）に近い数値であることが分かる。この2件はどちらも，エスカレーションをしており，その依頼先が技術課である問合せである。表3の注2）より「SDでは解決できない問合せに対して，段階的取扱いを行った解決の依頼先のこと」をエスカレーション先という。よって，サービス目標値の達成が危ぶまれた事象に共通する内容は，**エスカレーション先が技術課の場合，初回回答までの経過時間が長い**とまとめることができる。

[設問1] (2)

　改善策の実施によって見込まれる改善効果を測定するために設定したKPIは何かが問われている。**KPI（Key Performance Indicator：重要業績評価指標）は，組織における目標を達成するための重要な業績評価の指標を意味する。**指標を設けてその達成状況を定点観測することで，目標達成に向けた組織のパフォーマンスを評価することができる。

　〔SDの改善〕の（1）初回回答時間から，今回の改善策の目的は「初回回答に関する社内サービス目標値の達成」であることが読み取れる。それを阻害する要因として前問の（1）がある。そして，改善策の例として「スキャナの障害かどうかをSDで切り分けて対応することができる手順書を整備するなど」が挙げられている。つまり

エスカレーションせずにSDで対応できるようにすることが今回の改善策である。その効果を定量的に測定するための指標と考えれば，**エスカレーション先の技術課に依頼することなく，対応完了となった問合せの割合**が適切である。

[設問 1] (3)

〔SDの改善〕(2) にある空欄 a には「目標未達のおそれがある問合せ」の対象が何であるかが入る。「4営業日を経過しても対応が完了しない問合せを"目標未達のおそれがある問合せ"として抽出し」とある。まず「4営業日を経過しても」が空欄 a の前の「受付日を含めた経過日数が4営業日目の問合せ」に対応しているので，「対応が完了しない」に対応する字句を表3から探せばよい。

表3の注3) に「完了日時欄で，"対応中"とは初回回答後から対応完了前までを示し，"受付"とは受付後から初回回答前までを示している」という記述がある。どちらも対応が完了していない問合せである。したがって空欄 a には，**完了日時欄が"受付"または"対応中"**が入る。

[設問 1] (4)

F事業部長から指示があった「必要な対策案」の内容が問われている。F事業部長の発言内容に「今回のSDの改善は，A社に実施した顧客アンケートをきっかけとして取り組むことができた」とあり，その上で「今後も，定期的に現状を把握して表2の改善プロセスが回るよう，必要な対策案を検討すること」が求められている。今後もこのような顧客アンケート調査を定期的に実施すれば，定期的に現状を把握して改善していくことができる。したがって対策案の内容は，**定期的な顧客アンケート調査の実施**となる。

[設問 2]

FAQを見直すことによる改善の効果を測定するKPIの内容が問われている。〔FAQ掲載方法の改善〕に，改善前は「問合せの約10％がFAQに掲載している内容であることが分かった」とある。そこで「FAQの構成，掲載方法及び回答内容を見直す」ことで，「FAQの検索性を高め」ることにした。**FAQの検索性を高めれば，多くの利用者がFAQを見て自ら疑問を解決するようになり，SDへの問合せ件数の削減につなげることができる。**

利用者が自ら疑問を解決できたかどうかを定量的に測定することは難しいが，FAQにより解決できていれば，SDへの問合せの件数は減る。また，改善前の記述から，

問合せ内容がFAQに掲載されているものであるかどうかは，把握できることが読み取れる。そこで，**SDへの問合せ総件数に占めるFAQに掲載されている問合せ件数の割合の減少率**をKPIとして設定すれば，このFAQ見直しの改善効果を測定できることになる。

[設問3] (1)

J氏がカタログ目標値の "達成が危ぶまれる事象の有無を確認する必要がある" と考えたきっかけとなる利用者の意見が「表1　A社に対して実施した顧客アンケート調査の結果（抜粋)」の項番のうちどれであるかが問われている。またJ氏がそのように考えた前提として〔本サービスの改善〕には，名刺画像の送信数が午前中に多く，前営業日の夜間に送信されたものも処理する必要があるため，午前中だけ要員を増強して目標値を達成してきた旨が書かれており，これをヒントに表1中の関連する記述を確認していく。すると，項番3に「朝9時台と夕方16時直前に送信した名刺の画像については，スマートフォンで参照できるまでに1時間近くの時間が掛かる」という記述が見つかる。カタログ目標値は「送信後60分以内で顧客DBに登録する」であるので，現在は達成しているが，目標値ギリギリの状況であることが読み取れる。したがって，カタログ目標値の達成が危ぶまれると考えたきっかけとなった利用者の意見は，項番3である。

[設問3] (2)

前問（1）の「達成が危ぶまれる事象」について，データの分析によって把握すべき情報は何かが問われている。

（1）で危惧されているのは，特に午前中の処理件数が多く，参照できるまでにかかる時間がカタログ目標値を超えるおそれがあることである。よって，画像情報が送信されて顧客DBに登録されるまでにかかる時間を把握する必要がある。かかる時間は時間帯によって異なるので，時間帯別の平均値を算出するのが適切である。したがって，データの分析によって把握すべき情報は，**名刺画像の送信から顧客DBに登録されるまでの時間別の平均待ち時間**となる。

設問		解答例・解答の要点
設問1	(1)	エスカレーション先が技術課の場合，初回回答までの経過時間が長い。
	(2)	エスカレーション先の技術課に依頼することなく，対応完了となった問合せの割合
	(3)	完了日時欄が"受付"又は"対応中"
	(4)	定期的な顧客アンケート調査の実施
設問2		SDへの問合せ総件数に占めるFAQに掲載されている問合せ件数の割合の減少率
設問3	(1)	3
	(2)	名刺画像の送信から顧客DBに登録されるまでの時間帯別の平均待ち時間

※IPA発表

●本問から学べること・ITサービスマネージャの着眼点
問9 継続的サービス改善（R元年問1）
※テーマは,継続的サービス改善,サービスデスク,サービスレベル管理

❷演習編

1.継続的サービス改善の着眼点

・**顧客の声を改善に生かす**…… 設問1(4)

　顧客に対する定期的なアンケート調査などを実施して,顧客の声を把握し,そこからサービスの問題点を見つけ出し,改善を図る。

・**KPIを利用した活動状況の評価**…… 設問1(2), 設問2

　KPI（重要業績評価指標）とその目標値を設定して,プロセスの活動の成果を測定し,改善に役立てる。KPIには,例えば,○○の件数,量,時間,割合,それらの増減などを設定する。継続的に値をとり,その値の変化を分析し目標値と比較することで改善につなげる。

2.サービスデスクの着眼点

・**一次回答率を高めて問合せ対応のスピードアップ**…… 設問1(1)(2)

午後Ⅰ—❷問題演習

　エスカレーションを行うインシデントは解決に時間がかかる傾向がある。そのため,できるだけサービスデスク内で対応可能な問合せを増やしていく。

　サービスデスク内で対応できた問合せの割合を一次回答率といい,これを高めることは,問合せ対応時間の削減につながる。

　なお,問合せの一次回答率は,"インシデントの解決"という視点で見たときには,一次解決率という。

・**FAQの充実による問合せ件数の削減**…… 設問2

　FAQ（よくある質問と回答）を充実させ検索性を高めることで,サービスデスクへの問合せ件数を削減することができる。

3.サービスレベル管理の着眼点

・**SLA遵守のためのデータ分析**…… 設問3(1)(2)

　サービス目標値の達成が危ぶまれる事象がないか,データの分析によって前もって把握しておくことは,あらかじめ予防措置がとれるという点で,SLAの遵守のために有効である。本問では,処理完了までの時間帯別の平均待ち時間を測定している。

IoTを活用した駅務サービスの可用性に関する次の記述を読んで，設問に答えよ。

＊制限時間45分

　E社は，関西圏を中心とした中堅の鉄道事業者である。大阪の本社を中心として，3路線50駅の運営を行っている。E社本社には駅業務部と情報システム部がある。駅業務部は，E社が運営する各駅の業務を統括している。情報システム部では，発売した乗車券などの集計を行う駅務システムを運用している。

　駅では，ハードウェアメーカーのF社が提供する自動改札機，自動券売機及び窓口端末（以下，これらを駅務機器という）を導入して，駅の出改札業務を行っている。窓口端末は全ての駅に最低1台設置されており，自動券売機で取り扱う全ての出改札業務に対応するほか，駅員が窓口端末を使って駅務システムを利用できる。また，自動改札機と自動券売機が，駅構内のLANを経由して窓口端末と接続されており，駅員は，窓口端末を使って，当該駅の駅務機器の稼働状態を確認することができる。窓口端末で駅務機器の稼働状態の異常を検知し，故障などで保守員による対応が必要と判断した場合，駅員は駅業務部に電話連絡し，駅業務部経由でF社保守員の手配が行われる。

　情報システム部は，駅務機器及び駅構内のLANの管理を行っており，駅業務部及び各駅に対して，駅務システムの運用を含めて，駅務サービスとして提供している。E社では，全ての駅の営業時間は同じ時間帯であり，駅務サービスでは，駅の営業時間をサービス提供時間としている。

　情報システム部では，駅務機器のシステム保全・点検作業の計画を立て，全ての駅の駅務機器に対して定期的にシステム保全・点検作業を行うことで，故障前に対応を行う予防保全に取り組んでいる。システム保全・点検作業はF社に業務委託されており，駅務機器のシステム保全・点検作業の対象部品（以下，部材という）に対して，必要に応じ，図1に示す交換作業が行われる。

・定期交換：故障が発生していなくても，一定期間 ¹⁾ 利用した部材を交換する作業
・臨時交換：点検作業を実施する作業員が目視などで確認を行って交換が必要と判断した
　　　　　　部材がある場合に，当該部材を交換する作業

注 ¹⁾ 部材が，最も高い頻度で使用され続けたときに，故障が発生する確率が高まるまでの
期間を，F社が独自の統計的手法に基づいて算出し，部材ごとに耐用年数や耐用時間とし
て定めたもの

図1　システム保全・点検作業時に実施される交換作業

　システム保全・点検作業は，自動券売機と窓口端末については夜間の営業停止時間
帯に行われているが，自動改札機は点検作業の回数と台数が多く，営業時間内に行わ
れている。自動改札機のシステム保全・点検作業に伴う計画停止については，駅の利
用者に事前案内され，利用者は他の自動改札機を使うか駅員による改札を受ける。

〔現状の課題と改善策の検討〕
　情報システム部では，駅務機器の安定稼働を維持するために，F社に業務委託して
システム保全・点検作業で必要となった部材の交換を行っているが，一部の駅務機器
では故障が発生しており，予防保全に取り組む情報システム部の課題となっていた。
駅務サービスの可用性の一つの指標として駅務機器の稼働率を採用している。2023年
度の状況を表1に示す。

表1　2023年度の駅務機器の故障と稼働率の状況

種類	総台数 （台）	1台当たり の年間稼働 予定時間 ¹⁾ （時間/台）	1台当たり の年間平均 故障回数 （回/台）	故障1回当 たりの平均 修復時間 （時間/回）	1台当たりの 年間平均計画 停止時間 （時間/台）	年間稼働率 （％）
自動改札機	120	6,990	12	1.5	10	99.74
自動券売機	80	7,000	7	5.0	0	a
窓口端末	54	7,000	2	8.0	0	99.77

注 ¹⁾　自動改札機は営業時間中に計画停止時間を設けているので，自動券売機と窓口端末
に比べて稼働予定時間が少ない。

　駅務機器の年間稼働率は，年度ごとに種類別に次の式で計算する。ここで，年間稼
働率（％）は小数第3位を四捨五入するものとする。

$$\frac{全台の年間稼働予定時間の合計　-　全台の年間故障修復時間の合計}{全台の年間稼働予定時間の合計}$$

　2024年度, 情報システム部では, システム保全・点検作業コストの削減に取り組む方針が示された。そこで, ITサービスマネージャのG氏を中心に, 現状の課題及びコスト削減の方針への対応を検討することにした。

　まず, G氏は, 課題となっている駅務機器の安定稼働の維持について, 駅務機器の稼働率の数値を確認した上で, 駅務機器の故障発生を減少させる必要があると考えた。

　次に, G氏は, システム保全・点検作業コストの削減について考えた。現在の定期交換の対象部材には, 実際にはまだ使えるものがあって, 無駄が多い。そこで, データ分析を活用したCBM（Condition Based Maintenance：状態基準保全）システムを導入することでコストを削減できないかと考えた。G氏は, 機器の動作状況を取得するIoTセンサーを設置し, 収集したデータを分析して故障の可能性が高まった時点で, 対象部材を交換することによって無駄なコストを抑えることができると考えた。また, CBMシステムを導入した場合, 現在行っているシステム保全・点検作業と比べて, <u>(ア)サービス提供者としてのサービス可用性管理の観点からもメリット</u>を期待できる。G氏は, これらの仕組みをCBMシステムとして構築し, 社内で活用する検討に着手した。

〔CBMシステムの構築準備〕

　G氏は, CBMシステムの構築に当たって, まず, どのデータをどのように取得するかを検討するため, F社に相談した。その結果, 駅務機器の中でも故障頻度が高く, 全ての駅務機器に含まれている券片の搬送機構に着目し, 券片が搬送機構を通過する速度（以下, 搬送速度という）のデータを取得対象に決めた。また, 搬送速度を取得するにはIoTセンサーの設置が必要となるが, F社からは, 既存の駅務機器を大きく改造することなく設置が可能であり, 少額の投資で搬送速度データを駅務システムに送信する仕組みを実現できるとの回答があった。

　次に, G氏は, 取得したデータから搬送速度の低下を検知するための<u>(イ)しきい値</u>を設け, 継続的に監視する仕組みを構築した。搬送速度がしきい値を下回った場合には, アラームリストを出力し, その情報を, 駅業務部及び当該の駅務機器が稼働する駅に対して速やかに通知されるようにした。

　また, 現行の駅務機器のシステム保全・点検作業について, 今回は点検対象の一部にCBMシステムを導入することで, 点検対象を削減し, 点検作業時間も削減できると考えた。

　G氏は, 社内の変更管理規程に従って, CBMシステムを構築する変更要求を提出

した。情報システム部長は，"CBMシステムは，(ウ) 点検対象の機器数の削減及び点検作業時間の削減以外のコスト削減効果も期待できる。また，今後対象機器を拡大し，点検作業の頻度を減らしたり，無くしたりできれば，将来的に大きなコスト削減にもつながる"と評価した。変更要求は承認され，CBMシステムの構築が開始された。

〔SNSデータの分析を活用した障害検知〕

CBMシステム構築中のある日，行楽イベントで混雑するある駅で，駅務機器が故障するインシデントが発生し，駅構内が混雑した。当該駅では，駅の利用客対応を優先し，駅業務部への障害連絡が遅れてしまった。インシデントの初動対応が遅れて解決までに時間を要し，駅務サービスの可用性が悪化した。

情報システム部では，インシデント対応中にインシデントの影響の大きさを把握するために，E社が提供する不特定多数の人が閲覧可能なSNSへの投稿内容から利用者の反響を調査した。SNSへの投稿は，"情報源が不特定多数であって現場からの情報より正確性は低いが，情報の早さは現場よりも早い場合がある"といった特性がある。調査を担当したG氏は，調査の過程で，E社が当該インシデントの対応を開始する前に，障害に関する幾つかの投稿があることに気付いた。当該インシデント対応が終了した後日，投稿を時系列に整理して1分ごとに集計したところ，投稿件数が図2のように推移していることが分かった。

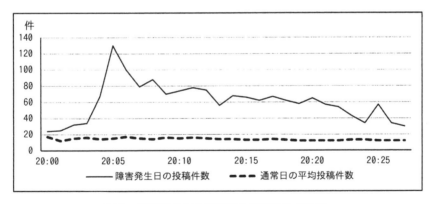

図2　障害発生日と通常日の投稿件数の推移

情報システム部では，障害当日20：10に駅業務部からの障害連絡を受け，20：15にインシデントの対応を開始していた。また，SNS上では障害に関する最初の投稿は20：00であった。この結果を見て，G氏は，SNSの特性に着目し，自社の駅務機器に

関する障害発生を検知できないか検討することにした。

　G氏は，SNSの情報を使って障害を検知する仕組みを，次のステップで考えた。

　①　SNS上における障害に関する投稿（以下，障害投稿という）を定義する。

　②　障害が発生したと推定するための条件（以下，検知条件という）を定義する。

　G氏は，①の障害投稿の定義として，"「E社」「（E社の）駅」などのE社に関する情報"と"「通れない」「使えない」「障害」などのネガティブワード"の両方が含まれる投稿とした。また，②の検知条件として，次のような条件を抽出した。

　・1分当たりの投稿件数が基準値以上であること

　・1分当たりの障害投稿件数が基準値以上であること

　・1分ごとに5分連続で障害投稿件数が増加傾向にあること

　G氏は，三つの検知条件の全てを採用すると検知遅れや検知漏れが増え，(エ) 一つだけに絞ると誤検知が増えると考えた。そこで，三つの検知条件のうち二つを満たす場合に障害が発生していると判定することにした。

設問1　〔現状の課題と改善策の検討〕について答えよ。

　　(1)　表1中の　　a　　に入れる適切な数値を答えよ。答えは小数第3位を四捨五入して，小数第2位まで求めよ。

　　(2)　本文中の下線（ア）について，期待できるメリットを，25字以内で答えよ。

設問2　〔CBMシステムの構築準備〕について答えよ。

　　(1)　本文中の下線（イ）について，従来の点検作業と比べて，CBMシステムのしきい値を使った運用のメリットとは何か。駅務機器の故障の観点から，40字以内で答えよ。

　　(2)　本文中の下線（ウ）について，情報システム部長がCBMシステムにコスト削減効果を期待できると考えた理由を，45字以内で答えよ。

設問3　〔SNSデータの分析を活用した障害検知〕について答えよ。

　　(1)　G氏の検討に従ってSNSへの投稿を活用した場合，今回のようなインシデントが発生したとき，どのような改善が期待できるか。20字以内で答えよ。

　　(2)　G氏が，検知条件について本文中の下線（エ）のように考えたのは，どのような理由からか。SNSへの投稿の特性を表した本文中の字句を使って，25字以内で答えよ。

問10 解 説

　IoTシステムを題材としているが，鉄道事業者における自動改札機や自動券売機の保守という身近でイメージしやすい内容である。CBMシステムを導入して部材の無駄な交換などのコストを削減する取組みを行っている。CBM（Condition Based Maintenance；状態基準保全）とは，予防保全の方法の一つであり，設備や装置，部品等の稼働状況や劣化状態を基準としてメンテナンスをする手法である。また，駅利用者のSNSの投稿を機器の障害発生の検知に活用する取組みは，とても今時で興味深い。そこで設定された障害検知の条件はとても現実的で，実務にも参考になる。

［設問1］（1）

　〔現状の課題と改善策の検討〕中の「表1　2023年度の駅務機器の故障と稼働率の状況」の空欄aに入る，自動券売機の年間稼働率が問われている。年間稼働率の計算式は，問題文中に下記のように示されている。

$$\frac{全台の年間稼働予定時間の合計 - 全台の年間故障修復時間の合計}{全台の年間稼働予定時間の合計}$$

　これを自動券売機に当てはめると，表1より，1台当たりの年間稼働予定時間は7,000時間／台，総台数は80台，1台当たりの年間平均故障回数は7回／台，故障1回当たりの平均修復時間は5.0（時間／回）なので，

$$\frac{7,000\times80 - 7\times5.0\times80}{7,000\times80}=0.995=\mathbf{99.50}（\%）$$

となる。「答えは小数第3位を四捨五入して，小数第2位まで求めよ」とあるので，小数第2位の「0」を忘れないよう気を付ける。筆算する際には，先に分母・分子の「×80」を除いて計算すると楽に計算できる。

［設問1］（2）

　〔現状の課題と改善策の検討〕の下線（ア）「サービス提供者としてのサービス可用性管理の観点からもメリット」について，期待できるメリットが問われている。「機器の動作状況を取得するIoTセンサーを設置し，収集したデータを分析して故障の可能性が高まった時点で，対象部材を交換することによって無駄なコストを抑えることができる」というコスト削減のメリットは書かれている。コスト削減以外で「現在行っているシステム保全・点検作業と比べて」「サービス可用性管理の観点から」のメ

リットを探る。そこで，システム保全・点検作業に関する記述を探すと，問題文の「図1　システム保全・点検作業時に実施される交換作業」の後の段落に「システム保全・点検作業は，……自動改札機は点検作業の回数と台数が多く，営業時間内に行われている。自動改札機のシステム保全・点検作業に伴う計画停止については，駅の利用者に事前案内され，利用者は他の自動改札機を使うか駅員による改札を受ける」とある。実際に表1においても，自動改札機だけは，計画停止時間が設定されている。これは営業時間中のサービス停止であり，この時間は利用者は自動改札機を使えない。「サービス可用性管理の観点から」という条件からも，よりサービス提供時間を長くすることがメリットになると考えられる。CBMシステムを導入することで，故障の可能性が高まった部材をIoTセンサーで検知して特定できるため，これまで人が行っていた（F社に業務委託していた）自動改札機のシステム保全・点検に伴う計画停止時間を短縮することが可能になる。したがって，保全・点検作業に伴う**計画停止時間を削減することができる**ことが，期待できるメリットである。

［設問2］(1)

〔CBMシステムの構築準備〕の下線（イ）「しきい値」について，従来の点検作業と比べて，CBMシステムのしきい値を使った運用のメリットが問われている。現在の運用では，問題文冒頭の第2段落に「窓口端末で駅務機器の稼働状態の異常を検知し，故障などで保守員による対応が必要と判断した場合，駅員は駅業務部に電話連絡し，駅業務部経由でF社保守員の手配が行われる」とある。つまり故障を検知した後の対応となるため，連絡や手配の時間も含めた修復対応にかなりの時間を要することになる。一方，しきい値を使った運用では，〔CBMシステムの構築準備〕にあるように「搬送速度がしきい値を下回った場合には，アラームリストを出力し，その情報を，駅業務部及び当該の駅務機器が稼働する駅に対して速やかに通知されるように」なる。つまり，取得した搬送速度データに基づいて，実際に駅務機器に故障が発生する前に，故障の兆候を捉えることができる。それによって速やかに修復や交換などの対応をとることができるようになる。IPAでは，解答例として，**作業員が目視で判断していた故障の前兆を，データに基づいて判断できる**と表現している。

［設問2］(2)

〔CBMシステムの構築準備〕の下線（ウ）「点検対象の機器数の削減及び点検作業の削減以外のコスト削減効果も期待できる」について，情報システム部長がCBMシステムにコスト削減効果を期待できると考えた理由が問われている。コストの削減に

関連する記述を探すと，〔現状の課題と改善策の検討〕に「次に，G氏は，システム保全・点検作業コストの削減について考えた。現在の定期交換の対象部材には，実際にはまだ使えるものがあって，無駄が多い」との記述が見つかる。図１より，定期交換とは「故障が発生していなくても，一定期間利用した部材を交換する作業」をいう。一方，CBMシステムでは，「機器の動作状況を取得するIoTセンサーを設置し，収集したデータを分析して故障の可能性が高まった時点で，対象部材を交換する」ことになる。これによって，まだ利用できる部材は交換時期を遅らせることができ，定期交換と比べて長期間利用できるようになる。つまり，部材の交換頻度を減らせるため，まだ使える部材を交換してしまうという無駄なコストを抑えることができる。したがって，コスト削減効果を期待できると考えた理由は，**定期交換と比べて部材を長期間利用するので，部材の交換頻度を減らすことができるから**である。

［設問３］(1)

〔SNSデータの分析を活用した障害検知〕に関して，G氏の検討に従ってSNSへの投稿を活用した場合，今回のようなインシデントが発生したときにどのような改善が期待できるかが問われている。今回のインシデントは駅務機器の故障であり，「当該駅では，駅の利用客対応を優先し，駅業務部への障害連絡が遅れてしまった」とある。実際に「情報システム部では，障害当日20:10に駅業務部からの障害連絡を受け」とあるが，「SNS上では障害に関する最初の投稿は20:00であった」という記述がある。SNSへの投稿を活用できれば，より早く障害を検知し，インシデントの初動対応を早くできる可能性がある。したがって，期待できる改善効果は，**インシデントの初動対応の早期化**，となる。

［設問３］(2)

〔SNSデータの分析を活用した障害検知〕に関して，G氏が，検知条件について本文中の下線（エ）「一つだけに絞ると誤検知が増える」と考えた理由が問われている。

G氏は，SNSの情報を使って障害を検知する仕組みとして，①障害投稿の定義と②検知条件の定義の２ステップを考えている。そして，②の検知条件として投稿件数の観点から三つ挙げているが，この「三つの検知条件の全てを採用すると検知遅れや検知漏れが増え，一つだけに絞ると誤検知が増える」と考えている。「本文中の字句を使って」という制約条件があるので，本文中からSNSへの投稿の特性に関する記述を探すと，〔SNSデータの分析を活用した障害検知〕に「SNSへの投稿は，"情報源が不特定多数であって現場からの情報より正確性は低いが，情報の早さは現場よりも早い

場合がある"といった特性がある」という記述が見つかる。例えばSNSではリツイートやシェアといった機能により，間違った情報でも投稿が増えることがある。したがって，投稿件数を基にした検知条件を一つだけに絞ると，誤検知が増えるリスクがある。この本文中の字句を使って，SNSの**情報の正確性が，現場からの情報より低いから**，とまとめればよい。

問10 解 答

設問		解答例・解答の要点
設問1	(1)	99.50
	(2)	計画停止時間を削減することができる
設問2	(1)	作業員が目視で判断していた故障の前兆を，データに基づいて判断できる
	(2)	定期交換と比べて部材を長期間利用するので，部材の交換頻度を減らすことができるから
設問3	(1)	インシデントの初動対応の早期化
	(2)	情報の正確性が，現場からの情報より低いから

※IPA発表

●本問から学べること・ITサービスマネージャの着眼点
問10　IoTを活用した駅務サービスの可用性（R6年問2）
※テーマはサービス可用性管理，システムの保守・保全

1.機器の稼働率の計算…… 設問1

機器の稼働率（年間）は，以下の式で求められる。

$$\frac{全台の年間稼働予定時間の合計 - 全台の年間故障修復時間の合計}{全台の年間稼働予定時間の合計}$$

2.CBM（状態基準保全）…… 設問1（2）

CBM（Condition Based Maintenance；状態基準保全）とは，予防保全（予防保守）の方法の一つであり，設備や装置，部品等の稼働状況や劣化状態を基準としてメンテナンスをする手法である。IoTセンサーやデータ分析の技術を活用して，故障の可能性が高まった時点で対象部材を交換することによって，不要なメンテナンスのコストを抑えることができる。また，人による保全・点検作業を減らすことができるので，計画停止時間を削減することができる。

予防保全には，CBMのほかに，定期保全，経時保全といったTBM（Time Based Maintenance；時間基準保全）がある。

3.しきい値を用いた監視・運用…… 設問2（1）

監視対象（本問では券片の搬送機構の搬送速度）がしきい値を下回った場合にアラームリストを出力し，関係者に通知される仕組みによって，故障する前にその兆候を検知でき，早急な対応をとることができる。

4.SNS投稿を障害検知に利用…… 設問3（1）（2）

本問では，駅利用客のSNS投稿を駅務機器の障害検知に利用することを検討している。これによって，現状より早く障害を検知し関係者への障害発生の連絡ができるようになる。効果的に利用するために，まずは"①障害投稿"と"②検知条件"を明確に定義している。

①では「E社に関する情報」と「通れない」「障害」などのネガティブワードの両方が含まれていることを障害投稿とし，②では，1分当たりの投稿件数，1分当たりの障害投稿件数，障害投稿件数の増加傾向（1分あたりで5分連続での増加傾向）の三つを検知条件として，そのうちの一つを満たすだけでは誤

検知が増えるので，二つを満たす場合に障害が発生していると判断している。SNSの情報は正確性が低いことから，検知条件を厳しめに設定したところがポイントである。

第**4**部

午後Ⅱ試験対策
—①攻略テクニック

1 午後Ⅱ問題の解き方―合格論文の書き方

1 ステップ法

　本書では，午後Ⅱ問題の解き方―合格論文を書く手順として「ステップ法」を提案している。「ステップ法」は，5つのステップで構成される。

Step❶　「章立て」を作る
　↳設問文から章立てを作り，問題文と関連づける

Step❷　「論述ネタ」を考える
　↳問題文の誘導から素直に思いつく事柄を，ブレーンストーミング的に洗い出す

Step❸　「事例」を選ぶ
　↳論述ネタに整合するサービスやシステムまたは業務事例を選ぶ

Step❹　論述ネタを「チェック」する
　↳事例に整合する論述ネタだけを残し，そうでない論述ネタはボツにする
　　設問の要求や問題文の誘導から外れていないことを確認する

Step❺　論述ネタを「展開」し「論述」する
　↳論述ネタに肉付けして，論述への準備を整える
　　展開法を利用して論述ネタを論述する

　ステップ法で作成した論文のイメージは，次のようになる。

　以降本章では，平成25年度午後Ⅱ問1を題材にして説明する。

　なお，説明中に出てくる**ユニットとは，一つの内容について書いた300字程度の文章のまとまりのことである。**文字数はおよその指標なので，200字だったり，500字に増えても特に問題はない。

第1章　ITサービスの概要と兆候の管理の概要
1.1　ITサービスの概要

> 対象のITサービスの概要に関する論述

1.2　兆候の管理の概要

> 兆候の管理をどのように行っているかの概要の論述

【設問アの解答】

● タイトルと合わせて
800字以内。

第2章　サービスレベル未達の兆候の認識とその対応
2.1　未達となる兆候とそのように認識した理由

ユニットごとにタイトルを付ける

> サービスレベルが未達となる兆候を認識したこととその理由を
> 論述ネタに展開したユニット

【設問イの解答】

2.2　サービスレベル遵守のために実施した対策と結果
(1)　対策1の実施とその結果

> 一つめの対策の実施とその結果を論述ネタに展開したユニット

(2)　対策2の実施とその結果

> 二つめの対策の実施とその結果を論述ネタに展開したユニット

● 300字のユニットが
3個で，900字
程度。

第3章　兆候の管理を効果的に行う工夫と仕組みの改善
3.1　兆候の管理を効果的に行うための工夫
(1)　工夫1

> 一つめの工夫を論述ネタに展開したユニット

(2)　工夫2

> 二つめの工夫を論述ネタに展開したユニット

3.2　仕組みの改善

> 仕組みの改善を論述ネタに展開したユニット

【設問ウの解答】

● 300字のユニットが
3個で，900字
程度。

▶ステップ法とユニットで作成した論文のイメージ

一つのユニットは300字程度が目安であるが，この字数は論述の構成によって増減させてよい。ITサービスマネージャの午後Ⅱ試験の場合は，設問イや設問ウの論述において対策や工夫点などを複数列挙することが多いため，一つひとつのユニットの字数を150〜200字程度に少なくして，ユニットの数を多くするほうがよい場合もある。よって，1ユニットの字数は300字にこだわる必要はなく，もっと少なくても多くても問題ない。

　設問ごとの制限字数は，設問アが800字以内，設問イが800字以上1,600字以内，設問ウが600字以上1,200字以内で固定なので，設問イの論述を主要部分ととらえ，最もボリュームを多くし，具体的に論述することを意識する。

　したがって，ITサービスマネージャの午後Ⅱ試験の場合は，設問要求に従って，**第1章を2個のユニット，第2章をおおよそ3個〜5個のユニット，第3章を2個〜4個のユニットで構成する**のが理想的である。このようにすると，自然に制限字数をクリアすることができる。

　なお，第1章は，上限は800字と指定されているが，下限が指定されていない。かといって，あまり少ない文字数にしてしまうと，対象のサービスやシステム，業務の概要を十分に採点者に伝えることができない。採点者がイメージできるように伝えるためには，2ユニットを目安に論述したい。

Step① 章立てを作る

　章立てとは，論文のアウトラインのことで，章・節から構成される。午後Ⅱ試験で求められるのは，**設問ア〜ウへの解答である**。そのため，**章立ては設問文および問題文に沿って作る**。この要求事項に沿った章立てにして適切なタイトルを付けることで，採点者に対して「設問で求めている要求事項にきちんと解答しています」というアピールができ，採点者は短時間であなたの論述内容を理解することができる。同時に，要求事項をきちんと網羅した章立てにすることで，論点の漏れも防ぐことができる。章立てを作成せずに書き始めてしまうと，自分の苦労話や自慢話ばかりの論点の外れた論文になる可能性が高いので，必ず章立てを作成しよう。

　設問文や問題文には出題者が「論述してほしい」と意図していることが記述されている。これをもとに章立てを作ると，「論述すべき内容」を整理することができ，論述のための正しい着想が得られる。逆に，章立てを作る過程で何の着想も得られなければ，その問題は選択すべき問題ではないといえるだろう。

■ 章と節に分け，タイトルを付ける

　設問ア，設問イ，設問ウ，それぞれへの解答が，第1章，第2章，第3章に該当する。一つの設問に要求事項が複数ある場合は，章の中を節に分ける。設問アの1つめの要求事項への解答を1.1節に，2つめの要求事項への解答を1.2節に，という具合である。次の問題例で章立てを考えてみる。

> 設問アは要求事項が二つあるので，
> 二つの節を立てる。
> 1.1節，1.2節とする。

> 「及び」でつながっているものは，
> 前後の両方について書く必要あり。
> 「又は」の場合は，前後のどちらか
> を選ぶ。

設問文　（H25問1より抜粋）

設問ア　あなたが携わった<u>ITサービスの概要</u>と，<u>兆候の管理の概要</u>について，800
　　　　字以内で述べよ。

設問イ　設問アで述べた兆候の管理において，<u>サービスレベルが未達となる兆候及
　　　　び</u>そのように認識した理由と，<u>サービスレベルを遵守するために実施した対
　　　　策及びその結果</u>について，800字以上1,600字以内で具体的に述べよ。

設問ウ　設問アで述べた<u>兆候の管理を効果的に行うための工夫</u>と，<u>仕組みの改善</u>に
　　　　ついて，600字以上1,200字以内で具体的に述べよ。

章立ての例

第1章　ITサービスの概要と兆候の管理の概要
1.1　ITサービスの概要
1.2　兆候の管理の概要
第2章　サービスレベル未達の兆候の認識とその対応
2.1　未達となる兆候とそのように認識した理由
2.2　サービスレベル遵守のために実施した対策と結果
第3章　兆候の管理を効果的に行う工夫と仕組みの改善
3.1　兆候の管理を効果的に行うための工夫
3.2　仕組みの改善

▶章立ての例

■ 章・節のそれぞれに書くべき内容のヒントを問題文から抜き出す

問題文には, **出題者が書いてほしいと考えているポイントや方向性が示されている**。つまり, 論述のヒントが記述されているので, これを抜き出して確認する。この問題例の場合, 設問アの第2の要求事項として「兆候の管理の概要」を論述することが求められている（1.2節）。この要求事項に対して, 問題文では次の例を挙げて, 受験者に"このような観点が重要である"ことを示し, 論述の方向性を示している。

- ・監視システムやサービスデスクなどを通じて,
- ・情報を幅広く収集する。
    - 例）・システム資源の使用状況
        - ・性能の状況
        - ・利用者からの問合せ状況

同様に, 問題文から各設問へのヒントと思われる記述を抜き出すと, 次のようになる。

問題文 （H25問1より抜粋）

問1　サービスレベルが未達となる兆候への対応について

【1.2のヒント】
　サービスレベルについて顧客と合意し, 合意したサービスレベルを遵守することは, ITサービスマネージャの重要な業務である。サービスレベルを遵守していくためには, サービスレベルが未達となる兆候に対して適切な対応を図ること（以下, 兆候の管理という）が重要となる。

　兆候の管理に当たっては, まず, 監視システムやサービスデスクなどを通じて, システム資源の使用状況や性能の状況, 利用者からの問合せ状況などの情報を幅広く収集する。

【2.1のヒント】
　次に, それらの状況の変化や傾向などを分析するとともに, 過去の事例も参考にしながら, サービスレベルが未達となる兆候であると認識した場合には,
【2.2のヒント】
　原因を究明して適切な対策を講じる。

【3.1のヒント】
　また, 兆候の管理を効果的に行うためには, 関連部門と連携することによって, 様々な情報を多面的に分析するなどの工夫が重要である。さらに, 兆
【3.2のヒント】
　候の管理を行う仕組みを継続的に改善していくことも必要である。

　あなたの経験と考えに基づいて, 設問ア～ウに従って論述せよ。

第1章　ITサービスの概要と兆候の管理の概要

1.1　ITサービスの概要

　　ヒントなし

1.2　兆候の管理の概要

　・サービスレベルを遵守していくためには，サービスレベルが未達となる兆候に対して適切な対応を図ること（以下，兆候の管理という）が重要となる

　・監視システムやサービスデスクなどを通じて，システム資源の使用状況や性能の状況，利用者からの問合せ状況などの情報を幅広く収集する

第2章　サービスレベル未達の兆候の認識とその対応

2.1　未達となる兆候とそのように認識した理由

　・それらの状況の変化や傾向などを分析するとともに，過去の事例も参考にしながら

2.2　サービスレベル遵守のために実施した対策と結果

　・原因を究明して適切な対策を講じる

第3章　兆候の管理を効果的に行う工夫と仕組みの改善

3.1　兆候の管理を効果的に行うための工夫

　・関連部門と連携することによって，様々な情報を多面的に分析するなどの工夫が重要

3.2　仕組みの改善

　・兆候の管理を行う仕組みを継続的に改善していく

Step❷　論述ネタを考える

　章立てができたら，章・節それぞれの内容に整合した，論述するネタを考える。**ネタとは，そのユニットで論述する材料のことである**。ネタを考える作業は，設問イ（第2章）と設問ウ（第3章）から先に行うほうがよい。設問ア（第1章）で述べる事例を先に決めてしまうと，設問イ（第2章）や設問ウ（第3章）の発想を自ら狭めてしまうことになりやすい。それよりも，**まずは自由にネタを考えてから**，**それに合った事例を選んだほうが柔軟に対応できる**。

2.1 サービスレベルが未達となる兆候とそのように認識した理由

状況の変化や傾向などを分析するとともに，過去の事例も参考にしながら

SLAの例	運用管理システムで監視	これまでの稼働実績
サービス提供時間	・CPU使用率	・CPU利用率が○%を超えると
稼働率	・ユーザ同時アクセス数	レスポンス悪化
障害回復時間	・ディスク使用状況	・セール初日はアクセス集中
平均応答時間	：	
ユーザサポート	しきい値 を設定して監視	
：		

ネタは，「高度なもの」「カッコいいもの」「画期的なアイデア」である必要はない。高度なものやカッコいいものを論述しようとすると，具体的な案が浮かばずに，文章を書く手が動かなくなる。むしろ平凡なこと，業務の中で誰もがやっているような当たり前のことをネタにしたほうが，スムーズに論述できることが多い。

思いついたネタは，「章立て」に追記するとよい。何を書くべきかを頭の中だけで考えていると，構想がループして作業が止まってしまったり，漏れや抜けが発生しやすい。**紙に書き出すことで**，構想を組み立て，形にすることが可能になる。

第1章　ITサービスの概要と兆候の管理の概要

1.1　ITサービスの概要

(事例)　Web販売システム(衣料品販売A社)のサービス受注

・年に4回，サイト上でバーゲンセール

・新商品販売キャンペーン

・アウトレット品の販売

> アクセス集中によるレスポンス悪化のおそれあり
> → SLAでは7秒

1.2　兆候の管理の概要

・サービスレベルを遵守していくためには，サービスレベルが未達となる兆候に対して適切な対応を図ること(以下，兆候の管理という)が重要となる

・監視システムやサービスデスクなどを通じて，システム資源の使用状況や性能の状況，利用者からの問合せ状況などの情報を幅広く収集する

> ユーザから寄せられた障害や不具合の情報が届く

> SLA遵守のため，稼働状況を監視
> ・監視システムの導入
> ・しきい値の設定

第2章　サービスレベル未達の兆候の認識とその対応

2.1　未達となる兆候とそのように認識した理由

・それらの状況の変化や傾向などを分析するとともに，過去の事例も参考にしながら

> バーゲンセール初日

> CPU使用率　アクセス数 | しきい値を超過！ ⟶ レスポンスも悪化 | SLA未達の兆候と認識

2.2　サービスレベル遵守のために実施した対策と結果

・原因を究明して適切な対策を講じる

> サーバの負荷分散
> Sorryサーバの導入
> バッチ処理の禁止
> セール開始時間の変更

第3章　兆候の管理を効果的に行う工夫と仕組みの改善

3.1　兆候の管理を効果的に行うための工夫

・関連部門と連携することによって，様々な情報を多面的に分析するなどの工夫が重要

> A社との共同レビュー
> (定期的に開催)

> 監視システムの情報の分析

3.2　仕組みの改善

・兆候の管理を行う仕組みを継続的に改善していく

> A社から必要な情報収集
> ・Web会員の予測値 ⟶ 兆候把握の精度向上
> ・Webでのイベント予定

> A社への報告の仕組みの改善
> ・運用実績だけでなく，兆候の情報も報告 ⟶ 素早い対応を可能に

▶論述ネタを組み立てる

❷演習編

午後Ⅱ—①攻略テクニック

457

　午後Ⅱ問題のほとんどが，JIS Q 20000やITIL®に基づくサービスマネジメントの活動から出題されている。したがって，ネタ出しを行う前に，テーマに関連するサービスマネジメントの知識を思い出す時間を必ずとるようにしよう。思い出してほしいのは，対象のサービスマネジメントの活動内容，目的，活動手順，KPI（重要業績評価指標），主な重要用語などである。

　例えば，変更管理に関するテーマならば，JIS Q 20000やITIL®の変更管理について，その活動や目的，手順などを思い出す。また，変更管理における重要用語として，RFC（変更要求書），CAB（変更諮問委員会），ECAB（緊急変更諮問委員会），変更マネージャ，通常の変更・緊急の変更・標準的な変更，などがある。これらの用語とその意味・役割などを一通り思い出そう。このように，対象のサービスマネジメントの活動について思い出すひと手間を加えると，適切な論述ネタを見つけることができる。

　ここで思い出した内容を論述ネタに含めて，あなたのとった行動として述べれば，自然にサービスマネジメントに準拠した論述ができる。あなたがサービスマネジメントの正しい考え方に則って活動しており，ITサービスマネージャとしての能力が高いことが，採点者に伝わるだろう。論述答案に高い評価がもらえるはずである。

Step❸ 事例を選ぶ

　Step❷ で選んだネタをもとに，<u>ネタに整合する事例を選定する</u>。つまり，論述対象とするサービスやシステム，業務を選択する。事例についての概要は，設問ア（第1章）で論述することになる。事例を選ぶ際には，ネタに整合するもの，現実的なものを選ぼう。例えば，「機器の二重化」がネタであっても，事例が「スーパーマーケットのPOSシステム」「Webを使った通販システム」「社内の基幹業務システム」「銀行の預金管理システム」「宇宙ロケット制御システム」のいずれであるかによって，ITサービスマネージャが考えるべき重要な観点はそれぞれ違うはずである。

　事例となるITサービスは，あらかじめいくつか用意しておくと楽である。例えば，次のようなパターンを参考に，自分の経験をもとに事例を用意しておこう。経験の少ない受験者は，雑誌記事や書籍から取材して，事例集を作っておくとよい。午後Ⅰ問題の事例もよいネタになる。

事例

パターン1 クライアントサーバ形態のサービス
- トランザクションの入力，サーバの処理，ネットワーク連携
- 販売管理，営業支援などのサービス

パターン2 Webサービス
- インターネットを利用し，不特定多数の利用者を対象にしたサービス
- ネットショッピング，予約サービス，電子商取引など

パターン3 汎用系システムによるサービス
- 経理システムや人事システムなどの基幹業務システムによるサービス

パターン4 クラウドサービス，データセンタ
- パブリッククラウド，プライベートクラウド
- 外部サービスの利用，外部からの委託によるサービス提供

Step❷までの作業で，すでに論文全体の構想ができあがっている場合には，構想に合う事例を選ぶ。そうでない場合は，自信のあるネタをいくつか選び，それらに矛盾しない事例を選ぶ。

事例を決めた後，事例と整合しないネタはボツにする。例えば，対象サービスのリスクを述べる問題において「コンサートチケットの予約・販売のためのWebシステム」を事例に選んだ場合は，
- 利用者の急増によるレスポンスの悪化のリスク

などはネタとしてふさわしいが，
- 分析レポートの出力が遅れるリスク
- バッチ処理が翌日の業務開始に間に合わないリスク

などの汎用系システムで生じるリスクのネタは適切とはいえず，ボツにすべきだろう。

Step④ 論述ネタをチェックする

ネタをチェックする際の重要なポイントは次の三点である。

■ 論述ネタのチェックポイント

✓ 設問のすべての要求事項に答えているか?

　例)問題点と対策の論述が求められており,まず問題点のネタを
　三つ挙げたが,その対策のネタが一つ抜けている

✓ 章立ての中で,ネタは必要十分か?

　例)2.1節のネタだけが残り,2.2節のネタが落ちている

✓ 事例と矛盾していないか?

　例)ネット銀行サービスの事例なのに,営業支援サービスのネタ
　が残っている

「ステップ法」は,一歩一歩着実に合格論文を作成する方法である。ミスの少ない方法ではあるが,ミスをゼロにできるわけではない。事例に合わないネタをボツにする際に,必要なネタまで切り捨ててしまい,結果的に要求事項に関する論述に漏れが生じてしまうこともある。例えば「検討し,工夫した点」が求められているにもかかわらず,検討した点ばかりに偏ってしまい,工夫した点が抜けるようなこともあり得る。このようなことがないように,次のステップに移る前に,ネタを再度チェックする。上記のチェック自体は簡単な作業であり,時間はかからない。そして,チェックと同時に,論点が同じネタは一つにまとめる。逆に,いくつかの論点を含むネタがあれば,分割することも検討する。最終的に,制限字数をクリアする分量のネタに絞り込む。

午後Ⅱ試験においては,このほかにもう一つ注意してチェックしてもらいたいことがある。それは,

✓ ネタの内容がサービスマネジメントの手法として正しいか?

ということである。ITサービスマネージャの午後Ⅱ試験では,ネタ出しの前に必ず,テーマとなるサービスマネジメントの活動の内容を思い出し,その内容をできるだけ論述ネタに生かすことが,合格論文を書くためのコツである。したがって,**選んだネタがJIS Q 20000やITIL®に基づくサービスマネジメントの方法論や考え方に基づい**

ているか（正しいサービスマネジメントを行っているか）について，ここでチェックしてほしい。

Step⑤ 論述ネタを展開し，論述する

Step⑤ では，ネタをもとに話を展開し，論述する。Step④ で確認されたネタを詳細化して，300字程度の短い文章を作成する。つまり，具体的な内容でネタを肉付けして膨らませ，ユニットを作成する。詳細化する際の観点は，例えば次のようなものが考えられる。

> ▌詳細化する際の観点
> ・ネタの内容をより詳しく説明する文言
> ・具体的な業務やシステムへの言及
> ・対策が必要となった背景
> ・対策の具体的な内容・手順
> ・適用したサービスマネジメントの手法，ITIL®の知識
> ・対策による成果

先に挙げた問題例において，2.1節の一つ目のユニットを展開させた例を，次に紹介する。

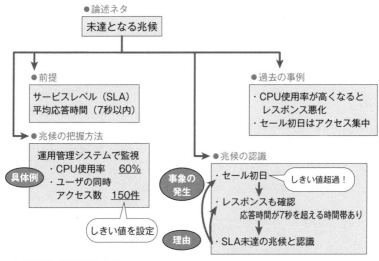

▶論述ネタを展開する
　—2.1　サービスレベルが未達となる兆候とそのように認識した理由—

461

ここは、「サービスレベルが未達となる兆候とそのように認識した理由」について述べる部分である。まずは**論述の前提として，顧客と合意したサービスレベル（SLA）のうち，どの項目に未達となる兆候が見られたのか**を決めておく必要がある。

　SLAの項目には，サービス提供時間，稼働率，障害回復時間，平均応答時間，ユーザサポート（サービスデスクの対応時間や問合せへの回答期限）などさまざまなものがある。どれを題材にしてもよいが，設問イや設問ウの論述をしやすいものを選ぶとよい。

　今回，選んだ事例は，衣料品メーカのWeb販売システムである。ここでは，問題文にある「監視システムやサービスデスクなどを通じて」を参考に，レスポンスの悪化についてとり上げてみる。つまり，SLA項目は，平均応答時間である。SLAでは「7秒以内」の合意を取っていることを示す。示す数値は厳密でなくてよい。妥当と思われる範囲の値を書けばよい。

　兆候の把握方法としては，問題文の「監視システムやサービスデスクなどを通じて」を参考に，監視システム（ここでは，運用管理システムという名前にした）でシステムのさまざまなリソースの監視を行っていることを述べる。レスポンスに関連するシステムリソースとして「CPU使用率」や「ユーザの同時アクセス数」がある。これらについて，しきい値を設定して監視していることを述べる。**「しきい値を設定して監視している」ことがITサービスマネージャとしての能力のアピールとなる。**

　問題文に「過去の事例も参考にしながら」とあるので，過去の事例として，
　・CPU使用率が高くなるとレスポンスが悪化している
　・バーゲンセールの初日はアクセスが集中する
などの事象を述べておくと，論述に具体性や独自性が出る。

　そして，どのように兆候を認識したかについては，次のように展開してみる。

　①セール初日に，CPU使用率やユーザの同時アクセス数がしきい値を超過した。
　②そこで，模擬端末を使ってレスポンスも調べたところ，時間帯によってはSLAで約束した7秒を超えることもあった。
　③そこで，これらの事象を，SLA未達の兆候と認識した。

　このように展開すると，内容が現実的であるとともに，①②が自然と「兆候と認識した理由」になり，説得力が出る。
　このようにネタを展開させたら，あとはこれを文章にしていけばよいだけである。
　なお，**「1ユニット300字」はあくまで目安であり，字数にこだわる必要はない。**

多くても少なくても，気にしなくてよい。

　なお，「文章を書くのが苦手！」という受験者は，次にいくつかの展開法を紹介するので，これらを参考にしてほしい。ネタをふくらませて具体的な論述答案にするのに役に立つはずである。

2　自由展開法

　論述ネタを核とし，<u>思いつくことを自由に書いていく展開法</u>である。手軽で論述も膨らみやすい汎用的な展開法である。しかし，発想が発散しすぎると論理が不明確な「筋道の通らない論述」になってしまうので注意してほしい。

　基本は，5W1Hの観点から論述ネタを展開する。

▶自由展開法の観点―その❶　5W1H

観点	重要度	内容と例
What （何を）	★★★	障害やリスク，問題点に対処するための対策 例）（障害によるシステム全体への影響を回避するための対策として） サーバの二重化を行い，片方に障害が発生してももう片方で運用できるようにしている。 例）（障害を早期に発見するための対策として） システム資源の監視を行っている。
How （どのように）	★★★	対策の実施手順や方法 例）（サーバ二重化の運用方法） サーバに障害が発生したことを負荷分散装置が検知すると，自動的にそのサーバを処理要求の割当て対象から外して，残りのサーバだけに処理を割り振る。これによって，残ったサーバで業務を継続することができる。 例）（CPU使用率の監視） CPU使用率60％をしきい値として設定し，監視する。その結果，この値を超えたら運用担当者に自動通知メールが送られるようにする。
Why （なぜ）	★★★	障害やリスク，問題点と認識した理由，対策を講じた理由 例）（サーバの二重化を行ったのは） 1台のサーバの障害によってシステム全体が停止して，業務がストップするような事態の発生を防ぐためである。 例）（CPU使用率を監視対象として選んだのは） CPU使用率が上昇すると，受注処理のレスポンスが急激に悪化するので，このような事態の兆候を早めに検知するためである。

Who （誰が／誰に）	★★	サービス提供業務にかかわった関係者に関すること 例）運用チームは12人体制で，4チームによる3交代制をとることにした。 例）ITサービスマネージャの私は，経営層に対して，サーバ集約によるコスト削減の提言を行った。
When （いつ）	★	対策を実施した時期など，期限やタイミングなどに関すること 例）移行計画に基づき，20ある店舗を4つのグループに分け，グループ単位に一週間おきに移行作業を行う計画とした。第一グループの実施予定は6月の第一日曜日である。
Where （どこで）	★	場所に関すること 例）災害発生時のデータ消失に備えて，日々の業務データのバックアップを，東京本社から離れた場所にある中部支社にも保管することにした。

5W1Hの中でも，What，Why，Howは非常によく用いる観点である。展開に困った場合は，

- 何をしたのか？
- なぜしたのか？
- どのようにしたのか？

と自分に問いかけてみよう。さらに5W1Hに次の観点を加えることで，展開がさらに具体的になり論述に現実味が生じる。

▶自由展開法の観点―その❷

観点	重要度	内容と例
具体的には	★★	技法や手続などの詳細説明 例）具体的には，サービスデスクで回答できない問合せについては，システム開発部門やシステム保守部門にエスカレーションを行い，対応を依頼することにした。あらかじめ，これらの支援部門との間で対応手順や回答期限などを取り決め，運用レベル合意書（OLA）を交わした。
例えば	★★	実例の提示 例）保守業務を受託するにあたり，対象の営業支援システムに関するドキュメントを入手した。例えば，利用マニュアル，オペレータマニュアル，障害時対応マニュアル，システム計画書，システム仕様書，システム構成図などである。

なお，ここで挙げた観点はあくまでも参考であり，必ずこれらの観点で展開しなければならないわけではない。ある観点からの展開が思いつかない場合は，無理にその

観点からの展開をする必要はない。複数の観点を一つの文に展開してもよいし，観点にこだわらずに思いつくことがあれば，まずはどんどん書いてみよう。

次に，自由展開法の例を挙げてみる。

■ 自由展開法の例

—2.2　サービスレベル遵守のために実施した対策と結果—

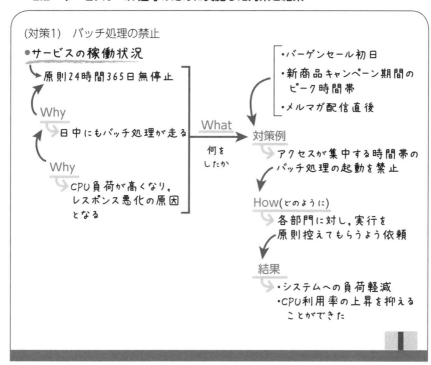

この例は，「2.2　サービスレベル遵守のために実施した対策と結果」の部分の展開例である。まず，現在のサービス稼働状況を説明し，サービスレベルを遵守できなくなるレスポンス悪化の原因となるような状況があることを説明する。「原則24時間365日無停止のサービス」なので，「日中にもバッチ処理が走り」，その時間帯は「CPU負荷が高くなるためレスポンス悪化を引き起こす原因となる」という具合である。これらはWhy（なぜ？）でつながる。<u>Whyを利用することで，論述に説得力が出る。</u>

これを解消するための対策として，What（何をしたか）を述べる。「アクセスが集中する時間帯のバッチ処理の起動を禁止する」が対策に当たる。特に，「アクセス

が集中する時間帯」とはどんな時間帯なのか，対象のサービスの中から具体例を示そう。そして，その対策を実施する方法（How）は「各部門に対し，実行を原則控えてもらうよう依頼する」である。このように，**例示やHowを加えると，論述に具体性や独自性が出てくる。**

　そして，最後に結果を述べて，対策を実施したことによって効果が出たことを示して，自分がITサービスマネージャとしてふさわしい行動をとったことをアピールする。

　論述にあたっては，矢印の前後関係を考慮し，適切な接続詞で文をつないで論述する。筋が通らない展開はボツにし，論述しながら思いついた展開は書き加えていけばよい。

論述例

1	2	3	4	5	6	7	8	9	10	11	12	13	14	15	16	17	18	19	20	21	22	23	24	25
2	.	2		サ	ー	ビ	ス	レ	ベ	ル	遵	守	の	た	め	に	実	施	し	た	対	策	と	結
果																								
（	対	策	1	）	バ	ッ	チ	処	理	の	禁	止												
	当	該	サ	ー	ビ	ス	は	原	則	2	4	時	間	3	6	5	日	稼	働	で	あ	る	。	そ
の	た	め	，	A	社	内	の	各	部	門	に	お	い	て	，	日	中	に	も	小	さ	な	バ	ッ
チ	処	理	が	起	動	さ	れ	る	こ	と	が	あ	る	。	バ	ッ	チ	処	理	が	起	動	さ	れ
る	時	間	帯	は	，	C	P	U	負	荷	が	高	く	な	り	，	レ	ス	ポ	ン	ス	悪	化	を
引	き	起	こ	す	原	因	と	な	る	。	そ	こ	で	，	ユ	ー	ザ	か	ら	の	ア	ク	セ	ス
が	集	中	す	る	バ	ー	ゲ	ン	セ	ー	ル	初	日	や	新	商	品	キ	ャ	ン	ペ	ー	ン	期
間	の	ピ	ー	ク	時	間	帯	，	メ	ー	ル	マ	ガ	ジ	ン	（	以	下	，	メ	ル	マ	ガ	と
い	う	）	の	配	信	直	後	な	ど	に	は	，	各	部	門	で	の	バ	ッ	チ	処	理	の	実
行	を	原	則	控	え	て	も	ら	う	よ	う	依	頼	し	た	。	こ	れ	に	よ	っ	て	シ	ス
テ	ム	へ	の	負	荷	が	軽	減	で	き	，	C	P	U	利	用	率	の	極	端	な	上	昇	を
抑	え	る	こ	と	が	で	き	る	よ	う	に	な	っ	た	。										

（100字・200字・300字の目盛りが右側に記載）

3 "そこで私は" 展開法

　前提となる状況や条件を説明したうえで，「そこで私は」と受けて対処やマネジメント，改善策などを述べる展開法である。自由展開法には及ばないものの，汎用的に使うことができるうえに，ほかの展開法にも流用できる。ITサービスマネージャの業務の場合は，チームで実施したり，外部委託の形でサービスを提供している場合も多いため，主語が「私」ではなく，「○○チーム」や「○社」に置き換わることもある。その場合は，適宜応用させて使ってほしい。

　　　　(対策2)　ロードバランサの導入によるアクセス負荷の軽減

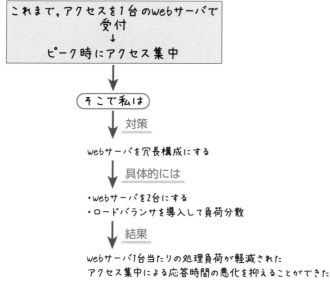

■ "そこで私は" 展開法の例
—2.2　サービスレベル遵守のために実施した対策と結果—

　この展開法の良いところは，論理の筋が通りやすく，理路整然と論述できることである。論理がしっかりしているので，展開が少々ぶれても収めやすい。また，前提と対処の二段階に分けて展開するので，前段から後段への展開が容易にできる。

1	2	3	4	5	6	7	8	9	10	11	12	13	14	15	16	17	18	19	20	21	22	23	24	25
2	．	2		サ	ー	ビ	ス	レ	ベ	ル	遵	守	の	た	め	に	実	施	し	た	対	策	と	結
果																								
（	対	策	2	）	ロ	ー	ド	バ	ラ	ン	サ	の	導	入	に	よ	る	ア	ク	セ	ス	負	荷	の
分	散																							
	こ	れ	ま	で	ユ	ー	ザ	か	ら	の	ア	ク	セ	ス	は	1	台	の	Ｗ	ｅ	ｂ	サ	ー	バ
で	受	け	付	け	て	い	た	た	め	，	ピ	ー	ク	時	に	は	Ｗ	ｅ	ｂ	サ	ー	バ	へ	の
ア	ク	セ	ス	が	集	中	し	て	い	た	。	そ	こ	で	私	は	，	Ｗ	ｅ	ｂ	サ	ー	バ	を
冗	長	構	成	に	す	る	こ	と	を	考	え	た	。	具	体	的	に	は	，	Ｗ	ｅ	ｂ	サ	ー
バ	を	2	台	に	増	や	し	，	新	た	に	ロ	ー	ド	バ	ラ	ン	サ	を	導	入	し	て	，
ユ	ー	ザ	か	ら	の	ア	ク	セ	ス	要	求	を	2	台	の	Ｗ	ｅ	ｂ	サ	ー	バ	に	振	り
分	け	，	分	散	処	理	を	行	え	る	よ	う	に	し	た	。	こ	の	よ	う	に	シ	ス	テ
ム	構	成	を	変	更	す	る	こ	と	で	，	Ｗ	ｅ	ｂ	サ	ー	バ	1	台	当	た	り	の	処
理	負	荷	が	軽	減	さ	れ	，	ア	ク	セ	ス	集	中	に	よ	る	応	答	時	間	の	悪	化
を	抑	え	る	こ	と	が	で	き	る	よ	う	に	な	っ	た	。								

（100字／200字／300字）

4 "最初に，次に" 展開法

実務手順を展開するのにぴったりの方法である。どのように実施したか（あるいはどのように実施するのか）が求められる要求事項に対して，手順を，「最初に（まず）…」「次に…」と列挙していく展開法である。ITサービスマネージャの午後Ⅱ試験においては，実施した対策やサービスマネジメントの仕組みについて，手順を含めて詳しく論述する際に役に立つ。

この展開法は，手順を説明することから，一般に論述量が多くなり，比較的簡単に制限字数まで到達することができる，というメリットがある。ネタに乏しく，制限字数に満たないおそれがあるとき，この展開法はとても有効である。

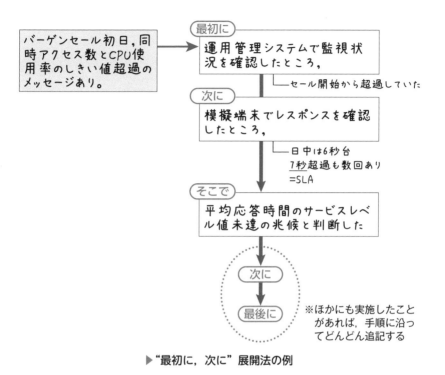

▶"最初に，次に"展開法の例

論述例

	1	2	3	4	5	6	7	8	9	10	11	12	13	14	15	16	17	18	19	20	21	22	23	24	25	
		先	日	，	冬	の	バ	ー	ゲ	ン	セ	ー	ル	初	日	に	あ	た	る	土	曜	日	の	日	中	
	に	，	同	時	ア	ク	セ	ス	数	お	よ	び	C	P	U	利	用	率	の	両	方	が	し	き	い	
	値	を	超	え	る	メ	ッ	セ	ー	ジ	が	管	理	コ	ン	ソ	ー	ル	に	出	力	さ	れ	た	。	
	そ	こ	で	，	ま	ず	は	運	用	管	理	シ	ス	テ	ム	の	監	視	状	況	を	確	認	し	た	100字
	と	こ	ろ	，	そ	の	日	は	バ	ー	ゲ	ン	セ	ー	ル	の	開	始	時	刻	か	ら	ず	っ	と，	
	し	き	い	値	を	超	過	し	て	い	る	こ	と	が	分	か	っ	た	。	次	に	，	模	擬	端	
	末	で	の	応	答	時	間	の	実	績	値	を	確	認	し	た	と	こ	ろ	，	そ	の	日	の	日	
	中	は	ほ	と	ん	ど	が	6	秒	台	で	あ	り	，	7	秒	を	超	え	る	こ	と	も	数	回	200字
	あ	っ	た	。	そ	こ	で	我	々	は	，	こ	れ	ら	の	事	象	を	画	面	の	平	均	応	答	
	時	間	の	サ	ー	ビ	ス	レ	ベ	ル	値	未	達	の	兆	候	と	判	断	し	，	対	策	の	検	
	討	を	進	め	る	こ	と	に	し	た	。															
																										300字

5 テクニックの目指す先

　午後Ⅰ試験対策でも述べたことを繰り返すが，ステップ法の極意は「**ステップを意識せずに論文を作成する**」ことにある。

　ステップ法を習熟すれば，自然に不要なステップを省略できるようになる。やがては，問題文に線を引いたり，枠で囲んだりしたあとで，余白にアイデアをメモするなどの準備をするだけで，論述を開始できるようになるだろう。

　それを信じてトレーニングに励んでほしい。

2 合格論文の作成例

平成21年午後Ⅱ問1を例に挙げて，論文を作成する手順を追ってみる。

作成例 変更管理プロセスの確実な実施について
（H21問1）

問1 変更管理プロセスの確実な実施について

　新商品の販売や制度変更への対応，提供機能の改善など，システムに対する様々な変更要求が発生する。一方，システムに対する変更にはリスクが存在し，事業に重大な影響を及ぼすこともある。このため，ITサービスマネージャは，変更要求の受付からその終了に至るまでの，変更を管理するための一連の手続（以下，変更管理プロセスという）を定め，確実に実施することが重要である。

　変更管理プロセスに問題があると，例えば，次のような事象が発生する。
　・変更要求の処理に時間が掛かる。
　・変更の失敗が度重なる。
　このような場合には，その原因となる変更管理プロセスの問題を特定し，その改善策を立案・実施することによって，再発を防止しなければならない。
　また，変更管理プロセスが確実に実施されていることを，定期的に確認する必要がある。このための方策としては，例えば，次のようなことが考えられる。
　・重要業績評価指標（KPI）などを用いて，実施状況をレビューする。
　・内部監査などによって，遵守状況をチェックする。
　あなたの経験と考えに基づいて，設問ア～ウに従って論述せよ。

設問ア　あなたが携わったITサービスの概要と，変更管理プロセスについて，800字以内で述べよ。

設問イ　設問アで述べた変更管理プロセスで，どのような事象が発生したか。その原因となる変更管理プロセスの問題は何であったか。また，再発を防止するためにどのような改善策を立案・実施したか。800字以上1,600字以内で具体的に述べよ。

設問ウ　変更管理プロセスが確実に実施されていることを，定期的に確認するために行っている方策について，今後の課題とともに，600字以上1,200字以内で具体的に述べよ。

設問文から章タイトル（前頁 ■■■■ 部分）を作り，問題文から該当するヒントを抜き出す（前頁┊┄┄┄┄┊部分）。章タイトルは，設問の要求事項に忠実に作成する。そうすることで，要求事項が抜けることによる不合格を防ぐことができる。

Step❷ 論述ネタを考える

Step❶ で組み立てた章立てより論述ネタを考える。

> 不適切なRFCを早期に却下していない
> → 不要な検討の実施

> ITILの変更管理プロセス

> 変更の優先度の付け方が不適切
> 優先度を付けていない

> まとめて処理できる変更を，個別に処理している

第1章 ITサービスの概要と変更管理プロセス

1.1 ITサービスの概要

1.2 変更管理プロセス

　　変更要求の受付からその終了に至るまでの，変更を管理するための一連の手続

第2章 変更管理で発生した問題点と改善策

2.1 変更管理で生じた事象とプロセスの問題

　　・変更要求の処理に時間が掛かる。

　　・変更の失敗が度重なる。

2.2 再発防止のための改善策

　　・重要業績評価指標(KPI)などを用いて，実施状況をレビューする。

　　・内部監査などによって，遵守状況をチェックする。

第3章 変更管理プロセスの確認と今後の課題

3.1 変更管理プロセスの確実な実施を確認する方策

3.2 今後の課題

> 緊急性の高いRFCの許可に時間が掛かる

> 利用者の要求を把握できていない

> 変更の実施を管理・調整していない

> レビューを行っていない

> 顧客満足度　インシデント数　クローズまでの時間　コスト
> 変更の成功率　緊急修正の件数　RFCの承認率　……

■ 第2章の論述ネタを考える

1.2節で提示した変更管理プロセスについて，その問題点と解決策を第2章で論述する。そのため，1.2節では問題を内包した変更管理プロセス（サービスマネジメントの正しい方法から若干内容が欠けたもの）を提示しておくと，第2章へ自然に展開することができる。

ITIL®は，変更管理プロセスを次のように提案している。

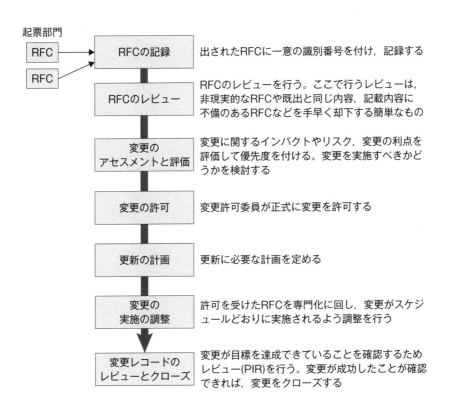

起票部門

| RFC | RFC |

RFCの記録	出されたRFCに一意の識別番号を付け，記録する
RFCのレビュー	RFCのレビューを行う。ここで行うレビューは，非現実的なRFCや既出と同じ内容，記載内容に不備のあるRFCなどを手早く却下する簡単なもの
変更のアセスメントと評価	変更に関するインパクトやリスク，変更の利点を評価して優先度を付ける。変更を実施すべきかどうかを検討する
変更の許可	変更許可委員が正式に変更を許可する
更新の計画	更新に必要な計画を定める
変更の実施の調整	許可を受けたRFCを専門化に回し，変更がスケジュールどおりに実施されるよう調整を行う
変更レコードのレビューとクローズ	変更が目標を達成できていることを確認するためレビュー(PIR)を行う。変更が成功したことが確認できれば，変更をクローズする

このITIL®のプロセスからいずれかのステップを省くと，問題が発生することになる。例えば，2番目のRFCのレビューを省くと，「不適切なRFCが却下されないままアセスメントに回される」ことになり，結果として変更要求の処理に時間がかかるという事象につながる。また，最後に行う変更レコードのレビューとクローズから**レビューを省く**と，変更が目標を達していることが評価されないため，変更の失敗につながることが予想できる。**変更の実施の調整を省いて**しまうと，変更がスケジュールど

おりに実施されなくなり，変更の遅れにつながる。逆に，無理なスケジュールを守ろうとすることで設計やテストがいい加減になり，変更の失敗につながることも十分考えられる。

　また，ステップそのものは省かずとも，ステップで行うべき活動が適切さを欠けば，問題が発生することになる。例えば，変更のアセスメントと評価では変更を評価して優先度を設定するが，この**優先度が不適切**であれば，重大な変更であるにもかかわらず，実装が遅れてしまうという問題が発生する。またITIL®では，変更のアセスメントと評価において，

> ・影響の大きな変更はCAB（Change Advisory Board：変更諮問委員会）が実施を検討する
> ・緊急性の高い変更でCABが招集できなければ，小人数のメンバからなる緊急CAB（ECAB）を招集する

と定めているが，**緊急CABの招集規定が定められていない**場合は，緊急性の高い変更について実施するかどうかの決断が遅れることになる。

　このように，ITIL®は論述ネタの宝庫である。ITサービスマネージャ試験の突破を目指すなら，ITIL®について十分理解しておきたい。

　さて，第3章には問題文中に明確なヒントはないが，第2章と同様に一般的なサービスマネジメントの知識から，論述の切り口を導き出すことができる。変更管理プロセスの成功を図る指標（KPI）として，

> ・顧客満足度
> ・クローズまでの時間
> ・（変更に起因する）インシデント数 → 少なければ変更の品質が高い
> ・変更の成功率
> ・RFCの承認率 → 適正値であれば変更の評価が適切である
> ・緊急修正の件数 → 多ければ，変更管理プロセスがうまくいっていない
> ・変更1件あたりの平均コスト

などが考えられる。これらを参考に，例えば，

> クローズまでの時間や変更の成功率は満足できる水準にあるが，コストや顧客満足度については満足できない。これらが今後の課題である

という切り口で論述を展開するとよい。

Step❸ 事例を選ぶ

　変更管理プロセスは，どのようなITサービスであっても必要なマネジメントであるため，事例を選ばない。変更管理の経験がなければ，これまで経験した事例に当てはめながら論述しよう。経験した事例が少なければ，標準的な事例を用いる。"××管理システム"のような業務系のシステムサービスは，比較的どのような問題にも適用できる，標準的な事例である。

　さて，次のような事例を挙げておく。

事例案

　私が携わったITサービスは，当社の販売管理システムサービスである。当社は事務機器の製造・販売を営んでおり，東京本社を中心に，横浜と大阪に販売拠点を設けている。販売管理システムは当社の営業活動を支援するシステムで，大きく"受注業務管理機能""出荷業務管理機能""製品在庫管理業務機能"から構成される。これらの機能は，東京本社のサーバ室に設置されたサーバで提供される。私は当社の情報システム部に所属し，ITサービスマネージャとして販売管理システムのサービス提供及び運用管理に携わった。

Step❹ 論述ネタをチェックする

　事例が定まったら，

❶ ☑ 問題文のすべての要求事項に答えているか？
❷ ☑ 章立ての中で，論述ネタは必要十分か？
❸ ☑ 事例と矛盾していないか？
❹ ☑ ネタの内容が，サービスマネジメントの手法として正しいか？

という観点から，論述ネタを今一度チェックしよう。

Step⑤ 論述ネタを展開し，論述する

Step④ でチェックした論述ネタをいくつか選び，展開する。ここでとり上げなかったネタについては，各自で展開・論述にチャレンジしてほしい。

■ 変更管理で生じた事象（2.1節の展開例1）

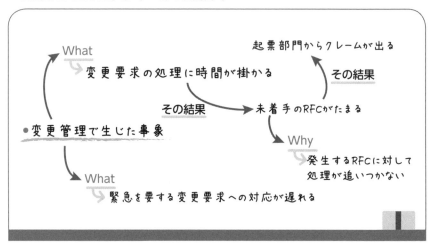

2.1節では，変更管理プロセスの問題点を導く前段階として，変更管理で生じた事象を論述する。そこで，まず生じた事象をとり上げ，次にそれぞれの事象について理由や具体例などを展開する。

同じことをいう場合でも，展開の形はさまざまある。例えば，**未着手のRFCがたまる**ことを事象としてとり上げた場合は，次のような展開になる。

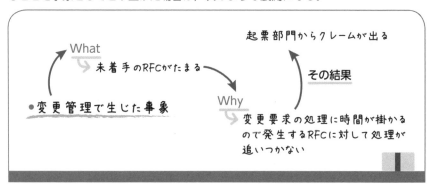

■ 受け付けたRFCをすべて評価に回していた（2.1節の展開例2）

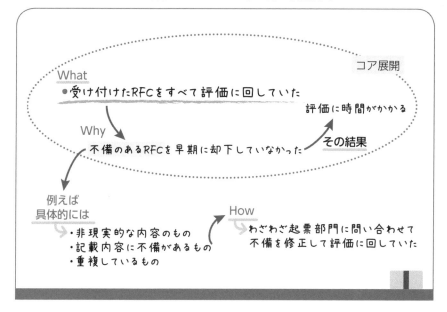

コアとなる展開は，

・不備のあるRFCを早期に却下していなかった

　　　→　受け付けたRFCがすべて評価に回っていた

　　　　　→　評価に時間がかかる

というものなので，これを軸に肉付けするように展開する。そこで，不備のあるRFCについて，「具体的には」という切り口で詳細を述べる。さらに「例えば」という切り口で実際にあった不備に言及してもよい。

　なお，ここでは問題のみをとり上げ，対策には踏み込まない（対策は2.2節で述べる）ため，「How」という切り口は用いずに「What，Why」を中心に展開する。

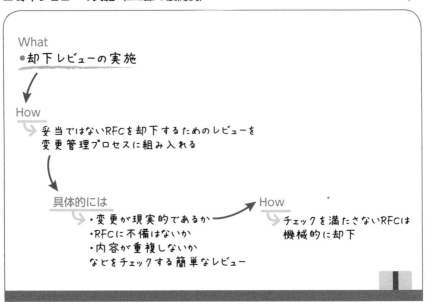

　2.1節の展開例2で展開した**受け付けたRFCをすべて評価に回していた**という問題点を受けて，2.2節で述べるその対応策を展開する。対応策にとり上げた却下レビューは，ステップ2で述べたITILプロセスにおけるRFCのレビューに相当する。却下レビューという名称は，展開時に思いついたもので公式な名称ではない。各自の企業で用いている独自の名称を使うと独自性や具体性が出て良いが，採点者に内容が伝わる名称にすることに留意してほしい。

　2.2節では対策を述べるため，2.1節とは異なり「What, How」を中心に展開する。レビューの詳細内容が2.1節の展開例2と重複するが，展開の段階では特に気にする必要はない。細かな形式を気にしだすと，肝心の展開が思いつかなくなってしまう。調整は論述時に行うと割り切って，展開を優先しよう。

■ 変更管理プロセスの確実な実施を確認する方策（3.1節の展開例）

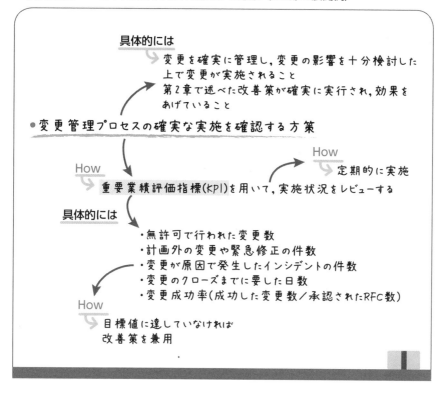

具体的には
→ 変更を確実に管理し，変更の影響を十分検討した上で変更が実施されること
第2章で述べた改善策が確実に実行され，効果をあげていること

● 変更管理プロセスの確実な実施を確認する方策

How
→ 定期的に実施

How
→ 重要業績評価指標(KPI)を用いて，実施状況をレビューする

具体的には
・無許可で行われた変更数
・計画外の変更や緊急修正の件数
・変更が原因で発生したインシデントの件数
・変更のクローズまでに要した日数
・変更成功率(成功した変更数／承認されたRFC数)

How
→ 目標値に達していなければ改善策を兼用

　3.1節の展開例も見ておこう。ここでは，変更管理プロセスの確実な実施を確認する方策について展開した。

　ここでも対策を述べるため，2.2節の展開例と同様に「What，How」を中心に展開する。論述に具体性を出すためにも，KPIについては詳細を述べる必要がある。この展開例では，ITIL®を参考にKPIを例示したが，特にITIL®を覚えていなくても，

　　・変更要求を変更管理が確実に管理している

　　　　→ 無許可で行われた変更数

　　　　→ 変更の成功率

　　・変更が場当たり的に行われていない

　　　　→ 計画外の変更件数

　　　　→ 緊急修正の件数

・第2章の対応策によって変更に要する時間が短縮された

　　　→ クローズまでに要した日数

などを導くことができる。単純なもの，平凡なもので構わないので，「効果を何で測ればよいか」を考えよう。

　このように論述ネタの展開を行ってきたが，最後にこれを元にした論述例を示す。

▌論述例

```
第1章　ITサービスの概要と変更管理プロセス
1.1　ITサービスの概要
　私が携わったITサービスは，当社の販売管理システ
ムサービスである。当社は事務機器の製造・販売を営ん
でおり，東京本社を中心に，横浜と大阪に販売拠点を設
けている。販売管理システムは当社の営業活動を支援す
るシステムで，大きく"受注業務管理機能""出荷業務
管理機能""製品在庫管理業務機能"から構成される。
これらの機能は，東京本社のサーバ室に設置されたサー
バで提供される。私は当社の情報システム部に所属し，
ITサービスマネージャとして販売管理システムのサー
ビス提供及び運用管理に携わった。
1.2　変更管理プロセス
　当社の変更管理プロセスは次の活動を行っている。
［1］RFCの記録
　RFCに一意の識別番号を付け，記録する。
［2］変更の評価
　変更に関するインパクトやリスク，変更の利点を評価
し，変更を実施すべきかどうかを検討する。重大な変更
については変更諮問委員会（CAB）が検討する。
［3］変更の許可
　変更許可委員が正式に変更を許可する。
［4］変更の計画
　変更の具体的な方法やスケジュールを計画する。
［5］変更の実施管理
　変更の実施を管理し，調整を行う。
［6］変更のクローズ
　実施した変更をレビューしてクローズする。
```

準備！
XX管理システムなどの業務システムは，問題を選ばない汎用的な事例。このような事例も用意しておこう。

定番
私の立場を一言述べると，システムとのかかわり合いが明確になる上に，ほんの少し字数も稼げる。

論述法
プロセスや手順を述べるような場合は，箇条書きを使ってもよい。箇条書きは勝手にインデントを付けない（字下げをしない）こと。

ITIL®作戦
ITIL®の標準プロセスからいくつか欠損させて第2章への布石を打っている。

480

第2章　変更管理で発生した問題と改善策
2．1　変更管理で生じた事象とプロセスの問題
　変更管理プロセスを通じて，変更要求の処理に時間が掛かるという事象が生じた。発生するRFCに対して処理が追いつかないため，未着手のRFCがたまってしまい，起票部門からクレームが出ることもあった。また，緊急を要する変更要求への対応が遅れるという事態も生じた。

　これらの原因を調査したところ，変更管理プロセスに次のような問題があることが判明した。
（1）受け付けたRFCをすべて評価に回していた
　起票部門から提出されたRFCの中には，
・非現実的な内容のもの
・記載内容に不備があるもの
・重複しているもの
が含まれていることがある。これらを早期に却下するプロセスを持たなかったため，これらがすべて評価に回されてしまい，評価に時間が掛かっていた。記載内容の不備については，わざわざ起票部門に問い合わせて不備を修正して評価することもあった。
（2）CABの緊急招集を行う手順がなかった
　影響が大きい変更要求はCAB（変更諮問委員会）に回されて検討されることになっていた。ところが，CABは月に1回しか開催されず，タイミングを逃すと次のCABの開催まで1か月近く待つことになるため，緊急性の高い変更要求が重大と判断されてCABの開催を待ったため，かえって対応が遅れることもあった。
（3）非効率な変更スケジュール
　許可された変更は，優先度の順に1件ずつスケジュールされる。そのため，まとめて実装できる変更であっても，個別にスケジューリングされ，個別に実装されることもあった。
2．2　再発防止のための改善策
　2．1で述べた問題を解決するため，次の改善策を立案して実施した。
（1）却下レビューの実施
　変更の評価に先だって，妥当ではないRFCを却下するためのレビューを組み入れた。レビューは，変更が現実的であるか，RFCに不備はないか，内容が重複しないかなどの項目をチェックする簡単なもので，チェックを一つでも満たさないRFCは機械的に却下した。
（2）緊急CABを招集する規定の作成
　重大で緊急性を要する変更を検討するため，緊急CABを招集する規定を作成した。緊急CABは，必要最小限のメンバだけで開催できるように定めた。
（3）スケジューリングの改善
　同じリソースに対する変更などを，まとめて実装するようにスケジューリングを改善した。これを行うため，変更スケジュールをすべての変更管理要員が共有できるよう見える化を徹底した。

プロセス上の問題をユニットとしているので，**最初に問題を導く事象を述べる**。事象を述べるのは設問の要求事項なので，必ず論述する！

生じた事象
↓
問題1
↓
問題2
↓
問題3

文字数にもよるが，「非現実的な内容のもの」に対して，更に「例えば…」と展開を加えると，よりわかりやすかった。

緊急手順が規定されていないことは，トラブルの典型的な原因である。**定番ネタ**として押さえておこう。

一度に実装できる変更をまとめて実施することも，効率化の**定番ネタ**！

2.1の問題に対応させるよう，解決法を論述する。ユニット数は十分なので，ユニットの文字数は気にしなくてよい。

第2章は箇条書きや節項が多い場合は，文字数は
行数文字数×0.8
と見積もろう。
実際には1,050字程度である。

論文を通じて業務への言及が少なく，具体性に乏しいと評価されるおそれがある。「例えば」「具体的には」の切り口をもっと意識すべきであった。

❷演習編

午後Ⅱ─①攻略テクニック

第3章　変更管理プロセスの確認と今後の課題
3．1　変更管理プロセスの確実な実施を確認する方策
　変更管理プロセスの導入前は、変更は業務部門の都合で場当たり的に行われることが多く、変更を原因とするインシデントが発生することもあった。変更管理プロセスの導入後は、変更を確実に管理し、変更の影響を十分検討した上で変更が実施されなければならない。また、第2章で述べた改善策が確実に実行され、効果をあげているかどうかも確かめなければならない。これらを確認するため、私は、
・無許可で行われた変更数
・計画外の変更や緊急修正の件数
・変更が原因で発生したインシデントの件数
・変更のクローズまでに要した日数
・変更成功率（成功した変更数／承認されたRFC数）
を指標として定期的なレビューを実施した。これらの指標が目標値に達していない場合は、さらに改善策の検討を行うことで、継続的な改善活動に取り組んでいる。
3．2　今後の課題
　当社は変更管理プロセスを導入したばかりであるため、変更を確実に管理することに重点を置いて活動に取り組んでいる。3．1で挙げた指標も、これを確認するためのもので、レビューを重ねる毎に実績は改善している。その一方で、顧客満足度やコスト面については、評価を怠っている。今後はより高い品質、より効率的な運用管理を行うため、
・変更に対する利用部門の満足度
・変更に要したコスト
なども評価の指標に加え、その実績値を継続的に見ていくことによって、改善活動に取り組むことを計画している。

100字　200字　300字　400字　500字　600字　700字

前置きが長く整理されていない印象を受けるが、気にしない。細かいことを気にしていると、ペンが進まなくなる。

「変更管理プロセスを導入したばかり」であることは、本来ならもっと前で述べるべきだが、細かいことは気にしない！

第3章は箇条書きや節項が多いため、空白が多くなっている。このような場合、実質文字数は「行数文字数×0.8」で見積もる。行数文字数が775字なので、実質文字数は620字。600字を超えてはいるがギリギリなので、もう少し書いた方がよい。たとえば、満足度はどのように算出するかなど、**具体的な論述を加えよう。**

第5部

午後Ⅱ試験対策
—②問題演習

1 問題演習の前に

1 午後Ⅱ解法テクニック

1 「問題分析メモ」を作ってみよう！

2 **午後Ⅱ問題の演習**で提示する「**問題分析メモ**」は，午後Ⅱ試験の問題文を分析して，それを問題用紙に書き込んだものである。**午後Ⅱ試験では，問題文を開いたらまず，この問題分析を行って，問題用紙に直接書き込んでいくとよい。**そうすることによって答案の全体の構成と章立て，論述すべき観点を把握し，内容の抜けや論点のズレを防ぐことができるようになる。

■ 問題分析の方法

次の**❶**〜**❸**を問題用紙に書き込んで，短時間で問題全体を把握して論述の見通しを立ててほしい。

❶ 設問文を読んで，**要求事項（＝論述すべき事柄）に線を引き，1.1，1.2のように，章・節の番号を付けていく。**これによって，これから論述する答案の全体の構成と章立てを把握できる。設問文は，要求事項とその他の指示から成り立っているので，それらを切り分ける。

❷ 問題文を読んで，**各設問に関連する記述を探し，設問文との対応を問題文に書き込む。**これによって，論述にすべき観点や方向性を確認できる。問題文は，設問アのヒント，設問イのヒント，設問ウのヒント，の順に書かれていることが多い。

❸ **❶❷**の作業結果から，**自分が論述する事柄を取捨選択し，ネタ出しをする。**

※本書では，かなり細かくメモした例を提示しているが，本番の試験では時間が限られているため，ここまで詳細に行う必要はない。

2 「論述設計シート」とは

同様に 2 で提示する「**論述設計シート**」は，論述答案を作る際の設計書であり，「午後Ⅱ問題の解き方」で紹介したステップ法に則って章立てを作り，事例を選んで論述ネタを出した内容をまとめたものである。

設問ア～ウの解答に当たる各章の章立てと，論述のあらすじを示している。ステップ法によるネタ出しの結果，**これからこの内容について論述します，という骨子を示した概要設計書**と考えてほしい。

本番の試験では時間が限られているため，このような設計書を作っている余裕はないが，論述演習をする際に，初めのうちはこのような論述設計シートを作っておくと，論述答案の骨組みを把握するのに役に立つ。演習を重ねていく中で，シートをわざわざ作らなくても骨組みを作れるようになるのが理想的である。

3 "論述の対象とするITサービスの概要" は必ず書こう！

答案用紙の解答欄は，"論述の対象とするITサービスの概要"と"本文"に分かれている。そして，問題冊子の裏表紙には"論述の対象とするITサービスの概要"を全項目について記入していない場合や項目間に矛盾があるなど適切に答えていない場合には減点されることが明記されている。漏れなく記入するようにしよう。

1 サービスレベル管理

問1 **サービスレベル管理におけるサービスレベルの合意について** （出題年度：R5問1）

*制限時間2時間

　サービスレベルの維持を目的として行うサービスレベル管理において，顧客ニーズを満たすために必要なサービスレベルを定義，文書化及び合意することは，ITサービスマネージャの重要な業務である。SLAは，サービスの条件及びサービスレベル目標を記述する文書であり，顧客の視点でサービスレベル目標を定義することが望まれることから，サービス提供組織（以下，組織という）と顧客とのサービスレベルの合意に向けた取組が重要となる。

　顧客のサービス要求事項は，事業環境の変化，社会環境の変化及び情報技術の進展などによって多様化・複雑化・高度化している。例えば，QRコード決済サービスへの高い耐障害性，個人情報を扱うサービスへの高いセキュリティ性などがある。

　また，組織においては，AI，自動化技術などの新技術活用による品質向上・効率向上が期待される一方，設備面・体制面・費用面などの制約が考えられる。組織と顧客とのサービスレベルの合意に向けた取組に当たっては，サービス提供に関わる内部供給者及び外部共給者（以下，サプライヤという）のサービスレベル目標又は契約との整合性が必要となり，サプライヤとの協議・調整も欠かせない。

　サービス開始後，サービスレベル目標を満たせない事態の発生又は兆候を認識した場合には，必要に応じてサービスの条件及びサービスレベル目標を再定義する。また，SLAの見直しに関わるサービスレベル管理の仕組みを確立することも重要である。

　あなたの経験と考えに基づいて，設問ア〜ウに従って論述せよ。

設問ア　あなたが携わったITサービスの概要と，サービスレベルの合意に向けて，顧客との交渉で討議の対象となったサービスレベル項目，及び討議を要することとなった背景について，800字以内で述べよ。

設問イ　設問アで述べたサービスレベル項目について，サービスレベルの合意に向けた取組，及びSLAの見直しに関わるサービスレベル管理の仕組みについて，800字以上1,600字以内で具体的に述べよ。

設問ウ　設問イで述べたサービスレベルの合意に向けた取組を，どのように評価して

いるか。また，サービスレベル管理における今後の課題は何か。600字以上1,200字以内で具体的に述べよ。

●問題分析メモ

問1　サービスレベル管理におけるサービスレベルの合意について

設問アのヒント

　サービスレベルの維持を目的として行うサービスレベル管理において，顧客ニーズを満たすために必要なサービスレベルを定義，文書化及び合意することは，ITサービスマネージャの重要な業務である。SLAは，サービスの条件及びサービスレベル目標を記述する文書であり，顧客の視点でサービスレベル目標を定義することが望まれることから，サービス提供組織（以下，組織という）と顧客とのサービスレベルの合意に向けた取組が重要となる。 （要求事項の変化）

設問イ・（設問ウ）のヒント

　顧客のサービス要求事項は，事業環境の変化，社会環境の変化及び情報技術の進展などによって多様化・複雑化・高度化している。例えば，QRコード決済サービスへの高い耐障害性，個人情報を扱うサービスへの高いセキュリティ性などがある。 （制約）

　また，組織においては，AI，自動化技術などの新技術活用による品質向上・効率向上が期待される一方，設備面・体制面・費用面などの制約が考えられる。組織と顧客とのサービスレベルの合意に向けた取組に当たっては，サービス提供に関わる内部供給者及び外部共給者（以下，サプライヤという）のサービスレベル目標又は契約との整合性が必要となり，サプライヤとの協議・調整も欠かせない。 （サプライヤとの整合）

2.1 合意に向けた取組のヒント

　サービス開始後，サービスレベル目標を満たせない事態の発生又は兆候を認識した場合には，必要に応じてサービスの条件及びサービスレベル目標を再定義する。また，SLAの見直しに関わるサービスレベル管理の仕組みを確立することも重要である。

2.2 見直しのヒント

　あなたの経験と考えに基づいて，設問ア〜ウに従って論述せよ。

〔問題文を見逃すな!!（設問文にはない観点のヒントがたくさん書かれている）〕

設問ア　第1章　あなたが携わったITサービスの概要と，サービスレベルの合意に向けて，顧客との交渉で討議の対象となったサービスレベル項目，及び討議を要することとなった背景について，800字以内で述べよ。

設問イ　第2章　設問アで述べたサービスレベル項目について，サービスレベルの合意に向けた取組，及びSLAの見直しに関わるサービスレベル管理の仕組みについて，800字以上1,600字以内で具体的に述べよ。

設問ウ　第3章　設問イで述べたサービスレベルの合意に向けた取組を，どのように評価しているか。また，サービスレベル管理における今後の課題は何か。600字以上1,200字以内で具体的に述べよ。

タイトルと論述ネタ	あらすじ
第1章　ITサービスの概要と顧客と討議したサービスレベル項目	
1.1　私が携わったITサービスの概要	
A社の技術情報管理システム	A社は最先端技術の研究開発を行っている会社と，その技術を応用して製品開発を行う会社とを結び付けるビジネスを行っている。研究開発を行う会社の技術情報をA社の技術情報管理システムで保管し，その一部を抜粋して製品開発を行いたい会社が参照。製品開発に適用できると判断されたら，両社をマッチングする。
1.2　顧客との討議の対象となったサービスレベル項目とその背景	
A社は高い情報セキュリティを要求 可用性・完全性・機密性の検討	このシステムでは未発表の技術情報を扱うため，A社は当社に高い情報セキュリティを要求した。
可用性：ニーズは低い。	情報を即時参照できなければならない必要性は低い。オリジナルの情報は研究開発を行う会社が保有しているため，仮にA社内で情報が破損して利用できなくなっても，再度送ってもらい復元できる。
完全性：ニーズは低い。	何らかの理由で情報の完全性が損なわれても，最終的には情報提供元の研究開発会社が自社の正確な情報に基づいて相手先と交渉を進める。
機密性：重要。重視すべきサービスレベル項目に。	未発表の技術情報が競合他社に漏れたら，悪用される恐れがあり，A社の信用にかかわる。そこで，重視すべきサービスレベル項目として，私はA社と機密性について交渉することにした。
第2章　サービスレベルの合意に向けた取組とSLAの見直しに関わるサービスレベル管理の仕組み	
2.1　サービスレベルの合意に向けた取組	
情報漏えいをゼロにしたいという顧客のニーズ	情報セキュリティにおいて完璧な機密性を実現することは不可能。リスクや費用との兼ね合いから妥当なレベルを定め，合意してもらう必要がある。
機密性のレベルの検討	どの程度の機密性のレベルがA社にとって妥当なのか，その認識はまちまちであり定義は難しい。そこで私は，多くの顧客に受け入れられている標準的なレベルを提示し，それを元に妥当なレベルの討議に入ることにした。
当社基準の「レベルA」を打診	未発表の技術情報であれば，重要度はかなり高いと考えられるため，A社には当社基準の機密性のランクで最も高い「レベルA」での契約を打診した。A社とは討議の結果，合意を得ることができ，「レベルA」の機密性を提供することに決まった。

2.2　SLAの見直しに関わるサービスレベル管理の仕組み

世の中の環境変化：情報セキュリティの重要性の高まり	A社の顧客からA社への情報セキュリティに関する問合せが増えてきた。そこで，A社から"当社の機密性のレベルについて，客観的に顧客に納得がいく説明ができるようにしてほしい"と依頼された。
社会的に広く認知されている基準や認証制度の採用	もはや，当社の基準ではA社の顧客も含めて納得してもらうのは困難な状況になった。私は，社会的に広く認知されている基準や認証制度に基づくのが最も説得力があると考えた。そこで，A社が扱う情報が技術情報であるという点に着目して，経済産業省が推進している「技術情報管理認証制度」を活用することにした。
コンサルタントの指導，技術情報管理認証の取得	私は，この制度に詳しいコンサルタントをA社に紹介し，そのコンサルタントの指導で技術情報管理認証を取得してもらうことにした。この活動によって，A社は主体的に情報セキュリティに取り組み，継続的に改善を行う体制が作られた。
チェックリストの利用，外部監査の実施	公表されている「技術情報管理のチェックリスト」に記載されている，経営の視点と実務の視点から必要な管理策を実施するという対策ベースで，機密性対策のレベルを示すことにした。さらに外部監査を受け，監査報告書をA社に提出することにした。

第3章　評価と今後の課題

3.1　サービスレベル合意に向けた取組の評価

サービスレベルの合意に向けた考え	質の良いサービスには費用がかかる。さらに，完璧なレベルを実現することは現実には不可能である。このことを顧客に理解してもらえないと，互いに納得のいくサービスレベルの合意は難しい。
"基準を示したうえでの合意"の評価	このことから，今回実施した"互いが納得できる基準を示した上でサービスレベルについて合意する"という取組は，適切な進め方であったと私は考える。多くの顧客から受け入れられている当社基準を示すことで，契約時に顧客とスムーズにサービスレベルの合意ができた。
変化に対応し，臨機応変に見直しを行ったことへの評価	ITの進化や世の中のIT環境の変化によって，適切なサービスレベルの考え方は変化する。特に，情報セキュリティに関しては，世の中の関心も高く，たくさんの基準やガイドライン，認証制度などが作られている。このような世の中の変化に応じて，サービスレベルや元にする基準の見直しを行い，臨機応変に変更していったことも結果的に正しかったと考えている。

	A社に見合った基準の選択の評価	目的に応じて最適な基準を選択することも重要である。A社が取り扱う技術情報に見合った「技術情報管理認証制度」を選択した私の判断は間違っていなかったと評価している。
3.2	サービスレベル管理における今後の課題	
	継続的改善の取組の強化	今回，コンサルタントの指導の下A社に整備した継続的改善を行える体制・仕組みは，情報セキュリティを維持していく上では欠かせないと私は考える。当社においても，いったん合意したレベルや対策にとどまることなく，動向の変化に合わせた改善を当社から各顧客に継続的に働きかけることができるように，サービスレベル管理における継続的改善の取組を強化していくことが今後の課題であると考えている。

問1 解 答 例

第1章　ITサービスの概要と顧客と討議したサービスレベル項目

1.1　私が携わったITサービスの概要

　当社は情報システムの開発・運用を請け負っている。私は数社の顧客のシステム運用を担うITサービスマネージャである。私が運用しているシステムの一つにA社の技術情報管理システムがある。A社は最先端技術の研究開発を行っている会社と，その技術を応用して製品開発を行う会社とを結び付けるビジネスを行っている。研究開発を行う会社の技術情報をA社の技術情報管理システムで保管し，その一部を抜粋して製品開発を行いたい会社に参照してもらう。そして，製品開発に適用できると判断されたら，両社をマッチングする。

1.2　顧客との討議の対象となったサービスレベル項目とその背景

　このシステムでは未発表の技術情報を扱うため，A社は当社に高い情報セキュリティを要求した。情報セキュリティは機密性，完全性，可用性の三つの要素から成り立つ。二つの会社をマッチングさせるには相当の期間を要するため，情報を即時に参照できなければならない必要性は低い。オリジナルの情報は研究開発を行う会社が保有しているため，仮にA社内で情報が破損して利用できなくなっても，再度送ってもらい復元できる。したがって，可用性のニーズは低いと判断した。また，A社で情報を更新することはなく，仮に何らかの理由で情報の完全性が損なわれても，最終的には情報提供元の研究開発会社が自社の正確な情報に基づいて相手先と交渉を進める。そ

のため，完全性へのニーズも低い。しかし，未発表の技術情報が競合他社に漏れたら，悪用される恐れがある。そのため，機密性が維持できなければA社の信用にかかわる。そこで，重視すべきサービスレベル項目として，私はA社と機密性について交渉することにした。

第2章　サービスレベルの合意に向けた取組とSLAの見直しに関わるサービスレベル管理の仕組み

2.1　サービスレベルの合意に向けた取組

　情報漏洩をゼロにしたいと考えるのは自然なことであるが，情報セキュリティにおいて完璧な機密性を実現することは不可能である。リスクや費用との兼ね合いから妥当なレベルを定め，合意してもらう必要がある。しかし，情報漏洩をゼロにしたいと考えるA社に漏洩のリスクを納得してもらうのは容易なことではなかった。

　どの程度の機密性のレベルがA社にとって妥当なのか，その認識はまちまちであり定義は難しい。そこで私は，多くの顧客に受け入れられている標準的なレベルを提示し，それを元に妥当なレベルの討議に入ることにした。当社では多くの顧客に対してサービスレベルの基準を提示しており，取り扱う情報の重要性に応じて，機密性のランクを「レベルA」「レベルB」「レベルC」の三段階に分けている。「レベルA」が最も機密性のレベルが高く，その分，費用も高い。未発表の技術情報であれば，重要度はかなり高いと考えられるため，A社には「レベルA」での契約を打診した。A社とは討議の結果，合意を得ることができ，「レベルA」の機密性を提供することに決まった。A社は自社内では具体的な機密性の要求レベルを決めかねていたことから，当社基準を元に検討することで，スムーズな意思決定ができたようである。

2.2　SLAの見直しに関わるサービスレベル管理の仕組み

　契約を締結し，当社でA社の技術情報管理システムの運用を開始して以後，情報漏洩を含めたセキュリティ事故は発生していない。しかし，世の中では非IT企業の情報セキュリティの重要性が高まるという環境変化があった。これによって，A社の顧客からA社への情報セキュリティに関する問合せが増えてきた。そこで，A社から"当社の機密性のレベルについて，客観的に顧客に納得がいく説明ができるようにしてほしい"と依頼された。もはや，IT事業者の一社に過ぎない当社の基準ではA社の顧客も含めて納得してもらうのは困難な状況になった。私は，社会的に広く認知されている基準や認証制度に基づくのが最も説得力があると考えた。情報セキュリティについては第三者認証制度としてISMS認証があるが，ISMS認証はセキュリティレベルを保証するものではない。そこで，A社が扱う情報が技術情報であるという点に着目して，

経済産業省が推進している「技術情報管理認証制度」を活用することにした。これは，国として保護すべき価値のある技術情報を守る制度であり，この認証を受けていれば，顧客に客観的な説明ができる。

そこで私は，この制度に詳しいコンサルタントをＡ社に紹介し，そのコンサルタントの指導で技術情報管理認証を取得してもらうことにした。この活動によって，Ａ社は主体的に情報セキュリティに取り組み，継続的に改善を行う体制が作られた。当社に対しても，Ａ社の委託先として，安全管理措置と対応レベルについて客観的に示すことが求められた。そこで，公表されている「技術情報管理のチェックリスト」に記載されている，経営の視点と実務の視点から必要な管理策を実施するという対策ベースで，機密性対策のレベルを示すことにした。さらに外部監査を受け，監査報告書をＡ社に提出することにした。

第3章　評価と今後の課題

3.1　サービスレベル合意に向けた取組の評価

顧客は常に高いサービスレベルを求める。しかし，質の良いサービスには費用がかかる。さらに，完璧なレベルを実現することは現実には不可能である。私は，このことを顧客に理解してもらえないと，互いに納得のいくサービスレベルの合意は難しいと考えている。特に，完璧が無理ならばどこまでが許容範囲か，ということについては，サービス提供側とサービス利用側で常にせめぎ合いがある。

このことから，今回実施した"互いが納得できる基準を示した上でサービスレベルについて合意する"という取組は，適切な進め方であったと私は考える。まずは多くの顧客から受け入れられている当社基準を示すことで，契約時に顧客とスムーズにサービスレベルの合意ができた。

ITの進化や世の中のIT環境の変化によって，適切なサービスレベルの考え方は変化する。特に，情報セキュリティに関しては，世の中の関心も高く，たくさんの基準やガイドライン，認証制度などが作られている。このような世の中の変化に応じて，サービスレベルや元にする基準の見直しを行い，臨機応変に変更していったことも結果的に正しかったと考えている。また，目的に応じて最適な基準を選択することも重要である。その点においても，Ａ社が取り扱う技術情報に見合った「技術情報管理認証制度」を選択した私の判断は間違っていなかったと評価している。

3.2　サービスレベル管理における今後の課題

技術動向やセキュリティ動向は変化の激しい領域である。今回，コンサルタントの指導の下Ａ社に整備した継続的改善を行える体制・仕組みは，情報セキュリティを維

持していく上では欠かせないと私は考える。当社においても，いったん合意したレベルや対策にとどまることなく，動向の変化に合わせた改善を当社から各顧客に継続的に働きかけることができるように，サービスレベル管理における継続的改善の取組を強化していくことが今後の課題であると考えている。この課題に前向きに取り組んでいきたい。

＊制限時間2時間

　ITサービスマネージャは，変更管理プロセスと連携しながら，リリース及び展開管理プロセスの活動を行う。

　リリースを安全に展開するため，リリース及び展開の計画（以下，展開計画という）を策定する。展開計画の策定に先立って，リスクを特定し，次のような検討を行う。

- ・リリースがサービスに与えるリスクを分析，評価し，リスクを最小限にとどめるための回避策又は軽減策を検討する。
- ・リリースがサービスに影響を与えないことを，展開前に本番環境に近い環境で試験し，試験では確認できないリスクを明確にした上で，その回避策又は軽減策を検討する。
- ・インシデント発生リスクを軽減させるため，展開後の稼働状態の監視方法を検討する。

　特定したリスクと検討した結果に基づき，リスクを回避又は軽減させるための方策をまとめ，リリースを安全に展開するための展開計画を策定する。例えば，

- ・展開時に発生する想定外の事態に備えて，影響の小さい機能や対象範囲から段階的に展開を行う。
- ・DevOpsの採用などによって，頻繁に展開を行う場合には，展開作業の自動化を行って作業時間の短縮や展開作業におけるミスの混入を防止する。

　また，展開実施後は，リスクを回避又は軽減するために採用した方策及び展開計画の有効性をレビューし，今後の展開に備えることが重要である。

　あなたの経験と考えに基づいて，設問ア～ウに従って論述せよ。

設問ア　あなたが携わったITサービスの概要と，リリースの内容，及び特定したリスクについて，800字以内で述べよ。

設問イ　設問アで述べたリスクを回避又は軽減するために採用した方策，及び展開計画について，根拠と期待した効果を含めて，800字以上1,600字以内で具体的に述べよ。

設問ウ　展開実施後のレビュー結果を踏まえ，採用した方策及び展開計画の評価と課題について，600字以上1,200字以内で具体的に述べよ。

●問題分析メモ──────────────

問2　リリース及び展開の計画について

設問アの
ヒント

　ITサービスマネージャは，変更管理プロセスと連携しながら，リリース及び展開管理プロセスの活動を行う。

　リリースを安全に展開するため，リリース及び展開の計画（以下，展開計画という）を策定する。展開計画の策定に先立って，リスクを特定し，次のような検討を行う。

・リリースがサービスに与える**リスクを分析，評価**し，リスクを最小限にとどめるための回避策又は軽減策を検討する。

・リリースがサービスに影響を与えないことを，展開前に本番環境に近い環境で**試験**し，試験では確認できないリスクを明確にした上で，その回避策又は軽減策を検討する。

設問文には**ない観点**のヒント ──

1.3
リスクの
特定と
2.1
方策の例

・インシデント発生リスクを軽減させるため，展開後の**稼働状態の監視**方法を検討する。

設問イの
ヒント

　特定したリスクと検討した結果に基づき，リスクを回避又は軽減させるための方策をまとめ，リリースを安全に展開するための展開計画を策定する。例えば，

計画の工夫

・展開時に発生する想定外の事態に備えて，**影響の小さい機能や対象範囲から段階的に展開を行う。**
　↑ CI/CD（継続的インテグレーション／継続的デリバリ）を意味する
期待した効果

・DevOpsの採用などによって，頻繁に展開を行う場合には，**展開作業の自動化**を行って作業時間の短縮や展開作業におけるミスの混入を防止する。

2.1
方策と
2.2
展開計画
の例

設問ウの
ヒント

　また，展開実施後は，リスクを回避又は軽減するために採用した方策及び展開計画の有効性をレビューし，今後の展開に備えることが重要である。

　あなたの経験と考えに基づいて，設問ア～ウに従って論述せよ。

第1章

設問ア　あなたが携わった**ITサービスの概要**と，**リリースの内容**，及び**特定したリスク**について，800字以内で述べよ。
（1.1　1.2　1.3）

第2章

設問イ　設問アで述べた**リスクを回避又は軽減するために採用した方策**，及び**展開計画**について，根拠と期待した効果を含めて，800字以上1,600字以内で具体的に述べよ。
（2.1　2.2）
　　　← 指示・条件

第3章

設問ウ　展開実施後のレビュー結果を踏まえ，**採用した方策及び展開計画の評価と課題**について，600字以上1,200字以内で具体的に述べよ。
（3.1　3.2）

タイトルと論述ネタ	あらすじ

第1章　ITサービスの概要とリリースの内容及び特定したリスク

1.1　私が携わったITサービスの概要

| ドラッグストアチェーンの情報システム | 　私が担当している顧客は，全国展開しているドラッグストアチェーンA社である。A社の事業を支える全ての情報システムについて，A社の情報システム部門と協力して当社が開発及びサービスマネジメント業務を担っている。
　A社はITを活用した業務の効率化と顧客サービスの拡大に熱心である。良好なサービスを競合他社よりも先に展開することが競争力に直結する。 |

1.2　リリースの内容と特定したリスク

| 需要予測システムと在庫管理システムを連携させるシステムの開発
・展開でシステムに障害が発生したら店舗が休業に追い込まれるリスク | 　A社では各店舗で在庫を保有しており，在庫管理業務は各店舗で実施しているため，新システムの全店舗への展開が必要になる。
　在庫管理システムに障害が発生して停止したら，店舗のオペレーションは成り立たず，休業せざるをえないことになる。今回の新システムを展開した結果として，業務停止の事態が生じる可能性があることを私はリスクととらえた。このリスクに適切に対処するために，開発プロジェクトが始まる前に，安全で確実なリリース及び展開の計画を検討することにした。 |

第2章　リスク軽減のために採用した方策と展開計画

2.1　（方策1）段階的な展開

方策の考え方：発生したときの影響度を小さくする	リスクを軽減するには，リスクの発生確率を低くするか，またはリスクが発生したときの影響度を小さくする必要がある。今回想定しているリスク要因は障害の発生である。運用側である私は，障害の発生はあり得るという前提に立ち，主に発生したときの影響度を小さくする方策を考えることにした。
方策：段階的展開	展開時の障害発生による影響を軽減するために，リリースを段階的に店舗に展開することを考えた。段階的展開も回数が多くなりすぎると，展開に要する作業負荷がA社にとって負担となる。そこで，障害が発生したときに生じる影響と展開の回数とのバランスを取るよう，A社と共に検討した。その結果，エリアを5つの地域に分けて，地域ごとに展開することにした。そして，その中で最も店舗数の少ない九州地区に最初に展開する計画とした。5回に分けて展開することで，先に展開した店舗からフィード
計画： ・5エリアに分けて地域ごと展開 ・店舗数の少ない九州地区から着手	

| | バックを得て，展開だけでなく在庫管理業務の改善も図れる。このような付加的効果も狙った。 |

2.2 （方策2）CI/CDツールの適用とDevOpsの取組み

| 方策の考え方：障害の発生を予防する

方策：CI/CDツールの導入
計画：展開作業の自動化，作業ミスの削減

方策：DevOpsの取組み
計画：経営層に提案し，実現に向けた体制作り | 障害の発生原因は，開発時のバグの混入だけではない。展開作業中に誤ったプログラムを展開したり，一部のプログラムの展開が漏れたりするミスも起こりうる。私は，今回のリリースの展開を契機に，CI/CD（継続的インテグレーション／継続的デリバリ）ツールを導入して，展開作業の自動化を図り，作業ミスの発生を減らすことにした。
　ツールの導入だけでなく，この機会にDevOpsの活動を始める計画を立てた。DevOpsによる開発側との協働を実現させるため，会社として体制を整えるよう経営層に提案した。
　ドラッグストア業界及びA社には，新しいシステムやサービスを迅速に採り入れたいというニーズがある。DevOpsの活動は，頻繁で安全な展開サイクルの実現につながる。当社がDevOpsに取り組めば，A社のニーズに対応しやすくなり，顧客満足度を向上させることもできると考えた。この案は社内で採用され，A社にも提案し正式に受け入れてもらえた。 |

第3章　評価と課題

3.1　採用した方策及び展開計画の評価

| 評価：
・大きなトラブルなく全店舗に展開できた

・他店舗への展開結果のフィードバックによるスムーズな業務開始

・ツールの導入・DevOpsの取組み開始によるA社への迅速な対応の実現 | 　プロジェクト開始前に安全で確実なリリース及び展開の計画を策定し実施したことで，大きなトラブルなく新システムを全ての店舗に段階的に展開することができた。いつ，どの店舗に新システムが適用されるかを事前に周知できたので，A社の事業展開にも店舗業務にも混乱をきたすことなく済んだことは，高く評価したい。これは，事前にリスクを考慮して対策を実施した結果である。
　5つの地域に分けて段階的に展開範囲を拡げたことで，先に新システムでの業務を始めた店舗からの試行錯誤の結果がフィードバックされ，後続の店舗はスムーズに新システムでの業務を開始できるようになった。このことは，A社から高く評価された。
　また，CI/CDツールの導入やDevOpsの取組みを始めたことで，今後のA社の事業展開により迅速に貢献できるようになった。この効果を実感できるのは今後のことになるが，少なくともサービス提供者として一定の準備ができたと考えている。 |

課題：顧客重視のDevOpsの取組み	開発側と運用側では，業務上常識と考えていることや使用する用語にも違いがあり，当初は意思疎通がなかなか難しかった。しかし，顧客により良いサービスを提供するという目的は一つである。顧客のためにできることを実施しながら，改善点を常に見出すようにして，DevOpsを高いレベルで実現できるようにすることが，今後の課題である。

問2 解 答 例

第1章　ITサービスの概要とリリースの内容及び特定したリスク

1.1　私が携わったITサービスの概要

　私が所属する会社は，顧客企業の情報システムに関する開発とサービスマネジメント業務を請け負っている。私が担当している顧客は，全国展開しているドラッグストアチェーンA社である。A社の事業を支える全ての情報システムについて，A社の情報システム部門と協力して当社が開発及びサービスマネジメント業務を担っている。

　A社はITを活用した業務の効率化と顧客サービスの拡大に熱心な会社である。競合他社もIT活用に熱心な会社が多く，良好なサービスを他社よりも先に展開することが競争力に直結する。

1.2　リリースの内容と特定したリスク

　このたび顧客ニーズに合わせた商品の品揃えを迅速に行うために，需要予測システムと在庫管理システムを連携させるシステムの開発に取り組んだ。A社では各店舗で在庫を保有しており，在庫管理業務は各店舗で実施しているため，新システムの全店舗への展開が必要になる。

　開発は，在庫管理システムの変更を伴う。仮に在庫管理システムに障害が発生して停止したら，店舗のオペレーションは成り立たず，休業せざるをえないことになる。今回の新システムを展開した結果として，このような業務停止の事態が生じる可能性があることを私はリスクととらえた。システム障害を完全に回避することは不可能であるため，このリスクを可能な限り軽減するための対策を講じる必要があると私は考えた。そこで，リスクに適切に対処するために，開発プロジェクトが始まる前に，安全で確実なリリース及び展開の計画を検討することにした。

第2章　リスク軽減のために採用した方策と展開計画

リスク軽減のために，私は以下の方策と展開計画を採用した。

2.1 （方策１）段階的な展開

通常，リスクの大きさは，リスクの発生確率と発生したときの影響度の積で表される。つまり，リスクを軽減するには，リスクの発生確率を低くするか，またはリスクが発生したときの影響度を小さくする必要がある。今回想定しているリスク要因は障害の発生であるが，障害の少ないシステムを作ることは，主に開発側の仕事である。そこで，運用側である私は，障害の発生はあり得るという前提に立ち，主に発生したときの影響度を小さくする方策を考えることにした。

完成した新システムのリリースを全国の店舗に一斉に展開した場合，障害が発生すれば全ての店舗が休業を余儀なくされる。全店舗休業が売上に与える影響は甚大であり，Ａ社としてはなんとしても避けたいという考えであった。休業する店舗が少なくて済めば，それだけ影響は小さくなる。そこで，展開時の障害発生による影響を軽減するために，リリースを段階的に店舗に展開することを考えた。段階的展開の回数が多くなりすぎると，展開に要する作業負荷がＡ社にとって負担となる。そこで，障害が発生したときに生じる影響と展開の回数とのバランスを取るよう，Ａ社と共に検討した。その結果，エリアを５つの地域に分けて，地域ごとに展開することにした。そして，その中で最も店舗数の少ない九州地区に最初に展開する計画とした。さらに，５回に分けて順次展開することで，先に展開した店舗からのフィードバックを得て，展開だけでなく在庫管理業務の改善も図れる。このような付加的効果も狙った。

2.2 （方策２）ＣＩ／ＣＤツールの適用とＤｅｖＯｐｓの取組み

運用側であっても，障害が発生したときの影響度を小さくする対策だけでなく，障害の発生を予防する対策を取ることもできる。障害の発生原因は，開発時のバグの混入だけではない。例えば，展開作業中に誤ったプログラムを展開したり，一部のプログラムの展開が漏れたりするミスも起こりうる。私は職務として，このようなミスを可能な限り防ぐ方法を考えた。そこで，今回のリリースの展開を契機に，ＣＩ／ＣＤ（継続的インテグレーション／継続的デリバリ）ツールを導入して，展開作業の自動化を図り，作業ミスの発生を減らすことにした。さらに，ツールの導入だけでなく，この機会にＤｅｖＯｐｓの活動を始める計画を立てた。ＤｅｖＯｐｓによる開発側との協働を実現させるため，会社として体制を整えるよう経営層に提案した。

ＤｅｖＯｐｓを行う狙いは，展開作業の品質を高めるだけではなく，頻繁に展開が行えるようにすることにある。ドラッグストア業界では，ＩＴを活用した業務改善やサービス改善が積極的に行われており，Ａ社にも新しいシステムやサービスを迅速に採り入れたいというニーズがある。ＤｅｖＯｐｓの活動は，頻繁で安全な展開サイク

ルの実現につながる。当社がＤｅｖＯｐｓに取り組めば，Ａ社のニーズに対応しやすくなり，顧客満足度を向上させることもできると考えた。

　この案は社内で採用され，Ａ社にも提案し正式に受け入れてもらえたので，今回のシステム開発プロジェクトからＤｅｖＯｐｓに取り組んだ。

第3章　評価と課題

3.1　採用した方策及び展開計画の評価

　プロジェクト開始前に安全で確実なリリース及び展開の計画を策定し実施したことで，大きなトラブルなく新システムを全ての店舗に段階的に展開することができた。いつ，どの店舗に新システムが適用されるかを事前に周知できたので，Ａ社の事業展開にも店舗業務にも混乱をきたすことなく済んだことは，高く評価したい。これは，事前にリスクを考慮して対策を実施した結果であると考える。

　新システムを提供すると，新たな業務が発生したり，既存の業務に変更が生じたりする。このような業務の変化に対処するには，多かれ少なかれ，何らかの試行錯誤を伴うのが常である。今回5つの地域に分けて段階的に展開範囲を拡げたことで，先に新システムでの業務を始めた店舗からの試行錯誤の結果がフィードバックされ，後続の店舗はスムーズに新システムでの業務を開始できるようになった。このことは，Ａ社から高く評価された。新システムの展開と新たな業務プロセスの展開は常にセットとなるため，サービスマネジメントに携わる者には，新たな業務プロセスを円滑に展開できるよう配慮することが大切である。この点を実感できる体験であった。

　また，ＣＩ／ＣＤツールの導入やＤｅｖＯｐｓの取組みを始めたことで，今後のＡ社の事業展開により迅速に貢献できるようになったとも考えている。この効果を実感できるのは今後のことになるが，少なくともサービス提供者として一定の準備ができたと考えている。

　上記のことから，今回の私の取組みは評価できるものであったと考えている。

3.2　課題

　ＤｅｖＯｐｓの取組みについては，まだ端緒についたばかりであり，今後，さらに洗練させていく必要があると考えている。開発側と運用側では，業務上常識と考えていることや使用する用語にも違いがあり，当初は意思疎通がなかなか難しかった。しかし，顧客により良いサービスを提供するという目的は一つである。顧客のためにできることを実施しながら，改善点を常に見出すようにして，ＤｅｖＯｐｓを高いレベルで実現できるようにすることが今後の課題であると考えている。このことでＡ社のビジネスにより貢献し，当社の価値の向上につなげていきたい。

3 インシデント管理

問3 重大なインシデント発生時のコミュニケーションについて (出題年度：R元問2)

*制限時間2時間

　ITサービスマネージャは，重大なインシデントが発生した場合には，あらかじめ定められた手順に従い，インシデント対応チームを編成して組織的な対応を行う。重大なインシデントの対応手順は，通常のインシデント対応手順に"何が重大なインシデントに当たるか"といった定義や必要な活動を加えて規定される。手順の中には，例えば，インシデントの発生や解決に向けた対応の経過状況を解決に関わる内部メンバだけでなく，適切な人に適切な方法で通知するなどの利害関係者とのコミュニケーションの活動が規定されている。

　具体的には，次のような利害関係者とのコミュニケーションを行う。

① 顧客に対しては，適切な要員からインシデントの発生や対応結果を連絡する。
② サービスデスクに対しては，利用者からの問合せ対応に必要となる回復計画や回復時間などについての情報共有を行う。
③ 外部供給者に対しては，専門的技能及び経験を保有する要員の人選と解決に向けた活動の依頼を行い，支援を受ける。

　重大なインシデントへの対応では，目標時間内での解決のために緊急な手順の実施が必要とされることもあり，インシデント対応チームのメンバ及び利害関係者とは正確かつ迅速な情報共有が重要となる。

　また，ITサービスマネージャはサービスの回復後，重大なインシデントへの対応についてのレビューを行い，コミュニケーションにおける課題を明らかにすることも必要である。

　あなたの経験と考えに基づいて，設問ア～ウに従って論述せよ。

設問ア あなたが携わったITサービスの概要と，発生した重大なインシデントの概要及び利害関係者について，800字以内で述べよ。

設問イ 設問アで述べた重大なインシデントへの対応で実施した手順の内容を述べよ。また，対応に当たって，利害関係者とどのようなコミュニケーションを行ったか。情報の正確性と対応の迅速性の観点を含め，800字以上1,600字以内で具体的に述べよ。

設問ウ 設問イで述べた重大なインシデントへの対応で明確になったコミュニケーションにおける課題と改善策について，600字以上，1,200字以内で具体的に述べよ。

問3　重大なインシデント発生時のコミュニケーションについて

　　　　　　　　　　　　　　　　　重大なインシデントの
　　　　　　　　　　　　　　　　　対応手順のヒント

　　　ITサービスマネージャは，重大なインシデントが発生した場合には，あらかじめ
定められた手順に従い，インシデント対応チームを編成して組織的な対応を行う。重大なインシデントの対応手順は，通常のインシデント対応手順に"何が重大なインシデントに当たるか"といった定義や必要な活動を加えて規定される。手順の中には，

設問アのヒント

例えば，インシデントの発生や解決に向けた対応の経過状況を解決に関わる内部メンバだけでなく，適切な人に適切な方法で通知するなどの利害関係者とのコミュニケーションの活動が規定されている。
　　　　　　　　　　　　　　コミュニケーションのヒント

　　具体的には，次のような利害関係者とのコミュニケーションを行う。

① 　顧客に対しては，適切な要員からインシデントの発生や対応結果を連絡する。

② 　サービスデスクに対しては，利用者からの問合せ対応に必要となる回復計画や回復時間などについての情報共有を行う。

設問イのヒント

③ 　外部供給者に対しては，専門的技能及び経験を保有する要員の人選と解決に向けた活動の依頼を行い，支援を受ける。重大なインシデントの対応手順のヒント

コミュニケーションの例

重大なインシデントへの対応では，目標時間内での解決のために緊急な手順の実施が必要とされることもあり，インシデント対応チームのメンバ及び利害関係者とは正確かつ迅速な情報共有が重要となる。
　　　　　　　　　　　コミュニケーションのヒント

設問ウのヒント

　　また，ITサービスマネージャはサービスの回復後，重大なインシデントへの対応についてのレビューを行い，コミュニケーションにおける課題を明らかにすることも必要である。　　　　　　　　　　　　　→ 3.1

　　あなたの経験と考えに基づいて，設問ア～ウに従って論述せよ。

設問ア　あなたが携わったITサービスの概要と，発生した重大なインシデントの概要及び利害関係者について，800字以内で述べよ。

第1章

1.1　1.2
1.3

設問イ　設問アで述べた重大なインシデントへの対応で実施した手順の内容を述べよ。また，対応に当たって，利害関係者とどのようなコミュニケーションを行ったか，情報の正確性と対応の迅速性の観点を含め，800字以上1,600字以内で具体的に述べよ。　　　　　指示

第2章

2.1
2.2

設問ウ　設問イで述べた重大なインシデントへの対応で明確になったコミュニケーションにおける課題と改善策について，600字以上，1,200字以内で具体的に述べよ。

第3章

3.1　3.2

502

●論述設計シート

タイトルと論述ネタ	あらすじ
第1章　ITサービスの概要とインシデントの概要	
1.1　私が携わったITサービスの概要	
営業支援システムのマネージドサービス	・当社は情報システムのマネージドサービスを提供 ・A社は当社が提供する営業支援システムを利用 ・当社は，営業支援システムの開発から運用を担当，コンタクトセンタの機能も提供，インシデント管理を実施
1.2　発生した重大なインシデントの概要	
アカウントデータが削除されるインシデント	あるとき，不慣れな作業者が，独断で管理ツールを介さない手段でアカウントDBを直接操作しようとした。その際，誤操作によってアカウントデータを全て削除してしまうというインシデントが発生した。
1.3　インシデントに関係する利害関係者	
認識した利害関係者	・システムの利用者であるA社の営業員 ・コンタクトセンタ
第2章　インシデント発生時のコミュニケーション	
2.1　インシデント対応手順	
通常のインシデント対応手順	①検知と記録 ②インシデントの分類 ③利害関係者への連絡 ④調査と診断 ⑤解決と復旧 ⑥クローズ
重大なインシデントの対応手順	弊社では，重大なインシデントについては，上司の承認のもと，インシデントデータベースへの対応状況の記録やRFCの起票などの作業を後回しにして，復旧を優先させる行動をとることができる。また，目標復旧時間は2時間以内と設定され利用者と合意がとられている。
2.2　利害関係者とのコミュニケーション	
①利用者（営業員）に対して	・営業部の部長に連絡し，部長から全営業員に伝達してもらうことにした。 ・A社の社内掲示板への掲載と社内メールによる通知を同時に実施してもらった。 ・復旧予定時間については，復旧の目途が立つまで伝達しないことにした。

②コンタクトセンタに対して	障害の状況を伝えるとともに，こちらには目標復旧時間と復旧予定時間を伝えておき，利用者に伝達すべき内容についての方針を指示した。そして，インシデント対応状況を逐一伝え，復旧の目途が立った段階で復旧予定時間を連絡し，利用者に伝えてもらえるようにした。

第3章　課題と改善策

3.1　コミュニケーションにおける課題

今回とった情報伝達手段の問題点	今回の情報伝達手段はどれも有効であったが，それでも，営業先から何度も営業支援システムに入ろうと試みて貴重な営業時間を無駄にしてしまった営業員が相当数いた。 〈今回の情報伝達手段の問題点〉 ①部長経由の連絡：緊急連絡網がなく，部長が知り得る範囲でしか行き渡らなかった。 ②社内掲示板：営業員は営業活動中に社内掲示板を見ることはまれである。 ③社内メール：営業員は営業活動中に頻繁にメールをチェックしない。 ④コンタクトセンタ：コンタクトセンタへ問い合わせることへの気が回らず，実際の問合せ件数は少なかった。

3.2　改善策

プッシュ型のコミュニケーションツールの採用	利用者がより頻繁に利用する連絡手段で，かつプッシュ型で情報を伝えることができるコミュニケーションツールがあると有効であると考えた。 　例えば，営業部のグループLINEを登録しておくことを一案として考えている。 　このようなICTの仕組みをもっと活用して，迅速に連絡ができる手段を常に準備しておきたい。

問3　解 答 例

第1章　ITサービスの概要とインシデントの概要

1.1　私が携わったITサービスの概要

　当社は情報システムの各種マネージドサービスを提供している会社である。私が担当するA社は，当社が提供する営業支援システムを利用している。当社は，この営業支援システムの開発から運用までを全般的に担当している。A社の利用者からの問合せを受け付けるコンタクトセンタの機能も提供しており，システムに生じるインシデ

ントの管理も当社内で実施している。私はこのシステムを提供するITサービスマネージャを務めている。

1.2 発生した重大なインシデントの概要

当社はマネージドサービスを提供するに当たって，各種の運用規程を設けている。また，作業者の運用ミスを防ぐため，様々なツールを利用している。例えば，ユーザアカウントを格納するアカウントDBへの登録や削除は，管理ツールを利用して行うことになっている。管理ツールには様々な誤操作防止の機能が備わっており，誤操作が行われそうな時には警告を出し，作業者の注意を促すようになっている。しかしあるとき，私の下に配属された入社年度の浅い不慣れな作業者が，独断で管理ツールを介さない手段でアカウントDBを直接操作しようとした。その際，誤操作によってアカウントデータを全て削除してしまうというインシデントが発生した。

1.3 インシデントに関係する利害関係者

このインシデントにより，全ての利用者が営業支援システムを利用できなくなった。このインシデントによって最も影響を受ける利害関係者は，システムの利用者であるA社の営業員である。また，営業員がシステムを利用できなくなると，コンタクトセンタへ問合せを行うことが想定されたため，コンタクトセンタも影響を受ける利害関係者と認識した。

第2章　インシデント発生時のコミュニケーション

2.1 インシデント対応手順

当社では運用規程の中で，インシデントへの対応手順も定めている。当社の通常のインシデント対応手順は次のとおりである。

①検知と記録：インシデントの発生を検知したら，インシデントデータベースに記録する。

②インシデントの分類：インシデントの影響度や緊急度を判断し解決の優先度を決め，目標復旧時間を設定する。

③利害関係者への連絡：インシデント発生状況や目標復旧時間等について，利害関係者に連絡する。

④調査と診断：インシデント内容の調査と診断を行う。調査と診断は，定められた一次対応者が行い，必要に応じてエスカレーションを行う。

⑤解決と復旧：インシデントを解決し，ITサービスを復旧させる。目標復旧時間を達成するために，必要に応じて暫定的な対応を行い，本格的な対応を後日に行うことも考慮する。対応状況はその都度細かくインシデントデータベースに記録する。サー

ビスの変更が必要なインシデントは，ＲＦＣ（変更要求）を提起して対応する。

⑥クローズ：インシデントの根本的な解決が実施できたら，顧客の合意のもとにインシデントをクローズする。

　今回のインシデントの報告は，誤操作をした本人から私にすぐに報告されたため，上記の手順に則って対応を開始した。手順②において優先度を評価したところ，最優先で対応すべき重大なインシデントと判断された。営業支援システムは営業員が日常的に利用するものであり，このインシデントによって全営業員がこのシステムを利用できなくなり，業務に支障をきたすためである。

　当該インシデントに対しては，重大なインシデントとして特別な対応をとることになった。弊社では，重大なインシデントについては，上司の承認のもと，インシデントデータベースへの対応状況の記録やＲＦＣの起票などの作業を後回しにして，復旧を優先させる行動をとることができる。また，目標復旧時間は２時間以内と設定され利用者と合意がとられている。このため，２時間以内での復旧を目指して対応をとった。

2.2　利害関係者とのコミュニケーション

　手順③に「利害関係者への連絡」が定められている。システムが利用できないことで生じる混乱を最小限に止める必要がある。このため，先に挙げた利害関係者に対して，必要な情報を迅速かつ正確に伝えることを心がけた。具体的には次のようなコミュニケーションをとった。

①利用者（営業員）に対して

　最も重要な利害関係者である営業員に状況を伝えるために，まずは営業部の部長に連絡し，部長から全営業員に伝達してもらうことにした。複数のチャネルを活用した方が情報を行き渡らせやすいと考え，Ａ社の社内掲示板への掲載と社内メールによる通知を同時に実施してもらった。復旧予定時間については，目途が立たない段階で不正確な情報を伝えるとかえって混乱を招くと考え，復旧の目途が立つまで伝達しないことにした。

②コンタクトセンタに対して

　システムが使えないとコンタクトセンタに問い合わせる者が多くなる。コンタクトセンタにも障害の状況を伝えるとともに，こちらには目標復旧時間と復旧予定時間を伝えておき，利用者に伝達すべき内容についての方針を指示した。そして，インシデント対応状況を逐一伝え，復旧の目途が立った段階で復旧予定時間を連絡し，利用者に伝えてもらえるようにした。

第3章　課題と改善策

3.1　コミュニケーションにおける課題

　誤って削除されたユーザデータは日々バックアップが取得されており，復元手順も規定されていた。そのため，当該インシデントは2時間以内で復旧させることができ，顧客と合意した目標復旧時間は遵守できた。これは，日ごろの整備によるものと前向きに評価している。

　今回，利用者に対する情報伝達の手段として，営業部長経由での連絡，社内掲示板への掲載，社内メールでの連絡の3つの方法をとった。また，コンタクトセンタへ問い合わせた者へのガイドも行った。これらは全て有効であったが，それでも，営業先から何度も営業支援システムに入ろうと試みて貴重な営業時間を無駄にしてしまった営業員が相当数いたようである。

　私は事後に調査して，それぞれの情報伝達手段の問題点を次のように整理した。

①部長経由の連絡：営業員全員に電話連絡ができるような緊急連絡網がなく，部長が知り得る範囲でしか行き渡らなかった。

②社内掲示板：営業員は営業活動中に社内掲示板を見ることはまれである（通常，業務終了後や休憩中に見る）。

③社内メール：営業員は営業活動中に頻繁にメールをチェックしない。特に，営業支援システムが使えず右往左往している時にメールを確認する余裕はなかった。

④コンタクトセンタ：コンタクトセンタへ問い合わせることへの気が回らず，実際の問合せ件数は少なかった。

3.2　改善策

　これらの状況から，私は，利用者がより頻繁に利用する連絡手段で，かつプッシュ型で情報を伝えることができるコミュニケーションツールがあると有効であると考えた。例えば，営業員の間ではLINEの利用が増えているようである。そこで，営業部のグループLINEを登録しておくことを一案として考えている。そうすれば，必要なメッセージを営業員のスマートフォンに通知できる。このようなICTの仕組みをもっと活用して，迅速に連絡ができる手段を常に準備しておきたいと考えている。

＊制限時間2時間

　ITサービスマネージャには，顧客とサービス可用性の目標を合意した上で，サービス可用性を損なう事象の監視，課題の抽出，改善策の実施など，サービス可用性の目標を達成するための活動を行うことが求められる。

　サービス可用性の目標及び目標値については，ITサービスの特徴を踏まえて，例えば，サービス稼働率99.9％などと顧客と合意する。

　サービス可用性の目標を達成するために，次のような活動を行う。

① サービス可用性を損なう事象を監視・測定する。

　　故障の発生などサービス可用性を損なう事象を監視して，事象の発生回数と回復時間などを測定する。また，評価指標を定めて測定結果を管理する。

② 測定結果を分析して，課題を抽出し，改善策を実施する。

　　例えば，インシデントによって，MTRS（平均サービス回復時間）が悪化している場合は，拡張版インシデント・ライフサイクルでの検出，診断，修理，復旧及び回復のどこで時間を要していたかを分析する。復旧段階の時間が長く，手順の不備が原因であった場合は，復旧手順を整備する。

　　また，サービス停止には至らないが，平均応答時間が増加している場合は，原因を分析して改善策を実施し，将来のサービス拡大などの環境変化に備える。

　あなたの経験と考えに基づいて，設問ア〜ウに従って論述せよ。

設問ア　あなたが携わったITサービスの概要と，サービス可用性の目標及び目標値，並びにそれらとITサービスの特徴との関係について，800字以内で述べよ。

設問イ　設問アで述べたサービス可用性の目標を達成するために重要と考えて行った活動について，監視対象とした事象と測定項目は何か。測定結果の評価指標は何か。また，測定結果をどのように分析したか。800字以上1,600字以内で具体的に述べよ。

設問ウ　設問イで述べた分析の結果から，サービス可用性の目標を達成するために対応が必要と考えた課題と改善策は何か，又は，将来の環境変化に備えて対応が必要と考えた課題と改善策は何か。いずれか一方の観点から，600字以上1,200字以内で具体的に述べよ。

●問題分析メモ

問4 サービス可用性管理の活動について

設問アの
ヒント

ITサービスマネージャには，顧客とサービス可用性の目標を合意した上で，サービス可用性を損なう事象の監視，課題の抽出，改善策の実施など，サービス可用性の目標を達成するための活動を行うことが求められる。 ← 1.2目標及び目標値

サービス可用性の目標及び目標値については，ITサービスの特徴を踏まえて，例えば，サービス稼働率99.9％などと顧客と合意する。

設問イの
ヒント

サービス可用性の目標を達成するために，次のような活動を行う。

① サービス可用性を損なう事象を監視・測定する。← 2.1監視対象 ← 2.1測定項目

故障の発生などサービス可用性を損なう事象を監視して，事象の発生回数と回復時間などを測定する。また，評価指標を定めて測定結果を管理する。
→ 2.2評価指標

② 測定結果を分析して，課題を抽出し，改善策を実施する。

リアクティブ（事後的）な分析技法の例。

例えば，インシデントによって，MTRS（平均サービス回復時間）が悪化している場合は，拡張版インシデント・ライフサイクルでの検出，診断，修理，復旧 }2.3 分析方法

設問ウの
ヒント

及び回復のどこで時間を要していたかを分析する。復旧段階の時間が長く，手順の不備が原因であった場合は，復旧手順を整備する。
← 3.1課題，3.2改善策（①の例）

また，サービス停止には至らないが，平均応答時間が増加している場合は，原因を分析して改善策を実施し，将来のサービス拡大などの環境変化に備える。

あなたの経験と考えに基づいて，設問ア～ウに従って論述せよ。← 3.1課題，3.2改善策（②の例）

第1章

設問ア あなたが携わった ITサービスの概要 と，サービス可用性の目標及び目標値，並びに それらとITサービスの特徴との関係 について，800字以内で述べよ。

第2章

設問イ 設問アで述べた サービス可用性の目標 を達成するために重要と考えて行った活動について，監視対象とした事象 と 測定項目 は何か。測定結果の評価指標 は何か。また，測定結果をどのように分析 したか。800字以上1,600字以内で具体的に述べよ。 → 発生した事象を分析するので，リアクティブ（事後的）な分析技法が適切。

第3章

設問ウ 設問イで述べた分析の結果から，① サービス可用性の目標を達成するために対応が必要と考えた 課題 と 改善策 は何か，又は，② 将来の環境変化に備えて対応が必要と考えた 課題 と 改善策 は何か。いずれか一方の観点から，600字以上1,200字以内で具体的に述べよ。 ①か②を選ぶ

タイトルと論述ネタ	あらすじ

第1章　ITサービスの概要とサービス可用性の目標

1.1　私が携わったITサービスの概要

オフィス機器の設計・販売会社の営業支援サービス	私はITサービスマネージャとして，営業支援サービスのSLAをA社と合意し，合意されたサービスレベルを維持することに責任をもつ。 　この営業支援システムは，B社が提供するクラウドサービスをベースに必要なアドオンを追加し，提供する。クラウドサービス基盤も含めて，当社がサービス提供の責任をもつ。

1.2　サービス可用性の目標

A社の業務内容を考慮した上で，妥当と思われる可用性目標を設定 ・サービス提供時間：24時間365日 ・稼働率：99.5％以上 ・平均サービス回復時間：2時間以内	目標が高過ぎればコストが必要以上にかかり，低過ぎればA社の業務に支障が出るため。 ・日曜の深夜は保守時間帯としてサービス提供時間外とする。 ・顧客と交渉し，月平均3.5時間程度の停止は許容する稼働率99.5％以上という目標で合意。 ・営業員と相談し，平均サービス回復時間の目標を2時間以内で合意。

第2章　サービス可用性の目標達成のための活動

2.1　可用性目標達成のために重要と考えた活動

可用性を高めるための対策 ①ハードウェアの信頼性に依存しないサービス可用性の確保 ②クラウドサービス停止時の迅速なサービス回復	可用性の目標を達成するためには，障害が発生しないことが望ましいが，障害を100％予防するのは困難である。 　B社のクラウドサービスの設定のうち，単体のハードウェアが故障してもサービス全体を停止させない構成をとるサービスを選択して利用することにした。 　クラウドサービスが停止した際に，クラウド基盤の復旧後の営業支援サービス再開までの手順書を作成した。考えられるパターンの障害発生シナリオを作成し，各パターンにおいてクラウド基盤がどの程度や状態まで回復できるかをB社に確認し，クラウド基盤の回復後に行うべきことを整理した。

2.2　監視対象と測定項目，測定結果の評価指標

監視作業の実施	サービスレベル目標を実現するには，机上の想定だけでは不十分で，実際には予期しないことが発生することもある。そこで，①②のそれぞれに対して次の監視作業を行う。
①について	ハードウェア単体での故障回数と障害回復時間，サービス全体での停止回数，サービス回復時間を監視し測定する。この数値を基に，サービス稼働率を評価指標として99.5％以上となっているかを評価する。
②について	実際に回復訓練を実施し，回復時間を監視し測定する。それぞれのシナリオにおいてクラウド基盤がどの程度の時間で回復するかは，B社から提供された数値を加えて，合計2時間以内にサービスを回復できるかを評価する。

2.3　測定結果の分析

①の分析	新サービスが提供され1年以上，サービス稼働率はどの月も99.5％以上を維持している。現在まで提供しているサービス可用性には問題がないと評価した。
②の分析	さまざまなパターンの障害発生シナリオによる回復訓練を実施した結果，いくつかのシナリオにおいて，2時間以内の回復を実現できていないことがあった。実際に障害が発生したわけではないので問題にはなっていないが，可用性目標を実現するためには改善が必要と評価した。

第3章　可用性の目標を達成するための課題と改善策

3.1　目標達成のための課題

2時間以内での障害回復	現時点では可用性に問題が発生してはいないが，2時間以内に回復できない障害パターンがあるため，潜在的に合意された可用性を維持できないおそれがある。私は，この点を目標達成のための課題と捉えた。課題を解決するために，2時間以内に回復できなかったパターンの障害を2時間以内で回復できるようにするための改善の取組みを実施することにした。

3.2 改善策

2時間以内の回復を実現させるための改善活動	私は，次に挙げる改善活動を行うことにした。 ①2時間以内に回復できなかった障害パターンをリストアップする。 ②それらの手順を整理し，どの活動にどれだけの時間がかかったのかを明確にする。 ③各活動を検証し，理想時間を算出する。 ④理想時間を実現できなかった原因を分析する。 ⑤理想時間と実測時間のギャップを埋めるために必要な活動を検討する。 ⑥検討結果を基に，手順の改善を行う。このとき，作業者の習熟度が必要であれば，その手立てを考える。 ⑦改善した手順を訓練として実施し，回復時間を測定する。 ⑧改善後も目標時間に収まらなければ，①から再度見直しを行う。 　我々はこのような活動を継続し，より一層顧客に満足してもらえるサービスを提供していきたい。

問4 解答例

第1章　ITサービスの概要とサービス可用性の目標

1.1　私が携わったITサービスの概要

　当社はITベンダとして，顧客の情報システムの開発および運用を請け負っている。オフィス機器の設計・販売を行っているA社から新たな営業支援システムの開発とサービス運用を請け負った。私は当社のITサービスマネージャとして，この営業支援システムによって提供する営業支援サービスのSLAをA社と合意し，合意されたサービスレベルを維持することに責任をもつ。

　この営業支援システムは，B社が提供するクラウドサービスをベースに必要なアドオンを追加し，提供する。B社が提供するクラウドサービス基盤も含めて，A社に対しては当社がサービス提供の責任をもつ。

1.2　サービス可用性の目標

　A社と合意するサービスレベルの項目の一つに可用性がある。私は，A社の業務内容を考慮した上で，妥当と思われる可用性の目標を設定することに努めた。目標が高過ぎればコストが必要以上にかかり，低過ぎればA社の業務に支障が出るからである。

　A社の営業員は土日を含めて営業活動を行うので，サービス提供時間は24時間

365日とした。ただし，休日の深夜までサービスを利用する必然性はないため，日曜の深夜（0時～5時）は保守時間帯としてサービス提供時間外とした。このサービスは営業事務と営業情報の参照が主目的であり，一切の停止が許容できないわけではない。しかし，客先で情報を参照できないと顧客対応が滞る。この不利益とコストとの兼ね合いで顧客と交渉し，月平均3.5時間程度の停止は許容する稼働率99.5％以上という目標で合意した。そして，不測のサービス停止時に顧客にどの程度の時間内で対応できれば満足度を下げずに済むかを営業員と相談し，平均サービス回復時間の目標を2時間以内で合意した。

第2章 サービス可用性の目標達成のための活動
2.1 可用性目標達成のために重要と考えた活動

可用性の目標を達成するためには，障害が発生しないことが望ましい。しかし，昨今の複雑化したシステムの障害を100％予防するのは困難である。自社開発のアドオンのソフトウェアの品質を高めて障害を予防することは可能であるが，システム全体で見ると，利用するハードウェアの信頼性やB社が提供するクラウドサービスのソフトウェア品質については，当社では把握できない。しかし，当社はその部分も含めて，サービス全体のＳＬＡをＡ社に担保していく責務がある。そこで私は，次の二つの方針で可用性を高めるための対策をとった。

①ハードウェアの信頼性に依存しないサービス可用性の確保
②クラウドサービス停止時の迅速なサービス回復

①については，B社のクラウドサービスの設定のうち，単体のハードウェアが故障してもサービス全体を停止させない構成をとるサービスを選択して利用することにした。このことで，ハードウェア故障によるサービス停止のリスクを大幅に低減できる。

②については，クラウドサービスが停止した際に，クラウド基盤の復旧後の営業支援サービス再開までの手順を記した手順書を作成し，迅速な回復ができるようにした。そのために，考えられるパターンの障害発生シナリオを作成した。そして，各パターンにおいてクラウド基盤がどの程度や状態まで回復できるかをB社に確認し，クラウド基盤の回復後に行うべきことを整理した。

2.2 監視対象と測定項目，測定結果の評価指標

サービスレベル目標を実現するには，机上の想定だけでは不十分である。実際には予期しないことが発生することもあり，必ずしもシナリオどおりにはいかないものである。そこで，①②のそれぞれに対して次の監視作業を行うことにした。

まず，①については，サービス開始後に，ハードウェア単体での故障回数と障害回

復時間，サービス全体での停止回数，サービス回復時間を監視し測定することにした。この数値を基に，サービス稼働率を評価指標として99.5％以上となっているかを評価する。

　②については，実際に回復訓練を実施し，回復時間を監視し測定することにした。それぞれのシナリオにおいてクラウド基盤がどの程度の時間で回復するかは，Ｂ社から数値を提供してもらい，その数字を加えて，合計2時間以内にサービスを回復できるかを評価する。

2.3　測定結果の分析

　①②について実際に測定した結果を，私は次のように分析した。

①の分析

　新サービスが提供され1年以上経過しているが，サービス稼働率はどの月の測定値をみても99.5％以上を維持している。そのため，現在まで提供しているサービス可用性には問題がないと評価した。

②の分析

　さまざまなパターンの障害発生シナリオによる回復訓練を実施した結果，いくつかのシナリオにおいて，2時間以内の回復を実現できていないことがあった。そのパターンの障害が実際に発生したわけではないので問題にはなっていないが，可用性目標を実現するためには改善が必要と評価した。

第3章　可用性の目標を達成するための課題と改善策

3.1　目標達成のための課題

　2.3の測定結果の分析で評価したとおり，現時点では可用性に問題が発生してはいないが，2時間以内に回復できない障害パターンがあるため，潜在的に合意された可用性を維持できないおそれがある。私は，この点を目標達成のための課題と捉えた。そこで，この課題を解決するために，2時間以内に回復できなかったパターンの障害を2時間以内で回復できるようにするための改善の取組みを実施することにした。

3.2　改善策

　2時間以内に回復できなかったパターンのうち，クラウド基盤で障害回復に大きな支障となるものはなかった。したがって，当社の回復作業を改善することが，2時間以内でのサービス回復の実現につながると考えられた。そこで私は，次に挙げる改善活動を行うことにした。

①2時間以内に回復できなかった障害パターンをリストアップする。

②それらの手順を整理し，どの活動にどれだけの時間がかかったのかを明確にする。

③各活動を検証し，理想時間（不手際がなければどの程度の時間で回復が可能か）を
　算出する。

④理想時間を実現できなかった原因を分析する。

⑤理想時間と実測時間のギャップを埋めるために必要な活動を検討する。

⑥検討結果を基に，手順の改善を行う。このとき，作業者の習熟が必要と判断された
　事柄については，作業者の熟練度を上げるための手立てを考える。

⑦改善した手順を訓練として実施し，回復時間を測定する。

⑧改善後も目標時間に収まらなければ，①から再度見直しを行う。

　サービス提供を100％完璧に行うことは現実的に困難である。そのような状況でも，
顧客に可能な限り最善のサービスを提供するため，我々はこのような活動を継続して
いくつもりである。このことで，より一層顧客に満足してもらえるサービスを提供し
ていきたいと考えている。

＊制限時間2時間

　災害によるITサービスの中断・停止は事業に大きな影響を与える。ITサービスマネージャは，災害発生による事業への影響を極小化するためのITサービス継続計画を，事前に策定しておく必要がある。

　ITサービス継続計画には，ITサービス継続要件を実現する対策実施，教育訓練，維持改善，緊急時対応が含まれる。

　ITサービス継続計画の策定に向けた具体的な手順は，次のとおりである。

① 　災害によって発生する，ITサービスの継続に影響を与える事態を特定する。例えば，事態には，ハードウェア障害，通信障害，停電などがある。

② 　特定した事態による事業への影響を分析して評価する。例えば，影響には，業務の長時間停止，保有データ消失による事業継続不可などがある。

③ 　事業への影響を極小化するための具体的な対応策を立案する。例えば，対応策には，災害発生時のサービス代替手段の準備，重要データの遠隔地保管，復旧手順の策定，災害発生に備えた教育訓練の定期実施などがある。対応策は，事業継続計画で定めた目標（目標復旧時間，目標復旧時点，目標復旧レベル）に従って決定し，ITサービス継続計画に反映する。

　また，社会環境の変化，技術動向などによって事業への影響も変わるので，ITサービスマネージャには，ITサービス継続計画を見直し，改善していく活動が望まれる。

　あなたの経験と考えに基づいて，設問ア〜ウに従って論述せよ。

設問ア あなたが携わったITサービスの概要と，“災害によって発生する，ITサービスの継続に影響を与えると特定した事態”，及び“分析して評価した事業への影響”について，800字以内で述べよ。

設問イ 設問アで述べた事業への影響を極小化するために策定したITサービス継続計画の目標と，計画に反映した対応策及びその対応策が妥当であると判断した理由について，800字以上1,600字以内で具体的に述べよ。

設問ウ 設問イで述べた対応策の評価，及び“ITサービス継続計画を見直し，改善していく活動”について，600字以上1,200字以内で具体的に述べよ。

● 問題分析メモ

問5　災害に備えたITサービス継続計画について

② 演習編

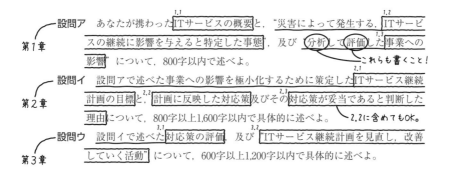

前提となる考え方

　災害によるITサービスの中断・停止は事業に大きな影響を与える。ITサービスマネージャは，<u>災害発生による事業への影響を極小化するためのITサービス継続計画を，事前に策定しておく必要がある。</u>　**重要!!**

　ITサービス継続計画には，ITサービス継続要件を実現する（対策実施）（教育訓練）（維持改善）（緊急時対応）が含まれる。　**計画に含める内容**

設問アのヒント

① 　災害によって発生する，ITサービスの継続に影響を与える事態を特定する。例えば，事態には，ハードウェア障害，通信障害，停電などがある。　}1.2のヒントと例

② 　特定した事態による事業への影響を分析して評価する。例えば，影響には，業務の長時間停止，保有データ消失による事業継続不可などがある。　}1.3のヒントと例

設問イのヒント

③ 　事業への影響を極小化するための具体的な対応策を立案する。例えば，対応策には，災害発生時のサービス代替手段の準備，重要データの遠隔地保管，復旧手順の策定，災害発生に備えた教育訓練の定期実施などがある。対応策は，事業継続計画で定めた目標（目標復旧時間，目標復旧時点，目標復旧レベル）に従って**反映** 決定し，ITサービス継続計画に反映する。　**注・対応させる・混同させない**　}2.1, 2.2のヒントと例

設問ウのヒント

　また，社会環境の変化，技術動向などによって事業への影響も変わるので，ITサービスマネージャには，ITサービス継続計画を見直し，改善していく活動が望まれる。　}3.2のヒント

　あなたの経験と考えに基づいて，設問ア～ウに従って論述せよ。

午後Ⅱ ② 問題演習

第1章　**設問ア**　あなたが携わったITサービスの概要と，"災害によって発生する，ITサービスの継続に影響を与えると特定した事態"，及び分析して評価した事業への影響"について，800字以内で述べよ。　**これらも書くこと!**

第2章　**設問イ**　設問アで述べた事業への影響を極小化するために策定したITサービス継続計画の目標と，計画に反映した対応策及びその対応策が妥当であると判断した理由について，800字以上1,600字以内で具体的に述べよ。　**2.2に含めてもOK。**

第3章　**設問ウ**　設問イで述べた対応策の評価，及び"ITサービス継続計画を見直し，改善していく活動"について，600字以上1,200字以内で具体的に述べよ。

タイトルと論述ネタ	あらすじ
第1章　ITサービスの概要とITサービス継続に影響を与える事態	
1.1　私が携わったITサービスの概要	
大手食品メーカーK社の基幹システムのサービス	K社は"食を通じて社会課題の解決に取り組む"というミッションを掲げており，自社が生産した食品を消費者に安定供給することを重視している。 　情報システムはメインフレームで構築されており，運用・監視を当社の社員が常駐して行っている。
1.2　ITサービスの継続に影響を与える事態	
大規模な地震災害を想定 経営陣の危惧と指示 事業継続計画，ITサービス継続計画	日本は地震大国であり，数多くの大規模な地震災害を経験している。国の中央防災会議においても，多くの大規模地震のリスクが示されている。 　K社経営陣は，本社が被災し情報システムが停止して業務が継続できなくなることを危惧し，事業継続計画の策定を指示するとともに，当社には具体的なサービス継続計画の提案を依頼した。
1.3　分析・評価した事業への影響	
K社の事業継続目標 ITサービスの継続目標	K社は"被災後2日以内で商品供給が再開できること"を事業継続の目標と定めた。これを受け，当社ではK社情報システムが停止することによる事業への影響分析と評価を行った。 　K社の事業継続目標を達成するには，「受発注」「需給調整」「入出庫」の3つの主要業務サービスを継続できることが重要と判断した。
第2章　ITサービス継続計画の目標や反映した対応策	
2.1　ITサービス継続計画の目標	
ITサービス継続計画 想定した事態と復旧期間の分析 ITサービス継続計画の目標	K社からもメンバを出してもらい，検討チームを編成した。 　本社で稼働しているK社システムの全面停止という最悪の事態を想定することにした。ハードウェアを含めたシステム全体が利用できなくなった場合に，全面復旧までの一連の作業にどのくらいの期間がかかるかを見積もった。その結果，ハードウェアの調達や設置，データ復旧等に手間取った場合には，全面復旧までに最大30日かかると見込まれた。 　これより，ITサービス継続計画の目標を"システムが30日間停止しても被災後2日以内に主要3業務サービスを再開できること"と定めた。

計画策定の基本的な考え方	K社の業務やシステムに精通した者が全員揃うことは期待せず，精通していない要員でも迷わず作業できるようなマニュアルや手順書を用意し，柔軟な要員配置や余裕をもった作業手順になるよう心がけた。

2.2　計画に反映した対応策とそれが妥当である理由

対応策の検討	システムを最大30日間使えない状況で，どのように業務サービスを継続したらよいかを検討した。完全な手作業では必要な業務量をこなすことは困難なため，業務を支援する簡易なツールを作成して業務負荷を軽減させることを考えた。
マクロによる簡易ツールの作成 （妥当である理由）	PC上で稼働するオフィスソフトウェア（表計算ソフトウェアや簡易データベースなど）を使ったマクロ等を作成しておくことにした。新たなハードウェアやソフトウェアを導入せずに簡易ツールとして業務で利用できるからである。また，クラウドのコミュニケーションツールを導入しているので，ネットワークがつながれば部門間の情報共有もできる。
災害時業務マニュアルの作成 （妥当である理由）	この仕組を利用した場合の災害時業務マニュアルを作成した。災害時業務マニュアルの作成とウォークスルーによる確認は，K社メンバに担当してもらった。ユーザでもあるため，受注から出荷までの一連の業務が遂行できることを詳細に確認できるからである。
確認テストや復旧テストの実施 （妥当である理由）	この活動には関与していないK社社員にこのマニュアルに沿って業務を実施してもらう，という確認テストも実施した。 　システムの復旧についても，数パターンの被害状況を想定して，復旧テストを実施した。テストによって実際に復旧できることを確認できる。
定期的な訓練の実施 （妥当である理由）	災害時業務の訓練は，全ての社員が3年に一度は必ず訓練に参加することになるようローテーションを組んだ。システムの復旧については，当社が中心となり，毎年訓練を行うことにした。 　習熟度を高めることができ，業務やシステムの経年変化によるITサービス継続計画の不備を発見することもできるからである。

3.1　計画に反映した対応策の評価

K社の方針や合致するよう，継続対象を絞ったことの評価	K社が最も重視している"自社が生産した食品を消費者に安定供給すること"を継続できるよう，「受発注」「需給調整」「入出庫」の主要3業務に対象を絞ったことは，業務継続と早期復旧のバランスの面から賢明な判断であったと評価している。
最悪のケースを想定した対策を取ったことの評価	情報システムが最大30日間使えなくなる，という最悪のケースを想定し，手作業でもなるべく負荷がかからずに業務を遂行できるような対策をとったことは，K社社員からも高い評価を得た。
経営陣の評価 ・テストの実施による懸念の解消 ・マニュアルの配慮 ・訓練の実施	システムの復旧も含めて，このITサービス継続計画が現実に機能することは確認テストや復旧テストで証明されたので，K社経営陣の懸念も解消できたようである。特に，前提知識を持たない社員でも業務を遂行できるようマニュアルなどを配慮したことや，定期的な訓練の実施によって対象者に漏れなく行きわたる点は高く評価された。これらのことから，今回策定したITサービス継続計画は，K社にとって妥当なものであったと考えている。

3.2　ITサービス継続計画の見直し・改善

変化への対応の必要性	K社の業務のありかたも，それを支える情報システムやITサービスも，変化し続ける。そのため，ITサービス継続計画は継続的に見直してその都度必要な改善を行うことが欠かせないと考えている。
・業務やシステムの変更時の影響評価へのチェック項目の追加 ・定期訓練での漏れの発見	業務やシステムの変更時の影響評価に，"ITサービス継続計画の変更が必要であるか"というチェック項目を追加して，漏れが少なくなるようにした。さらに，定期訓練の機会を利用して，そのチェックをすり抜けてしまったものを発見できるよう，二重の体制をとることにしている。 　このような活動を通じて，ITサービス継続計画の見直し・改善を適切かつ確実に実施していくつもりである。

問5 解答例

第1章　ITサービスの概要とITサービス継続に影響を与える事態

1.1　私が携わったITサービスの概要

　当社は情報システムの開発・運用を受託しているITベンダであり，私は大手食品メーカーK社の基幹システムの運用を担うITサービスマネージャを務めている。K社は“食を通じて社会課題の解決に取り組む”というミッションを掲げており，そのために，自社が生産した食品を消費者に安定供給することを重視している。

　K社の業務を支える情報システムはメインフレームで構築されており，K社の本社内で稼働している。このシステムの運用・監視を当社の社員が常駐して行っている。

1.2　ITサービスの継続に影響を与える事態

　日本は地震大国であり，実際に東日本大震災等，数多くの大規模な地震災害を経験している。国の中央防災会議においても，国内各地で多くの大規模地震の発生リスクが示されている。K社の業務は情報システムありきで成り立っていることから，経営陣は，本社が被災し情報システムが停止して業務が継続できなくなることを危惧し，事業継続計画の策定を指示するとともに，当社には具体的なITサービス継続計画の提案を依頼した。

1.3　分析・評価した事業への影響

　K社は自社商品の安定供給を目的に，“被災後2日以内で商品供給が再開できること”を事業継続の目標と定めた。これを受け，当社ではK社情報システムが停止することによる事業への影響分析と評価を行った。そしてK社の事業継続目標を達成するには，「受発注」「需給調整」「入出庫」の3つの主要業務サービスを継続できることが重要と判断した。この3業務を継続できれば，消費者への商品供給が可能になるからである。

第2章　ITサービス継続計画の目標や反映した対応策

2.1　ITサービス継続計画の目標

　前述の認識に沿って，私は具体的なITサービス継続計画の立案を進めた。K社からもメンバを出してもらい，検討チームを編成した。

　計画の前提として，本社で稼働しているK社システムの全面停止という最悪の事態を想定することにした。ハードウェアを含めたシステム全体が利用できなくなった場合に，全面復旧までの一連の作業（新たなハードウェアの設置，ソフトウェアの導入，

バックアップからのデータ復元，再稼働，業務を元の状態に戻す等）にどのくらいの期間がかかるかを見積もった。その結果，ハードウェアの調達や設置，データ復旧等に手間取った場合には，全面復旧までに最大30日かかると見込まれた。これより，ＩＴサービス継続計画の目標を"システムが30日間停止しても被災後２日以内に主要３業務サービスを再開できること"と定めた。

　地震等によって被災したときには，全ての要員が出社できるとは限らない。そのため，計画の際には，Ｋ社の業務やシステムに精通した者が全員揃うことは期待せず，精通していない要員でも迷わず作業できるようなマニュアルや手順書を用意し，柔軟な要員配置や余裕をもった作業手順になるよう心がけた。

2.2　計画に反映した対応策とそれが妥当である理由

　次に私は，システムを最大30日間使えない状況で，どのように業務サービスを継続したらよいかを検討した。基本はシステムに頼らず手作業で対応することになるが，完全な手作業では作業効率が著しく落ち，必要な業務量をこなすことは困難である。そのため，業務を支援する簡易なツールを作成して業務負荷を軽減させることを考えた。

　Ｋ社は全従業員にＰＣを配布しており，ＰＣ上で稼働するオフィスソフトウェア（表計算ソフトウェアや簡易データベースなど）を普段から利用している。そこで，これらを使ったマクロ等を作成しておくことにした。新たなハードウェアやソフトウェアを導入せずに簡易ツールとして業務で利用できるからである。また，クラウドのコミュニケーションツールを導入しているので，ネットワークがつながれば部門間の情報共有もできる。具体的には，受注入力や受注データ抽出など，業務に役立ついくつかの簡易ツールを開発しコミュニケーションツールで共有した。そしてこの仕組みを利用した場合の災害時業務マニュアルを作成した。災害時業務マニュアルの作成とウォークスルーによる確認は，Ｋ社メンバに担当してもらった。ユーザでもあるため，受注から出荷までの一連の業務が遂行できることを詳細に確認できるからである。なお，ウォークスルーの段階で，ツールやマニュアルの不備が見つかったので，適宜それを修正し，実際に使えるツール・マニュアルに仕上げていった。さらに，この活動には関与していないＫ社社員にこのマニュアルに沿って業務を実施してもらう，という確認テストも実施した。

　メインフレームを中心としたシステムの復旧についても，数パターンの被害状況を想定して，パターン別の復旧手順を作成し，復旧テストを行って実際に復旧できることを確認した。

　災害時業務とシステムの復旧については，定期的に訓練を実施した。災害時業務の

訓練は，全ての社員が3年に一度は必ず訓練に参加することになるようローテーションを組んだ。システムの復旧については，当社が中心となり，毎年訓練を行うことにした。そうすれば習熟度を高めることができ，業務やシステムの経年変化によるITサービス継続計画の不備を発見することもできるからである。

第3章 ITサービス継続計画の評価・見直し・改善

3.1 計画に反映した対応策の評価

　大規模災害に見舞われたときには，通常時のリソースを稼働させることは難しい。この観点からK社が最も重視している"自社が生産した食品を消費者に安定供給すること"を継続できるよう，「受発注」「需給調整」「入出庫」の主要3業務に対象を絞ったことは，業務継続と早期復旧のバランスの面から賢明な判断であったと評価している。そして，情報システムが最大30日間使えなくなる，という最悪のケースを想定し，手作業でもなるべく負荷がかからずに業務を遂行できるような対策をとったことは，K社社員からも高い評価を得た。

　システムの復旧も含めて，このITサービス継続計画が現実に機能することは確認テストや復旧テストで証明されたので，K社経営陣の懸念も解消できたようである。特に，前提知識を持たない社員でも業務を遂行できるようマニュアルなどを配慮したことや，定期的な訓練の実施によって対象者に漏れなく行きわたる点は高く評価された。これらのことから，今回策定したITサービス継続計画は，K社にとって妥当なものであったと考えている。

3.2 ITサービス継続計画の見直し・改善

　現時点では適切なITサービス継続計画が策定できており，それに基づいた実践が行われている。しかし，K社の業務のありかたも，それを支える情報システムやITサービスも，変化し続ける。そのため，ITサービス継続計画は継続的に見直してその都度必要な改善を行うことが欠かせないと考えている。

　業務や情報システムの変更がITサービス継続計画に反映されずITサービス継続計画の有効性が損なわれることを防ぐために，業務やシステムの変更時の影響評価に，"ITサービス継続計画の変更が必要であるか"というチェック項目を追加して，漏れが少なくなるようにした。さらに，定期訓練の機会を利用して，そのチェックをすり抜けてしまったものを発見できるよう，二重の体制をとることにしている。

　このような活動を通じて，ITサービス継続計画の見直し・改善を適切かつ確実に実施していくつもりである。

＊制限時間2時間

　ITサービスマネージャは，変更管理プロセスを定め，変更によるサービスへの影響を評価する。近年，サービス改善のための変更要求の増加，DevOpsの採用などによって，展開を行う回数が増加するなどの環境の変化が起きている。

　従来の変更管理プロセスは，ウォーターフォール型開発を前提として内部統制の強化に重点を置いたものも多く，高頻度，短期間で変更要求を承認できる規程となっていない場合がある。ITサービスマネージャは，このような環境の変化に合わせて必要な統制を確保しつつ，変更要求の承認を遅延させないために，変更管理プロセスを改善していく必要がある。例えば，次のような改善策を行う。

・変更要求の対象範囲を見直し，変更のカテゴリ"標準変更"の適用を拡大する。
・CAB（変更諮問委員会）の運営方法を見直す。
・DevOpsによる展開に合わせて，変更のカテゴリを新たに定義し，適用範囲や変更のプロセスを定める。

　また，変更管理プロセスの改善策実施後に，変更要求の承認が適切に実施されているか，サービスに影響を与えていないかなど，採用した改善策の効果を評価し，変更管理プロセスの更なる改善を進めていくことも重要である。

　あなたの経験と考えに基づいて，設問ア～ウに従って論述せよ。

設問ア　あなたが携わったITサービスの概要と，既存の変更管理プロセスに影響を与えた環境の変化の内容について，800字以内で述べよ。

設問イ　設問アで述べた環境の変化によって，変更管理プロセスに生じた問題点，及び問題点を解決するために実施した変更管理プロセスの改善策について，800字以上1,600字以内で具体的に述べよ。

設問ウ　設問イで述べた変更管理プロセスの改善策の評価と課題について，600字以上1,200字以内で具体的に述べよ。

●問題分析メモ──────────────

問6　環境の変化に対応するための変更管理プロセスの改善について

設問アのヒント

　ITサービスマネージャは，変更管理プロセスを定め，変更によるサービスへの影響を評価する。近年，<u>サービス改善のための変更要求の増加，DevOpsの採用などによって，展開を行う回数が増加するなどの環境の変化が起きている。</u> ── **1.2 環境の変化の例**

設問イのヒント

　従来の変更管理プロセスは，ウォーターフォール型開発を前提として内部統制の強化に重点を置いたものも多く，(高頻度)(短期間)で変更要求を承認できる規程となっていない場合がある。ITサービスマネージャは，このような環境の変化に合わせて必要な統制を確保しつつ，<u>変更要求の承認を遅延させないために，</u>変更管理プロセスを改善していく必要がある。例えば，次のような改善策を行う。**近年はこれらが前提!!**

　2.1 環境の変化によって生じた問題点の例

・変更要求の対象範囲を見直し，変更のカテゴリ "<u>標準変更</u>" の適用を拡大する。

・CAB（変更諮問委員会）の運営方法を見直す。

・DevOpsによる展開に合わせて，変更のカテゴリを新たに定義し，適用範囲や変更のプロセスを定める。

あらかじめ手順が決められた変更 ＝変更管理の通常のフローを省略できる

改善策の例

設問ウのヒント

　また，変更管理プロセスの改善策実施後に①<u>，変更要求の承認が適切に実施されているか</u>②<u>，サービスに影響を与えていないか</u>など，採用した改善策の効果を評価し，変更管理プロセスの更なる改善を進めていくことも重要である。── **3.1 評価の観点**

あなたの経験と考えに基づいて，設問ア〜ウに従って論述せよ。

設問ア
第1章
　あなたが携わった<u>ITサービスの概要</u>と，既存の変更管理プロセスに影響を与えた<u>環境の変化の内容</u>について，800字以内で述べよ。
（1.1 / 1.2）

設問イ
第2章
　設問アで述べた環境の変化によって，<u>変更管理プロセスに生じた問題点</u>，及び問題点を解決するために実施した<u>変更管理プロセスの改善策</u>について，800字以上1,600字以内で具体的に述べよ。
（2.1 / 2.2）

設問ウ
第3章
　設問イで述べた変更管理プロセスの<u>改善策の評価</u>と<u>課題</u>について，600字以上1,200字以内で具体的に述べよ。
（3.1 / 3.2）

タイトルと論述ネタ	あらすじ

第1章　ITサービスの概要と顧客と討議したサービスレベル項目

1.1　私が携わったITサービスの概要

証券会社A社の業務システム	証券会社A社の業務を支える様々な情報システムは当社のデータセンター内で稼働しており，私はそのシステム全ての安定稼働に責任をもつITサービスマネージャである。主な業務は，日常の監視業務，インシデント発生時のインシデント対応業務，顧客からの要望に応じて利用者のIDやアクセス権の登録・変更・削除を行う運用業務である。 　A社は上場企業であり，IT全般統制の一環として，不正なプログラムが稼働環境に展開されないように，変更管理プロセスを定めて運用している。変更諮問委員会で承認され修正されたプログラムを運用チームが展開前に検証した上で，運用チームで展開作業を実施している。展開前の検証には，A社の担当者も参加している。

1.2　既存の変更管理プロセスに影響を与えた環境変化

ネット取引への変化	証券業界もネットでの取引が増えてきている。A社も他社との競争に勝ち抜くために日々，苦闘している。ネット取引では，顧客に魅力的な新しいサービスや優れた顧客体験を生み出すことが，顧客獲得のために重要となっている。顧客体験を高めるような新しい技術が次々と利用可能となっている。これに対応するためには，新しい技術を活用したサービスや顧客体験を生み出す仕組みを，他社よりも早く，あるいは他社と遜色のないスピードで提供することが重要となってきた。

第2章　環境変化により変更管理プロセスに生じた問題点と改善策

2.1　変更管理プロセスに生じた問題点

ガバナンスを重視した変更管理プロセスではスピード感の実現が困難 迅速性とガバナンスの両立	環境変化により，A社は従来よりも迅速に新しいサービスや新しい機能を顧客に提供することが求められた。しかし，これまでは上場企業としてのガバナンスを重視した変更管理プロセスを採用しており，システムの変更は慎重に検討し作業することを重視していた。 　より迅速に新しいサービスや機能を提供できるプロセスに変えていく必要がある。しかし，上場企業として求められるガバナンスを無視することもできない。このような迅速性とガバナンスとの両立がA社にとって大きな問題となった。

2.2　変更管理プロセスの改善策

事業部門とシステムの開発者，運用者による協働	課題への解決策を検討するには，事業部門とシステムの開発者・運用者とが協働する必要があると考えた。変更管理プロセス全体を改善するには，関係する者がいかに効率的に連携できるかが鍵となる。そこで，事業部門やシステムの開発者に働きかけて，一緒に変更管理プロセスの改善策を検討するチームを組成した。
変更着手までの時間短縮の検討	まず，情報システムの変更に関するニーズが発生してから，システムの変更に着手するまでの時間を短縮する必要がある。従来は，変更諮問委員会に決定を依頼するまでに，かなりのやり取りが発生していた。運用負荷を高めてしまう変更が承認されることもあった。このような無駄な時間，無駄な作業，非効率な箇所を解消すれば，現状のガバナンスのレベルを損なわずにプロセス改善が可能である。
変更諮問委員会の段階的な開催	そのために，変更諮問委員会を段階的に開催することを提案した。まず，事業部門，開発者，運用者で意見の交換や調整をする場を作り，事業部門のニーズを実現する最適解を話し合う。その後，段階的に内容を深めていく会を何回かもち，費用対効果が得られると判断した段階で正式に決定する。早い段階で三者の立場で意見交換することで，関係者全員が変更の趣旨や内容を共有できるようになり，変更の承認・却下を判断するまでの時間が短縮できると見込んだ。
早い段階での展開予定の決定	また，この段階でリリースの展開予定も決めておくことにした。このことにより，運用者は早い段階から展開予定を把握でき準備でき，展開前のテストを効率的に行える。

第3章　評価と今後の課題

3.1　変更管理プロセスの改善策の評価

変更着手までの時間の削減	変更管理プロセスの改善によって，システムの変更に着手するまでの時間を80％短縮できた。事業部門，開発者，運用者がお互いに理解し合うことで，コミュニケーションの齟齬が少なくなったことが大きい。
リリース展開時の作業時間の短縮	また，リリースの展開時の作業時間も40％短縮された。それ以上に，事前にリリースに関する情報を知り早めに準備できることで，展開作業にかかる工数を60％削減できた。そして，運用者の負担が増えるようなシステムを作らないことで運用作業の工数も減る。運用工数が削減できれば，その工数でリリースの展開回数を増やすことにも対応できる。つま
展開作業にかかる工数の削減	
運用工数の削減	

		り，より頻繁な変更を実施できるようになった。
	内部統制の強化 総合評価	変更実施時の内部統制は強化されたと言える。以上のことから，私が主体的に関与した変更管理プロセス改善の取組みは成功したと評価している。
3.2	変更管理プロセスの今後の課題	
	ビジネスアジリティの実現	ITサービスがビジネスに欠かせない昨今では，迅速にITサービスを開発したり変更したりする能力が，ビジネスアジリティの実現には欠かせない。この流れに対応するには，さらに迅速にA社の情報システムの変更に対応できることが望まれる。さらに，細かなニーズに応じてITサービスを細かく変更していくことも求められる。そのためには，より頻繁に情報システムの変更及びリリースの展開ができるようにする必要がある。
	変更管理プロセスのさらなる進化	このようなトレンドに対応するために，現状の人による作業を中心とした変更管理プロセスをさらに進化させることが今後の課題と考えている。具体的には，リリースの展開作業や確認テストを自動化するツールなどを適用して，現状の品質やガバナンスのレベルを下げずに変更対応の迅速化・効率化を行う取組みを，これから推進していきたい。

問6 解 答 例

第1章　ITサービスの概要と環境変化

1.1　私が携わったITサービスの概要

　私はITベンダで顧客の情報システムの運用を請け負っているITサービスマネージャである。私が担当している顧客は証券会社のA社である。A社の業務を支える様々な情報システムは当社のデータセンター内で稼働しており，私はそのシステム全ての安定稼働に責任をもつITサービスマネージャである。具体的には日常の監視業務，インシデント発生時のインシデント対応業務，顧客からの要望に応じて利用者のIDやアクセス権の登録・変更・削除を行う運用業務が主な業務である。

　A社は上場企業であり，法律に基づく内部統制が義務付けられている。IT全般統制の一環として，不正なプログラムが稼働環境に展開されないように，変更管理プロセスを定めて運用している。開発チームと運用チームのメンバーは分離されており，変更諮問委員会で承認され修正されたプログラムを運用チームが展開前に検証した上で，運用チームで展開作業を実施している。展開前の検証には，A社の担当者にも参

加してもらっている。

1.2　既存の変更管理プロセスに影響を与えた環境変化

　証券業界も個人顧客を中心にネットでの取引が増えてきている。ネット専業の企業もあり，A社も他社との競争に勝ち抜くために日々，苦闘している。ネット取引では，顧客に魅力的な新しいサービスや優れた顧客体験を生み出すことが，顧客獲得のために重要となっている。技術的にも顧客体験を高めるような新しい技術が次々と利用可能となっている。これに対応するためには，新しい技術を活用したサービスや顧客体験を生み出す仕組みを，他社よりも早く，あるいは他社と遜色のないスピードで提供することが重要となってきた。

第2章　環境変化により変更管理プロセスに生じた問題点と改善策

2.1　変更管理プロセスに生じた問題点

　前述した環境変化により，A社は従来よりも迅速に新しいサービスや新しい機能を顧客に提供することが求められた。しかし，これまでは上場企業としてのガバナンスを重視した変更管理プロセスを採用しており，システムの変更は慎重に検討し作業することを重視していた。従来の変更管理プロセスを踏襲したままでは，求められているスピード感を実現することは困難である。したがって，より迅速に新しいサービスや機能を提供できるプロセスに変えていく必要がある。しかし，上場企業として求められるガバナンスを無視することもできない。このような迅速性とガバナンスとの両立がA社にとって大きな問題となった。

2.2　変更管理プロセスの改善策

　前述した問題への解決策を検討するには，情報システムへの要求を出したり業務における判断基準となるビジネスルールを決めたりする事業部門と，システムの開発者・運用者とが協働する必要があると考えた。それぞれがバラバラに動いていては，意思決定や調整に時間がかかるし，作業のスムーズな連携も困難になる。変更管理プロセス全体を改善するには，関係する者がいかに効率的に連携できるかが鍵となると私は考えた。そこで，事業部門やシステムの開発者に働きかけて，一緒に変更管理プロセスの改善策を検討するチームを組成した。

　まず，情報システムの変更に関するニーズが発生してから，システムの変更に着手するまでの時間を短縮する必要がある。従来は，事業部門で発行した変更依頼書を元に，開発者がシステムでの実現方法を考え，変更が必要な箇所を特定し，工数と期間を見積もる。その情報を変更諮問委員会へ提示し，変更諮問委員会で意思決定してもらう。このとき，事業部門はシステムへの影響は想像できないし開発者は事業部門の

真のニーズが見えていないので，変更諮問委員会に決定を依頼するまでにかなりのやり取りが発生していた。なお，開発者は運用業務を把握していないことが多いので，変更の内容によっては，運用負荷をかなり高めてしまう変更が承認されることもあった。このような無駄な時間，無駄な作業，非効率な箇所を解消すれば，現状のガバナンスのレベルを損なわずにプロセス改善が可能と考えた。そのために，変更諮問委員会を段階的に開催することを提案した。まず，事業部門，開発者，運用者で意見の交換や調整をする場を作り，事業部門のニーズを実現する最適解を話し合う。その後，段階的に内容を深めていく会を何回かもち，費用対効果が得られると判断した段階で正式に決定するようにする。早い段階で三者の立場で意見交換することで，関係者全員が変更の趣旨や内容を共有できるようになり，変更の承認・却下を判断するまでの時間が短縮できると見込んだ。

　また，この段階でリリースの展開予定も決めておくことにした。このことにより，運用者は早い段階から展開予定を把握でき準備できるという効果が期待できる。各リリースにおけるシステムの変更箇所と趣旨も事前に把握できているので，運用者での展開前のテストを効率的に行えるという効果も期待できる。展開作業と確認テストは変わらず運用者が行うことで，ガバナンスは維持できている上に，プログラムで修正が必要な箇所も事前に把握できているので，それ以外の箇所に不正に手を加えられていないかというチェックも行えるようになった。

第3章　評価と今後の課題

3.1　変更管理プロセスの改善策の評価

　このように変更管理プロセスを改善したことによって，情報システムの変更に関するニーズが発生してからシステムの変更に着手するまでの時間を80％短縮できた。事業部門，開発者，運用者がお互いに理解し合うことで，コミュニケーションの齟齬が少なくなったことが大きい。お互いの立場を理解し合った協働作業ができていなかったことで，確認作業や調整作業にどれだけ多くの時間がかかっていたのかということを認識することができた。これを改善できたことは非常に有益であった。

　また，リリースの展開時の作業時間も40％短縮された。それ以上に，事前にリリースに関する情報を知り早めに準備できることで，展開作業にかかる工数を60％削減できた。運用者の負担が増えるようなシステムが作られなければ，それだけ運用作業の工数も減る。運用工数が削減できれば，その工数でリリースの展開回数を増やすことにも対応できる。つまり，より頻繁な変更を実施できるようになった。この効果も大きい。

さらに，プログラムの修正が必要な箇所も把握できているので，修正が必要な箇所以外に不正に手を加えられていないかをチェックできるようにもなった。このことで，変更実施時の内部統制は強化されたと言える。以上のことから，私が主体的に関与した変更管理プロセス改善の取組みは成功したと評価している。

3.2　変更管理プロセスの今後の課題

　昨今は新しいビジネスの推進や既存のビジネスの変革を迅速に展開するビジネスアジリティが関心事となっている。ITサービスがビジネスに欠かせない昨今では，迅速にITサービスを開発したり変更したりする能力が，ビジネスアジリティの実現には欠かせないと考えている。この流れに対応するには，当社としてもさらに迅速にA社の情報システムの変更に対応できることが望まれる。さらに，細かなニーズに応じてITサービスを細かく変更していくことも求められるだろう。そのためには，より頻繁に情報システムの変更及びリリースの展開ができるようにする必要があると考えている。

　このようなトレンドに対応するために，現状の人による作業を中心とした変更管理プロセスを進化させることが今後の課題と考えている。具体的には，リリースの展開作業や確認テストを自動化するツールなどを適用して，現状の品質やガバナンスのレベルを下げずに変更対応の迅速化・効率化を行う取組みを，これから推進していきたい。

情報処理技術者試験

2025年度版　ALL IN ONE パーフェクトマスター　ITサービスマネージャ

2024年8月20日　初　版　第1刷発行

編　著　者	Ｔ　Ａ　Ｃ　株　式　会　社	
	（情報処理講座）	
発　行　者	多　　田　　敏　　男	
発　行　所	ＴＡＣ株式会社　出版事業部	
	（ＴＡＣ出版）	

〒101-8383
東京都千代田区神田三崎町3-2-18
電話 03（5276）9492（営業）
FAX 03（5276）9674
https://shuppan.tac-school.co.jp

組　　版	株式会社　グ　ラ　フ　ト	
印　　刷	株式会社　光　　　　邦	
製　　本	株式会社　常　川　製　本	

© TAC 2024　　　Printed in Japan　　　　　　　　ISBN 978-4-300-11218-2
N.D.C. 007

情報処理講座

選べる 5つの学習メディア

豊富な5つの学習メディアから、あなたのご都合に合わせてお選びいただけます。
一人ひとりが学習しやすい、充実した学習環境をご用意しております。

通信［自宅で学ぶ学習メディア］

🖥 Web通信講座 ［eラーニングで時間・場所を選ばず 学習効果抜群!］

インターネットを使って講義動画を視聴する学習メディア。
いつでも、どこでも何度でも学習ができます。
また、スマートフォンやタブレット端末があれば、移動時間も映像による学習が可能です。

おすすめポイント
- ◆動画・音声配信により、教室講義を自宅で再現できる
- ◆講義録（板書）がダウンロードできるので、ノートに写す手間が省ける
- ◆専用アプリで講義動画のダウンロードが可能
- ◆インターネット学習サポートシステム「i-support」を利用できる

💿 DVD通信講座 ［教室講義をいつでも自宅で再現!］ Webフォロー付き

デジタルによるハイクオリティなDVD映像を視聴しながらご自宅で学習するスタイルです。
スリムでコンパクトなため、収納スペースも取りません。
高画質・高音質の講義を受講できるので学習効果もバツグンです。

おすすめポイント
- ◆場所を取らずにスリムに収納・保管ができる
- ◆デジタル収録だから何度見てもクリアな画像
- ◆大画面テレビにも対応する高画質・高音質で受講できるから、迫力満点

📚 資料通信講座 ［TACのノウハウ満載のオリジナル教材と 丁寧な添削指導で合格を目指す!］

配付教材はTACのノウハウ満載のオリジナル教材。
テキスト、問題集に加え、添削課題、公開模試まで用意。
合格者に定評のある「丁寧な添削指導」で記述式対策も万全です。

おすすめポイント
- ◆TACオリジナル教材を配付
- ◆添削指導のプロがあなたの答案を丁寧に指導するので記述式対策も万全
- ◆質問メールで24時間いつでも質問対応

通学［TAC校舎で学ぶ学習メディア］

🎧 ビデオブース講座 ［受講日程は自由自在!忙しい方でも 自分のペースに合わせて学習ができる!］ Webフォロー付き

都合の良い日を事前に予約して、TACのビデオブースで受講する学習スタイルです。教室
講座の講義を収録した映像を視聴しながら学習するので、教室講座と同じ進度で、日程はご
自身の都合に合わせて快適に学習できます。

おすすめポイント
- ◆自分のスケジュールに合わせて学習できる
- ◆早送り・早戻しなど教室講座にはない融通性がある
- ◆講義録（板書）付きでノートを取る手間がいらずに講義に集中できる
- ◆校舎間で自由に振り替えて受講できる

📝 教室講座 ［講師による迫力ある生講義で、 あなたのやる気をアップ!］ Webフォロー付き

講義日程に沿って、TACの教室で受講するスタイルです。受験指導のプロである講師から、
直に講義を受けることができ、疑問点もすぐに質問できます。
自宅で一人では勉強がはかどらないという方におすすめです。

おすすめポイント
- ◆講師に直接質問できるから、疑問点をすぐに解決できる
- ◆スケジュールが決まっているから、学習ペースがつかみやすい
- ◆同じ立場の受講生が身近にいて、モチベーションもアップ!

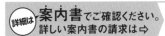

TAC公開模試

TACの公開模試で本試験を疑似体験し弱点分野を克服!

合格のために必要なのは「身に付けた知識の総整理」と「直前期に克服すべき弱点分野の把握」。TACの公開模試は、詳細な個人成績表とわかりやすい解答解説で、本試験直前の学習効果を飛躍的にアップさせます。

全6試験区分に対応!

2025年	会場受験 3/23日	自宅受験 2/28金より問題発送

◎応用情報技術者
◎システムアーキテクト
◎ネットワークスペシャリスト
◎ITサービスマネージャ
◎ITストラテジスト
●情報処理安全確保支援士

※実施日は変更になる場合がございます。

チェックポイント　厳選された予想問題

★出題傾向を徹底的に分析した「厳選問題」!

業界先鋭のTAC講師陣が試験傾向を分析し、厳選してできあがった本試験予想問題を出題します。選択問題・記述式問題をはじめとして、試験制度に完全対応しています。
本試験と同一形式の出題を行いますので、まさに本試験を疑似体験できます。

同一形式

本試験と同一形式での出題なので、本試験を見据えた時間配分を試すことができます。

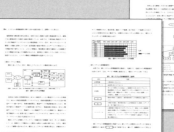

〈情報処理安全確保支援士試験 公開模試 午後I問題〉より一部抜粋

〈応用情報技術者試験 公開模試 午後問題〉より一部抜粋

チェックポイント　解答・解説

★公開模試受験後からさらなるレベルアップ!

公開模試受験で明確になった弱点分野をしっかり克服するためには、短期間でレベルアップできる教材が必要です。
復習に役立つ情報を掲載したTAC自慢の解答解説冊子を申込者全員に配付します。

詳細な解説

特に午後問題では重要となる「解答を導くアプローチ」について、図表を用いて丁寧に解説します。

〈情報処理安全確保支援士試験 公開模試 午後II問題解説〉より一部抜粋

〈応用情報技術者試験 公開模試 午後問題解説〉より一部抜粋

公開模試 申込者全員に無料進呈!! 2025年5月中旬送付予定

特典1

本試験終了後に、TACの「本試験分析資料」を無料で送付します。全6試験区分における出題のポイントに加えて、今後の対策も掲載しています。
(A4版・80ページ程度)

情報処理技術者試験 本試験分析資料

TAC

特典2

応用情報技術者をはじめとする全6試験区分の本試験解答例を申込者全員に無料で送付します。
(B5版・30ページ程度)

本試験解答例

TAC

本試験と同一形式の直前予想問題!!

★全国10会場（予定）&自宅で受験可能!
★インターネットからの申込みも可能!
★「午前Ⅰ試験免除」での受験も可能!
★本試験後に「本試験分析資料」「本試験解答例」を申込者全員に無料進呈!

独学で学習されている方にも『公開模試』をおすすめします!!

独学で受験した方から「最新の出題傾向を知らなかった」「本試験で緊張してしまった」などの声を多く聞きます。本番前にTACの公開模試で「本試験を疑似体験」しておくことは、合格に向けた大きなアドバンテージになります。

チェックポイント　個人成績表

★「合格」のために強化すべき分野が一目瞭然!

コンピュータ診断による「個人成績表」で全国順位に加えて、5段階の実力判定ができます。
また、総合成績はもちろん、午前問題・午後問題別の成績、テーマ別の得点もわかるので、本試験直前の弱点把握に大いに役立ちます。

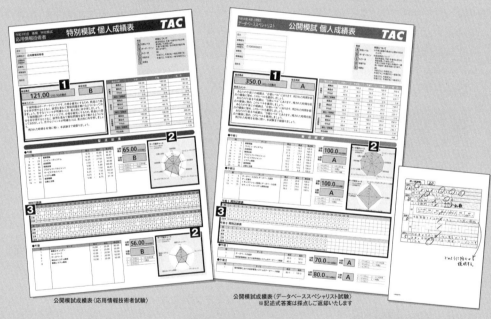

公開模試成績表〈応用情報技術者試験〉

公開模試成績表〈データベーススペシャリスト試験〉
※記述式答案は採点しご返却いたします

1 総合判定

「現時点での実力が受験者の中でどの位置になるのか」を判定します。

2 得点チャート

分野別の得点を一目でわかるようにチャートで表示。得意分野と不得意分野が明確に把握できます。

3 問別正答率

設問毎に受験生全体の正答率を表示。自分の解答を照らし合わせることで弱点分野が明確になります。

Web模試解説　公開模試は受験するだけでなく、しっかり復習することが重要です。公開模試受験者に大好評の「Web模試解説」を復習にご活用ください。

詳細は　2025年1月完成予定の**案内書**でご確認ください。詳しい案内書の請求は➡

[通話無料] **0120-509-117** ゴウカク イイナ
[受付時間]平日・土日祝 10:00〜17:00

■TACホームページからも資料請求できます
TAC〔検索〕
https://www.tac-school.co.jp

TAC出版 書籍のご案内

TAC出版では、資格の学校TAC各講座の定評ある執筆陣による資格試験の参考書をはじめ、資格取得者の開業法や仕事術、実務書、ビジネス書、一般書などを発行しています!

TAC出版の書籍
*一部書籍は、早稲田経営出版のブランドにて刊行しております。

資格・検定試験の受験対策書籍

- ✪日商簿記検定
- ✪建設業経理士
- ✪全経簿記上級
- ✪税 理 士
- ✪公認会計士
- ✪社会保険労務士
- ✪中小企業診断士
- ✪証券アナリスト

- ✪ファイナンシャルプランナー(FP)
- ✪証券外務員
- ✪貸金業務取扱主任者
- ✪不動産鑑定士
- ✪宅地建物取引士
- ✪賃貸不動産経営管理士
- ✪マンション管理士
- ✪管理業務主任者

- ✪司法書士
- ✪行政書士
- ✪司法試験
- ✪弁理士
- ✪公務員試験(大卒程度・高卒者)
- ✪情報処理試験
- ✪介護福祉士
- ✪ケアマネジャー
- ✪電験三種　ほか

実務書・ビジネス書

- ✪会計実務、税法、税務、経理
- ✪総務、労務、人事
- ✪ビジネススキル、マナー、就職、自己啓発
- ✪資格取得者の開業法、仕事術、営業術

一般書・エンタメ書

- ✪ファッション
- ✪エッセイ、レシピ
- ✪スポーツ
- ✪旅行ガイド (おとな旅プレミアム/旅コン)

TAC出版

(2024年2月現在)

書籍のご購入は

1 全国の書店、大学生協、ネット書店で

2 TAC各校の書籍コーナーで

資格の学校TACの校舎は全国に展開！
校舎のご確認はホームページにて

資格の学校TAC ホームページ
https://www.tac-school.co.jp

3 TAC出版書籍販売サイトで

CYBER TAC出版書籍販売サイト
BOOK STORE

24時間
ご注文
受付中

| TAC 出版 | で | 検索 |

https://bookstore.tac-school.co.jp/

新刊情報を
いち早くチェック！

たっぷり読める
立ち読み機能

学習お役立ちの
特設ページも充実！

TAC出版書籍販売サイト「サイバーブックストア」では、TAC出版および早稲田経営出版から刊行されている、すべての最新書籍をお取り扱いしています。

また、会員登録（無料）をしていただくことで、会員様限定キャンペーンのほか、送料無料サービス、メールマガジン配信サービス、マイページのご利用など、うれしい特典がたくさん受けられます。

サイバーブックストア会員は、特典がいっぱい！ (一部抜粋)

通常、1万円（税込）未満のご注文につきましては、送料・手数料として500円（全国一律・税込）頂戴しておりますが、1冊から無料となります。

専用の「マイページ」は、「購入履歴・配送状況の確認」のほか、「ほしいものリスト」や「マイフォルダ」など、便利な機能が満載です。

メールマガジンでは、キャンペーンやおすすめ書籍、新刊情報のほか、「電子ブック版 TACNEWS（ダイジェスト版）」をお届けします。

書籍の発売を、販売開始当日にメールにてお知らせします。これなら買い忘れの心配もありません。

書籍の正誤に関するご確認とお問合せについて

書籍の記載内容に誤りではないかと思われる箇所がございましたら、以下の手順にてご確認とお問合せをしてくださいますよう、お願い申し上げます。

なお、正誤のお問合せ以外の**書籍内容に関する解説および受験指導などは、一切行っておりません。**
そのようなお問合せにつきましては、お答えいたしかねますので、あらかじめご了承ください。

1 「Cyber Book Store」にて正誤表を確認する

TAC出版書籍販売サイト「Cyber Book Store」の
トップページ内「正誤表」コーナーにて、正誤表をご確認ください。

CYBER TAC出版書籍販売サイト
BOOK STORE

URL：https://bookstore.tac-school.co.jp/

2 1 の正誤表がない、あるいは正誤表に該当箇所の記載がない ⇒ 下記①、②のどちらかの方法で文書にて問合せをする

★ご注意ください★

お電話でのお問合せは、お受けいたしません。
①、②のどちらの方法でも、お問合せの際には、「お名前」とともに、
「対象の書籍名（○級・第○回対策も含む）およびその版数（第○版・○○年度版など）」
「お問合せ該当箇所の頁数と行数」
「誤りと思われる記載」
「正しいとお考えになる記載とその根拠」
を明記してください。
なお、回答までに１週間前後を要する場合もございます。あらかじめご了承ください。

① ウェブページ「Cyber Book Store」内の「お問合せフォーム」より問合せをする

【お問合せフォームアドレス】

https://bookstore.tac-school.co.jp/inquiry/

② メールにより問合せをする

【メール宛先　TAC出版】

syuppan-h@tac-school.co.jp

※土日祝日はお問合せ対応をおこなっておりません。
※正誤のお問合せ対応は、該当書籍の改訂版刊行月末日までといたします。

乱丁・落丁による交換は、該当書籍の改訂版刊行月末日までといたします。なお、書籍の在庫状況等により、お受けできない場合もございます。
また、各種本試験の実施の延期、中止を理由とした本書の返品はお受けいたしません。返金もいたしかねますので、あらかじめご了承くださいますようお願い申し上げます。

（2022年7月現在）